In volle vaart

Van dezelfde auteur:

Een huis vol geheimen
Voorbij de droom
De kracht van vriendschap
Alle sterren van de hemel
Ierse honing
De foute prins

VICTORIA CLAYTON

In volle vaart

the house of books

Oorsponkelijke titel
Stormy Weather

Vertaling
Cherie van Gelder
Omslagontwerp
marliesvisser.nl
Omslagillustratie
Sandra Leidholdt / Getty Images
Foto auteur
Jerry Bauer
Opmaak binnenwerk
ZetSpiegel, Best

ISBN 978 90 443 3997 0
ISBN 978 90 443 3998 7 (e-book)
NUR 302
D/2013/8899/48

www.thehouseofbooks.com
www.victoriaclayton.co.uk

Voor Finlay

1

Op mijn toilettafel stond tussen alle parfumflesjes en andere schoonheidsmiddeltjes een kartonnen doosje met nog één uitnodiging:

Lord en Lady Castor hebben het genoegen
u uit te nodigen voor het huwelijk van hun dochter
Artemis
met de heer Harry Tremaine
in St. Clements, Brentwell
op zaterdag 1 april 1983 om 11.00 uur.
De receptie vindt aansluitend plaats op Brentwell Hall.

Er stond een vieze duimafdruk op. De mijne. Ik had eigenhandig alle tweehonderd bruiloftsgasten uitgenodigd. Alles moest halsoverkop gebeuren, want het huwelijk zou al zes weken na het versturen van de uitnodigingen plaatsvinden, maar Harry's enthousiasme was aanstekelijk geweest. Waarschijnlijk tot ontzetting van een aantal genodigden had ik niet voor het duurste kaartje gekozen, maar toen ik ze bestelde, stond ik al bijna zevenhonderd pond rood.

Ik pakte de bloemenkrans die ik net had gemaakt en zette die zorgvuldig op mijn hoofd. Zoals gewoonlijk was het eerste wat ik zag het twee centimeter lange litteken op mijn bovenlip, maar ik had mezelf in de meer dan twintig jaar die achter me lagen geleerd daar niet op te letten. Door de met vleugjes groen gesierde helleborussen die ik tussen de klimopranken had gevlochten leken mijn lichtbruine ogen groen. De bloemen zouden vrij snel verwelken, maar misschien hielden ze het tot na de lunch uit. Mijn gezicht leek ook een tikje groen. Ik wist niet of dat aan de verweerde spiegel lag of aan mijn zenuwen. Op wat de gelukkigste dag van mijn leven moest worden had ik hoofdpijn en last van mijn maag. En ik was zo moe dat ik het liefst mijn hoofd tussen alle rommel op de toilettafel had gelegd om gewoon in slaap te vallen. Misschien had een mens toch een goede nachtrust nodig om zich door en door gelukkig te voelen.

Ik hoorde voetstappen op de overloop.

'Art?' Birdie Blashfern, mijn beste vriendin vanaf mijn dertiende, stak haar hoofd om de deur. 'Ben je bijna klaar?' Ze kwam binnen in een gladde zwarte jurk die bij haar olijfkleurige huid en haar aristocratische trekken paste. Om haar hals zat een snoer van gigantische robijnen. 'Sta op en laat me eens kijken,' zei ze.

Ze gaf me een arm en samen bewonderden we mijn jurk in de spiegel. Het kant van de bovenlaag had tientallen jaren in een kist op een van de zolderkamers van Brentwell Hall gelegen. Birdie, die twee jaar op de modevakschool had gezeten en wist waarover ze sprak, zei dat het een schitterende kwaliteit *gros point de Venise* was. Het materiaal was in de loop der jaren vergeeld, maar uit praktische overwegingen hadden we besloten dat die kleur origineler was dan wit. In een andere koffer zat een taffeta avondmantel van Dior, die Birdie had vermaakt tot een enkellange rechte onderjurk met een diepe hals en kopmouwtjes, simpel maar beeldschoon. De bruidssluier van mijn grootmoeder bleek aangevreten door muizen, dus ik had geen sluier. De satijnen schoentjes die ik erbij droeg, waren van mijn stiefmoeder en praktisch nieuw.

'Wat staan die helleborussen mooi bij je bronskleurige haar,' zei Birdie. 'Het kleurenschema is gewoon volmaakt. Als je nagaat dat we alles in elkaar hebben gesleuteld voor de prijs van een paar klosjes garen en wat bloembinddraad, mogen we best trots zijn.'

‘Het is de mooiste jurk van de wereld en je bent een schat dat je die voor mij hebt gemaakt.’ Ik kuste haar wang. ‘Hoe laat lag je in bed?’

‘Halfvier. Ik heb het gevoel alsof er een eind is gekomen aan een woeste liefdesrelatie tussen mij en dat kant.’ Ze zuchtte. ‘Maar goed, je beste vriendin gaat niet iedere dag trouwen.’

‘Het zal voor ons geen enkel verschil maken,’ zei ik.

‘Natuurlijk wel. Maar het zat er dik in dat een van ons beiden op een dag tegen de man aan zou lopen voor wie we onze vrijheid wilden opgeven.’

‘Ik heb het nooit als een opoffering beschouwd. Ik heb Harry’s aanzoek aangenomen...’ Ik aarzelde even omdat ik zowel tegenover mezelf als tegenover Birdie eerlijk wilde zijn. ‘... omdat hij smeekte en omdat ik hem niet kan weerstaan. Maar toch denk ik niet dat ik iets doms of verkeerds zou doen alleen omdat hij het vroeg. Ik denk – ik hoop – dat ik nog steeds in staat ben om zelf een oordeel te vellen.’

‘O ja, daar durf ik wel geld op in te zetten. Ik ken niemand die zo gewetensvol is.’

Dat klonk me niet echt leuk in de oren, alsof ik me slaafs aan de regels van andere mensen hield. Maar ik moest mijn lange tenen intrekken. We waren op van de zenuwen. Ik was zelf pas om halfdrie naar bed gegaan, omdat ik de boeketjes van de bruidsmeisjes had moeten maken. De afgelopen week was ik voor dag en dauw opgestaan en pas na middernacht naar bed gegaan. Als ik Harry moest bewijzen dat ik van hem hield, dan kon ik daar deze bruiloft voor gebruiken.

Birdie geeuwde achter haar hand. Ze had blauwpaarse kringen onder haar ogen.

‘Waarom ga je niet een weekje mee naar Cornwall?’ vroeg ik. ‘Dat zou je goed doen. Je hebt zo hard gewerkt en ik ben je intens dankbaar.’

‘Met een stel dat op huwelijksreis is? Bedankt, ik ga net zo lief bij Julia op het balkon staan. Je bent zeker Romeo vergeten. Die heeft geen vijfde rad aan de wagen nodig.’

‘Ik weet zeker dat Harry het leuk zou vinden. En trouwens,

we zijn toch niet alleen. Harry's boze oom Jago zit ook in dat huis.'

'Ik wil niet vervelend zijn, maar is het niet een beetje raar om je huwelijksreis bij een oom door te brengen? En waar heeft hij die bijnaam aan verdiend?'

'Geen idee. Harry zei dat het een lang verhaal was en dat het niet aan hem was om mij dat te vertellen. Maar ik kon wel merken dat hij dolgraag naar Pentrew wilde. Zijn familie heeft daar al sinds de zestiende eeuw gewoond. Het is eigenlijk een boerderij, dus het zou niet alleen onpraktisch maar ook heel onbeleefd zijn om zijn oom te vragen twee weken lang te verdwijnen. Daarom komt hij ook niet naar de bruiloft. Hij moet de koeien melken. Zalig romantisch, toch? Ik ben allang blij dat we niet naar een of ander duur hotel gaan, want dan had ik een boel nieuwe kleren moeten kopen.'

'Harry zou het toch niet erg vinden om wat geld te dokken om het naakte lijf van zijn vrouw te bedekken?'

'Nee, natuurlijk niet. Hij is echt ongelooflijk gul.' Mijn rechterhand ging automatisch naar de enorme, vierkante smaragd in mijn verlovingsring. 'Ik had hem best om geld kunnen vragen, maar ik zou het vreselijk vinden als hij dacht dat het voor mij iets uitmaakt dat hij rijk is. Want dat is niet zo.' Dat was waar, al was het natuurlijk een fijn gevoel dat ik me niet langer druk hoefde te maken over geld. 'We praten niet over dat soort dingen, maar hij weet dat ik geen cent te makken heb. Dat was toevallig bijna het eerste wat ik hem vertelde en hij is te welopgevoed om er weer over te beginnen.'

'Laten we dan maar hopen dat het hem er niet van weerhoudt een paar rekeningen te betalen.'

Ik keek Birdie vragend aan.

'Rijke mannen kunnen ook heel gierig zijn, hoor,' zei ze. Het klonk iets milder.

'Als je bedoelt dat Harry eigenlijk ook een deel van de bruiloft had moeten betalen... Dat heeft hij aangeboden, maar ik heb het afgeslagen.'

Birdie keek me ongelovig aan. 'Waarom in vredesnaam?'

‘Te trots, denk ik.’

In feite had ik willen voorkomen dat wijd en zijd bekend zou worden dat mijn vader een onhandige armoedzaaier was, tot over zijn oren in de schulden. Belachelijk, want pa trok zich absoluut niets aan van wat andere mensen dachten. Hij wist niets van geld, alleen dat het hem ongelukkig maakte, vandaar dat hij er zo min mogelijk aan dacht. Misschien bewees ik Harry een slechte dienst met mijn vrees dat hij alleen maar minachting zou hebben voor mijn vaders gebrek aan zakeninstinct omdat hij zelf zo succesvol was, maar het instinct om pa in bescherming te nemen was diepgeworteld en irrationeel.

Birdie kneep in mijn arm. ‘Nou ja, lieverd, als jij maar gelukkig bent...’

‘Ik zat me net af te vragen of ik me eigenlijk wel gelukkig voelde. Ik kwam tot de conclusie dat ik te moe was om gelukkig te zijn, maar als alles voorbij is...’

‘Art, heb je even?’ Mijn stiefmoeder, Hermione, kwam binnenlopen. ‘Goedemorgen, Birdie. Wat vinden jullie ervan?’ Ze maakte een pirouette zodat wij haar konden bewonderen. Ze droeg een knaloranje jas van shantung en een enorme zwarte hoed waar een paar pijlen doorheen staken. Ze zag er zoals gewoonlijk geweldig uit. Maar dat was logisch, want ze was dag in dag uit alleen bezig met kleren kopen, bezoekjes aan de schoonheidssalon of languit op de bank liggen met avocadomoes of plakjes komkommer op haar gezicht.

‘Schitterend!’ zei ik. ‘Die kleur staat je fantastisch.’

‘Is mijn lipstick niet te bruin?’

Ze bracht haar gezicht vlak bij het mijne zodat ik haar mond kon inspecteren. Hermione was halverwege de vijftig, maar er was nog geen rimpeltje te bekennen. Ze glimlachte zelden en fronste nooit. ’s Nachts plakte ze een kruis van leukoplast op haar voorhoofd om te voorkomen dat ze in haar slaap zou fronsen. Ze had mooie, karamelkleurige ogen en in haar bruine haar zaten lichtere strepen.

‘Je ziet er heel mooi uit,’ zei Birdie, een tikje afkeurend.

‘Geweldig!’ zei ik. ‘En die schoenen zijn zo elegant!’

Hermione keek omlaag. 'Ze zitten ongelooflijk strak, maar ik hoef toch nauwelijks te lopen. Zorg alsjeblieft dat je niet te laat in de kerk bent. Die banken zijn veel te hard en ik haat orgelmuziek.'

'Komt in orde.'

'Goed. Je gaat toch wel precies om twee uur weg? Want dan zijn we vast allemaal op elkaar uitgekeken.'

'Dat is wel de bedoeling.'

'Tot straks.' Hermione ging ervandoor.

'Nou ja!' zei Birdie verontwaardigd. 'Ze heeft niet eens naar je gekeken! Ik zit niet te wachten op schouderklopjes voor die jurk, maar je ziet er beeldschoon uit!'

'Bedankt,' lachte ik. 'Trek het je niet aan. Als stiefmoeder heeft Hermione zoveel voordelen dat ik geen moeite heb met die egocentrische houding.'

'Er zijn mensen die het verregaand narcisme zouden noemen. Welke voordelen?'

'O, ze bemoeit zich nergens mee en je weet dat ik graag mijn zin doorzet. En ze is recht door zee – ze mokt nooit en doet ook niet alsof. Bovendien ben ik dol op mijn vader, maar je zult moeten toegeven dat er niet veel vrouwen zijn die het bij hem uithouden. Hij wil alleen maar rustig in zijn bibliotheek zitten, terwijl andere mensen de vervelende dagelijkse klusjes opknappen. En tijdens het avondeten kijkt hij graag naar een mooie vrouw.'

'Hm,' zei Birdie instemmend. Ze had vaak genoeg op Brentwell Hall gelogeerd als haar ouders in het buitenland zaten. Haar vader en de mijne waren van hetzelfde laken een pak. Gepensioneerd marineofficier Blashfern was een ontdekkingsreiziger die alleen gelukkig was als hij ver van huis in een of andere van muskieten vergeven kreek vol riet met kaarten zat te stoeien terwijl Birdies moeder zich in het zweet peddelde. 'Ik geef toe dat ze niet lastig is. Maar wat heeft ze ooit voor jou gedaan, behalve dat ze je je gang liet gaan? Of voor Percy? Waar zit Percy trouwens?'

'Die is zich aan het aankleden, met hulp van Janet.' Ik wierp voor de honderdste keer die ochtend een blik op de lijst met dingen die nog gedaan moesten worden. 'Ik moet niet vergeten om tegen Stanley te zeggen dat de man die het ijs brengt een fooi moet hebben.' Ik maakte een aantekening. 'Wat Hermione voor mij gedaan heeft? Nou, een heleboel. Ze heeft pa gelukkig gemaakt. En ze heeft de opvoeding van Percy volkomen aan Janet en mij overgelaten en daar zal ik haar eeuwig dankbaar voor zijn.'

Mijn eigen moeder was vanaf mijn geboorte ziekelijk geweest. Ik had al op jonge leeftijd van mevrouw Smiley, een stuk chagrijn dat voor geen meter kon koken, te horen gekregen dat ik haar bijna het leven had gekost. Mijn moeder, bedoel ik. Ik zie mammie – zo denk ik nog steeds aan haar – nog altijd voor me als een stille figuur op de bank in de zitkamer, een fragiel wezentje met blauwe lippen in snoezige nachtponnetjes. Als ik haar welterusten kuste, legde ik alleen even voorzichtig mijn wang tegen de hare en ik sprak altijd op een fluistertoontje. Ik was dol geweest op haar lieve, hijgerige stemmetje, haar fijne, koperkleurige haar en haar dunne witte polsjes. Van praten werd mijn moeder moe, dus viel ik haar zelden lastig. Mijn vader was al net zo ongezellig, dus iedere avond konden ze elkaar in stilte bewonderen, want ze zagen er allebei even goed uit. Dankzij mevrouw Smiley in de keuken, mevrouw Trunk die schoonmaakte, Cyriel die in de tuin werkte en Stanley die de antieke Lagonda onderhield en ons rondreed, liep het huishouden in Brentwell Hall, ondanks de verarmde, op instorten staande muren, op rolletjes.

Uit het voorgaande zou je misschien kunnen opmaken dat ik een eenzame en misschien zelfs wel trieste jeugd achter de rug had, maar die jeugd staat als idyllisch in mijn geheugen geprent. Bij het landgoed hoorde ook een boerderij, die verpacht was. Dat betekende dat mijn vader zich daar nooit druk over hoefde te maken. In feite kwam hij zelden van het terras af. Maar ik dwaalde rond over al die geërfde hectares en was bevriend met zowel de kinderen van de arbeiders op het landgoed als die van de dorpsschool. En tot mijn negende woonde er nog iemand bij ons die voor mij een onophoudelijke bron van plezier was.

Oma, de moeder van mijn vader, bleef na het huwelijk van

mijn ouders op de Hall wonen, aangezien haar huis was verkocht om de successierechten te betalen. Ze had een slaapkamer, badkamer en zitkamer op de eerste verdieping, die ze had opgevrolijkt met bloemen, chintz en de mooiste dingen die ze mee kon smokkelen als er weer eens kostbaarheden verzameld moesten worden om geveild te worden. Ze was al bijna zeventig toen ik geboren werd, maar ze was nog steeds een mooie vrouw met een vrijwel rimpelloze huid. Dat die zo zacht en zo blank was gebleven, lag volgens haar aan het feit dat ze elke dag voor het ontbijt een dauwbad nam. Dan ging ze de tuin in, trok haar kleren uit en ging eerst wijdbeens op haar buik in het kletsnatte gras liggen om zich vervolgens op haar rug te draaien. Dat deed ze in alle weersomstandigheden, behalve als een laag sneeuw de voedende eigenschappen van de dauw verborgen hield.

Ze vertelde me vaak dat toen ze nog een meisje was alle jongemannen uit de buurt, en ook de wat minder jonge, in bomen klommen of door de heg gluurden om een glimp op te vangen van de capriolen van die blote, slanke godin met het kastanjebruine haar dat over haar rug golfde.

Oma hield van schoonheid in al haar vormen, maar vooral van die van de natuur. Ze zei altijd dat als ik me ooit verdrietig voelde ik alleen maar naar buiten hoefde te gaan om troost te vinden, want dan zou ik vast wel iets moois te zien krijgen waarvan mijn hart opsprong. En dat bleek doorgaans nog waar te zijn ook.

Een van oma's grondregels was dat iedereen de plicht had om vrolijk te zijn. Mokken en elke vorm van melancholie waren gewoon egoïstisch. Daardoor zouden andere mensen alleen maar gedeprimeerd raken en zich verplicht voelen om jou weer op te monteren, terwijl ze waarschijnlijk veel leukere dingen te doen hadden. Ze gaf toe dat alles er na de dood van haar aanbeden man, mijn grootvader, een tikje somber had uitgezien, maar toen ze overstelpt werd door verdriet had ze zich teruggetrokken op een geheim plekje en daar net zolang gehuild tot ze de moed weer kon opbrengen om in gezelschap een vrolijk gezicht te trekken.

En geleidelijk aan begon ze weer vreugde te scheppen in de

dingen waaraan ze daarvoor zoveel plezier had beleefd: bloemen, dieren, muziek, kleren, eten, drinken en het verwennen van zichzelf en de mensen van wie ze hield met kleine presentjes. Dat gold met name voor de laatste twee genoegens; het verwennen en de drank. Als ik een busje van de posterijen op de oprit zag, rende ik ernaartoe om te zien wat het bracht. Dat kon van alles zijn, heerlijke kreeft van Harrods, een mand met levende duiven of potten met sinaasappelboompjes, vol geurende bloesems. Op een van mijn verjaardagen was het een pony geweest, een appelschimmel die Charity heette. Charity werd natuurlijk niet door de posterijen afgeleverd, maar versierd met felgekleurde lintjes de oprit op geleid door Stanley.

Oma hield hardnekkig vast aan haar regel van onverzettelijke vrolijkheid en daaruit bleek hoeveel wilskracht ze had, want mijn ouders waren geen van beiden jolige types en pa straalde ook niet bepaald van blijdschap als hij de cheques voor oma's kleine verwennerijtjes moest tekenen. Maar natuurlijk kreeg oma het steeds moeilijker naarmate ze ouder werd – ze werd doof en kreeg last van artritis (misschien lag dat wel aan die dauwbaden) – en ze ging steeds meer drinken. Ze deed altijd *Mitsouko* van Guerlain in haar gin, wat betekende dat ze altijd zalig rook, en het hield haar op de been. Het was een ontzettende schok toen ik op een dag van school kwam en van mijn moeder te horen kreeg dat opa was langsgekomen om oma te leren hoe ze met haar nieuwe vleugels moest omgaan.

'Maar opa is al vijftien jaar dood,' protesteerde ik. 'Hoe kan hij nou...' En toen drong de afschuwelijke waarheid ineens tot me door. 'Dat betekent toch niet...' De tranen sprongen me in de ogen.

'Kom, kom,' zei mijn moeder vermoeid. 'Het is een zware dag geweest en je weet dat oma vond dat je nooit verdrietig moet zijn.'

Ik ging naar mijn kamer en probeerde haar eigen recept toe te passen. De eerste paar weken na de dood van oma voelde ik me alsof ik een vreselijke ziekte onder de leden had. Alles deed pijn, ik had zelfs steken in mijn ogen. Charity was mijn enige vertrouweling en zij was altijd geduldig en schonk me troost als ik met mijn gezicht in haar manen stond uit te huilen. Het duurde een hele tijd voordat ik weer echt gelukkig kon zijn, maar ik putte moed uit het feit dat ik niemand met mijn verdriet had lastiggevallen. Later vertelde Stanley me dat oma op die vreselijke dag haar raam wijd open had gegooid om te genieten van de heerlijke ochtendlucht, naar buiten was gevallen en op het terras beneden haar nek had gebroken. Voordat ze iets had beseft was het al voorbij en haar laatste gedachten waren feestelijk geweest. Dat was ook een hele troost voor mij.

Op mijn dertiende moest ik naar kostschool. Ik miste Charity ontzettend en in het begin had ik moeite met het feit dat ik een van de velen was, omdat thuis altijd alles om mij draaide. De andere meisjes waren bezeten van kleren, filmsterren en popmuziek. Ik had nog nooit van hotpants of Rod Stewart gehoord en thuis liep ik altijd in dunne bloesjes en rijbroeken. En ik was pas twee keer van mijn leven naar de bioscoop geweest. Ik verborg mijn verlegenheid en mijn onwetendheid achter een afschrikwekkende, hautaine houding en meed de andere meisjes zoveel mogelijk.

Gelukkig voelde Birdie, die haar jeugd had doorgebracht in tenten van toekotoekohuid in Tierra del Fuego of op drijvende rietmatten bij de Madan-Arabieren, zich ook helemaal niet thuis en vanaf de eerste dag voelden we ons tot elkaar aangetrokken. In de herfstvakantie kwam ze meteen bij ons op Brentwell logeren. Terug op school bouwden we een geheim onderkomen in het oude sportgebouw, waar we ons verstopten voor het gekletter van hockeysticks, het gerinkel van bellen en het gedender van een kudde meiden op voorgeschreven veterschoenen, om (slechte) gedichten te schrijven, (nog slechtere) tekeningen te maken en te dromen van Omar Sharif die ons vol lust overweldigde. Maar we beschouwden onszelf als kunstminnaars, ver verheven boven die gewone meisjes en we waren zo gelukkig als het verlangen naar huis en pony ons toestond.

Het was een hele schok toen ik op de eerste dag van de kerstvakantie van mevrouw Smiley te horen kreeg dat er in maart een zusje of een broertje geboren zou worden. Het leek mij (al durfde ik dat niet hardop te zeggen) geen goed idee, gezien de zwakke gezondheid van mijn moeder. Onze huisarts kwam om de haverklap opdraven en er werden allerlei voorzorgsmaatregelen genomen, zoals speciaal voedsel, specifieke lichaamsbeweging, massage, rust en pillen, maar tevergeefs. Een halfuur nadat Percy op een winderige middag ter wereld kwam, liet mammie het leven.

Mijn vader liet me naar de zitkamer komen en gooide het afschuwelijke nieuws eruit. We zaten samen op de bank waarop ze nog maar zo kort geleden had gelegen. Ik kon me niet herinneren dat ik die ooit op dit uur leeg had gezien. Mijn vader maakte een kreunend geluid, legde zijn bevende hand op de mijne en sloeg die vervolgens voor zijn gezicht. Ik slikte mijn tranen weg tot mijn borst leek te barsten. Het was een hele opluchting toen hij terugging naar zijn bibliotheek. Ik rende naar buiten, klom op Charity's kale rug en lag met mijn gezicht in haar manen te snikken tot mijn ribben pijn deden.

Een uur vol doffe ellende ging voorbij, voordat ik weer aan de baby dacht. In de kinderkamer werd ik een beetje zenuwachtig begroet door het nieuwe kindermeisje, dat Janet heette. Ik moet er afschuwelijk uit hebben gezien met mijn natte haar dat rond mijn rode gezicht sliertte en ogen die dik waren van het huilen.

'Kom eens, juffrouw Artemis.' Ze wenkte me naar het wiegje. 'Het is zo'n schatje.' Het gezicht van de baby stak rozig af tegen het witte geborduurde lakentje. Het kind had koperkleurige fijne haartjes in dezelfde kleur als mammie, een breed stomp neusje en lipjes die net als bij een kat in de mondhoeken omhoogkrulden. Janets ogen werden vochtig. 'Arm moederloos wicht.'

Ik verstijfde, want ik was net veertien geworden en vond dat ik al bijna volwassen was. Toen besefte ik dat ze de baby bedoelde. Het was nog niet tot me doorgedrongen dat we allebei het slachtoffer van de omstandigheden waren. Het kleine gezichtje rimpelde en er klonk een kreetje.

'Heeft mijn kleine schattebout honger?' vroeg Janet. 'Ik ga wel een flesje halen.' Ze aarzelde. 'U zult toch wel lief zijn voor dat arme kind, juffrouw Artemis? Ik weet dat u een zwaar verlies hebt geleden, maar daar kan de baby niets aan doen.'

Mijn gezicht werd rood van verontwaardiging. 'Nee, natúúrlijk niet! Ik pas wel op terwijl jij iets te eten haalt.'

Zodra Janet de kamer uit was, streelde ik de wang van de baby en tot mijn verbazing keek het kind me meteen aan. Toen ik een handje oppakte, sloten kleine garnalenvingertjes zich vastbesloten om een van de mijne. Leigrijze ogen keken me aan alsof ze wisten wie ik was. 'Ik ken jou,' schenen ze te zeggen. 'Jij bent mijn zus en we zijn op elkaar aangewezen.' Vanaf dat moment was ik Percy's slaaf.

Toen Hermione een jaar later in ons leven kwam, was mijn eerste gedachte dat zij zich over Percy zou willen ontfermen. De kennismaking gaf meer dan genoeg aanleiding om slecht van start te gaan. Mijn vader had Hermione meegenomen naar de zitkamer, strak naar een schemerlamp gekeken en met vochtige ogen – een onmiskenbare aanwijzing dat hij ontroerd was – geblaft: 'Dit is mijn dochter Artemis.' Meteen daarna had hij zich teruggetrokken in zijn bibliotheek en het aan Hermione overgelaten zichzelf voor te stellen.

'Aangenaam kennis te maken.' Ze had mijn ijskoude vingers (de verwarming deed het al maanden niet meer) gepakt en ze plechtig geschud. 'Ik ben Hermione Worth. Dat was ik tenminste tot een paar uur geleden. Je vader en ik zijn vanmorgen getrouwd.'

Het kwam zo onverwachts, dat ik tegelijkertijd warme en koude rillingen kreeg. Ik snakte naar adem.

'Nee!' kon ik nog net uitbrengen.

'Ja hoor. We zijn op de burgerlijke stand in Ipswich getrouwd.'

'Maar... dat kan niet. Hij is met mijn moeder getrouwd.' Ik besefte meteen dat ik een denkfout maakte. 'Ik bedoel...' Ik fronste om het verbijsterende nieuwtje van Hermione te verwerken.

Iedere dag liep mijn vader naar de hoek van de begraafplaats (gelukkig op hooguit een steenworp afstand van ons huis) waar hij naast het graf van mijn moeder zijn tranen de vrije loop liet, een zwijgend bewijs van trouw aan de enige persoon die zijn leven draaglijk had gemaakt. Mammies kamer was nog precies zo als toen ze in leven was en een paar weken geleden had mijn vader nog een huilbui gehad toen hij een foto van mammie vond die ik in een la had verstopt. 'Ik dacht dat hij verdriet om haar had.'

'Ja, natuurlijk.' Met de teen van haar krokodillenleren schoen verkende Hermione de omgekrulde rand van een gat in het vloerkleed. 'Maar als je iets ouder wordt, zul je er vanzelf achter komen dat vrijwel niemand trouw en toewijding en dat soort dingen belangrijker vindt dan zijn eigen welzijn. Zo is de mens nu eenmaal en het heeft geen zin om je daar zorgen over te maken.'

Ik was ervan overtuigd geweest dat mijn vader en ik nog steeds eensgezind aanbaden wat we hadden verloren. Ik voelde me in de steek gelaten, teleurgesteld en gekwetst uit naam van mijn moeder.

Hermione begreep precies wat ik dacht. 'Je hoeft niet bang te zijn dat ik zal proberen haar plaats in te nemen. Dat wil ik ook helemaal niet. Bovendien is het onzin om te denken dat je moeder het erg zou vinden dat hij met mij getrouwd is. Als er écht een leven na de dood is, wat ik betwijfel, dan is ze nu in de hemel en veel te gelukkig en te braaf om jaloers te zijn. En als dat niet zo is, weet ze van niets.'

Dat was de eerste keer dat een volwassene zonder omhaal had gezegd dat de kans bestond dat mammie niet bij al die andere engelen in de hemel was en toen ik over de eerste schok heen was, bleek dat een enorme opluchting. Sinds haar dood had iedereen volgehouden dat ze dag en nacht over me waakte en dat had ik een benauwend idee gevonden. Mijn schuldbewustzijn was een zware last geweest.

'Ik denk echt dat je vader en ik het heel goed samen zullen kunnen vinden.' Hermione trok haar jas uit en legde die voorzichtig over de leuning van de bank waarop mijn moeder altijd had gelegen. 'Hij heeft iemand nodig met wie hij 's avonds gezellig kan praten. En ik heb een huis nodig. Mijn laatste echtgenoot had twee ex-vrouwen en tegen de tijd dat hij stierf, was er niet veel meer over.' Ze rilde licht. 'Kan er nog wat hout bij?'

Ik zorgde voor het vuur terwijl zij rondkeek in de kamer. 'Ik ben bang dat het er een beetje... sjofel uitziet,' zei ik verontschuldigend, hoewel ik daar niet veel aan kon doen.

'Geeft niet,' zei Hermione. 'Ik ben niet pietluttig.'

Het bleek waar te zijn. Ik hoefde niet bang te zijn dat Hermione zou proberen om de scepter te zwaaien in de kinderkamer. Ze had net zoveel belangstelling voor Percy als voor de plek waar de keuken zich bevond, dat wil zeggen nul komma nul. Aanvankelijk was ik bedacht geweest op kritiek en stelde me een tikje kregel op, maar Hermione liet zich absoluut niet uit haar humeur brengen en hield zich afzijdig van alles en iedereen. Het enige wat haar interesseerde, was haar uiterlijk. Ze gaf niets om haar omgeving en eten interesseerde haar niet. Het inkomen dat meneer Worth haar had nagelaten was voldoende om kleren te kopen, naar de kapper te gaan, haar nagels te laten doen en bezoekjes te brengen aan de schoonheidsspecialiste. Het was duidelijk dat ze alleen maar met mijn vader was getrouwd omdat ze hem graag mocht.

Haar aanwezigheid had een kalmerend effect op mijn vader. Hij begon zich weer aan zijn levenswerk te wijden, het vertalen van de *Ilias* van Homerus in dactylische hexameters, en ging nooit meer naar de begraafplaats. Iedere avond om zes uur dook hij op uit zijn bibliotheek en trof Hermione op de bank aan, meestal slapend. Voor het eten dronken ze een whisky sour en losten dan samen het cryptogram uit *The Times* op. Daarna gingen ze aan tafel en aten in een eensgezinde stilte, die af en toe door een babbeltje onderbroken werd. Onder het genot van een kopje koffie was de een verdiept in Thucydides en de ander in *Vogue.* Omdat ze allebei een hekel hadden aan televisie, werd mammies toestel overgebracht naar de kinderkamer waar het Janet en mij, en later Percy, heel wat plezierige uurtjes bezorgde.

'Ja,' zei ik tegen Birdies kruintje, terwijl ze zich bukte om een loshangend draadje van de zoom van mijn trouwjurk te knippen. 'Het heeft ons allemaal goed gedaan dat Hermione in ons leven kwam.'

Er werd op de deur geklopt. 'Art? Ben je toonbaar?' Dickie

– de Sheridan van Talbot Sheridan & Co., een klein maar vrij succesvol architectenbureau waarvan ik de Co. was – kwam binnen in een wolk van verrukkelijke geuren. 'O lieverd, je ziet er betóverend uit! De mooiste bruid die er ooit is geweest. Ik zou je bijna bij je bruidegom wegkapen. Als je maar niet zo ontzettend slim was. Maar ja...' Hij sloeg zijn ogen neer met een quasi nederig gezicht, 'je zou zo'n stakker als ik nooit een tweede blik waardig gunnen.'

Ik nam hem niet serieus. Dickie sprak en dacht zelfs in de overtreffende trap. Hij zag er bijzonder elegant uit en dat vertelde ik hem ook. 'Echt waar? Ik draag ook nog zo'n snoezig korsetje.' Hij maakte een knoop van zijn overhemd los en toonde een ruitvormig stukje rode zij met zwarte kant. 'Er zitten zelfs bijpassende jarretels bij!'

'Ik heb wel eens gehoord van mannen die het leuk vinden om vrouwenkleren te dragen,' zei Percy die achter hem binnenkwam. 'Volgens Abigail Mullins komt dat omdat ze een hekel aan hun moeder hebben. Er is een speciaal woord voor. Een tra... Ben jij ook zo, Dickie? Mag ik die jarretels zien? Art draagt altijd panty's.'

'Geen denken aan!' Dickie knoopte zijn overhemd weer dicht. 'Ik wil het onschuldige brein van een jong meisje niet bezoedelen. En trouwens, je hoort dat soort geheimen van je zusje niet te verraden.' Hij keek me fronsend aan, met keurig geëpileerde wenkbrauwen. 'Een panty! Wat onaantrekkelijk en tuttig! Daar sta ik echt van te kijken.'

Percy giechelde. 'Het is toch al te laat voor mijn brein. Ik weet alles al – over seks bedoel ik – dat heeft Art me al tijden geleden verteld en Abigail Mullins heeft mijn vriendin Chloë en mij verteld wat homo's met elkaar doen, alleen wilde Chloë dat niet geloven. Zal ik het vertellen? Je zult er echt van staan te kijken...'

'Helemaal niet!' Dickie hield zijn oren dicht. 'Die Abigail Mullins heeft kennelijk ongezond veel belangstelling voor laag-bij-de-grondse zaken. Toen ik zo oud was als jij wist ik helemaal niets van seks. Volgens mij komt het door de televisie. Laat me eens goed naar je kijken, Percy.'

Percy lachte gemaakt en spreidde haar rok. Haar jurk was ijsblauw, lang en met een hoge taille die werd benadrukt door een witte ceintuur. Dickie legde een vinger tegen zijn kin en zei nadenkend: 'Wat een beeldschone jurk. Heel charmant. Net zoals jij, als je tenminste je mond houdt.'

'Vind je dat echt?' Percy keek hem dankbaar aan. Ondanks die malle grijns had ze een snoezig gezichtje dat inderdaad beloofde beeldschoon te worden. 'Jij ziet er ook heel goed uit, Dickie. Maar je bent uitgeschoten met je lipstick.'

Dickie liep haastig naar mijn toilettafel. 'Je hebt gelijk. Bedankt dat je me gewaarschuwd hebt, kleine meid.' Hij greep een papieren zakdoekje en depte zijn mond. Toen keek hij mij weer aan. 'Zou jij alsjeblieft mijn das willen strikken, lieverd? Ik heb mijn nagelriemen ingesmeerd met amandelmelk en ik wil er geen vetvlekken op maken.'

Ik schudde mijn hoofd. 'Mijn nagels zijn nog maar net droog. Ik zou gek worden als ik die nu beschadigde.'

'Gek is nog maar zwak uitgedrukt. Die das heeft een weekloon gekost.'

'Laat mij dat maar doen.' Ik zag tot mijn genoegen dat Birdie haar lachen inhield. Hoewel ik dit duo als mijn twee beste vrienden beschouwde – afgezien van Harry, natuurlijk – hoorden ze bij verschillende delen van mijn leven, dus ze zagen elkaar niet vaak genoeg om echt een band te krijgen. Birdie wantrouwde Dickies onmiskenbare charme en zei dat hij een exhibitionist was en hij had niet door hoe verlegen zij was en vond haar hooghartig. De waarheid was dat ze allebei hartelijk en gul waren en ik wenste dat ze daar zelf ook achter zouden komen.

'Als Birdie er niet was geweest zou er helemaal geen bruiloft zijn,' zei ik. 'Ze heeft niet alleen mijn jurk en die van de bruidsmeisjes gemaakt, maar ze heeft me ook geholpen om een volkomen verwaarloosde tuin om te toveren in een verrukkelijke bloemenzee... als je tenminste niet op de details let.'

'Kin omhoog,' zei Birdie tegen Dickie. 'Zo... dat zit wel goed. Wat heb je in je haar gedaan? Het ruikt lekker.'

Dickie draaide zich om en bewonderde zichzelf van alle kanten in de spiegel op de garderobekast. 'Het heet *Souffle de Lilas* en het zou je haar glanzend als ravenvleugels moeten maken.'

'Het ziet er prachtig uit,' zei ik afwezig terwijl ik mijn lijst nog eens doorkeek. 'Zouden de kelners er al zijn? Iemand moet hun de voorraadkast en de bijkeuken laten zien. Ik moet ze ook nog vertellen dat ze ijsblokjes in de gazpacho moeten doen... O, Janet, goddank! Wat zie je er mooi uit! Die jurk staat je geweldig. Heeft iemand de eieren voor de soep al gepeld?'

'Dat heb ik vanmorgen vroeg gedaan.' Janets zachte bruine ogen waren groot van spanning en opwinding. 'En ik heb de paprika's en de komkommers ook al fijngesneden. Art, wat moet ik beginnen met de gasten die te vroeg zijn gekomen? Ik heb ze iets te drinken gegeven, maar nu lopen ze er buiten op het gazon een beetje verloren bij. Meneer de baron zit in de bibliotheek en Lady Castor ligt te rusten in haar kamer.'

'O lieve hemel. Ik kan maar beter met ze gaan praten...'

'Geen denken aan!' zei Birdie. 'Ik ga wel.'

'Nee,' zei Dickie. 'Jij moet de zwijmelende bruid bijstaan. Ik zal ze wel onderhouden met mijn fantastische verhalen en Percy gaat met me mee om ze vriendelijk toe te lachen. Maar denk erom!' Hij legde zijn hand op Percy's hoofd en draaide het om zodat ze hem aan moest kijken. 'Eén onfatsoenlijk woord en je wordt weggestuurd. Geen onbeschofte vragen over het seksleven van andere mensen!'

'De abrikozenmousse!' riep ik. 'Ik ben vergeten de glazen klaar te zetten. En de kannen voor de room...'

'Geen probleem,' zei Janet. 'Dat doe ik wel zodra de soep is opgediend en de kannen staan al klaar.'

'Je bent een engel!' Ik kuste Janets warme wang. 'Wat zou ik zonder jou moeten beginnen?'

Toen Percy vier werd en naar de kleuterschool ging, was Janet gepromoveerd tot huishoudster. Mevrouw Smiley was beledigd vertrokken, waardoor de sfeer veel beter werd. Janet kon heel goed de simpele maaltijden klaarmaken waar mijn vader van hield en was uiteindelijk met Stanley, onze chauffeur, getrouwd. De flat boven de stallen waar hij altijd had gewoond werd een stuk gezelliger gemaakt door gordijnen op te hangen en vloerkleden neer te leggen. Toen Cyril de tuinman en mevrouw Trunk, de werkster, met pensioen gingen was er geen geld om hen te vervangen, dus knapte Janet zoveel mogelijk huishoudelijke karweitjes op en Stanley maaide het gras.

We hadden besloten dat mijn bruiloft een soort tuinfeest zou worden, een *fête galante,* waardoor alles min of meer met de Franse slag geregeld kon worden. We knapten de tuin een beetje op en maakten de oranjerie schoon. Over de gebarsten vloer werd kunstgrastapijt gelegd en we hadden plastic bloempotten groen geverfd en gevuld met kersenbloesem. Meters roze damast, die Birdie voor een habbekrats op de kop had getikt omdat er vrijwel onzichtbare weeffoutjes in zaten, werden over planken op schragen gelegd om een buffet te maken. Ook de kaarttafeltjes van de plaatselijke bridgeclub kregen een damasten kleedje en werden in de boomgaard gezet, waar plaids op de grond lagen voor de joliger gasten die wilden picknicken. De meipaal van het dorp was uit de opslagplaats gehaald waar hij al zeker twintig jaar had gelegen en op een van de gazons opgesteld. Juffrouw Pushing, de organiste, had de dorpskinderen met straffe hand geleerd hoe ze daaromheen moesten dansen en dat zag er snoezig uit. Een blaaskwintet van conservatoriumstudenten was bereid om voor een grijpstuiver te komen spelen. Birdie had ze willen uitdossen als saters met leggings van kunstbont, maar ik was bang dat ontblote bovenlijven te veel zouden worden voor mijn tantes, die niets liever deden dan gal spuwen. Dus droegen de muzikanten nu slonzige pakken en hoeden met een veertje alsof ze Arcadische geitenhoeders waren.

Terwijl ik mijn lijst nog eens doorkeek en me afvroeg wat ik moest doen als er iets misging, was Birdie haar hoed gaan halen.

'O, Birdie! Wat elegant!' Het was een hoed van donkerrode organza met een brede rand, versierd met een grote zwarte zijden roos. Birdie was lang, ongeveer een meter vijfenzeventig, dus hij stond haar fantastisch. 'Die is vast heel duur geweest,' zei ik.

'Ik heb het geld van het gokfonds geleend.' Birdie was al jaren aan het sparen voor een neuscorrectie. Ze had een lange, scherpe neus, vandaar haar bijnaam, en die haatte ze.

'Je ziet er fantastisch uit. Ik zal wel zorgen dat Jeremy jou ook op de foto zet.' Jeremy Stipple was een studievriend die de volgende David Bailey wilde worden. Hij had aangeboden om in ruil voor eten en drinken de foto's te maken. 'Luister! Ze zijn de klokken al aan het luiden.'

We liepen naar het raam. Het veld achter de boomgaard stond al vol auto's en groepen chic geklede mensen liepen naar de parochiekerk, die aan het eind van de weg stond.

Ik vlocht mijn vingers in elkaar. 'We hebben de afgelopen zes weken gewerkt als paarden, maar ik heb toch steeds het idee gehad dat het er niet van zou komen. Alsof we bezig waren met een toneelstuk. Ik heb het gevoel dat ik nergens op voorbereid ben.'

'Begin je te twijfelen?' Birdie pakte mijn hand. 'Als dat zo is, dan is het nog niet te laat. Je kunt nog steeds terug. Alles is beter dan trouwen met de verkeerde man.'

'Het is wél te laat. Ik kan niet al die mensen teleurstellen die van heinde en ver zijn gekomen en veel geld hebben uitgegeven om er zo mooi uit te zien. En trouwens, Harry is er ook nog...' In gedachten zag ik hem in de kerk zitten, de knapste, liefste, geestigste en absoluut meest aantrekkelijke man van Suffolk, van Engeland en misschien wel van de wereld. 'Dat zou ik mijn ergste vijand nog niet aan doen, laat staan iemand van wie ik zoveel hou.'

'Laat maar. Ik wil alleen dat je gelukkig wordt.'

'Dat weet ik wel. Je hebt wonderen verricht en ik kan niet wachten tot ik hetzelfde voor jou kan doen...'

Birdie snoof. 'Ik ben veel te zelfstandig om te trouwen. Maak je geen zorgen, zolang jij de hele dag maar straalt, ben ik tevreden.'

'Ben je zover, Artemis?' Mijn vader zag er nog steeds prima uit, ondanks het feit dat zijn haar grijs was geworden en de broek van zijn jacquet te kort was. 'Ik heb Hermione beloofd dat ze niet te lang zou hoeven wachten.' Hij keek ons aan over zijn halve brillenglazen. 'En als we die toestand een beetje snel kunnen afhandelen, dan is er om vier uur op de radio een hoorspel… *Andromache* van Euripides. Misschien zou jij daar ook wel naar willen luisteren, Artemis…'

'Sorry, pa.' Ik gaf hem een arm. 'Dan ben ik al onderweg naar Cornwall.'

'O ja. Dat is waar ook. Jij dan misschien, lieve Birdie…?'

2

Zodra we de bocht om waren en de gasten mijn fladderende vingers niet meer konden zien trok ik mijn arm naar binnen. 'Het schijnt dat glimlachen, ook al meen je er niks van, goed is voor je gezondheid omdat het je afweersysteem stimuleert. Als dat waar is, ben ik nu bijna onsterflijk. Mijn wangspieren staan in bránd!'

'Arme schat.' Harry nam zijn hand van het stuur en legde die op de mijne. 'Ik vond het erg leuk om die voorwereldlijke familieleden van je te leren kennen. En wat een schitterende verzameling zelfingenomen buren. Ze stonden om het hardst te pochen, hè? We hadden eigenlijk prijzen moeten uitdelen. En straffen.'

'Op welke manier had je ze dan willen straffen?' Ik begon min of meer in trance te raken. Om alleen te zijn met Harry was iets dat de afgelopen weken bijna een onvervulbare droom had geleken.

'Toen ik nog klein was, moesten we bijvoorbeeld op handen en voeten gaan zitten en blaffen als een hond. Het zou best grappig zijn geweest om te zien hoe die rechter een pekinees imiteerde. Maar het zou nog leuker zijn geweest om hem een andere man een tongzoen te laten geven.' Harry trapte het gaspedaal in en schoot nog net onder een stel spoorwegbomen door. 'Het is zo fout om jezelf op de borst te slaan. Iedereen heeft je meteen door en het klinkt zo zielig.'

'Dat zal wel,' zei ik. 'Maar vraag mij niet hoe je je in beschaafd gezelschap dient te gedragen. Mijn ouders gaven niets om dat soort dingen en we gingen nooit naar chique feestjes. Mijn moeder was ziekelijk, dus dat was een mooi excuus, en Hermione vindt praten heel vermoeiend. Alles verveelt haar. Ik neem aan dat jij je vandaag ook ontzettend verveeld hebt.'

'Helemaal niet. Het was net zoiets als praten met vreemden in een trein. Je verbeelding slaat meteen op hol.'

Ik was blij dat hij de beproeving zo goed doorstaan had. Want we hadden een rit van zeven uur voor de boeg en vanwege de verzekering kon ik niet in de nieuwe robijnrode Aston Martin Volante rijden. Ik schopte mijn schoenen uit. 'Jouw kant van de kerk vergoedde alle tekortkomingen van mijn kant.'

Tussen de twintig en dertig van Harry's beste vrienden, van wie een aantal onderweg kennelijk gestopt was voor vloeibare versnaperingen, waren komen opdagen in luidruchtige sportauto's. Hun kleding viel voornamelijk op vanwege flamboyante overhemden en vesten (de mannen) en hypermoderne sexy spullen (de meisjes). Tijdens de dienst waren Harry's gasten af en toe in gejuich uitgebarsten en hadden geklapt, tot afkeer van de plattelandsadel die zich tot hun genoegen geroepen zag om dat gepeupel een voorbeeld te geven. De arme meneer Bierce, onze dominee die toch al van zijn stuk was gebracht door het grote aantal aanwezigen, raakte er helemaal overstuur van en vergat zijn tekst.

Na afloop hadden Harry's vrienden als kleurige vlinders door de conservatieve meerderheid gefladderd, lawaaierig en lacherig. Ze hadden veel gedronken, de linten van de meiboom aan flarden gedanst en in het kanaal gezwommen. Later zag ik stelletjes verdwijnen in het dichte struikgewas dat vroeger mijn grootvaders arboretum was geweest. Ik had er hard om moeten lachen.

Van Harry's familie was niemand aanwezig geweest. Volgens hem waren al zijn wettige verwanten, met uitzondering van Boze Oom Jago, dood of ze woonden ver weg, in Australië en Zuid-Afrika. Toen ik voorstelde om dan maar de onwettige uit te nodigen, zei hij dat de kerk daar te klein voor was. In plaats daarvan had hij alle mensen uitgenodigd die dat als een compliment zouden beschouwen, wat ik heel aardig van hem vond. Daarbij hoorde ook iedereen van zijn werk, met inbegrip van Ebony en Lulubelle die het kantoor 's avonds schoonmaakten, en die hun uitgebreide familie mee hadden gebracht.

'Ik vond met name de man die je haar knipt leuk. Ik geloof dat hij zei dat hij Terry heette. Hij was echt grappig.'

'Ja, hè? Hij was vroeger inbreker, maar nadat hij tien jaar in de gevangenis had gezeten – daar heb ik hem leren kennen – besloot hij om het rechte pad op te gaan en opende een zaak op de Strand. Hij is bijzonder succesvol.'

'Tien jaar? Dan heeft hij wel heel veel ingebroken.'

'Hij zat wegens lichamelijk geweld. Hij had iemand geslagen. Dat was in een restaurant en die man had op dat moment een vork in zijn mond. Die veroorzaakte veel schade.'

'O.' Ik probeerde het akelige beeld uit mijn hoofd te bannen. 'Ik geef toe dat veel van die landedelen opgeblazen ballen zijn. Maar sommigen zijn best aardig als je ze beter leert kennen. En over mijn familie mag je zeggen wat je wilt. Ik moet zelf ook niet veel van die lui hebben. Nadat mammie stierf, heeft pa al onze vrouwelijke familieleden een brief gestuurd om te vragen of ze hem konden helpen bij de zorg voor zijn moederloze dochtertjes. Er was er niet één bij die zelfs maar de moeite nam om ons op te zoeken.'

'Wat klinkt dat bitter, lieverd. Dat had ik nooit achter je gezocht.'

'Zo ben ik ook niet vaak. Dat hoop ik tenminste. Maar dat was een nare tijd en ik neem het ze nog steeds kwalijk. Tante Penelope zei zelfs dat Percy beter geadopteerd kon worden. En tante Rosalind raadde pa aan om mij af en toe een pak ransel te geven omdat ze vond dat mijn moeder me veel te vrij had gelaten. Maar jij was zo charmant tegen ze dat ze er bijna in bleven. Ik zag je praten met tante Ernestine.'

Heel even zag ik haar grauwe gezicht onder de glimmende donkerblauwe strohoed voor me. Maar ik zette het snel uit mijn hoofd omdat ik veel liever naar Harry's profiel keek, met het springerige donkere haar en die verbazend blauwe ogen. De kraaienpootjes om zijn ogen had hij te danken aan zijn onveranderlijk goede humeur. Hij had een rechte neus, een wilskrachtige kin en mooi gevormde oren. Maar ik hield het meest van de vage zachte trek om zijn mond, die soms weerklank vond in zijn stem. Het was een gezicht waarnaar zowel mannen als vrouwen graag keken omdat de eerlijkheid en de opgeruimdheid er vanaf straalden. Toen hij merkte dat ik hem bestudeerde, keek hij me aan en glimlachte. Ik veegde de sentimentele, verliefde grijns van mijn gezicht.

'Tante Ernestine kwam later naar me toe en vertelde me dat ze ervan stond te kijken dat ik zo verstandig was geweest om met een welopgevoede jongeman van goede familie te trouwen. Terwijl ze meestal op het eerste gezicht een hekel aan mensen heeft.'

'Toen we aan elkaar voorgesteld werden, leek ze me helemaal niet aardig te vinden. Ze zei dat ik ongetwijfeld verwaand en meedogenloos was, want dat waren knappe mannen altijd. Misschien was het wel een complimentje. Maar toen ik ontdekte dat wijlen haar echtgenoot een legerofficier was geweest, heb ik haar verteld hoe mijn vader uit Colditz was ontsnapt en ze ontdooide meteen.'

'Je hebt me nooit verteld dat je vader een oorlogsheld was. Hoe ontsnapte hij dan uit Colditz?'

'Hij sprong met behulp van een polsstok over de muur.'

'Wat moedig! Waar haalde hij die polsstok vandaan?'

'Hij had allemaal stukjes hout aan elkaar vastgemaakt.'

'Echt waar? Hoe lang was die? Waren die kasteelmuren niet erg hoog?'

'Ik denk het wel. Ik wou dat die slome duikelaar aan de kant ging om me te laten passeren.' Harry legde zijn hand vastberaden op de claxon. De oude auto voor ons schoot met een ruk opzij en we vlogen erlangs. Ik ving een flits op van een oude vrouw die met een doodsbang gezicht het stuur vastklemde.

'Ach, je hebt dat arme mens laten schrikken.'

'Dat kan me helemaal niets schelen. We moeten nog een heel eind voordat we bij het bed aankomen waarin ik, met uw permissie, mevrouw Tremaine, de hele nacht fanatiek met je ga liggen vrijen. Ik kon de hele week niet eens bij je in de buurt komen.'

'Etenswaren, bloemen en tafelkleden verschijnen niet zomaar uit het niets. Trouwens, je zat in Gdansk.'

'Ik hoop dat je je dat soort lamme excuses niet gaat aanwennen. Maar ik zal het je vergeven, want je zag er echt fantastisch uit toen je vanmorgen in de kerk naar me toe kwam lopen. Ik was bang dat ik mezelf voor schut zou zetten door in tranen uit te barsten en dat heb ik niet meer gedaan sinds ik een klein jochie was.'

'Echt niet? Vind je dat soms onmannelijk?'

'Nee. Misschien is het dat wel, maar dat kan me niets schelen. Volgens mij schiet je er niets mee op, dat is alles. Je kunt beter proberen om iets te doen aan de oorzaak van dat verdriet.'

'Tranen kunnen ook verlichting brengen.'

'Niet voor mij.'

Ik huilde af en toe van verdriet en een enkele keer van woede. Ik vroeg me af of dat betekende dat ik in de toekomst in het geheim zou moeten huilen. Vanaf het moment dat ik Harry voor het eerst had ontmoet, drie maanden en twee dagen geleden, was ik volmaakt gelukkig geweest, dus dit was weer iets dat toegevoegd moest worden aan de lange lijst van dingen die we nog van elkaar moesten ontdekken.

Ik draaide me om en keek om mijn gedachten te verzetten uit het raampje naar de buitenwijken van Chelmsford. Onze mooie auto werd bewonderend nagewezen. Harry leek niets te merken van die jaloezie. Ik wist dat zijn vader toen Harry zestien was de dood had gevonden bij een verkeersongeluk en dat zijn moeder een paar maanden later aan kanker was overleden. Had hij echt geen traan gelaten bij hun dood? Dat leek bijna een bovenmenselijke interpretatie van oma's ideeën over altijd vrolijk zijn. Ik kon het hem niet vragen want dan zou ik walgelijk nieuwsgierig lijken. Waarschijnlijk kwam het door vermoeidheid dat ik een vleugje voelde van... Onzekerheid was te sterk uitgedrukt.

'Maak je geen zorgen, schat.' Zijn stem had dat tedere ondertoontje dat ik altijd onweerstaanbaar vond. 'Ik zal doen wat ik kan om te voorkomen dat je gaat huilen, maar als me dat niet lukt, zal ik het een eer vinden om je tranen te drogen. Ik wil al je gedachten en gevoelens delen.'

Het sprankje onbehagen verdween bij dit bewijs dat hij mijn gedachten kon lezen.

Vanaf het moment dat Adrian (mijn baas) zijn junior partner (ik) voorstelde aan een potentiële nieuwe cliënt (Harry) was me opgevallen hoe eensgezind onze opvattingen over allerlei belangrijke zaken waren. Hij had zich goedkeurend uitgelaten over mijn schetsen die op de tekentafel in Adrians kantoor lagen en ik begon er meteen enthousiast over uit te weiden.

'Wacht even, Artemis,' was Adrian me in de rede gevallen. 'Meneer Tremaine wil alleen graag wat bouwtekeningen laten maken. Hij zit niet te wachten op een college architectuur.'

'Ja,' zei Harry. Hij sloeg zijn armen over elkaar, leunde tegen Adrians bureau en bekeek me nadenkend. 'Dat klopt. Maar kan ik dat college er misschien als extraatje bij krijgen? Wilt u vanavond niet met me gaan eten, juffrouw Castor, om me bij te spijkeren in klassieke architectuur?'

Achter Harry's rug stond Adrian driftig te knikken.

'Het spijt me ontzettend,' had ik een paar minuten later gezegd toen ik Birdie aan de telefoon had. 'Ik vind het verschrikkelijk dat ik jou op het laatste moment moet afzeggen, maar dat ben ik Adrian echt verschuldigd. Er is geen ander bureau te vinden dat me al zo snel vennoot zou hebben gemaakt en dat weet hij net zo goed als ik. Laten we onze afspraak maar verzetten naar morgen.'

'Oké. Dan ga ik vanavond mijn nieuwe jurk wel afmaken. Maar wat verwacht je baas eigenlijk van je? Stel je voor dat die vent meer wil dan alleen maar een etentje?'

'Dan vertel ik hem gewoon dat bij ons bedrijf nooit het nuttige met het aangename wordt verenigd.'

'Ik heb het al vaker tegen je gezegd, Art, maar je bent echt een onnozele gans als het om mannen gaat.' Birdie kon af en toe met vervelende waarheden op de proppen komen, maar ik beschouwde dat als een teken van ware vriendschap. 'Wat is het voor vent? Kennelijk rijk, anders zou hij niet bij jullie een huis bestellen.'

'O... lang, donker, slank, goed gekleed... een jaar of vijfendertig, denk ik.' Harry was net dertig, maar zo zelfverzekerd dat hij ouder leek.

'Knap?'

'Gaat wel.'

'Probeer me niet te belazeren, Art.'

'Nou, goed dan. Het is echt een lekker ding.'

'O god! Ik voel aan mijn water dat er onheil op til is!'

Een dag later had ik me weer bij haar moeten excuseren en toen ik onze afspraak voor de derde keer annuleerde, zei ze: 'Waarom ga je niet gewoon meteen samenwonen met die Harry Tremaine, misschien mag je dan af en toe een halfuurtje de deur uit. Op deze manier krijg ik een gigantische garderobe, maar nooit de gelegenheid om die kleren te dragen. Ik heb een ander etentje afgezegd omdat ik dacht dat ik met jou zou gaan eten.'

'Het spijt me echt ontzettend. Kun je niet opbellen om te zien of het toch niet kan doorgaan?' Het bleef even stil. 'Ik snap best dat je behoorlijk pissig bent...'

'Ik ben níét pissig. Maar ik moet wel meteen naar de apotheek.'

'O jee. Voel je je niet lekker?'

'Vanwege mijn water. Ik denk dat ik een blaasontsteking krijg...'

'... om op huwelijksreis te gaan,' zei Harry.

Ik deed met een ruk mijn ogen open. Ik was even weggedut en we zaten inmiddels op de snelweg. 'Sorry,' gaapte ik. 'Wat zei je?'

'Begin ik je nu al te vervelen?' vroeg Harry geamuseerd. 'Ik zei dat ik hoopte dat je vader me zal vergeven dat ik er de voorkeur aan gaf met jou op huwelijksreis te gaan in plaats van naar een radio-uitzending van een Grieks drama te luisteren.'

'O, hij zal vast even in je teleurgesteld zijn geweest, maar dat is allang over, want inmiddels is hij niet alleen jouw bestaan maar ook het mijne vergeten. Af en toe duikt hij op uit de bibliotheek en kijkt Hermione aan alsof hij niet meer weet wie ze is. Ik ben bang dat zijn toespraakje iedereen boven de pet ging, mij ook.'

'Dat stuk over het huwelijk van Hera en Zeus en de nimf die

in een schildpad werd veranderd omdat ze niet was komen opdagen vond ik wel leuk. Daarna snapte ik er niet veel meer van.' Harry schoot in de lach. 'Hij is zo excentriek dat het gewoon charmant is. Toen hij wegging om iets na te kijken, slaakten zijn toehoorders een zucht van opluchting.'

'En die opluchting nam alleen maar toe toen hij niet meer kwam opdagen.'

Ik onderdrukte een kreet van protest toen we een vrachtwagen aan de verkeerde kant inhaalden. Het leek me niet het juiste moment om Harry's rijstijl te bekritiseren. In plaats daarvan schudde ik mezelf in gedachten door elkaar, likte aan een vinger en maakte mijn oogleden nat. Dat was een onfeilbare manier om wakker te worden, dat had ik tenminste ergens gelezen. 'Ik hoop dat alles goed is met Percy.'

'Hoezo?'

'Ik heb geen afscheid van haar genomen. Ze had een briefje op mijn bed gelegd waarin stond dat ze naar de stallen was gegaan om Charity – onze oude pony – op te zoeken, want dat ze het veel te naar vond om me weg te zien rijden. Ze had er ook bijgezet dat ik jou de groeten van haar moest doen. Zou je het heel erg vinden om Percy ook mee te nemen als we weer een keer naar Cornwall gaan?'

'Natuurlijk niet. Ze is een lollig kind. En trouwens, al was ze de duivel in eigen persoon, dan zou ik nog ja zeggen om jou een plezier te doen. Ik weet dat je over haar inzit.'

'En terecht. Janet heeft het al druk genoeg met Hermione en pa.'

'Misschien zouden jullie meer personeel op Brentwell moeten hebben. Nee, zeg maar niets, ik weet het. Je vader houdt niet van verandering.'

Dat was zeker waar, maar ik had absoluut geen zin om de zorg voor Percy aan iemand anders over te laten, zelfs als dat financieel mogelijk zou zijn. Toen ik nog op school zat en in mijn studietijd had Janet voor haar gezorgd, met wisselend succes. Percy was een paar keer weggelopen en had dan bij mij op de stoep gestaan en ze had ook zonder opzet allerlei domme dingen gedaan.

Ze had bijvoorbeeld vriendschap gesloten met een zwerver die toevallig in het dorp terecht was gekomen en had in een hooischuur worstjes voor hem warm gemaakt op een oude, lekkende primusbrander. Mijn vader had de boer een behoorlijke vergoeding moeten betalen voor de rokende puinhoop, om nog maar te zwijgen van het gevaar waarin ze zichzelf en de zwerver had gebracht. Een paar maanden later maakte ze een lekker warm bedje voor Charity van het isolatiemateriaal van de heetwaterpijpen op zolder, die natuurlijk prompt bevroren tijdens de eerste koudegolf en barstten zodra het weer warmer werd, waardoor de hele hal en de eetkamer onder water kwamen te staan.

Geconfronteerd met de zoveelste grote rekening die hij niet kon betalen had mijn vader zijn geduld verloren. Percy was in tranen de oprit af gerend om naar mijn studentenkamers in Bloomsbury te liften. De eerste persoon die voorbijreed, was een keurige ongetrouwde dame van middelbare leeftijd. Die goede Samaritaan had Percy bij mij voor de deur afgezet en samen met haar gewacht tot ik thuiskwam.

Harry had om het verhaal moeten lachen.

'Ja, maar als ze nu eens door een pedofiel of een moordenaar was opgepikt? Janet had het zo druk gehad dat ze Percy niet eens had gemist. Natuurlijk kon ik haar dat niet kwalijk nemen, maar ik durfde Percy daarna niet meer op Brentwell te laten.'

Gelukkig zat mijn studie er toen bijna op. Adrian, voor wie ik tijdens mijn eerste praktijkjaar had gewerkt, was bereid me ook het tweede jaar in dienst te houden en zodra ik was afgestudeerd had hij me een baan aangeboden. Bovendien was hij zo lief geweest om me de aanbetaling voor een klein huis in Whitechapel te lenen. Het was slecht onderhouden en lag in een buurt die betere tijden had gekend, maar het was rond 1800 gebouwd en nog steeds voorzien van de originele lambrisering, stookplaatsen en luiken. Zodra de bedrading en de badkamer in Oracle Street nummer 36 waren vernieuwd had ik Percy aangemeld bij de dichtstbijzijnde school. Ik was vast van plan om ervoor te zorgen dat ze niet zou spijbelen en haar huiswerk zou maken, want de directrice van de dorpsschool had niet onder stoelen of banken gestoken dat Percy die regels aan haar laars lapte. Gelukkig was ze intelligent, dol op lezen en altijd een van de besten in de klas bij Engels en geschiedenis.

'Niet alleen een mooie vrouw en een aankomend architect, maar ook nog een moederdier,' zei Harry. 'Ik hoop dat er onder je vleugels nog genoeg ruimte is voor mij.'

Dat was uiteraard een grapje. Ik had nog nooit een man ontmoet die zo capabel en zelfstandig was. Vanwege Percy zagen we elkaar bijna altijd in Oracle Street, maar de enige keer dat ik in Harry's flat op Grosvenor Wharf was geweest had ik tot mijn verbazing geconstateerd dat alles eruitzag als om door een ringetje te halen. De inrichting was niet helemaal mijn smaak geweest, alles zag er veel te nieuw uit en leek door een binnenhuisarchitect bij elkaar gezocht, maar het was absoluut chic.

'Ik kan me niet voorstellen dat ik jou zou moeten beschermen,' zei ik. 'Maar mocht dat nodig zijn, dan zal ik je met hand en tand verdedigen. Misschien kunnen we in de volgende stad even bij een telefooncel stoppen. Gewoon om even te horen hoe het met Percy gaat. Janet en Stanley zullen het wel heel druk hebben met opruimen. Ik ben blij dat ik heb geregeld dat drie meisjes uit het dorp de afwas komen doen.'

'Zorgen de cateraars daar dan niet voor?'

'We hebben geen cateraars gebruikt. Birdie, Janet en ik hebben alles zelf gedaan.'

'Wát? Maar lieve schat... Al dat eten... al dat werk... al die mensen... geen wonder dat je bekaf bent.' Harry keek me even aan en ik zag de ontstelde blik in zijn ogen voordat hij die weer op de weg richtte. De wijzer van de snelheidsmeter stond voorbij de honderddertig kilometer. 'Daar had ik geen idee van, schattebout! Waarom heb je me dat niet verteld?'

'Ik wist dat je graag een grote bruiloft wilde en ik wilde je niet teleurstellen. En ik hou wel van een uitdaging. Ik had er alleen niet op gerekend dat er zoveel tijd in zou gaan zitten... Nou ja, het is gebeurd en het was een groot succes, al zeg ik het zelf.'

'Het was fantastisch. De mooiste bruiloft die ik ooit heb meegemaakt. Maar ik vind het wel een vervelend idee dat jij je zo hebt uitgesloofd voor iets dat van mijn kant pure verwaandheid was... een kinderlijk verlangen om aan de hele wereld te laten zien dat je nu helemaal van mij bent. Als ik dat had geweten had ik voorgesteld om maar gewoon naar de burgerlijke stand te gaan en daarna een zak patat te gaan eten. Of dat je iemand zou inhuren.'

'Dat kon ik me gewoon niet veroorloven. Ik heb je toch die eerste avond al verteld dat ik rood sta...' Ik klonk een beetje verdedigend.

'Ja, lieverd, dat klopt. Je bent verrukkelijk onafhankelijk en vindingrijk, dat is een van de vele redenen waarom ik van je hou. Maar ik dacht natuurlijk... Het is toch gebruikelijk dat een vader de bruiloft van zijn dochter betaalt?'

'Mmm. Maar daar zou pa ontzettend over hebben ingezeten. Geld maakt hem altijd zenuwachtig.'

Het oude gezegde 'heden edelman, morgen bedelman' sloeg echt op mijn familie. Mijn overgrootvader was aanvankelijk een brouwersknecht geweest, die met paard en wagen bier rondbracht. Maar dankzij zijn inzet en slimheid was hij eigenaar van de brouwerij geworden, wat hem een fortuin had opgeleverd. Maar hoewel hij de rijkste man van de provincie was, bleef hij gewoon in het huisje wonen waarin hij was geboren en at wat zijn vrouw hem voorzette. Zodra hij begraven was, had zijn zoon – mijn grootvader, een vrolijke flierefluiter die het hoog in de bol had – de brouwerij verkocht en de titel baron gekocht, wat in 1920 maar vijftigduizend pond kostte. Hij kocht ook Brentwell Hall en liet allerlei 'verbeteringen' aanbrengen: een bordes met zuilen van twee verdiepingen hoog bij de ingang, uitbreiding van de stallen om ruimte te maken voor zowel auto's als jachtpaarden en het aanleggen van terrassen, pergola's en visvijvers in Italiaanse stijl. Hij had veel personeel in dienst om zijn favoriete landelijke leefstijl te kunnen handhaven als hij niet in zijn Londense club zat te gokken. Oma was beschermvrouwe geweest van een groot aantal liefdadige instellingen. Het gevolg daarvan was dat mijn vader, een classicus die zijn opleiding op Eton en Balliol had gehad, een aanzienlijk verminderd vermogen erfde.

Hij had de adviezen van de familieaccountant ter harte genomen en de helft van het landgoed verkocht om de successierechten te kunnen betalen, het merendeel van het personeel ontslagen, zich ontdaan van de jachtpaarden en de auto's met uitzondering van de Lagonda, het lidmaatschap van de Londense club opgezegd en zich vervolgens, met het gevoel dat hij verder niets kon doen, teruggetrokken in de bibliotheek voor een lang rendez-vous met Homerus.

Drie jaar geleden kon mijn vader de accountant niet meer betalen en sindsdien ging ik één zondag per maand naar Brentwell om samen met hem de rekeningen door te nemen. Ik was een expert geworden in het gaten met gaten vullen. Een paar weken geleden hadden we Hermiones oude auto verkocht om het salaris van Janet en Stanley te betalen en het zat er dik in dat zij binnenkort zouden moeten verdwijnen. Dat zou niet alleen pijn doen, maar ik vroeg me ook af wat er met mijn vader en stiefmoeder zou gebeuren als er niemand meer was om voor hen te zorgen. Ze stonden in het krijt bij de slager, de garage, de boekwinkel en de slijter.

'Ik ben bang dat hij zakelijk in de problemen zit,' zei ik.

'Dat was helemaal niet tot me doorgedrongen.' Harry klonk geschrokken.

Was het hem echt niet opgevallen hoe versleten alles was op Brentwell? Maar goed, Birdie en ik waren erin geslaagd om het voor de bruiloft behoorlijk toonbaar te maken en die ene keer dat Harry er was geweest, om kennis te maken met pa en Hermione en te vertellen dat we verloofd waren, was op een avond geweest, toen kaarslicht en schaduwen van afbrokkelende muren en doorgezakte meubels een romantische achtergrond hadden gemaakt.

Harry schoot handig langs wegwerkzaamheden en een lange file door over de afgezette linkerbaan te rijden. Ik gleed onderuit in mijn stoel, licht geïntimideerd door de boze gezichten van de werklieden die aan de kant moesten springen. 'Ik neem aan dat hij slechte raadgevers heeft gehad,' zei hij vriendelijk. 'Soms begrijpt zo'n onpraktische man niet dat investeringen zelfs na lange tijd nog zorgvuldig in het oog moeten worden gehouden. Ik weet wel iemand voor hem. Tactvol en discreet. Misschien moet je vader overwegen om wat bezittingen te gelde te maken. Natuurlijk is mensen van zijn leeftijd met de paplepel ingegeven dat ze niet aan hun kapitaal mogen komen, maar af en toe is het toch ook wel prettig om wat geld in de hand te hebben, hè?'

Ik had bijna bekend dat alles wat de Castors aan bezittingen hadden al jaren geleden te gelde was gemaakt en dat Brentwell Hall tot de laatste steen verhypothekeerd was. Het was dat de plaatselijke deurwaarders zoveel respect voor onze familie hadden, anders hadden we geen stoel meer gehad om op te zitten en geen bed meer om in te slapen. Bovendien was Brentwell veertig jaar lang synoniem geweest met pracht en praal. De moeder van de bankdirecteur was in haar jeugd een van de kamermeisjes van mijn oma en voor de grootmoeder van de slijter waren de tuinfeesten op Brentwell Hall het hoogtepunt van het jaar geweest. Maar ik bleef mijn vader tegen heug en meug in bescherming nemen.

'Dank je, lieverd.' Ik legde mijn hand op zijn knie. 'Heel lief van je om zo bezorgd te zijn, maar ik wil nu even niet aan geld denken. Laten we die twee weken dat we samen kunnen zijn niet bederven.'

'Vergeet de nachten niet. Ik kan nauwelijks geloven dat ik niet meer om drie uur 's nachts het bed uit hoef te springen om op kousenvoeten naar buiten te sluipen.'

Omdat Percy ook in Oracle Street woonde, had ik niet gewild dat Harry daar de hele nacht doorbracht. Percy was nog zo jong dat ik het gevoel had dat het haar van haar stuk zou brengen als er ineens een vreemde vent aan de ontbijttafel zat.

'Ik zou die hand maar wegnemen als ik jou was,' zei hij. 'Anders moet ik nog langs de weg gaan staan om in een greppel mijn lust op je te botvieren. En dat zou toch jammer zijn van dat charmante pakje.'

Het was inderdáád charmant. Wat had ik zonder Birdie moeten beginnen? Ze was mee naar boven gegaan om me te helpen bij het verkleden en het champagnekleurige pakje van ribzijde aan te trekken dat ze uit een avondjapon van oma had gemaakt. En dat die creatie van Birdie een succes was, bleek wel toen Hermione was opgesprongen van een van de stoelen in de hal waarop ze vermoeid was neergezegen. Ze had ter plekke bij Birdie een soortgelijk kostuumpje besteld voordat ze de telefoon van de haak griste en een taxi belde. Zonder zich om haar manieren te bekommeren was ze nog voordat Harry en ik fatsoenlijk afscheid hadden genomen op stel en sprong naar Londen vertrokken om een geschikte lap stof uit te zoeken.

Ik gaapte uitgebreid en voelde iets van de spanning van de afgelopen week van me afglijden. 'Dank je. Je ziet er zelf ook heel goed uit.' Harry had zich verkleed in een crèmekleurig pak met een blauw overhemd en een rode zijden das.

'Bedankt, maar als je het niet erg vindt, doe ik die even af.' Harry nam zijn handen van het stuur om zijn das los te trekken. 'Lieve hemel, wat kun jij schreeuwen, mevrouw Tremaine. Je hoeft niet bang te zijn, ik stuurde met mijn knieën.'

Mijn hart ging als een razende tekeer. 'Sorry, maar doe dat alsjeblieft niet nog eens.'

Harry glimlachte, maar zei niets. We waren nog geen halve dag getrouwd en ik begon nu al te zeuren.

'Ik ben dol op mijn nieuwe naam,' zei ik. 'Maar die middelste twee namen van je overdonderden me een beetje. Hoe waren die ook alweer?'

'Caswyn Blyth. Caswyn betekent "stralende" en Blyth betekent "wolf". Mijn moeder was dol op alles wat uit Cornwall kwam. Waarschijnlijk omdat ze zelf in Londen was geboren.' Hij lachte. 'Die dominee maakte er een potje van, hè? Ik dacht dat Damian erin bleef.'

Damian was Harry's getuige. Ik had hem pas een keer eerder ontmoet, dus misschien was het niet eerlijk van me om te denken dat hij vaak mensen tegen de schenen schopte.

'Je mag Damian niet echt, hè?' Er ontging Harry niet veel.

'Och... ik ken hem niet zo goed. Maar ik ben bang dat meneer Bierce dacht dat Damian expres begon te stotteren om hem voor gek te zetten.'

De arme dominee Bierce leed aan een vervelende combinatie van melancholie en godsdienstwaanzin, maar hij zou diep beledigd zijn geweest als we hem niet gevraagd hadden. Zijn zielige, gerimpelde gezicht was paars geworden van schrik toen hij struikelde over C-Caswyb B-b-blyth.

Ik moest echt mijn best doen om wakker te blijven. 'Zal ik je eens iets geks vertellen?' zei ik toen mijn maag ineens begon te rommelen. 'Ik heb gewoon honger. De laatste paar dagen heb ik rondgewenteld in visgraten en tomatenvelletjes en ik heb mijn handen tot bloedens toe moeten boenen om de abrikozenvlekken eraf te krijgen. Ik werd dagenlang al misselijk bij het idee aan eten. En nu het allemaal voorbij is, rammel ik van de honger!'

'Kijk maar in het handschoenenkastje.'

Er lagen twee pakjes in, gewikkeld in vetvrij papier. 'Boterhammen!' riep ik uit toen ik het eerste had opengemaakt. 'Zalig!'

'Het viel me op dat je niets at, dus heb ik Janet gevraagd om iets voor je klaar te maken.'

'Wat ontzettend lief van je,' zei ik hoewel je eigenlijk niet met volle mond mag praten. 'Wat zit er in dat andere pakje?' vroeg ik toen ik het laatste hapje had weggeslikt.

'Een stukje van de bruidstaart. Chocola met een apart smaakje.'

'Fijngemalen amandelen. Zonder bloem.'

Ik had de taart zelf gemaakt. Vier taarten eigenlijk, van verschillend formaat en geglaceerd met fondant.

Ik gaapte opnieuw. Nu ik een paar boterhammen en een stukje taart in mijn maag had, begon het bloed uit mijn hersens weg te trekken. Toen ik mijn ogen sloot, leken ze te branden van vermoeidheid.

'Links naast je stoel zit een hendeltje,' zei Harry.

Mijn rugleuning gleed achterover. 'O, dit is zalig,' mompelde ik. 'Het is zo fijn om nergens meer over in te zitten... Ik ben zo gelukkig... dank je wel dat je zo... zo...' Ik geloof niet dat ik mijn zin heb afgemaakt voordat ik in slaap viel.

Terwijl ik sliep, waren we kennelijk Londen voorbijgereden, want toen ik mijn ogen weer opendeed, zag ik een groot bord voorbijflitsen met de mededeling dat we op weg waren naar het zuidelijk deel van de M4. Ik keek opzij om iets tegen Harry te zeggen en zag hem glimlachen, maar mijn oogleden weigerden te doen wat ik van ze vroeg. Toen ik opnieuw wakker schrok, was de zon verdwenen, de lucht was van blauw veranderd in grijs met dikke wolken en ik keek in zijn glimlachende gezicht.

'Sorry, lieverd, ik wilde je niet wakker maken.' De auto stond stil, met draaiende motor, en door het openstaande portier waaide een stevige bries naar binnen.

'Geeft niet.' Ik ging huiverend rechtop zitten. We stonden bij het hek van een weiland en het begon al donker te worden. 'Waar zijn we?'

'Ergens in de buurt van Bristol. Ik ben gestopt omdat ik ontzettend nodig moest plassen.'

'Bristol! Lieve hemel! Dan heb ik uren liggen slapen!' kreunde ik terwijl ik mijn armen en benen strekte. 'Het spijt me dat ik zo ongezellig ben geweest.'

'Helemaal niet. Ik heb me continu zitten verlustigen omdat je er zo mooi uitzag, zoals je daar naast me lag te slapen. En heel af en toe draaide je een beetje en zei mijn naam, alsof je me van heel ver weg probeerde te roepen. Heel romantisch.'

Hij bukte zich en gaf me een kus en ik reageerde zo enthousiast als mijn gordel toeliet. 'Ik wist niet dat ik praatte in mijn slaap. Ik hoop dat je het altijd romantisch zult blijven vinden. Het spijt me dat ik de romantiek moet verbreken, maar ik moet ook plassen.'

Harry boog zich voor me langs om mijn portier open te doen. 'Achter dat hek is een plekje zonder brandnetels.'

Ik wankelde met stijve benen en op tien centimeter hoge hakken (licht krokodillenleer en geleend van Hermione) over het zandpad. Terwijl ik onelegant op mijn hurken zat, hoorde ik een geluid, een soort geklop dat wat gesmoord klonk, alsof het van ver weg kwam. Terwijl ik luisterde, werd het overstemd door flarden Mozart. Ik strompelde terug door het hek en zag dat Harry de radio had aangezet.

'Zet die muziek eens even uit,' zei ik, terwijl ik op mijn stoel ging zitten. 'Ik hoor een kloppend geluid. En volgens mij komt het uit de auto.'

'Verdorie nog aan toe!' Harry draaide boos de knop om. 'Ik dacht al eerder dat ik iets hoorde, maar ik hoopte dat het aan de slechte weg lag. Als het de remschijven zijn, dan wurg ik Jaggers.'

'Wie is dat?'

'De man die me deze auto heeft verkocht.' Hij sprong uit de auto. Een paar seconden later hoorde ik een kreet van verbazing. Ik stapte haastig uit en liep naar hem toe. Hij had de kofferbak opengemaakt en stond ernaar te staren. Toen begon hij te lachen. 'Nou ja! Zoiets mafs heb ik nog nooit meegemaakt!'

Er lag iets groots in opgekruld. Heel even dacht ik aan het soort grapjes dat zo vaak wordt uitgehaald met een pasgetrouwd stel. Een opblaaspop of zo. Maar toen bewoog het en zei met een bekende stem: 'Ik heb het zo benauwd dat ik er ieder moment in kan blijven.'

'Percy!' riep ik uit. 'O, Percy, hoe kón je!'

3

'Ik dacht dat mensen blij waren als ze gingen trouwen en dat ze dan veel aardiger werden,' zei Percy verongelijkt toen we over de M5 richting Exeter reden.

'Dat geldt misschien voor getrouwd zíjn,' zei ik. 'Maar gáán trouwen is zenuwslopend. En om op te komen dagen bij je nieuwe schoonfamilie met een ongenode zus in je kielzog is ook niet bepaald een garantie voor geluk, of het nu om je eigen geluk of om dat van iemand anders gaat.'

'Die mevrouw bij Woolworth's had ook al geen geluk dat jij zo'n pestbui had.' Omdat Percy alleen de kleren die ze droeg had meegenomen, bleef me niets anders over dan van het beetje geld dat ik nog had een paar T-shirts, een spijkerbroek, ondergoed, sokken, gympen, een trui, een tandenborstel, een boterham en een flesje frisdrank voor haar te kopen.

'Ik heb geen pestbui. Ik ben volkomen terecht boos op je omdat je ongehoorzaam en roekeloos bent geweest. Weet je trouwens wel hoeveel ellende je hebt veroorzaakt? Die arme Janet was op van de zenuwen en Stanley is urenlang naar je op zoek geweest. Bovendien zijn we nu al veel te ver weg om je weer naar huis te brengen en ik schaam me echt dood dat ik met mijn kleine zusje aan kom zetten. Om nog maar te zwijgen van het feit dat je Harry's laarzen hebt geruïneerd.'

Percy werd altijd wagenziek en ze had in Harry's dure, met leer gevoerde rubberlaarzen overgegeven.

'Kennelijk hou je helemaal niet van me,' zei Percy snikkend. 'Ik wou dat ik dood was gegaan terwijl ik daar urenlang in het donker zat opgesloten tot mijn benen gingen slapen en ik alsmaar benzinedampen en braaksel moest inademen...'

'Benzinedamp in de kofferruimte?' viel Harry haar in de rede. Het verlies van zijn laarzen had hem kennelijk niets gedaan en tot op dat moment had hij rustig zitten luisteren naar ons gekibbel. 'Dat lijkt me niet goed. Ik kan maar beter bij het eerstvolgende benzinestation stoppen om even te kijken.'

'Al goed, lieverd.' Ik draaide me om en streelde Percy's knie, want ze zat echt hard te huilen. 'Laten we maar geen ruzie maken. Beloof me alleen dat je nooit meer zoiets doms en gevaarlijks zult doen.'

'Dat beloof ik,' hikte Percy zielig. 'Ik kon alleen het idee niet verdragen dat je twee weken lang weg zou blijven. Ik hou zo van je.'

'Ik hou ook van jou, lieverd.'

Ze hield meteen op met huilen. Hoewel ik heel goed wist dat Percy volslagen onbetrouwbaar kon zijn, kon ik nooit lang boos op haar blijven. Mijn slechte humeur kwam dan ook deels door vermoeidheid en deels door het feit dat ik een cheque had moeten tekenen waardoor ongetwijfeld mijn kredietlimiet werd overschreden. En ik kreeg pas eind volgende week weer salaris. Maar Harry zou het toch niet erg vinden om me vijftig pond voor te schieten? Hij wuifde gesprekken over geld altijd opzij, alsof het onderwerp hem verveelde. Ik had me nooit kunnen veroorloven een dergelijke toon aan te slaan.

'Gelukkig dat jullie het bijgelegd hebben.' Hij wierp me een geamuseerde blik toe. 'Ik snapte eigenlijk niet waar je je zo druk over maakte. Percy is ongedeerd en dat is het enige wat telt.'

'Fijn dat je zo begripvol bent,' zei ik en keek hem dankbaar aan. 'Ik hoop dat je oom net zo tolerant is.'

'Jago? O, die vindt het vast niet erg. Waarom zou hij? Hij heeft het veel te druk met zijn eigen zaken om op één klein meisje te letten. Ook al is ze nog zo leuk en knap,' voegde hij er haastig aan toe toen hij hoorde dat iemand op de achterbank een geergerde zucht slaakte.

'Ik hoop dat je gelijk hebt. Maar goed, ik zal zelf haar bed wel opmaken en zo.'

'Dat lijkt me niet verstandig. Je zou Roza dodelijk beledigen.'

'Wie is Roza?' vroegen Percy en ik tegelijkertijd.

'De huishoudster van mijn oom.'

'Ik moet even mijn gedachten weer op een rijtje zetten. Voordat Percy opdook, dacht ik dat we met ons drietjes zouden zijn. Nu zijn we ineens met vijf mensen.'

'Je hebt Jago's vrouw, Demelza, niet meegeteld.'

'Harry! Heb je nog een tante ook?'

'Je hebt er zelf een heleboel. Waarom zou ik dan geen tante mogen hebben? Maakt het iets uit? Je hoeft je niets van haar aan te trekken, hoor. Ik heb toch al het idee dat je niet met haar zult kunnen opschieten.'

'Ja, natuurlijk maakt het iets uit!'

Uiteraard hoopte ik wel dat ik met Harry's familie zou kunnen opschieten. Maar inmiddels begon ik te twijfelen over wat aanvankelijk zo'n idyllische huwelijksreis had geleken. Ik vroeg me af waarom Harry pas over zijn tante was begonnen toen het te laat was om onze plannen nog te wijzigen. Maar Harry was helemaal niet achterbaks, hij was juist goudeerlijk. Die oom en tante klonken weliswaar niet echt aardig, maar het waren zijn enige familieleden in Engeland. Ik moest mijn best doen om een succes te maken van ons bezoek.

'Ik verheug me nu al op onze kennismaking,' zei ik.

'Eigenlijk ziet ze er tegenop,' deed Percy vanaf de achterbank een duit in het zakje. 'Dat hoor ik aan haar stem. Als ze zo vrolijk doet, ziet ze er als een berg tegenop. Net als wanneer ik haar de uitnodiging voor het schoolconcert geef.'

'Dat kan ik haar niet kwalijk nemen,' zei Harry. 'In feite kunnen Jago en Demelza helemaal niet met elkaar opschieten. Ik doe altijd net alsof ik dat niet doorheb. En nu ik erover nadenk, is het misschien verstandiger om helemaal niet over trouwen en de geneugten van het huwelijk te praten. We willen ze niet de ogen uitsteken met ons geluk.'

'We zullen ons best doen om tactvol te zijn. Hè, Percy?' vervolgde ik met een dreigend ondertoontje in mijn stem.

'Ja hoor,' zei Percy. 'Maar dan kan ik beter mijn nieuwe kleren aantrekken voor we er zijn, anders raken ze misschien overstuur van mijn bruidsmeisjesjurk. Slapen ze ook in aparte bedden?'

'Ze wonen zelfs apart. Demelza is in het tuinhuisje gaan wonen.'

Het bleef even stil, omdat Percy dat even moest verwerken. 'Ik heb in een tijdschrift gelezen dat een vrouw die een goed huwelijk wil hebben zich in de zitkamer als een dame, in de keuken als een meid en in de slaapkamer als een hoer moet gedragen. Wat is een hoer? En hoe kan je tante dat doen als ze niet eens in dezelfde kamer slapen?'

'Ach, dat is gewoon onzin. Goede huwelijken zijn niet afhankelijk van vrouwen die zich anders voordoen dan ze zijn om mannen te behagen...' Ik was te moe voor feministische praatjes.

'Maar wat betekent het nou?'

'Een vrouw die... die met veel verschillende mannen vrijt. Soms laten ze zich daar zelfs voor betalen.'

'Ik hoop dat je heel veel geld van Harry zult krijgen. In ruil voor al die pijn en het bloed. Melanie Richards – die zit bij mij in de klas – heeft me een heel interessant boek geleend. Het heet *Mijn Heer Komt Iedere Nacht*. Het gaat over een meisje in de middeleeuwen dat in haar huwelijksnacht door haar man wordt verkracht en hij houdt in bed ook zijn sporen aan...' Harry begon te grinniken, '... zodat ze overal snijwonden krijgt. Je mag het wel van me lenen, hoor. Maar misschien kan dat beter na... je weet wel...' Percy begon ineens op een graftoon te praten, '... na vannacht.'

Kennelijk had ze heerlijk huiverend over mijn huwelijk na zitten denken. Ik verweet mezelf dat ze dat soort ongeschikte literatuur onder ogen had gekregen... ook al zou ze natuurlijk wel meer over het leven te weten moeten komen... niet dat sporen in bed nou direct bij de standaardprocedure hoorden, op die manier zouden de lakens aan flarden worden gescheurd... En per slot van rekening had ik zelf met rode wangetjes op school onder de dekens *Tropic of Capricorn* liggen lezen... Terwijl dat allemaal door mijn hoofd schoot, bleef Harry gewoon onbekommerd grinniken.

'Maar ik heb wel gehoord...' Percy maakte haar gordel los, zodat ze iets in mijn oor kon fluisteren, '... dat je maagdendinges waarschijnlijk al gebroken is als je veel gereden hebt, dus misschien valt het wel mee.'

'Ja, lieverd, en maak nu maar meteen je gordel weer vast. Je hoeft je geen zorgen te maken.' Ik wierp een blik op de snelheidsmeter. 'Harry! Je zit boven de honderdvijftig!'

'Rustig maar. Deze auto haalt met gemak meer dan tweehonderd.'

'Dat zal best wel, maar je hoeft het niet te proberen. Kunnen we niet gewoon wat later aankomen?'

'Ik ben toen ik nog een klierig jong ventje was een tijdje coureur geweest en ik heb nog nooit een ongeluk gehad... verdomme! Nu zit er een smeris achter ons aan. Percy heeft altijd zulke boeiende onderwerpen dat mijn aandacht even afgeleid werd.' Ik keek om en zag het blauwe zwaailicht van een politieauto achter ons. 'Maakt niet uit, we zullen hem waar voor zijn geld geven. Zet je schrap, meiden!'

'Hárry!' Ik was verontwaardigd toen onze snelheid omhoogschoot naar honderdnegentig. 'Bedoel je dat je niet wilt stoppen?' Ik hoorde het geluid van een sirene. 'Maar je bent in overtreding!'

Harry wierp een blik in de achteruitkijkspiegel. 'Hij kan ons niet bijhouden.'

Ik keek om. Ik was mijn leven lang een brave burger geweest die keurig gevonden voorwerpen naar het politiebureau bracht, protesteerde als een kelner of een serveerster te weinig in rekening bracht en mijn naam en adres achterliet op auto's die ik per ongeluk bij het inparkeren had beschadigd. De wetenschap dat de politie achter ons aanzat, was een boze droom. 'Hij komt dichterbij... O, Harry, hij haalt ons in! Je móét gewoon stoppen!'

'Kun je zijn kenteken lezen?'

'Daarvoor is hij te ver weg.'

'Dan kan hij die van mij ook niet lezen. Pas op, ik neem de afslag.'

'Hij heeft ons gezien!' schreeuwde Percy die zich aan mijn schouder vastklampte toen we tussen twee enorme vrachtwagens door naar de afrit schoten. 'Hij heeft zijn knipperlicht aangezet! Ik geloof dat ik moet overgeven!'

'Heb het lef!' Harry was zo kalm dat de hele nachtmerrie onwerkelijk aandeed. 'Ik wil ook dat hij ons ziet.'

Ik dacht dat hij gek was geworden. 'Wíl je dat hij achter ons aan komt?'

'Ja, natuurlijk. Als hij op de snelweg blijft, gaat hij voor ons rijden en dan moeten we met een slakkengangetje verder. Nu moeten we alleen nog een geschikte rotonde vinden, waar hij niet kan zien welke afslag we nemen en er bovendien voor zorgen dat ons kenteken onleesbaar blijft. Hou eens op met dat gegil, stelletje angsthazen. Ik weet wat ik doe.'

Ik kreunde en beet op mijn knokkels, maar Harry scheen er plezier in te hebben. 'Nu moeten we alleen nog een bocht zien te vinden, met meteen daarna een afslag... Nee, niet deze...' We vlogen met piepende banden over een afschuwelijk kronkelweggetje... 'Aha! Dit ziet er goed uit... Let op!'

Hij gooide het stuur zo plotseling om dat mijn maag in mijn keel schoot en reed een oprit in. Meteen daarna remde hij en zette tegelijkertijd de motor en de lichten uit. Met ingehouden adem draaiden we ons om en zagen – hooguit een paar seconden later – de zwaailichten van de loeiende politieauto voorbijschieten.

Harry slaakte een zucht van opluchting. 'Hij geeft het wel op als hij een kilometer of drie verderop beseft dat hij ons kwijt is. Ondertussen...' Hij startte de motor weer en reed achteruit de weg op, in tegengestelde richting, '... rijden wij vrolijk terug naar de snelweg en vervolgen onze tocht. Leuk was dat, hè?'

'Ongeveer net zo leuk als gemarteld te worden,' zei ik.

'Het was geweldig!' zei Percy. 'Ik kan niet wachten tot ik het de meisjes op school kan vertellen!'

We waren net bij de oprit naar de snelweg toen een andere politieauto met zwaailichten op volle snelheid het kronkelweggetje in reed. 'Dat zijn de hulptroepen,' zei Harry terwijl hij naar de snelweg reed. 'Het is gewoon een spelletje, Art. Die smerissen vinden het net zo leuk als wij. Ga maar na hoe saai die jongens het hebben. Af en toe mogen ze een dronkenlap in de cel smijten en net doen alsof ze zich druk maken over de weggelopen poes van een oud vrouwtje. Ze verlangen er juist naar om eens lekker helemaal los te gaan.'

Terwijl Harry het gaspedaal intrapte, probeerde ik te ontspannen. Zou Janet er wel aan denken om alle pleziertjes af te zeggen die ik tijdens mijn afwezigheid voor Percy had geregeld? En hoe moest dat nou met het huiswerkproject dat Percy had meegekregen als ruil voor een extra week paasvakantie?

Toen ik de directrice van Percy's school had gebeld om te vertellen dat ik ging trouwen en vroeg of Percy misschien vijf dagen langer weg mocht blijven, had zuster Gabriëlla gereageerd alsof ik van plan was om Percy vijf dagen de straat op te sturen om wat bij te verdienen. Op mijn opmerking dat mijn zusje niet alleen in Londen kon blijven, had zuster Gabriëlla gevraagd of ik dan mijn huwelijk niet uit kon stellen tot de zomervakantie. Het was een kwestie van prioriteiten stellen, volgens haar. Had ik dat moeten doen, had ik Harry teleur moeten stellen? Had ik... of...

'Waar zijn we?' vroeg ik toen ik mijn ogen weer open deed.

'In de buurt van St. Issy. Nog een kwartiertje, dan zijn we thuis.'

Ik probeerde mijn plotseling opspelende zenuwen te bedwingen. Ik was bij Harry en dat was het enige wat telde. En in ieder geval kon ik nu zelf een oogje op Percy houden... het beeld van Percy zoals ze daar opgekruld in de kofferruimte lag, stond op mijn netvlies gebrand... Iets klopte niet... die ruimte was eigenlijk wel erg klein voor zo'n grote auto... Ze had met haar hoofd op Harry's rubberlaarzen gelegen... met haar knieën tot aan haar kin opgetrokken... En ineens wist ik wat er mis was.

'Percy!' riep ik uit. 'Wat heb je met mijn koffer gedaan?'

4

'Als je zo gemeen blijft doen, mag je die nieuwe spijkerbroek van me niet lenen.' Percy klonk gekrenkt.

'Ik kan je wel een shirt en een trui lenen,' zei Harry. 'Voor de rest is Demelza alleen een beetje langer en ze zal vast wel een reserve spijkerbroek hebben. En aangezien wij toch al in gemeenschap van lichaamssappen leven, kun je best mijn tandenborstel gebruiken.'

'Jasses!' zei Percy. 'Is dat echt waar?'

'Gewoon een beetje spuug.' Harry klopte op mijn arm. 'We gaan morgen wel winkelen, schat, dan halen we alles wat je nodig hebt. Hier maakt niemand zich druk over kleren.'

Het had geen zin om aan een man uit te leggen dat een Engels provinciestadje geen plaats was om kleren te kopen als je indruk wilde maken. Birdie en ik waren weken bezig geweest om mijn garderobe op te knappen. Bovendien had ik allerlei make-upspulletjes en lekkere luchtjes ingepakt omdat ik er op mijn best uit wilde zien voor Harry. Maar ik slikte mijn woede en teleurstelling weg. Het was te laat om er nog iets aan te doen en ik wilde zijn thuiskomst niet bederven.

'Ik heb je koffer nog expres onder een struik gezet, zodat hij niet nat zou worden als het ging regenen. Ik wou zo graag bij je zijn,' zei Percy met een benepen stemmetje. 'Ook al blijf je kwaad op me.'

'Dat zal wel meevallen,' zei ik kalm, al kostte het wat moeite. 'Maak nou maar gauw je gordel weer vast.'

De weg was zo smal dat er hooguit een fiets langs zou kunnen en begon ineens sterk te dalen en te kronkelen. Het zoevende geluid van de banden op het natte asfalt werd sterker toen de berm aan weerszijden hoger werd en bomen boven ons hoofd een koepel vormden. Neerstromend water glom in het licht van de koplampen. Het leek alsof we over een rivier voeren.

'Net wildwatervaren! Wat gaaf!' Percy leunde naar voren en sloeg haar armen om mijn nek.

'Je moet hier eens komen als het gevroren heeft,' zei Harry. 'Dan wordt het pas echt leuk.'

Na de volgende bocht werd de lucht weer zichtbaar. Het wolkendek was wat minder dicht en heel even kwam de maan tevoorschijn en verlichtte het landschap.

'O!' riep ik uit en vergat mijn koffer. Achter hoge hekken lag een groot huis, met vijf rijk bewerkte puntgevels. Vleugels aan weerszijden werden in evenwicht gehouden door een uitspringend bordes dat twee verdiepingen hoog was. Een moment later schoven er weer wolken voor de maan en verdween het huis in de schaduwen. Maar het had me al betoverd.

'Ik dacht wel dat je het mooi zou vinden,' zei Harry nuchter, maar ik merkte toch dat hij ontroerd was door dat toverlantaarnplaatje van het huis waarin hij was opgegroeid.

'Je had me niet verteld dat het een bouwkundig meesterwerk was. Wanneer is het gebouwd?'

'In 1573.'

'Weet je ook wie het gebouwd heeft?'

'Een plaatselijke aannemer die Brae Knucky heette. Zijn initialen staan overal ingebeiteld.'

'In die tijd waren er nog geen professionele architecten, dus hij moet de hoofdopzichter zijn geweest. Het huis is waarschijnlijk ontworpen door de eigenaar – een van je voorouders.'

'O ja? Dat wist ik niet.'

'Ik wel.' Percy duwde haar hoofd tussen ons in. 'Wat zouden we te eten krijgen?'

'Vast iets lekkers.' Ik boog me voorover om mijn gesprek met Harry voort te zetten. 'Destijds hadden alleen mensen uit de hoogste klasse voldoende opleiding om te kunnen lezen en zij waren ook de enigen die het zich konden veroorloven om naar Engeland en Europa te reizen en zich de laatste modieuze trends eigen te maken.'

'Ik weet niet of Sir Myghal Tremaine echt goed opgeleid was, maar hij heeft zeker niet stil gezeten. Hij heeft samen met Drake bij Cadiz gevochten en werd daarvoor in de adelstand verheven. Vervolgens heeft hij een fortuin verdiend met de handel tussen Afrika en West-Indië en dit huis gebouwd. De titel ging honderdvijftig jaar later verloren toen Sir Jermyn alleen maar zeven dochters kreeg en geen zoon. Daarmee verdween ook het geld, want er moesten zeven bruidsschatten op tafel worden gelegd. Sindsdien heeft de familie talloze keren op het punt gestaan Pentrew te verkopen, maar dat werd steeds op het nippertje voorkomen door een verstandshuwelijk met de juiste persoon.' Inmiddels waren we bij het hek van de grote ommuurde binnenplaats aangekomen. 'We kunnen hier beter uitstappen. Pasco kan de koffers naar binnen brengen en ik zet de auto straks wel achter.'

'Kunnen we dan meteen aan tafel gaan?' vroeg Percy.

Harry keek op zijn horloge. 'We zijn een uur te laat voor het avondeten.'

'Een uur? Maar je hebt me helemaal niet verteld dat we op een bepaald tijdstip verwacht werden,' zei ik ontzet.

'Ik wilde je niet zenuwachtig maken, want ik weet dat je altijd heel punctueel bent. Maar Morveran zal wel een paar korstjes en een plakje kaas voor ons bewaard hebben.'

'Morveran?' herhaalde ik, zonder op Percy's kreet van afschuw te letten.

'Morveran is de kokkin. Min of meer.'

Ik moest mijn oorspronkelijke idee van een huwelijksreis in Cornwall, waar ik het hart van een verstokte vrijgezel zou moeten ontdooien door huishoudelijke klusjes op te knappen en gezellig voor ons drietjes te koken, bijstellen. Oom Jago was niet alleen getrouwd, hij had ook voldoende personeel. Maar nu ik ontdekt had dat het huis een beeldschoon oud pand was, wilde ik helemaal een goed figuur slaan, want mijn verbeelding was meteen op hol geslagen bij de gedachte aan oude papieren, bouwtekeningen en wellicht zelfs huishoudboekjes uit de tijd dat het gebouwd was. Misschien zou ik tante Demelza bij het bloemschikken kunnen helpen. En oom Jago helpen met het cryptogram uit *The Times* en af en toe een potje met hem kunnen schaken. Ik was zelfs bereid om zijn sokken te stoppen, hoewel er waarschijnlijk wel een sokkenstopper rond zou lopen over wie Harry nog niets had verteld. Alles bij elkaar was Pentrew veel groter dan hij mij had verteld. Ik voelde een rilling over mijn rug lopen bij de gedachte aan mijn koffer. Maar er waren dringender zaken.

'Ik wil niet lastig zijn, maar Percy heeft sinds de lunch alleen maar een boterham gehad. Ze moet echt nog iets eten, anders krijgt ze hoofdpijn.'

'Goed hoor, maak je geen zorgen, ik zal wel iets versieren.' Harry leunde voor me langs om het portier open te maken. 'Het begint weer te regenen. Laten we maar gauw naar binnen gaan.'

Percy holde naar de hekken. 'Christus, wat zijn die zwaar!'

'Percy! Denk erom dat je zoiets niet zegt waar Harry's oom en tante bij zijn!'

'Daar hoef je niet over in te zitten,' zei Harry. 'Ik zal eerder mijn eigen familie op de vingers moeten tikken. Jago is nogal kortaangebonden en Demelza kan vloeken als een dragonder. Vooral als ze dronken is.'

Ik prentte mezelf in dat het maar goed was dat Harry's familie zo anders was dan de mijne.

'Ik zie dat Pasco weer bezig is geweest met de jeneverbessen,' zei Harry met een blik op de kegelvormige bomen langs het pad, die zeker drieënhalve meter hoog waren. 'En zoals gewoonlijk heeft hij de takken weer laten liggen. Pas op dat je niet valt, lieverd.' Hij pakte mijn arm. 'Als een van ons een enkel breekt, snij ik hem zijn oren af en voer die aan de honden.'

'Hoeveel honden zijn er?' vroeg Percy blij. 'Hoe heten ze? Zijn ze lief?'

Op Brentwell hadden we nooit honden gehad.

'Ze heten Minver en Mawes en ze zijn heel lief.'

'Mag ik met ze wandelen?'
'Dat moet je aan mijn oom vragen.'
We liepen een paar treden af en renden door de regen naar de voordeur. Nadat Harry de deur met moeite had opengeduwd drong een bedwelmende geur, de rook van een houtvuur vermengd met stof en ouderdom, mijn neus binnen en ik zag dat we op een punt stonden waar twee gangen elkaar kruisten. Aan het eind van elke gang was een deur. In dit soort huizen werden op die manier keuken en woonvertrekken van elkaar gescheiden. De verlichting bestond uit zilveren wandkandelaars die geschikt waren gemaakt voor elektriciteit. Ik wilde net een mooie gehuifde kast bekijken waarop een prachtige, uit ivoor gesneden pagode stond, toen Harry mijn arm pakte en me meetrok door de deur rechts van ons.
Ik had urenlang naar het holle plafond van de grote zaal kunnen kijken, versierd met een gipsen afbeelding van Neptunus omringd door zeemonsters, grijnzende dolfijnen en zeemeermannen met elegante visstaarten, maar Harry pakte me bij de hand.
'Dat kun je later wel bekijken. Kom mee, als je nog iets te kanen wilt.'
We liepen langs een schitterende schoorsteenmantel met daaromheen een aantal banken en fauteuils waar kennelijk, aan de kussens te zien, onlangs nog mensen hadden gezeten. Op de bijzettafeltjes stonden lege glazen en op een lange tafel onder het raam, dat in kleine ruitjes was onderverdeeld, lag een stapel jassen, sjaals en regenjassen. Harry trok een deur in de hoek van de zaal open en trok me mee naar binnen.
Rond een eettafel zaten tien mensen in avondkleding. Ze hielden op met praten en keken ons met grote ogen aan. Daarna klonk het geschuif van stoelen toen de mannen opstonden.
'O hemel!' zei Harry opgewekt. 'Ik was helemaal vergeten dat het een van Roza's Gouden Dageraad-avonden was. Neem ons niet kwalijk dat we zo laat zijn.'
Eén man, die met zijn rug naar ons toe aan het hoofd van de tafel zat, was blijven zitten. Toen hij Harry's stem hoorde, stond hij op en draaide zich om. Met een schok zag ik dat hij Harry's tweelingbroer had kunnen zijn. Maar toen we dichterbij kwamen,

bleek dat het gedempte licht me bedrogen had, want het was een veel harder gezicht, hoekiger en met diepe voren van zijn neus naar zijn kaken. Maar het grootste verschil vormden de ogen. Harry bekeek de wereld met een vrolijke blik, maar de ogen van deze man waren zo kil en ontoegankelijk dat het bijna afstotend werkte. Hij keek eerst naar Percy en toen naar mij, met een grimmige blik. Na zeven uur in een auto is het onmogelijk om er onberispelijk uit te zien. Ik probeerde mijn gekreukte blouse glad te strijken en wenste dat ik lipstick op had gedaan. Percy zag er ook allesbehalve elegant uit in haar spijkerbroek en ze had haar haar al sinds het ontbijt niet meer geborsteld. Ze keek meestal vol vertrouwen om zich heen, wat sommige mensen leuk vonden en anderen afkeurden. Deze man zag eruit alsof hij een hekel had aan kinderen.

'We hebben nog een halfuur gewacht, maar sommigen van ons werden hypoglycemisch dus besloten we om maar te gaan eten,' zei hij op afgebeten toon. Harry's stem, alleen langzamer en dieper.

'O, dat geeft niet,' zei Harry. 'Art, lieverd, dit is mijn oom Jago.'

Ik pakte een hand aan die vrijwel onmiddellijk weer werd teruggetrokken. 'Hoe maakt u het?'

'En dit is haar kleine zusje, Percy. Die moet meteen iets te eten hebben.'

Jago fronste. 'Percy?'

'Persephone,' mompelde ik. 'Het spijt me dat ik haar onuitgenodigd heb meegebracht, maar ze woont bij mij en ze is het niet gewend...'

Jago had zich alweer omgedraaid. 'Jem!' Een man die er angstaanjagend uitzag, met een vierkant, gespierd lijf, lange armen en korte benen, een gezicht dat zo behaard was als een aap en een zwarte pleister over een van zijn ogen, kwam binnen en bleef onderdanig staan wachten. 'Neem dit kind mee naar de keuken en zorg dat ze iets te eten krijgt.' Het klonk bijna als een snauw.

Percy keek me wanhopig aan, met een blik die duidelijk zei: Ik wil niet met die enge man mee. De blik die ze terugkreeg, zei: Schiet op en niet zeuren. Als ik daartoe in staat was geweest had ik haar zwijgend toegevoegd: Dan had je maar niet voor verstekeling moeten spelen. Ze liep schoorvoetend achter hem aan.

'Jullie hebben de soep gemist,' zei Jago, 'maar dat is een felicitatie waard. Ik zal je even voorstellen.' Ik had van oma geleerd dat je, als je aan een aantal mensen werd voorgesteld, moest proberen twee of drie dingen van hun uiterlijk te onthouden terwijl je de namen bij jezelf herhaalde. Jago wees op de vrouw links van hem. 'Loveday Weeks.' Loveday schonk me een verlegen glimlach. Een dikke bos schouderlange grijze krullen en een saffraankleurige kaftan. 'Osbert Parsley.' Osbert boog. Zwart haar, rode wangen. 'Roza Meisel.' Een oranje satijnen avondjurk, suikerspin. 'Gwennap Tregonan.' Een kort jongenskopje, lange zilveren oorbellen. 'Fenton Gool...'

Ik gaf het op. Ik had die dag al een heel leger nieuwe mensen ontmoet en er kon geen naam en geen gezicht meer bij. De gasten van oom Jago leken een stel bohemiens die ik hier in de rimboe van Cornwall niet verwacht had. Wat had Harry ook alweer gezegd? De Gouden Dageraad? Daar had ik wel eens van gehoord, maar ik kon me niet meer herinneren wat dat precies was.

Harry trok een stoel voor me bij, rechts naast zijn oom en ging toen zelf op de lege stoel aan de andere kant van de tafel zitten, naast de vrouw van wie ik de naam wel had onthouden, omdat ik die al eerder had gehoord. Roza, de huishoudster van Jago. Toen ze aan me werd voorgesteld, had ze me vanuit haar ooghoeken aangekeken, zonder haar hoofd te bewegen. Eng. En hoewel mijn vader de minst hooghartige man ter wereld was, zou het nooit in zijn hoofd zijn opgekomen om samen met Janet aan tafel te gaan. Janet zou trouwens ontzet zijn geweest als hij dat had voorgesteld. Sprak het dan niet in het voordeel van Harry's oom dat zijn verhouding met Roza zo ontspannen was?

Ik keek hem nog eens aan. Direct bij die eerste blik vol antipathie had ik het idee al laten varen dat ik goede maatjes met hem zou kunnen worden. Maar ik was het aan Harry verplicht om iets aan die vervelende eerste indruk te doen.

'Dit is echt een schitterend huis...' begon ik, maar ik hield mijn mond toen een hand, waarop tussen het struikgewas dat erop groeide een anker was getatoeëerd, een bord voor me neerzette. Er lag een bleek kippenpootje op, met een plens glimmende rode saus die zo uit een plastic fles leek te komen. Jago duwde een schaal met gekookte aardappels naar me toe. Ze waren zo gaar dat ze bijna uit elkaar vielen.

'Het bevalt me,' zei hij op een toon waaruit duidelijk bleek dat mijn mening hem volslagen koud liet. Hij straalde in alle opzichten onvriendelijkheid uit, maar ik wist dat de meest chagrijnige man kon ontdooien als een jongere vrouw hem paaide met een beetje aandacht. Hoewel hij niet echt oud was. Ik schatte hem op een jaar of veertig, maar hij maakte al een behoorlijk verbitterde indruk. En dat werd nog eens benadrukt door zijn slonzige voorkomen. Zijn smokingjasje was van dezelfde ouderwetse snit als dat van mijn vader, zijn overhemd was gekreukt en zijn vlinderdasje zat vol rafels. Zijn haar was te lang en zijn kin vertoonde het blauwe waas van ongeschoren stoppels.

'Wat ik vandaag onderweg van Cornwall heb gezien was heel veelbelovend. Onbedorven en zalig ouderwets. Ik verheug me er nu al op dat ik bij daglicht op onderzoek zal kunnen gaan.'

'Dan zul je niet veel te zien krijgen. Volgens de barometer blijft het nog een paar dagen regenen. En hier gaat regen meestal gepaard met een dikke mist.'

'O. Nou ja, dat is dan weer iets heel anders dan in Suffolk, waar het altijd zo droog is dat de boeren er constant over mopperen.'

Hij keek me aan en gooide een bijna vol glas wijn in twee of drie slokken naar binnen. 'Je zult het wel heel vervelend vinden dat boeren onder elkaar altijd over het weer praten. Maar het is wel zo dat ons hele inkomen ervan afhangt.'

Ik was vergeten dat hij ook boer was. In zekere zin. Hij straalde zoveel trots uit dat ik me niet kon voorstellen dat hij 's ochtends om zes uur opstond om te gaan maaien. Mijn vader was ook een tijdje in naam boer geweest. Dat kwam er in feite op neer dat hij twee keer per jaar Bob Stickle, die de boerderij voor hem beheerde, uitnodigde om een glaasje sherry te komen drinken en over de graanprijzen te praten. De uitnodiging om naar het dansfeest te komen dat mevrouw Stickle in de schuur gaf, werd steevast afgeslagen. Maar ik wist dat mannen graag deden alsof ze altijd de vinger aan de pols hadden.

Ik nam voorzichtig een slokje wijn. Die was lekker, wat niet van het eten kon worden gezegd. 'Dat meende ik niet echt. Ik neem aan dat het af en toe heel vervelend is dat het hier zo vaak regent, maar dat betekent wel dat hier beeldschone dingen groeien die veel vocht nodig hebben, zoals hortensia's en sleutelbloemen. En bovendien zullen er ook vaak regenbogen zijn. Ik heb ergens gelezen dat de donkergrijze lucht tussen een dubbele boog de Alexanderboog wordt genoemd, naar de Griekse wijsgeer.'

'"Mijn hart veert op als ik een regenboog aan het zwerk ontwaar",' riep Loveday plotseling uit.

Ik glimlachte naar haar. 'Houdt u veel van Wordsworth?'

'Nee.' Ze bloosde licht. 'Niet echt.' Meteen daarna draaide ze zich om, begon op een fluistertoontje tegen de man naast haar te praten en liet mij aan mijn lot over.

Jago legde zijn mes en vork neer en begon te frunniken aan een rafelend gat in het tafellaken. Zijn handen waren net zo goed gevormd als die van Harry, maar ze vertoonden kleine wondjes in diverse stadia van genezing, waardoor ik mijn mening over dat maaien bij moest stellen. Het was de avond van mijn trouwdag, maar tot op dat moment had hij er nog niets over gezegd, wat ik op zijn minst een beetje onheus vond, al was het nog zo'n gevoelig onderwerp. En waar was tante Demelza?

Ik keek naar Harry. Links naast hem zat de vrouw met de lange oorbellen bijna hysterisch te giechelen om iets wat hij tegen haar zei. Ik voelde me meteen links en onhandig. De stilte hield aan en ik begon wanhopig te worden.

'Hoeveel koeien hebt u?' vroeg ik Jago.

Er ontbrak een knoopje aan zijn overhemd en toen hij vooroverboog om de wijn te pakken en nog een glas voor zichzelf in te schenken ving ik een glimp op van een bruine borst.

'Jem!' grauwde hij en gebruikte de koperen bel die naast zijn bord stond.

Jem dook op en pakte de karaf aan. Na een vluchtig handgebaar van zijn meester hinkte hij rond de tafel om alle glazen opnieuw te vullen. Oom Jago zakte achterover in zijn stoel en wierp een bedrukte blik op zijn gasten, alsof hij ze liever kwijt dan rijk was. 'Wat zei je?'

'Ik vroeg hoeveel koeien u had.'

Hij keek me aan over de rand van zijn glas. 'Vijftig. Achtenvijftig, als je de nieuwe kalveren meerekent, maar die gaan woensdag weg.' Hij sprak onduidelijk en ik vroeg me af of hij dronken was. Hij gedroeg zich zo onbeschoft dat ik besloot om geen poging meer te doen om met hem te praten.

De gast rechts van me zat een beetje somber te prikken in het voedsel dat nog op zijn bord lag. Vroeger, toen hij nog jong was en nog niet zulke wallen onder zijn ogen had gehad, was hij waarschijnlijk wel aantrekkelijk geweest. De kraag van zijn overhemd prikte in een veelvoud van onderkinnen, zijn dikke bos haar was aan de zijkant van zijn hoofd in een soort vleugels geborsteld en hij had een grote, vlezige onderlip, die volgens mij de Habsburgse lip wordt genoemd. Hij deed me denken aan portretten die ik had gezien van de prins-regent, de latere koning George IV, voordat die helemaal in de vernieling raakte.

Toen hij besefte dat ik naar hem keek, legde hij zijn bestek neer en glimlachte snaaks.

'Dus jij bent Harry's nieuwe vrouw.' Hij hief zijn glas. 'Dan moet ik je feliciteren.'

'Dank u.'

'Harry heeft een lot uit de loterij gewonnen.' De prins-regent keek omhoog. Ik volgde zijn blik. Het plafond was niet zo spectaculair als dat van de grote zaal, maar toch voorzien van een aantal mooie neoklassieke guirlandes. 'Maar dat is wel toepasselijk, hè? Harry is zo knap als een sprookjesprins en hij is al even geestig en charmant.'

'Tja, daar ben ik het natuurlijk mee eens.'

Op hetzelfde moment keek Harry me over de tafel aan en lachte naar me. Hij wees op de zijkant van zijn hoofd en vervolgens naar mij. Ik stak mijn hand op en voelde het veren dopje dat Birdie voor me had gemaakt op één oor hangen. Geen wonder dat die ellendige oom van Harry had moeten lachen. Ik rukte het af en stopte het onder mijn servet.

'Heb je al kennisgemaakt met de ruige rotsen langs de kust, de winderige heidevelden en de afgelegen mospaadjes van ons geliefde Cornwall?' vroeg de prins-regent.

'Helaas niet. Maar ik verheug me wel op die kennismaking.' Ik wist dat oom Jago nog steeds zwijgend zat mee te luisteren, maar ik voelde me toch verplicht om enthousiast te reageren. 'Ik heb altijd een visioen gehad van Cornwall als een woest, rotsachtig, door de wind geteisterd gebied maar...'

'Een visioen! Wat ongelooflijk boeiend, mevrouw Tremaine. Ik heb zelf ook visioenen gehad, waarvan sommige zo ongewoon dat het nauwelijks voorstelbaar is. Wanneer werd u zich ervan bewust dat u die gave had?'

'U mag wel Artemis zeggen.'

'Gaarne...' Hij week met een schok achteruit, halverwege zijn buiging, toen een harige hand mijn bord weg pakte en verving door een nieuw exemplaar waarop een stukje aangebrande cake lag.

'Harry zei dat dit een avond van de Gouden Dageraad was,' zei ik in de hoop de aandacht af te leiden van mijn eigen mystieke ervaringen, die tot dan toe schitterden door afwezigheid. 'Dat is toch een soort occulte vereniging? Heeft het niet iets te maken met W.B. Yeats...?'

'Aha! Je kennis is al even groot als je schoonheid!' Omdat ik me nog steeds gekwetst voelde door de manier waarop Harry's oom me behandeld had, was ik dankbaar voor al die goedkeuring, ook al was die nog zo onverdiend. 'We zijn maar een kleine tak, een afgelegen onderdeeltje van de Orde van de Gouden Dageraad. Vertel eens.' Hij bracht zijn gezicht zo dicht bij het mijne dat ik de poriën in zijn wijnrode neus kon zien. 'Heb je astrale ervaringen gehad? Projectie, bedoel ik?'

'Ik vrees van niet.'

Onder het tafellaken kneep hij even in mijn hand. 'Dat kost heel wat oefening. Ik was zelf pas in staat om astrale reizen te maken toen ik al ver in de dertig was. Je moet beginnen met mediteren. Het helpt als je naar het puntje van je neus kijkt.'

Ik volgde het advies niet op, omdat ik geen zin had om compleet voor schut te staan. 'Zijn jullie een soort dinerclub?' vroeg ik.

Hij lachte hartelijk. 'O nee, lieve Artemis. Een dinerclub! Haha! Hoewel we onze maandelijkse bijeenkomsten meestal wel afsluiten met een... ahem...' Hij keek met een bedenkelijk gezicht naar zijn bord, '... elegante maaltijd dankzij de goede zorgen van onze vriendelijke gastheer.' Hij gaf een beschaafd knikje in de richting van Jago.

Jago, die met zijn kin op de vingertoppen van zijn samengevouwen handen onderuitgezakt in zijn stoel hing, schrok op en fronste. 'Hè?'

'Ik zei net tegen Harry's verrukkelijke bruid hoe fortuinlijk we zijn dat we onze bijeenkomsten in dit schitterende huis mogen houden.' Prinny boog opnieuw. Jago trok één mondhoek op en knikte kort, voordat hij zich leek te verdiepen in de omtrek van de suikerpot.

'Nee, Artemis, voordat we aan tafel gaan hebben we altijd een séance in de grote kamer.' Hij wees naar boven. Heel even zag ik een door wolken omhulde, astraal geprojecteerde bijeenkomst voor me, tot ik me herinnerde dat in dit soort middeleeuwse huizen de grote kamer, de voorloper van de salon, zich meestal op de eerste verdieping bevond, boven de grote zaal. 'Vanavond heeft onze hiërofant – Roza, bedoel ik – de Grote Engel Axir van de Derde Kleine Zijde van de noordelijke Wachttoren opgeroepen.'

'Lieve hemel. Echt waar?' Als ik eraan dacht hoe saai feestjes in Londen meestal waren, werd ik gewoon jaloers. 'Was dat moeilijk?'

'Heel moeilijk. Maar dat lijkt me logisch. Als het gemakkelijk zou zijn, dan zouden mensen aan één stuk door engelen en demonen oproepen.'

'Wilt u daarmee zeggen,' zei ik tegen Prinny met een spoor van opwinding waarvoor ik me eigenlijk een beetje schaamde, 'dat jullie ook boze geesten oproepen?'

'Niet uit vrije wil. Je hoeft niet bang te zijn dat we ons met zwarte kunst bezighouden, lieve kind.' Hij pakte mijn hand weer en hield dit keer zo stevig vast, dat mijn hand al snel even warm en klam werd als de zijne. 'Het is allemaal een kwestie van cirkels en driehoeken en pentagrammen in het... ik geloof dat het Hebreeuws is. Je pakt de Waterkom vast en loopt sprenkelend rond in een kring en dan zwiep je de Aarddolk door de lucht terwijl je iets declameert over een eeuwig glooiend ravijn... Het meeste gaat me boven de pet. Maar gelukkig weet Roza precies waar het om draait...'

Ik probeerde voorzichtig mijn hand terug te trekken, maar hij hield stevig vast. 'En hoe zag de Grote Engel eruit?'

'O, die snuiter is helemaal niet op komen dagen. Ik was knap teleurgesteld nadat we een uur in een kringetje hadden rondgelopen, zingend en sprenkelend en weet ik wat nog meer. Ik was blij dat we een glaasje sherry kregen toen het allemaal voorbij was!'

'Hoeveel geesten hebben jullie wel op kunnen roepen?'

'Tja, op een keer verscheen Sephirot per ongeluk. Een onaangenaam stuk vreten. Net toen Roza bij dat stuk over de Goddelijke Qlippoth was, vloog de deur open... en zonder dat er een mensenhand aan te pas kwam!'

Ik kon daar wel een simpele verklaring voor bedenken toen ik de eetkamer rondkeek en de opbollende gordijnen en de flakkerende kaarsenvlammetjes zag, maar het zou zonde zijn geweest om zijn verhaal te bederven.

'De koude rillingen liepen me over de rug, hoor!' Prinny masseerde mijn vingers. 'Roza schreeuwde dat ze een man op de drempel zag staan met de hoorns van een bok en ogen als gloeiende kolen. De rest van ons kon hem niet zien, we zijn nog niet voldoende ingevoerd. Daarna verdween Sephirot weer en smeet de deur met zo'n klap dicht dat een stuk van het plafond naar beneden kwam...'

'Cardew!' Roza Meisel stak haar vinger op naar de prins-regent en zwaaide die heen en weer om zijn aandacht te trekken. 'Iek vraak mij af of je nog wel weet dat dies ein zeer geheim genootschaft ies. Iek denk dat jai graag de Truro Town Hall wilt afhuurn om een lezing over onsch te geven.' Het puntje van haar vrij lange neus trilde van verontwaardiging. Haar donkere ogen waren haar sterke punt, maar ze puilden zo uit dat het bijna ziekelijk was. Ze was zo mager en door haar glanzende oranje jurk leek haar huid zo grauw dat ik onwillekeurig moest denken aan een in zalm gewikkelde asperge. 'Af en toe vraak ik mij wel eens ab, Cardew, of jouw temperament wel pascht bij de doelstellungen van unser' – ze wierp me vanuit haar ooghoeken weer zo'n steelse blik toe – 'bijeenkomschten. Een losse tong ist het teken van het beest.'

Cardew liet zichtbaar onder de indruk mijn hand los. Hij deed geen poging meer om met me te praten maar begon haastig zijn pudding op te eten. Omdat ik nu door mijn beide buren genegeerd werd, nam ik ook maar een hapje. Uit de vieze kleur en de stijfselsmaak kon ik opmaken dat het uit een pakje kwam. Normaal gesproken zou ik beledigd zijn geweest dat ik zo werd behandeld, maar ik herinnerde mezelf eraan dat ik de komende twee weken ongehinderd zou kunnen doorbrengen met mijn lieve, knappe, charmante en aantrekkelijke echtgenoot. Met zo'n vooruitzicht moest ik toch wel waanzinnig gelukkig zijn? Ik was in het huis waar Harry was geboren, zijn eerste stapjes had gezet en waar hij altijd Kerstmis en zijn verjaardag had gevierd. Meer wist ik niet van het leven dat Harry op Pentrew had geleid. In de korte tijd dat we elkaar kenden, waren we te zeer bezig geweest met het heden om het verleden te verkennen... Ik sprong op toen het geluid van brekend glas werd gevolgd door een koud gevoel op mijn dijbeen. Op mijn mooie rok breidde een rode vlek zich langzaam uit.

'Neem me niet kwalijk.' Oom Jago zette wat er nog van zijn glas over was rechtop en depte de wijn die van de tafel drupte op met zijn zakdoek. 'Wat onhandig van me... Jem! Breng eens een doek.'

Harry stond al naast me, maakte zijn servet nat in de kan met water en begon de geruwde zijde te deppen. 'Kijk, het wordt al minder – arme schat – misschien kun je beter iets anders aantrekken.'

'Ik heb niets anders bij me.'

'O ja, dat is waar ook. Nou ja, het zal in een mum van tijd droog zijn.'

'Het spijt me,' herhaalde oom Jago.

Ik ging zonder een woord te zeggen weer zitten en weigerde hem aan te kijken, ook al is het niet aardig om te mokken.

'We gaan morgen meteen naar de stomerij.' Harry klopte op mijn wang en ging weer op zijn plaats zitten.

Roza kuchte gemaakt om onze aandacht te trekken. 'Hoog zeit voor ons muzikale pleizier in de salon. Löffday... Ben je zover?'

Loveday Weeks had tot dusver niet de indruk gewekt dat ze van de avond genoot. Oom Jago had zich een keer of twee verwaardigd om haar op verveelde toon iets toe te voegen. Haar andere buurman – die met de rode wangetjes, Osbert Nogwat – had wel tijdens de maaltijd tegen haar zitten praten en ik had geïnteresseerd toegeluisterd toen hij vertelde dat het conservenblik was uitgevonden omdat Napoleon een prijs van twaalfduizend frank had aangeboden voor degene die een manier uitvond om voedsel voor soldaten vers te houden. Osbert had een vriendelijke en openhartige indruk gemaakt, maar Loveday had zoveel moeite gehad om haar geeuwen te onderdrukken dat haar kleine bruine kraaloogjes ervan begonnen te tranen.

Nu was ze wel bij de tijd. 'Ik ben er klaar voor, lieve Roza. Maar zorg ervoor dat ik niet langer doorga dan plezierig is. Ik ben me nooit bewust van tijd als ik in etherische verrukking rondzweef op de vleugels van muziek.'

Ik hoorde een soort gegrom uit de richting van Jago.

Roza stond op. Jago gooide zijn servet op tafel en liep zonder iets te zeggen de kamer uit. Roza keek hem na, weer met die rare zijdelingse blik, en ik zag dat ze even diep ademhaalde. We liepen achter haar aan door een deur die toegang gaf tot een bijzonder aantrekkelijke zitkamer. Een groot vuur verspreidde een heerlijke warmte die in de veel grotere eetkamer niet mogelijk was geweest.

'Zouden ze het heel erg vinden als ik ervandoor ga?' fluisterde ik tegen Harry. 'Ik wil weten of alles goed is met Percy.'

'Meneer Harry.' Jem verscheen in de deuropening met een gemelijke uitdrukking op zijn donkere gezicht. 'De meester wil u effe spreken.'

'Ik kom eraan.' Harry pakte mijn arm en bracht me naar de oorfauteuil die het dichtst bij het vuur stond. 'Ga zitten, lieverd. Je moet eerst even opdrogen.' Hij boog zich voorover en fluisterde: 'Ik zorg wel voor Percy. Probeer jij het uit beleefdheid nog even uit te houden met dit stelletje ouwe gekken, dan kom ik zo gauw mogelijk terug om je naar bed te brengen.'

Ik ging gehoorzaam zitten en wierp een sluikse blik op mijn horloge. Vijf over tien. Een jongeman met een blauwe bril en een sikje hielp Loveday een harp midden in de kamer zetten. Ze ging zitten, schudde haar lange grijze haren naar achteren, trok het instrument naar zich toe en begon te stemmen. Aangezien een harp bijna vijftig snaren heeft, duurde dat even. Eindelijk was Loveday tevreden en begon zich door *Greensleeves* te plukken, met wijd opengesperde neusgaten en grote armgebaren, alsof ze met een veel te lange draad zat te naaien.

Ik vind het geluid van een harp schitterend, maar na een halfuur begon ik er een beetje genoeg van te krijgen. Mijn aandacht verslapte.

Cardew zat met gesloten ogen in de oorfauteuil tegenover me en terwijl Loveday plukte en mijn rok opdroogde, begon hij kreetjes te slaken, als een terriër die droomt van de konijnenjacht.

Ik keek om me heen. Iedereen – behalve Loveday en ik – was in diepe rust en mijn oogleden begonnen ook dicht te zakken...

'Wakker worden, lieverd,' klonk Harry's stem in mijn oor.

Ik deed mijn ogen open. 'Wat? O... Harry!' Ik keek op mijn horloge. 'Kwart over elf! Dat kan haast niet!'

Terwijl Loveday met gesloten ogen verrukt verder bleef spelen maakte haar publiek gebruik van de gelegenheid om hun kleding recht te trekken en achter hun handen uitgebreid te gapen tot Roza, met haar suikerspin inmiddels op één oor, opsprong. 'Danke, Löffday. Ik draag de reise die ik vanavond mocht maken naar het Ongeboren Hiernamaals op aan jouw goddelijke moeziek. Nu moeten we leider terug naar de haast van het heden.'

Ze liep naar de deur en hield die open. Loveday rebelleerde door nog een paar noten te plukken maar de jongeman met de bril kwam al aanlopen met de hoes van het instrument en ze moest haastig achteruit schuiven om te voorkomen dat ze ook ingepakt zou worden.

Ik trok aan Harry's mouw. 'Hoe is het met Percy?'

'Ze ligt in bed in de oude kinderkamer met een zak toffeetjes en mijn oude jongensboek over koning Arthur en de ridders van de Ronde Tafel.'

'Ik moet even naar boven om te controleren of ze haar tanden wel gepoetst heeft.'

Harry stak zijn arm door de mijne en nam me mee naar de grote zaal. 'Ben je altijd zo bezorgd om haar?'

'Wie moet er anders voor haar zorgen?'

'Ik heb het vage idee dat volgens andere mensen Percy's vader, haar stiefmoeder, Janet en het personeel van het Heilig Hartklooster ook best voor een kind kunnen zorgen.'

Ik vroeg me af of Harry misschien jaloers was.

'Overigens heb ik niets tegen die zusterlijke toewijding van je,' vervolgde hij. Zoals gewoonlijk wist hij weer precies wat ik dacht. 'En ik ben blij dat je al een behoorlijk luidruchtig kuiken hebt. Een van de redenen dat ik verliefd op je werd, is dat je duidelijk niet droomt van wiegjes en natte, blèrende baby'tjes. Je hoefde ook niet te weten of ik wel de bof had gehad. Dat soort dingen geeft een man het gevoel dat zijn diepste gevoelens minder belangrijk zijn dan de vorm van zijn neus.'

'Er zijn anders genoeg mannen die ook kinderen willen.'

Hij sloeg zijn arm om me heen. 'Dat geldt ook voor mij hoor. Maar ik zou het toch wel prettig vinden als je me niet meteen op het bewijs van je liefde trakteert, want ik zou eerst graag een tijdje van jou alleen genieten.'

Ik dacht met spijt aan mijn doosje met anticonceptiepillen in de koffer onder de hulststruik. Ik moest morgenochtend meteen een afspraak maken met hun huisarts. 'Moeten we niet iedereen welterusten wensen? Ben jij niet de gastheer bij ontstentenis van je oom?'

'Dit is Roza's feestje.' Harry pakte me bij de elleboog en trok me via de gang mee naar een deur. 'We lopen de achtertrap op naar boven.'

Via een kamer vol met regenjassen en een hele rij laarzen eronder kwamen we uit in een klein trappenhuis en liepen naar de tweede verdieping.

'Hier is het, lieverd.' Harry bleef bij een hele rij deuren staan. 'Dit is mijn oude kamer. Het stelt niet veel voor, maar morgenochtend zul je zien dat het uitzicht fantastisch is.'

Een lamp naast het bed verlichtte een ijzeren ledikant, boekenkasten, een ladekast, een bureau en een oude bureaustoel. Op het bed, onder een paisley-donsdeken, lag Percy vast te slapen. Het boek was uit haar hand gevallen. Ik pakte het weg en trok de dekens op. Naast haar stond een beker met een restje chocolademelk en het lege doosje van de toffeetjes lag op de vloer, naast haar nieuwe toilettas met de tandenborstel nog in de verpakking.

'Zou ik haar wakker moeten maken?'

'Dit is de Golden Hind.' Harry boog zich over een scheepsmodel dat op het bureau stond. 'Ik heb er drie vakanties over gedaan om het af te maken.'

'Prachtig. Ze heeft haar tanden niet gepoetst.'

'De tuigage was het moeilijkst om te maken. En ik heb het kraaiennest nooit afgemaakt, kijk maar.'

Ik keek gehoorzaam. Het was stom van me om te denken dat Harry ook maar enigszins geïnteresseerd zou zijn in Percy's bestaan.

Hij blies het stof weg dat zich op het dek had verzameld. 'Natuurlijk geeft het niets dat ze voor één keer haar tanden niet heeft gepoetst. Wat dat kind nodig heeft, is slaap.'

Ik voelde mijn nek en kaken die zo gespannen waren als pianosnaren ontspannen.

'Trouwens...' Hij draaide zich om en sloeg zijn armen om me heen. 'Ik wil met je naar bed. Ik heb de hele dag al een erectie gehad omdat ik alleen maar naar je mocht kijken, en dat voelt echt niet lekker aan.' Harry drukte zich tegen me aan en kuste me hartstochtelijk voordat hij zich abrupt omdraaide. 'Kom mee en help me ervan af in ons huwelijksbed.'

Hij pakte mijn hand en liep samen met me de trap af. 'Hier is het.' Hij duwde me voor zich uit een kamer in en deed de grendel op de deur. 'We willen niet gestoord worden.'

'Wie zou er dan binnen kunnen komen?'

'Roza of Morveran zonder na te denken.'

Het was een grote kamer, met een lang venster in een van de muren. Ik had een zwaar eikenhouten bed verwacht, misschien wel met zestiende-eeuwse wollen gordijnen, maar tot mijn verrassing was het een *lit-à-la-polonaise* van zeker honderdvijftig jaar later, met een ronde hemel en mooi bewerkte posten van verguld hout.

'Wat beeldig!' Ik keek vergenoegd naar de blauw-witte, met zilverband afgezette gordijnen, naar de lichtgrijs geschilderde muurpanelen en naar de toilettafel die bekleed was met gestippelde mousseline. Op de grond lag een ivoorkleurig vloerkleed.

'Dit was de kamer van mijn moeder. Ze had een hekel aan donkere dingen. Haar gedachten waren al somber genoeg, denk ik. De badkamer is daarginds. Ga jij maar eerst.'

Het was een kleine, voormalige kastruimte, met een charmant behang vol blauwe bloemranken. Het bad en de wastafel waren in marmer gevat en het toilet was verborgen in een kamerstoel van rotan. Bij nadere inspectie bleek het bad smerig dus ik maakte het zo goed mogelijk schoon en liet het vollopen met water dat hooguit lauwwarm was terwijl ik Harry's tandenborstel gebruikte. Nadat ik een minuut of twee had liggen spartelen met alleen een stuk zeep vol zwarte barsten droogde ik mezelf af met een handdoek die grauw was en zo stijf als een plank.

Harry had zijn colbert en zijn schoenen uitgetrokken en lag op het bed. Ik glipte naakt tussen de lakens. Het bed was zo mooi dat het gewoon jammer was dat niemand de moeite had genomen om de lakens te strijken of de scheur te repareren die ik meteen verder opentrapte. Hij ging op zijn zij liggen om me te kussen en begon zijn overhemd uit te trekken.

'Harry!' Ik ging rechtop zitten. 'Ik bedenk net dat Percy waarschijnlijk wel naar zal dromen en dan weet ze niet waar ik ben. Het spijt me, maar zou jij alsjeblieft een briefje op haar nachtkastje willen leggen?'

Hij kreunde. 'Moet dat?'

'Alsjeblieft. Ik heb geen ochtendjas en ik kan niet spiernaakt door het huis van je oom lopen.'

'Dat zou hij vast heel leuk vinden.'

'Echt? Ik kreeg de indruk dat vrouwen hem nauwelijks interesseren.'

'O, hij was vroeger een eersteklas versierder.'

Die wetenschap maakte mijn afkeer van Jago alleen maar groter. 'Nou ja, daar heb ik toch geen zin in, dus of ik moet me weer aankleden of jij gaat.'

'Vooruit dan maar.' Harry pakte een pen uit zijn jaszak en een stukje papier waarop ik een ruwe plattegrond van het huis tekende en aangaf waar onze kamer was, met de opdracht te kloppen voordat ze naar binnen kwam.

Harry vertrok en ik overwoog hoe lief en onzelfzuchtig hij was terwijl ik languit ging liggen in het koude bed. Wat gemeen van zijn oom om Harry meer dan een uur na het eten vast te houden, waardoor ik overgeleverd was aan die fanatieke harpiste en haar geloofsgenoten... Yeats en de Gouden Dageraad... Birdie en ik hadden een eindexamenscriptie over hem gemaakt... Ik zeilde over een brede gouden band... een zon die op een grote ronde kaas leek, verlichtte golven die tegen de kust krulden als boter in een restaurant... droevige kreten van zeemeeuwen... De boot wiegde heen en weer terwijl de zee golfde met een misselijkmakend ritme... Ik zwiepte moeiteloos met mijn glinsterende staart vol schubben en zwom omlaag naar de duistere stilte van de oceaanvloer...

5

Er viel gedempt licht door een spleet tussen de gordijnen. Ik deed mijn ogen weer dicht en dacht aan Harry. De beelden die mijn brein opriep werden meteen gevolgd door het besef dat ik gisteren met hem was getrouwd en een gevoel van geluk bloeide op in mijn borst. De derde gedachte was dat ik hem aan wilde raken.

Maar toen ik mijn hand uitstak, voelde ik alleen koele lakens. Ik deed mijn ogen open. Het was te donker om op mijn horloge te kunnen kijken. Ik glipte uit bed, wikkelde het dekbed om me heen en trok de gordijnen open. Door de druppels die een recente regenbui op het raam had achtergelaten kon ik vaag de bomen zien. Achter de tuin lag een grijsgroene vlakte die overging in de zee. Er lag een verrekijker op de vensterbank en op het moment dat ik die naar mijn ogen bracht, werd ik bijna verblind door de zon die besloot om op hetzelfde moment een koperen net over de Atlantische Oceaan te gooien. Geen wonder dat ik de hele nacht over water en golven had gedroomd. Ik duwde het raam open en proefde de zilte smaak op mijn lippen. Zeemeeuwen cirkelden rond en doken weg achter iets dat kennelijk een klif was, met een rand van bomen in rare vormen. Ik was even verbaasd en verrukt als Harry waarschijnlijk had gehoopt.

Hij had me ook weinig verteld over het werk dat hij deed, tot hij me op een dag meenam naar het hoge uit glas en staal opgetrokken kantoorpand waar hij werkte op de afdeling vermogensbeheer voor internationale en offshore cliënten. Ik moet eerlijk toegeven dat ik er niets van begreep toen hij me uitlegde wat zijn werk inhield. Harry had wiskunde gestudeerd in Cambridge, het enige vak waarin hij goed was, want hij was zwaar dyslectisch. Ik had nog nooit een briefje van hem gekregen, dus ik wist niet in hoeverre dat waar was. Hij had zo zorgeloos over die afwijking gedaan dat ik het vermoeden kreeg dat het een gevoelig onderwerp was. Maar als je verliefd bent op iemand is elk teken van kwetsbaarheid reden te meer om die persoon in bescherming te nemen.

Ver weg, aan de horizon, zag ik een schip varen. Dichter bij de kust sneed een boot met een roestkleurig zeil door de golven, op weg naar de kust. Een vlucht zeemeeuwen liet zich op stijve vleugels meevoeren op de thermiek en hun opvallende gekrijs, ergens tussen lachen en huilen in, brak af toen ze in een donkere golf doken.

Allemaal heel boeiend, maar ik had mijn gedachten er niet bij. Was Harry vroeg opgestaan omdat hij geërgerd was? Er was geen sprake geweest van een hartstochtelijke vrijpartij, want ik sliep al toen mijn hoofd het kussen raakte. En waar was Percy? Hoewel ze bijna een tiener was, kwam ze 's morgens toch graag naar me toe. Mijn horloge vertelde me dat het kwart voor negen was. Ik waste me, poetste mijn tanden en probeerde vervolgens in mijn beha en onderbroekje de wijnvlek uit mijn rok te poetsen, maar dat lukte niet echt. Ik liep naar het raam om de rok in de wind te laten drogen.

'Hallo, schat!' riep iemand beneden. Ik leunde uit het raam. Harry lachte me toe vanaf het gazon. 'Je bent toch niet boos omdat ik er stiekem vandoor ben gegaan? Je sliep nog als een roos, maar ik vond het gewoon zonde om ook maar een minuut van zo'n mooie dag te verspillen.'

'Ik ben helemaal niet boos.' Harry die er meestal heel chic uitzag, droeg nu een slobberige trui, een spijkerbroek en rubberlaarzen. De metamorfose beviel me wel. 'Ik kom eraan,' zei hij.

Maar het duurde zeker een kwartier voordat hij opdook en in de tussentijd bladerde ik door het fotoalbum dat ik in de la van de toilettafel had gevonden.

Op de eerste bladzijde zat een zwart-witfoto van een vrouw met een kraag van vossenbont die op het bordes van een kerk stond met een baby in een doopjurk in haar armen. Eronder stond in een onwennig handschrift *Elsa Joyce Gilbey, drie maanden oud, gedoopt op 10 juli, 1927.* Op dezelfde bladzijde zat ook een kiekje van *Mama en Papa en ik in de tuin op Larchwood Road.* Op de foto's daarna groeide de baby op en *De eerste schooldag* toonde een ernstig meisje in een regenjas bij de voordeur van een twee-onder-eenkapwoning. Mama had inmiddels een keurig kort kopje en papa leunde met één hand op de motorkap van een Baby Austin.

Verder bladerend veranderde het drietal. Mama ging chiquere kleding dragen en papa stond voor een gemeentehuis met een burgemeestersketting om zijn hals. Een bladzijde verder had papa een chauffeur en op de bladzijde ernaast lagen mama en papa op zonnebedden aan boord van een schip en hieven cocktailglazen op naar de fotograaf – Elsa? – van wie de schaduw over hun blote benen viel. Twee pagina's verder stonden papa en mama stijf en onwennig bij Buckingham Palace. *Oktober 1944, papa wordt in de adelstand verheven.* Het album was een prachtig voorbeeld van maatschappelijk succes. Ik moest ineens denken aan wat Harry had gezegd over de succesvolle manier waarop Pentrew in stand was gehouden door middel van verstandshuwelijken.

Een portretfoto van Elsa in een laag uitgesneden avondjapon met een parelsnoer om haar hals nam een hele bladzij in beslag. *Ik op mijn eenentwintigste. April 1948.* Een kinderlijk gezichtje met een aantrekkelijk naïeve blik in de bruine ogen. Want inmiddels waren we bij de kleurenfoto's aanbeland. Een paar bladzijden verder werd het interessanter. Een man in een kostuum met een dubbele rij knopen en een slappe vilthoed op zijn hoofd stond recht in de camera te kijken, met een uitdrukking die zowel flirtend als uitdagend was. *Lunch in het Savoy met Quintin* stond eronder. Aan de ogen, de jukbeenderen, de mond en de handen te zien was dit Harry's vader. Ik bleef even naar de foto kijken maar zette toen het idee van me af dat hij meer belangstelling had voor de fotograaf dan voor de onschuldige Elsa die aan zijn arm hing en vol adoratie naar hem opkeek. De portretfoto op de bladzij erna toonde dat hij echt bijzonder aantrekkelijk was. Ik slaakte een lichte kreet toen ik een hand op mijn schouder voelde.

'Wat is zo boeiend dat je me niet eens binnen hoorde komen?' zei Harry.

'Het fotoalbum van je moeder. Ik hoop dat je het niet erg vindt...' De foto's waren meteen vergeten toen ik zag wat hij bij zich had. 'Mijn koffer! Wat... Hoe heb je dat in vredesnaam... Kun je toveren?'

Hij zette de koffer voor me op de grond en masseerde zijn schouder. 'Als dat zo was, had ik hem op een vliegend tapijt hierheen gebracht.'

'Maar waar haal je die nou vandaan?' Ik maakte de sloten open. Mijn kleren lagen er nog steeds in, keurig tussen velletjes vloeipapier, precies zoals ik ze had verpakt. Ik keek naar hem op. 'Vertel op!'

'Misschien... maar dan moet ik wel een behoorlijke beloning hebben.' Hij bukte zich en kuste me hard op m'n mond. 'Een niet-voltrokken huwelijk is een geldige reden voor een scheiding, hoor.'

'Het spijt me. Natuurlijk was het niet mijn bedoeling om in slaap te vallen. Dat ging vanzelf.'

Hij deed de deur op slot. 'Dan kunnen we nu de schade inhalen.'

Ik dacht aan Percy, aan ruziezoekende ooms, vijandige huishoudsters en misschien zelfs aan een ontbijt dat koud stond te worden... Enfin, dat moest allemaal maar wachten. Harry was een fantastische minnaar, niet omdat zijn erotische techniek zo geraffineerd was, ook al had hij absoluut meer ervaring dan ik, maar omdat hij totaal geen remmingen kende en er zo intens van genoot. Je kreeg onwillekeurig het gevoel dat een deel van zijn genot wel moest liggen aan het feit dat jij zo begeerlijk was.

'Dat is een heerlijk voorafje voor het ontbijt,' zei hij toen we met bonzende harten lagen uit te rusten. 'Daar moesten we maar een gewoonte van maken.'

'Je ruikt zalig.' Ik besnuffelde hem. 'Naar rotsen, zeewier en natte badkleding.'

'Dat komt omdat ik al over de woelige baren zeilde toen jij nog in dromenland was.'

'Ben je op het water geweest?'

'Dat is altijd het eerste wat ik doe als ik hier kom... een rondje door de baai op de *Saucy Sal.*'

'Is dat die boot met het bruine zeil?'

'Klopt.' Hij rolde op zijn rug en zijn stem klonk intens vergenoegd. 'Mooi is ze, hè?'

'Helaas weet ik niks van boten.'

'Dat moet zo gauw mogelijk rechtgezet worden. We gaan vandaag nog varen. Je zult het heerlijk vinden.'

Ik wilde hem geen koude douche bezorgen door te vertellen dat ik al na vijf minuten in een roeibootje op een spiegelglad meer zo slap werd als een vaatdoek. 'Toen ik uit het raam keek, zag ik een heleboel zeemeeuwen boven iets vliegen dat op een grote vis leek, of op een zandbank, alleen dan paarsrood.'

'Dat zijn sardientjes geweest. Honderd jaar geleden zag je hier nog scholen van anderhalve kilometer breed. Tegenwoordig wordt er niet meer op gevist en de mijnbouw ligt ook plat, dus moeten we het van toeristen hebben. Veel grote huizen zijn omgebouwd tot hotels. Maar op de een of andere manier kan ik me Jago niet als hotelhouder voorstellen. Vriendelijkheid is niet zijn sterkste punt.'

'Ik dacht dat je oom veel ouder zou zijn.'

'Hij was de jongste van vijf. Mijn vader was de oudste. Er zit maar negen jaar tussen Jago en mij.' Harry lachte. 'Hij werd na de dood van mijn ouders tot mijn voogd benoemd, maar de preken waarop hij me trakteerde, klonken allesbehalve overtuigend. Hij was zelf toen ook geen lieverdje. Nu is hij natuurlijk een toonbeeld van rechtschapenheid. Meestal tenminste.'

'Ik kon helaas niet echt goed met hem opschieten.'

'Je bent zijn type niet. Jago valt op keiharde flirts van middelbare leeftijd.'

'Hij hoeft ook niet op me te vallen. Zolang hij maar een beetje beleefd blijft.'

'Het probleem is dat hij zo verdraaid humeurig is. Maar onder die ruwe bolster zit een lelieblanke pit.'

'Daar kijk ik echt van op.' Harry zag altijd de goede kant van mensen, dat was een van de redenen waarom ik zo dol op hem was. 'Maar je hebt me nog steeds niet verteld hoe je aan mijn koffer komt. Had je die soms ergens in de auto verstopt om mij te plagen? O nee.' Ik hield Percy's beugel omhoog. 'Dat kan niet, want die heeft Janet er vast in gedaan nadat ik haar gebeld had.'

Ik trok een spijkerbroek en een grijze linnen blouse aan en knoopte een vuurrode sjaal om mijn nek.

Harry bleef naakt op bed liggen, met zijn handen achter zijn hoofd. 'Ik wil dat je je weer uitkleedt.'

'Dat zal niet gaan. Ik ben toch al schandalig laat voor het ontbijt. Roza heeft ook al niet onder stoelen of banken gestoken dat ze niet echt blij was met mijn komst. Waarom snap ik niet.'

'Ze is een humeurig mens. Ze vindt niemand echt aardig. En ze is natuurlijk verliefd op me.'

'Doe niet zo verwaand.' Ik bekogelde hem met mijn haarborstel, die hij met één hand opving. 'Gelooft ze echt in dat Gouden Dageraad-gedoe? Ik kreeg de indruk dat ze dat hele stel een beetje aan het lijntje hield.'

'Roza staat graag in het middelpunt van de belangstelling.' Harry rolde van het bed af en zocht zijn kleren bij elkaar. 'Ze is een beetje teleurgesteld in het leven en altijd op zoek naar nieuwe sensaties.'

Ik begon het bed op te maken. 'Zou het niet verstandiger zijn als ze beter Engels leerde spreken? En wat meer stof afnam?'

'O ja. Maar Roza is niet zo praktisch en verstandig als jij. Dat hoef je niet te doen. Roza hoort de bedden op te maken.'

'Ze heeft genoeg te doen. En trouwens, als ik dat laken omdraai, ligt die scheur onder de kussens. Als ze niet praktisch en verstandig is, zou een andere huishoudster dan niet beter zijn?'

'Ze is een soort aangetrouwde nicht. Ze woonde samen met haar man in Zuid-Afrika tot hij werd verslonden door een stel leeuwen. Ze kwam vijf jaar geleden naar Engeland en wendde zich tot Jago om hulp. Ze komt oorspronkelijk uit Albanië, maar haar hele familie is uitgemoord. Daarom heeft Jago haar de baan van huishoudster aangeboden.'

Helaas had Jago kennelijk ook een vriendelijke kant. En ik zou best willen weten waarom Harry dacht dat Roza verliefd op hem was. Maar alles wat op jaloezie leek, was uit den boze, dat had ik mezelf vanaf het begin ingeprent.

'Je hebt me nog steeds niet verteld hoe je die truc met mijn koffer hebt uitgehaald. Je hebt toch niet de hulp van Roza's demonen ingeroepen, hè?'

'Als dat zo is, zit je diep in de problemen.' Hij grijnsde vals. 'Het zal vanzelf duidelijk worden.'

Ik begreep dat het geen zin had om verder te vragen. 'Waar is Percy?'

'Ze kwam vanochtend vlak voor zessen binnen, maar omdat je nog diep in slaap was, heb ik haar mee naar beneden genomen en haar het huis laten zien. Daarna heb ik haar bij Morveran achtergelaten, dus ik neem aan dat ze zit te ontbijten.' Hij stak zijn hand uit. 'Kom maar mee.'

Alleen Percy en Morveran waren in de keuken. Het was een groot vertrek met een laag plafond en twee ramen die op zee uitkeken. De muren, de vloer en het gewelfde plafond waren van kaal grijs graniet, verlevendigd met sporen van roze kwarts. Morveran boog door beide knieën in een soort reverence toen ik haar hand schudde.

'Wat ben je laat.' Percy zat aan tafel en lepelde een kom leeg die met vloeibaar goud was gevuld.

'Goeiemorgen, lieve schat.' Omdat ik zag dat er iets glinsterends om haar mond zat, drukte ik een kus op haar oor.

Percy pakte me bij mijn arm. 'Deed het pijn?' fluisterde ze. Iets van het glinsterende spul belandde op mijn mouw.

'Wat eet je daar?'

'Grutten. Net zoiets als havermout. Je zegt altijd dat een warm ontbijt goed voor me is. En ik heb al een portie op,' zei ze braaf.

Mijn oog viel op een blikje met goudkleurige stroop naast haar bord.

'Ze is een lieve meid en echt een plaatje,' zei Morveran die aan de andere kant van de tafel hardhandig in een schaal stond te roeren. 'Het is mooi weer, m'vrouw. Ik hoop dat u lekker geslapen hebt.' Ze droeg een plastic diadeem om haar haar uit haar gezicht te houden, maar het zakte voortdurend af en omdat ze het al zo vaak omhoog had geduwd zaten haar neus en haar voorhoofd onder de bloem. Ik vond haar meteen sympathiek vanwege haar lof voor Percy.

'Uitstekend, dank je. Wat een fijne keuken.'

'We hebben in ieder geval het mooiste uitzicht van het hele huis en het is hier ook altijd warm. Ik weet nog goed dat mevrouw Tremaine – de moeder van meneer Harry bedoel ik – extra radiatoren liet plaatsen omdat het altijd vochtig was in het huis en ze was bang dat ze net zo krom zou groeien als de bomen. En ze liet altijd van die mooie dingen uit Londen komen. Geen wonder dat Demelza helemaal van de kook raakte toen ze weggestuurd werd...' Ze ving Harry's blik op en bloosde onder al dat meel. 'Nou ja... af en toe raak ik een beetje in de war en dan zeg ik van die rare dingen...'

'Onzin, Morveran,' zei Harry. 'Ik hoop dat ik op mijn vijfentachtigste nog net zo bij de tijd ben als jij.'

'Hè, meneer Harry, vertel toch niet altijd aan iedereen hoe oud ik ben. Zal ik ontbijt klaarmaken?'

'Jij hebt het druk genoeg,' zei ik. 'Dat kan ik ook wel.'

Harry liet me zien hoe ik met het ouderwetse fornuis moest omspringen. De keuken was blinkend schoon, in tegenstelling tot de rest van het huis. Harry had al plakken bacon gesneden en een blokje van het vet in de pan gedaan.

'Moet je de kleur van die dooiers zien,' zei ik toen ik de eieren had gebroken.

'Ach ja, die kippen lopen buiten op gras en krijgen meer dan genoeg te eten. Ik ben gek op ze.' Morveran liep naar de ladekast en tilde een hoekje op van een stukje stof dat over een gat in het midden viel. Ik zag twee felle, amberkleurige ogen die me vanuit het duister aanstaarden. 'Dat is mijn Emily. Die zit er weer tien uit te broeden, de lieverd.'

Harry gaf me een boterham die hij op het open vuur had geroosterd en zei: 'Nu zal ik nog een pot verse koffie zetten, dan is het ontbijt helemaal volmaakt.'

Hij had gelijk. En ik voelde me blij. De roze kwartsstrepen in het graniet glinsterden in de zon en Morveran neuriede terwijl ze haar deeg rolde met de kracht van een wegwerker die asfalt legt. Ik had Harry en Percy bij me, de twee mensen van wie ik het meest hield en keek naar de tere bloempjes op het deksel van de botervloot. 'Wat mooi. Dat ding is behoorlijk veel geld waard.'

'O ja?' zei Harry. 'Hoeveel dan?'

Ik bestudeerde de botervloot. 'Het is achttiende-eeuws Worcester. Weliswaar licht beschadigd, maar in Londen krijg je er op een veiling toch zeker honderd pond voor. Misschien wel honderdvijftig.'

'Zou je oom het dan willen verkopen?' vroeg Percy. 'Is hij soms arm?'

'Arm is een relatief begrip,' zei Harry. 'Van het bedrag dat jouw stiefmoeder aan haar kleren voor de bruiloft heeft uitgegegeven zou een gezinnetje van vier volgens mij een jaar kunnen leven. Nog iemand toast?'

'Nee, dank je, ik barst nu al uit mijn spijkerbroek. En in tegenstelling tot Hermione heb ik geen kleedgeld. Ze ziet er goed uit, maar ze heeft kleren die meer dan twintig jaar oud zijn. Ze zorgt er ontzettend goed voor, maar ze is eigenlijk heel zuinig.'

Harry keek me geamuseerd aan. 'Het is maar hoe je het bekijkt, dat zei ik al.'

Morveran, die naar de keukendeur was gelopen kwam terug. 'Zacky Jory is hier met de krab die hij vanmorgen heeft gevangen. Zal ik er een paar nemen, meneer Harry? Juffrouw Roza is naar Truro, dus ik kan het haar niet vragen.'

'Wat vindt u ervan, mevrouw Tremaine?' vroeg Harry glimlachend.

'Ik ben dol op krab.'

Morveran telde op haar vingers. 'Da's dan een voor de meester, een voor mevrouw, een voor meneer Harry en een voor juffrouw Percy. Een voor Jem, een voor juffrouw Roza, een voor Pasco en een voor mij. En een voor Demelza als ze vanavond naar het huis komt. O en ik vergeet de vriend van meneer Harry, dus dat wordt dan tien.'

Ik trok vragend mijn wenkbrauwen op.

'Eigenlijk is het jóúw vriend,' zei Harry glimlachend tegen me, 'maar omdat hij ervoor heeft gezorgd dat wij elkaar leerden kennen heb ik het gevoel dat hij voor mij ook een vriend voor het leven is. Ik heb hem naar boven gestuurd omdat hij zich graag even wilde opfrissen en verkleden, maar hij zal zo wel weer opduiken. En trouwens, als je over de duivel spreekt...'

'Dickie!' gilde Percy en rende naar hem toe toen hij de keuken binnenkwam.

Hij zag er prachtig uit in een rode corduroy broek, een groene trui en bruin met witte schoenen. Ik volgde Percy's voorbeeld.

'Daar sta ik nou echt van te kijken!' zei ik. 'Wat doe jij hier? O!' Ik keek Harry aan. 'Nu begrijp ik het ineens. Er zijn helemaal geen demonen of bezemstelen aan te pas gekomen.'

'Toen ik van Janet hoorde dat deze vage imitatie van Lilith,' Dickie klopte Percy op haar hoofd, 'je koffer uit de auto had gehaald en die onder een struik had verstopt, vond ik het mijn plicht om hem naar je toe te brengen. Ik weet precies hoe ík me onder dergelijke omstandigheden zou hebben gevoeld. Ik ben vanmorgen om twee uur vertrokken na een heerlijke avond in het gezelschap van een van jullie serveersters, die snoezig genoeg Daisy Truelove heette. Na ons afspraakje in *The Dog and Duck* ben ik teruggegaan naar Londen, heb wat landelijke spulletjes ingepakt en daarna de hele nacht doorgereden alsof ik een ridder was die een belaagde jonkvrouwe moest ontzetten.'

Dickie droeg graag make-up en vrouwenondergoed, maar hij was niet homoseksueel. Hij had een voorkeur voor meisjes die – in zijn woorden – educatief onschuldig waren. Hij klaagde vaak steen en been over die voorkeur, want hoewel de seks hem uitstekend beviel, hing hun conversatie hem al snel de keel uit en hij was bang dat hij altijd alleen zou blijven.

'O Dickie!' Ik gaf hem een kus. 'Ik ben je innig dankbaar, maar ik hoop dat je een beetje voorzichtig bent geweest met Daisy.'

'Voorzichtig?' Dickie keek waarschuwend naar Percy. 'Natuurlijk heb ik ervoor gezorgd dat we geen van tweeën reden zouden hebben om onze ontmoeting te betreuren.'

'O ja, maar ik bedoelde eigenlijk dat je geen verwachtingen hebt gewekt waaraan de jongens uit de buurt niet kunnen voldoen.'

Dickie leek gevleid door dat idee.

'Waarom moest je dan voorzichtig zijn?' wilde Percy weten. 'En wie is Lilith?'

'Een heel stout meisje dat eerst met Adam getrouwd was, voordat hij Eva had, maar dat niet wilde doen wat haar werd gezegd. Ruik ik ontbijt?'

'Je moet echt bekaf zijn,' zei ik en zette de pan weer op het vuur. 'Wat ben je van plan? Je moet eigenlijk een nachtje goed slapen voordat je weer teruggaat.'

'Ik heb Dickie gevraagd om een paar dagen te blijven,' zei Harry terwijl hij nog wat plakjes bacon en brood af sneed. 'Hij zegt dat hij niet van het platteland houdt, maar misschien kan ik hem van gedachten laten veranderen.'

'Hoewel ik een echt stadsmens ben, sta ik open voor nieuwe dingen. En ik ben er vrij zeker van dat ik Adrian wel aan zijn verstand kan brengen dat mijn aanwezigheid voor jou reden genoeg is om op te houden met dat verliefde gedoe en *presto pronto* weer aan de slag te gaan met het Pentrew Project.' Het Pentrew Project was de reden waarom Harry oorspronkelijk naar Talbot Sheridan & Co was gekomen en Adrian had al tegen me gezegd dat ik van de gelegenheid gebruik moest maken om wat ruwe tekeningen te maken. 'En dan kan ik zelf aan mijn roman werken.'

Dickie was alleen maar architect geworden op aandringen van zijn moeder. Hij beweerde dat hij het hele vak haatte, compleet met het bouwen, de riolen en de besluiteloze cliënten, en hij had het gevoel dat de onbelemmerde creativiteit van een schrijversleven veel beter bij hem zou passen.

'Hoe gaat het daarmee?' vroeg Percy. 'Mag ik het al lezen?'

'Nee. Anders zeg je nog iets dat mijn prachtige visioen zou bezoedelen. Een roman in wording is een bijzonder teer iets...' Hij vertelde wat er allemaal mis kon gaan, maar het meeste daarvan ging aan mij voorbij omdat het vet in de pan zo spetterde. 'Ik ben net aangekomen op het punt waarop Valentine, mijn held, Darlenes slaapkamer binnensluipt – dat is de heldin – en haar besprenkelt met stuifmeel van de daturaplant om ervoor te zorgen dat ze in coma raakt, zodat hij zijn lusten op haar kan botvieren...' Hij keek even naar Percy. 'Ik bedoel dat hij haar wil kussen.'

'Onzin,' zei Percy. 'Voor een kus hoef je niet iemand bewusteloos te maken. Je bedoelt gewoon dat hij haar wil neuken...'

Dickie sloeg zijn handen over zijn oren. 'Niet doen. Je trapt mijn visioen in de grond!'

'Ik vind de naam Valentine leuk,' zei ik. 'Maar ik vraag me af of Darlene wel geschikt is voor een heldin...'

'Nee, nee, je begrijpt er niets van. Ze is een arm naaistertje dat afgebeuld wordt in een atelier in East End en door haar schofterige baas misbruikt wordt, terwijl haar valse oude grootmoeder haar ook nog eens uitbuit. Voor mij is ze vanaf het begin Darlene geweest. En ondanks alles is mijn kleine Darlene zo knap en lief als een engeltje en bezonder beschaafd. En ook nog eens altijd bereid anderen te helpen.'

'Nou ja, Dickens is er ook mee weggekomen,' zei ik. 'Ik heb alleen het idee dat het niet bepaald heldhaftig is om een lief meisje hallucinerende middelen toe te dienen voordat je je lusten op haar botviert... Maar ik vind het in ieder geval wel leuk om je hier een paar dagen te hebben.' Ik keek Harry aan. 'Ik hoop alleen dat je oom het niet erg vindt. Straks denkt hij nog dat ik probeer mijn halve familie en vriendenkring dit huis in te smokkelen.'

'Ik zou niet weten waarom hij zich daar druk over zou maken. Morveran is toch degene die hier alles moet doen. Dat is toch zo, Morveran?' zei hij toen ze weer binnenkwam met een rieten mand. 'Jij vindt het echt niet erg om straks een bed voor meneer Sheridan op te maken als Roza niet op tijd terug is, hè?'

'Het zal me een genoegen zijn, meneer.' Morveran maakte een reverence voor Dickie, die de mand van haar aanpakte en op de tafel zette.

'Maar wat moet ik doen voor de lunch als juffrouw Roza niet op tijd terug is, meneer Harry? De meester zei dat hij vroeg wilde eten omdat hij vanmiddag naar Truro gaat. En hij is toch al uit zijn humeur omdat hij vanmorgen zelf moest melken, omdat Jem gisteravond te veel gedronken heeft.'

'Wat doen jullie als er geen bezoek is?'

'Dan eet hij gewoon een paar boterhammen.'

'Dan doen we dat nu ook. En dan nemen wij die lekker mee om op de *Saucy Sal* te gaan lunchen.' Hij keek me aan. 'Dat wordt vast hartstikke leuk, hè schat?'

6

De wandeling naar de baai was zo heerlijk dat ik bijna begon te denken dat het vervolg ook fijn zou zijn. We gingen met de boot naar Gilly Island, dat op een paar kilometer van de kust lag en eigendom was van Harry's oom. Daar zouden we gaan picknicken en even gaan zwemmen voordat we terug zeilden naar het vasteland.

De tuin zag er na al die regen weelderig uit en de camelia's, met een overvloed aan enorme enkele en dubbele witte, roze en rode bloemen aan struiken van twee tot drie meter hoog, waren zo mooi dat ik het liefst was blijven staan om ze beter te bekijken. Maar Harry zei dat we van het goede weer moesten profiteren, want er was weer regen voorspeld.

Aan het eind van de tuin was een hek dat toegang gaf tot het pad naar de baai. Het was een steil pad, met treden die uit de rotsen waren gehouwen. Op bepaalde plekken liep het bijna loodrecht omlaag en daar moest je je stevig vasthouden. Aangezien ik altijd een beetje last heb gehad van hoogtevrees had ik nauwelijks oog voor de wilde bloemen om ons heen.

Het was een hele opluchting toen ik eindelijk beneden op een schelpenstrand stond. De zon, die achter een lichte wolk vandaan kwam, maakte dat de zee glinsterde alsof de zanderige bodem in brand stond. De wind verkoelde mijn gezicht, maar blies venijnig door mijn blouse.

'Zalig is dit, hè?' zei ik tegen Dickie die achter me had gelopen.

'Ik ben ontzettend draaierig en mijn oren tuiten.' Hij zag een beetje bleek. 'Ik verheug me niet bepaald op de klim terug naar boven.'

'Je bent moe en dat is geen wonder,' zei ik. 'Ik ben je innig dankbaar dat je mijn koffer hebt gebracht.

'Ik ben helemaal niet moe. Alleen duizelig.' Hij bukte zich om een paar zandkorreltjes van zijn schoenen te vegen en slaakte een kreet van ontzetting toen hij een scheurtje in de mouw van zijn trui ontdekte. 'Dat afschuwelijke gele spul heeft stekels als stopnaalden... Wat kan de natuur toch wreed zijn.'

'Kom op!' riep Harry naar ons. 'We moeten opschieten!' Hij was al aan boord van de boot die aan het eind van een stenen aanlegsteiger op en neer dobberde. De *Saucy Sal* was groter dan ik had verwacht, ongeveer zevenenhalve meter lang en in een aantrekkelijke grijsblauwe kleur geschilderd. Harry stond meters en meters bruin zeil uit een canvas tas te trekken en lachte ons stralend toe toen we dichterbij kwamen. 'Is ze niet mooi?' Ik had hem nog nooit zo blij gezien. 'Zou jij de fokkenschoot even willen vastzetten?'

Dickie keek om zich heen.

'Dat touw dat daarginds bungelt,' wees Harry geduldig. 'De haak aan het eind moet door het gat onder in dit zeil.'

'Jawel, kapitein!' Dickie wilde het touw pakken toen een golf de boot net binnen zijn bereik bracht en viel bijna in het water toen ze een moment later weer weg deinde. 'Verdorie!' Hij sabbelde op zijn vinger. 'Ik heb een nagel gebroken!'

'Je moet ook eerst aan boord komen,' zei Harry. 'Anders gaat het niet.'

'O ja,' zei Dickie een tikje onzeker en stak een van zijn elegant geschoeide voeten uit.

'Spring dan, man!'

Dickie sprong en viel in de boot. 'Verdomme! Ik heb mijn heup gekneusd.' Hij wreef voorzichtig over zijn dijbeen.

'Jammer,' zei Harry kortaf. 'Hijs de kluiver maar.'

Dickie stond op en viel meteen op zijn knieën toen de boot schommelde. 'Au!'

'Oké,' zei Harry. 'Ik doe het zelf wel. Ga jij maar zitten en loop me niet voor de voeten.'

'Waar is Percy?' vroeg ik.

'In de kombuis. Ze zet de picknick weg.'

'Hier ben ik.' Percy stak haar hoofd door een opening in wat kennelijk een kleine kajuit was. 'Het stinkt hier vreselijk naar poep.'

'Niet naar poep,' zei Harry. 'Naar lenswater. De pomp is kapot. Kom je ook aan boord, schat?' Hij stak me zijn hand toe. De boot deinde op en neer en het gat tussen de zijkant en de pier werd angstig groot. Harry lachte me bemoedigend toe. Ik kneep mijn ogen dicht en sprong, waarbij mijn scheenbeen pijnlijk in aanraking kwam met een of andere houten plank. 'Goed zo!' Hij gaf me een kus. 'Je zult binnen de kortste keren wel zeebenen krijgen. Ga nou maar gauw tegenover Dickie zitten, dan kunnen we in een mum van tijd vertrekken.'

Dickie en ik zaten als een stel stoute kinderen midden in de *Saucy Sal* en wreven over onze pijnlijke ledematen terwijl Harry druk in de weer was met allerlei touwen en bevelen blafte tegen Percy die instinctief scheen te begrijpen wat hij bedoelde. Ik was trots op haar, maar dat was snel over toen mijn ontbijt begon te reageren op de bewegingen van de boot. Toen ik de kust langzaam weg zag glijden besefte ik ineens dat ik aan de wal de vaste grond onder mijn voeten eigenlijk nooit genoeg op prijs had gesteld.

'Hijs het grootzeil!' riep Harry die achter in de boot zat met de helmstok in de hand. 'Hand over hand en geleidelijk aan.' Percy gehoorzaamde met een gezicht dat rood was van inspanning.

Zodra de wind op het grootzeil stond, ging er een rilling door de boot die vervolgens vooruit spoot alsof ze een schop had gekregen. Ik probeerde me te concentreren op wat Harry en Percy deden, maar ik verloor al snel mijn interesse.

Het was allemaal even prachtig, maakte ik mezelf wijs. De glinsterende zee, de boven ons hoofd vliegende zeemeeuwen en de zon die tegen hun witte buikjes reflecteerde. Als nu alleen die horizon eens ophield met dat vervelende gewiebel...

‘We gaan overstag!’ schreeuwde Harry. ‘Opgelet!’ De *Saucy Sal* trilde heftig en maakte een pirouette. ‘Kijk uit voor de giek, Dickie!’

‘Ik denk dat ik even naar beneden ga,’ mompelde Dickie een moment later toen hij languit op de bodem lag. ‘Ik voel me niet echt lekker.’

Arme Dickie! Bij iedere stap die hij deed, gleed hij uit en misschien had ik er wel om kunnen lachen als ik me zelf niet zo ellendig had gevoeld.

‘Leren zolen deugen niet aan boord,’ zei Harry. ‘Er staat wel een paar rubberlaarzen in de kajuit, Dickie. Trek die maar aan.’

Dickie gaf geen antwoord maar kroop naar binnen. Ik besloot dat het verstandiger was om buiten te blijven zitten, waar bepaald geen gebrek was aan frisse lucht. Maar nadat Harry de helmstok had overgegeven aan Percy die ook graag even wilde sturen en de boot een onverwachte manoeuvre uitvoerde, kreeg ik ook een klap van de giek en kroop met een bonzend hoofd achter Dickie aan. Hij lag op een smal veldbedje met zijn hoofd in een kartonnen doos en zijn voeten op onze picknick.

‘Ga opzij,’ zei ik kortaf.

‘Kan niet.’

‘Draai dan op je zij.’

‘Kun jij de veter van mijn keurslijfje losmaken? Mijn vingers willen niet meer.’

‘Blijf even stilliggen.’

Dickie kreunde van opluchting. ‘Dat is beter.’

Ik legde mijn hoofd op de rubberlaarzen en sloot mijn ogen. Een tijdje lagen we kreunend naast elkaar terwijl de boot afschuwelijk tekeerging.

‘Waarom blijf je dat verfblik vasthouden?’

‘De purser heeft vergeten kotsbakjes uit te delen.’

Uiteindelijk vochten we om dat blik alsof het van puur goud was gemaakt.

‘Het is hier echt heel mooi,’ zei ik later, toen we op de trap aan de oude haven op Gilly Island zaten. ‘Ik ben blij dat we hiernaartoe zijn gekomen.' Ik deed mijn best om het weer goed te maken met Harry, na mijn teleurstellende optreden als scheepsmaat.

De omgeving was inderdaad schitterend. Het eiland, dat inmiddels alleen nog onderdak bood aan zeemeeuwen en zeehonden, was op een aantrekkelijke manier in beslag genomen door gras, tijm, wolfsmelk en een klein bosje met vergroeide, doornige bomen. We – dat wil zeggen, Harry en Percy – hadden onze picknick verorberd op een met mos begroeide oever waar witte vlinders boven kleine gele en paarse wilde viooltjes fladderden. Achter ons lagen de dakloze ruïnes van een paar simpele, gelijkvloerse granieten huizen.

'Het moet heerlijk zijn geweest om hier te wonen,' vervolgde ik enthousiast. 'Heerlijk en afschuwelijk tegelijkertijd. Heerlijk op een zonnige dag. Afschuwelijk als je een blindedarmontsteking kreeg of niet meer van je man hield.'

'Volgens mij moet het verschrikkelijk saai zijn geweest,' zei Dickie. Zijn gezicht was niet langer groen, maar had een vaalgrijze kleur gekregen. 'Als je alles had gelezen wat er te lezen was en een tijdje naar de zee had zitten staren, om te zien of je alle types vliegtuigen en zeevogels kon herkennen, wat zou je dan nog kunnen doen?'

'Het laatste gezin dat hier woonde, vertrok voordat er sprake was van vliegtuigen,' zei Harry. 'Dat moet rond 1840 zijn geweest. Een van hen, Sam Lugg, werd uiteindelijk de rijkste man in dit deel van Cornwall. Hij trouwde met Dorothea Tremaine van Pentrew, maar dat was geen succes. De manier waarop hij zijn soep op slurpte en zijn vork als tandenstoker gebruikte, beviel haar niet, dus ging ze ervandoor met een dappere politieofficier.'

'Ach, wat triest voor Sam Lugg,' zei ik.

'Inderdaad. Hij is opgehangen nadat hij ze allebei vermoord had.'

'Dat is een verhaal met een moraal,' zei ik. 'Ik vraag me af of hij op het schavot spijt had dat hij zijn eenvoudige leven had opgegeven in ruil voor macht en rijkdom.'

'Persoonlijk zou ik liever een luxueus leventje leiden en opgehangen worden,' zei Harry, 'dan maandenlang niets anders te eten krijgen dan meeuweneieren en zeewier. Het zuiveren van schapenvet om bieskaarsen van te maken was voor hen waarschijnlijk het hoogtepunt van het jaar.'

'Ik moet wel zeggen dat de rillingen me over de rug liepen op die begraafplaats,' zei Dickie. 'Niemand ouder dan veertig en ze heetten allemaal Lugg of Pill. Moet je je voorstellen hoe dat is als je nooit iemand te zien krijgt behalve je eigen familie en je schoonfamilie. Waarschijnlijk groeven ze op zon- en feestdagen hun recente doden op… om te zien wie er sneller lag te rotten, oom Jacca of tante Wenna.'

Het was waar dat de begraafplaats aan de Atlantische kant van het eiland, waar geen bomen groeiden, een trieste plek was, met veel grafstenen die getuigden van een hoge kindersterfte.

Harry at de laatste boterham op. 'Kom op, joh, jullie hebben geen van beiden een hap gegeten.' Hij gaf ons allebei een plakje fruitcake, dat in kleur en structuur sprekend leek op de graszoden van de begraafplaats.

Percy had nog net Dickies laatste zin opgevangen. 'Misschien verkochten ze de lichamen wel voor geld. We lezen op school nu *A Tale of Two Cities* en daarin komt een personage voor dat Jeremy Cruncher heet en er 's nachts op uit gaat en dan altijd vol zand en roest terugkomt en woedend wordt op zijn vrouw die alsmaar zit te bidden…'

'Maar waar alles bij de kunst van het body-snatchen om draait,' viel Dickie haar in de rede, 'is dat de lijken vers moeten zijn. Hier zou je daar niets mee opschieten want je zit hier mijlenver verwijderd van een medische faculteit en voordat je ze met paard en wagen in Londen zou hebben, zouden ze knalgroen zijn en vielen de neuzen er al af… Waarom zit je nou met je hoofd te schudden, Art?'

'Ze hadden ook truien met een heel specifiek patroon kunnen breien,' zei ik. 'Dan hadden ze daarmee handel kunnen drijven, net als de bewoners van Arran, dat eiland voor de Schotse kust.'

'Ze hadden ook boten kunnen bouwen om te gaan varen,' zei

Percy, die kennelijk een voorliefde voor dat tijdverdrijf had gekregen.

'Niet genoeg bomen,' zei Harry. 'Daarom moesten ze ook weg van dit eiland, wegens een gebrek aan brandhout. Deze bomen zijn nog geen honderd jaar oud. Mijn grootvader heeft ze geplant.' Hij keek op zijn horloge. 'Zullen we teruggaan?'

'Waarom al die haast? Mijn migraine begint net weg te trekken.' Dickie had stug volgehouden dat hij helemaal geen last had gehad van *mal de mer,* zoals hij het noemde.

'Je zult de laatste paar honderd meter naar het strand moeten zwemmen als we niet binnen een uur terug zijn,' zei Harry. 'Want dan is het laag tij en zal ik de *Saucy Sal* op zee moeten afmeren.'

Gilly Island werd steeds kleiner toen de *Saucy Sal* de wind in de zeilen kreeg. Ik had Percy, die net als Harry nog even had gezwommen, naar Dickie in de kajuit gestuurd, in de hoop dat haar paarsblauwe huid dan weer een beetje roze zou worden. Harry zei dat hij het wel in zijn eentje aan kon, aangezien de wind toch afnam.

'We krijgen mist,' zei hij tegen ons. 'Maar daar hoeven jullie je geen zorgen over te maken. Ik kom zelfs geblinddoekt weer thuis.'

Binnen de kortste keren mocht hij dat bewijzen. De mist kwam zo snel op dat het leek alsof je door een bril met beslagen glazen keek. Het was een ontzettend natte mist. Je haren bleven aan je gezicht plakken en je huid voelde klam aan. Klots, klots deden de golven tegen de zijkant van de boot en ik begon spijt te krijgen van dat ene hapje cake dat ik had genomen.

'*Whiles all the night through smog smoke-white... Glimmered the white moonshine,*' zei Harry. 'We hebben *The Ancient Mariner* op school gehad. Alleen nu is het zonneschijn, geen maneschijn. Kijk maar.' Hij wees naar een felle lichtkring die de nevel als een zilveren bontkraag om zich heen leek te trekken. 'Mooi hè? Tien tot vijftien meter boven ons hoofd zul je de blauwe lucht kunnen zien. Maar daar schieten wij niks mee op.'

'Is het erg dichte mist?' vroeg ik nerveus.

'O, dit is nog niks. Soms is het zo dicht dat je niet eens de boeg kunt zien en krijg je het gevoel dat je midden in een gigantische suikerspin zit waarvan je zo een handvol kunt opeten.'

Mijn mond was droog, het zweet parelde op mijn voorhoofd en mijn maag voelde aan alsof ik een langzaam werkend gif had ingenomen. Ik zat net te bedenken dat ik misschien ook beter naar binnen kon gaan, toen ik een geluid hoorde dat me de stuipen op het lijf joeg... een angstaanjagende oerkreet vol woede, diep en aanhoudend alsof de Kraken, na eeuwenlang in de diepte gesluimerd te hebben, ineens wakker was geworden.

'Misthoorn,' zei Harry rustig. 'Iemand aan bakboord. Waarschijnlijk de kustwacht die op tijd thuis wil zijn voor de thee. We kunnen maar beter even antwoord geven. Zie je dat kasje daar?' Hij wees. 'Daarin zit een soort gasflesje met een toeter erop.' Ik vond het voorwerp dat hij beschreef en haalde het tevoorschijn. 'Goed zo. Zie je dat hendeltje bovenop? Als je dat nu een paar keer op en neer pompt... precies... en dan op de rode knop drukt...'

Door de enorme herrie vlak naast mijn oor sloeg ik bijna overboord.

'Hoor eens,' klonk Dickies stem vanuit de kajuit, 'zou je het heel erg vinden om wat minder lawaai te maken? Ik heb een knallende koppijn.'

'Grote meid,' zei Harry. 'Ga nu maar even voorin op de uitkijk zitten.'

Ik strompelde naar voren en tuurde, met gespitste oren naar eventuele tegenliggers. Deze ingekapselde wereld was eigenlijk heel angstaanjagend. De mist werd nog dikker. Nevelflarden hingen als lijkwaden om me heen. Als ik achteromkeek, verdween Harry af en toe om vervolgens weer als een besluiteloze onwereldse verschijning op te duiken.

'Hoe vind je het om getrouwd te zijn, mevrouw Tremaine?' Daarentegen leek zijn stem veel luider te klinken.

Ik antwoordde met een vrolijkheid die ik niet voelde: 'Heel leuk, als je nagaat dat ik er geen ervaring mee heb.'

'Als je erover nadenkt, is het eigenlijk veel gedoe om niets.'
'Wat cynisch. Meen je dat?'
'Nuchter bekeken is het huwelijk een belachelijk ritueel waarbij twee mensen, drie als je de dienstdoende geestelijke meetelt, een paar vreemd geformuleerde standpunten opdreunen die vierhonderd jaar geleden op schrift zijn gesteld door een opportunistische aartsbisschop die zo verraderlijk was als de pest, om vervolgens naar de consistoriekamer te wandelen en met inkt een paar krabbeltjes op papier te zetten. Jij bent voor geen centimeter veranderd en ik ook niet. Er is helemaal niets veranderd, behalve een gazon dat door naaldhakken is geteisterd en een paar kledingzaken die wat extra omzet hebben gedraaid. En een paar levers hebben het zwaar te verduren gekregen.'
'Als je het zo bekijkt, is het inderdáád belachelijk.' Ik kon Harry's gezicht niet zien, alleen zijn hand die de helmstok vasthield.
'Alles wat je tijdens de dienst beloofd hebt – dat je niet vreemd zult gaan en elkaar door dik en dun zult steunen – zijn dingen die mensen meteen laten vallen als het hen uitkomt. Of je nu overspelig bent of gezellig gaat stappen terwijl je echtgenoot op sterven ligt, dat zal de huidige rechtspraak worst wezen. Het huwelijk is gewoon een van de draden in het web dat wij spinnen om nog een beetje orde te scheppen in een complete chaos. Het is gewoon bluf, net als God en de duivel. Een poging om mannelijke en vrouwelijke driften in bedwang te houden, zodat het menselijk ras gewoon verder kan ploeteren in een zekere mate van orde. Het enige van de hele huwelijksceremonie wat nog een beetje telt, is de verdeling van wereldse goederen. Als je je in dat opzicht niet aan de afspraak houdt, heeft de rechter daar wel het een en ander over te zeggen. Toch jammer dat de wind zo afgenomen is. En het tij zakt snel. We schieten nauwelijks op. Toeter nog maar een keer, als je wilt.'
Ik gehoorzaamde. Hoewel ik er dit keer op voorbereid was, tuitten mijn oren opnieuw van het lawaai.
'Stel nou dat we niet getrouwd waren,' vervolgde Harry toen de herrie weggeëbd was. 'Was jij dan bereid geweest om me plechtig te beloven dat je mij de rest van je leven trouw zou blijven, als

ik je dat had gevraagd? Of zou je het dan een onredelijk verzoek hebben gevonden? Zou je dan niet een heel klein beetje twijfel hebben gevoeld? En een beetje bang zijn geweest dat ik misschien bespottelijk jaloers en bezitterig was?'

'Dat weet ik niet.' Ik was zo misselijk dat ik niet helder kon nadenken, maar ik wilde altijd eerlijk zijn tegenover Harry. 'Misschien wel.'

'Je ziet hoeveel macht dat soort rituelen hebben. Maar het is allemaal bedrog.'

'Ik hoop dat ik toch trouw zal blijven, getrouwd of niet, omdat ik van je hou... en ik wil je trouw zijn... en je geen verdriet doen,' zei ik met lippen die aan mijn tanden leken te kleven en met een tong die twee keer zo dik aanvoelde als normaal. 'Maar als je denkt... dat getrouwd zijn... gewoon een hoop onzin is... Waarom ben je dan... o god!' Wat ik ook wilde zeggen, het was al vergeten op het moment dat ik begon te braken.

'O, Art! Arme schat!'

Toen het voorbij was, legde ik mijn wang op het natte dolboord en wenste dat ik dood was.

'Niet huilen, schat.' Harry's stem klonk teder. 'Ik had geen idee dat je je zo beroerd voelde. We gaan meteen terug, hoor. Ik start gewoon de motor, dan zijn we er in een mum van tijd.'

'Bedoel je dat er een motor in dit ellendige ding zit?'

'Ja natuurlijk. Maar die gebruik ik alleen als het absoluut nodig is.' Hij liep naar de grote kist in het midden van de boot en opende het deksel. 'Anders is er geen lol meer aan varen.'

De stilte werd doorbroken door een dof gereutel dat in een gebrul veranderde toen de motor ons over het water liet scheren. De geur van diesel die daarbij vrij kwam, deed me kokhalzen, maar ik kikkerde er toch van op. In minder dan vijftien minuten waren we weer bij de pier.

Het water stond zoveel lager dat we via een ijzeren ladder naar boven moesten klimmen. Mijn benen voelden aan als lege wollen kousen, maar ik slaagde er toch in om naar boven te klauteren. Ik had het gevoel dat de hele pier wiebelde, maar ik liep toch op een holletje naar het strand. Het zand dat inmiddels drooggevallen was, zag eruit als een laagje bruin gekreukt vilt. Mijn voeten lieten scherp afgetekende afdrukken achter die bijna meteen met water gevuld werden. Ik had nog nooit zoiets moois gezien.

7

'Ik had beter moeten weten,' zei ik peinzend. Dickie en ik zaten in de salon voor een laaiend vuur. Mijn handen begonnen te ontdooien, waardoor ik nu pas de schrammen voelde die ik op het steile pad had opgelopen. 'Ik dacht dat de liefde alles overwint, maar dit was absoluut de laatste keer dat ik in een boot ben gestapt.'

'Ik had het best leuk gevonden als ik maar niet zo'n migraine had gehad.' Dickie had zijn kamerjas over zijn broek en zijn overhemd aangetrokken en zijn wangen en voorhoofd bedekt met een laag van mijn Elizabeth Arden-crème. Om te voorkomen dat zijn haar vet werd, had hij er een witte badstof band in gedaan. Hij nam een slokje thee. 'Beeldige kopjes. En Lapsang Souchong als ik me niet vergis.'

Ik draaide mijn schoteltje om en keek naar het stempel van de fabrikant. 'Derby, uit het begin van de negentiende eeuw. Harry heeft die thee speciaal voor mij meegenomen, lief van hem, hè?'

Terwijl Dickie boven in een heet bad lag, waren Harry, Percy en ik naar de keuken gegaan om thee te zetten. Daar troffen we Morverans krabben aan die over de grond rond scharrelden. Een witte kat gooide ze steeds om door er met haar poot tegen te tikken.

'Arme stakkers!' Percy kreeg tranen in haar ogen toen we de krabben weer terugzetten in de mand. 'De hele dag niets te eten of te drinken en zometeen worden ze levend gekookt.'

Hetzelfde was mij door het hoofd geschoten. De krabben zagen er echt schattig uit zoals ze daar met zwaaiende scharen en happende bekken om hulp leken te vragen.

'Maar ze zijn niet van ons,' zei ik terwijl ik de kat voor de derde keer uit de mand tilde. 'Dit is ons huis niet en als goede gasten moeten we ons gewoon aanpassen. En we kunnen deze krabben net zo goed opeten als die schattige lammetjes die in de wei rondhuppelen of die chagrijnige ganzen van de boerderij bij Brentwell. Ik denk dat die krabben dood zijn op het moment dat ze in de pan belanden. Ze zullen vast geen pijn voelen.'

Percy leek niet overtuigd.

'Je voelt je nog steeds niet echt lekker, hè?' had Harry vol sympathie gezegd toen ik mijn hoofd aan de tafelrand stootte nadat ik de laatste krab had opgepakt. 'Ga jij maar een kopje thee drinken bij een knapperend houtvuur, dan neem ik Percy wel mee naar Truro om een boek over Toetanchamon te kopen. Dan kan ik tegelijkertijd die pomp van de boot wegbrengen. We zijn zo weer terug.' Hij keek op zijn horloge. 'Als we nu weggaan, hebben we nog een halfuurtje voordat de winkels sluiten. Wat zou je ervan zeggen, Percy, als we eens gingen proberen om het snelheidsrecord op de enige rechte weg in West-Cornwall te breken?'

Ik wilde net protesteren, toen het tot me doordrong dat hij me plaagde. 'Ga eerst nog even je handen en je gezicht wassen, Percy.'

Harry keek naar mijn gezicht. 'Goed zo, mevrouw Tremaine. Een negenenhalf voor zelfbeheersing. Bij wijze van beloning krijg je dit.' Hij gooide me een wit pakje toe met het opschrift *Zheng Shan Lapsang Souchon.*

'Dank je wel, lieverd. Echt heel attent van je...'

Hij was naar me toe gelopen en had me een kus gegeven. 'Rust maar lekker uit,' fluisterde hij in mijn oor. 'Vannacht zul je niet veel slaap krijgen.'

'Ja, Harry is echt een schat,' zei Dickie als antwoord op mijn vraag. 'Nu ik hier zit en mezelf kan warmen aan zijn vuur, met een kopje verrukkelijke thee in het gezelschap van zijn charmante echtgenote en een heerlijke maaltijd in het vooruitzicht waarvoor hij heeft betaald ben ik best bereid om hem op handen te dragen.'

Hoorde ik iets van aarzeling in die ogenschijnlijk enthousiaste reactie?

'Nou, ik kan er niets aan doen, maar ik vind hem echt aanbiddelijk. Jij zult wel net als iedereen denken dat we een risico namen door zo snel te trouwen, maar ik hou van hem en wilde hem niet teleurstellen.'

'Mmm. Nou ja, ik moet bekennen dat ik me wel heb afgevraagd waarom alles zo halsoverkop moest gebeuren. Ik bedoel maar, jullie waren toch geen van beiden van plan om naar het eind van de wereld te vertrekken en er is ook geen tweeling op komst...'

'Ik ben altijd veel te voorzichtig en te terughoudend geweest. Nu ben ik er best trots op dat ik me meer door mijn gevoel dan door mijn verstand heb laten leiden. Mijn grootmoeder ging er met mijn grootvader vandoor toen ze hem tien dagen kende en ze zijn achtenveertig jaar heel gelukkig getrouwd geweest.'

'Waarom zijn ze ervandoor gegaan? Was een van hen ongeschikt?'

'Nee. Maar hun families vonden dat ze nog even moesten wachten en dat wilden ze niet. Oma zei dat ze best met hem had willen trouwen op de dag dat ze elkaar leerden kennen, maar dat hij haar niet meteen durfde te vragen.'

Dickie schonk nog een kopje thee voor ons in. 'Nou schattebout, ik neem aan dat je weet wat je doet. Maar goed, ik ben de laatste om je van advies te dienen aangezien ik nooit langer dan vijfendertig minuten verliefd ben geweest op iemand.'

'Hoe weet je dat zo precies?'

Dickie leunde achterover. 'Door die lieve Audrey. Wat was dat toch een schatje. We leerden elkaar kennen op een bankje in Hyde Park. Ze kwam uit Northampton en zat te wachten op iemand die niet was komen opdagen. Ze had haar van goud en vochtige, rookgrijze ogen. Ik nam haar mee naar Wheeler's om te gaan lunchen. Daarna gingen we terug naar Hyde Park waar we in de bosjes hebben liggen vrijen. Och, ze was zo lief en zo mooi! Toen ik haar op de trein naar huis zette, kon ik zweren dat ik echt verliefd was. Van het station naar mijn flat was vijfendertig minuten rijden en op het moment dat ik de sleutel in het slot stak, besefte ik dat ik dankbaarheid voor liefde had aangezien. Het was gewoon puur geluk dat de trein vertrok voordat ik de tijd had om een aanzoek te doen!'

'En je hebt haar nooit weergezien?' Ik dacht aan dat arme meisje dat misschien wel tranen met tuiten huilde om haar droomprins. Dickie was eigenlijk erg aantrekkelijk, met zijn glanzende zwarte haar en zijn fijne, haast meisjesachtige trekken. 'Dickie, je moet toch echt een beetje voorzichtiger zijn en meisjes geen dingen voorspiegelen die niet waar te maken zijn.'

We bleven even zwijgend zitten voor het knisperende vuur tot iets wat me eerder door het hoofd was geschoten weer kwam bovendrijven. 'Dickie, wat bedoelde Harry vanmorgen in de keuken toen hij zei dat jij ervoor had gezorgd dat wij elkaar leerden kennen?'

Dickie leek een tikje van zijn stuk gebracht, maar dat kwam misschien ook door het gebrekkige licht. 'O, dat was wel heel overdreven.' Hij gaapte opnieuw. 'Ik denk dat hij het over dat feest had... waar het nieuwe boek van Volumnia Hatchet ten doop werd gehouden. Vreselijke wijn en veel te veel mensen. En ik heb altijd al een hekel gehad aan Art Deco. Ik brak bijna mijn nek over een zebrahuid.'

'Dat feestje kan ik me nog wel herinneren. Maar daar heb ik Harry niet ontmoet.'

'Nee. Maar hij was er wel. We raakten met elkaar in gesprek en Harry zei dat hij wel een adresje wist waar ik voor een redelijke prijs een Audi Quattro kon kopen. En net toen ik pen en papier wilde pakken zei hij: "Kijk dat vind ik nu echt een mooie vrouw." Hij zag jou aan de overkant van het vertrek staan, bij het raam en ruziënd met Rupert. Ik zei: "Ja hè, en ik heb de mazzel dat ze mijn partner is."'

'Ik kan me nog wel herinneren dat Rupert dronken was en heel vervelend. Wat zei Harry toen?'

'Hij vroeg: "Hoezo partner?"en ik zei: "Uitsluitend beroepsmatig." Ik legde uit dat we allebei bij Talbot Sheridan & Co werkten en dat jij veel te intelligent was om mijn vriendinnetje te zijn. Ik zag dat Harry behoorlijk onder de indruk was van wat ik vertelde. Hij vroeg nog een paar dingen over jou en schreef het adres van het kantoor op. Daarna gaf hij me het nummer van de man met de Audi Quattro en we gingen als de beste maatjes uit elkaar. Maar die Audi had een vreselijke kleur, een beetje...'

'Wat voor soort vragen?'

'Ik begin me hier echt op mijn gemak te voelen, dus ik denk dat ik maar een jointje opsteek.' Hij haalde een blikje met tabak en een pakje vloeitjes uit de zak van zijn kamerjas. 'Doe je mee?'

'Je weet best dat ik daar nooit aan meedoe. En ik vind dat je dat ook niet in het huis van andere mensen moet doen.'

'Volgens mij is Harry de laatste die moeilijk zal doen over zoiets.'

'Maar het is Harry's huis niet. Het is het huis van zijn oom. En die lijkt helemaal niet op Harry, hij is zelfs ronduit onaangenaam, maar toch horen we ons hier te gedragen.'

'Maar lieve kind, daar kraait toch geen haan naar? Of verwacht je dat de enige koddebeier die momenteel dienst heeft tussen hier en Truro buiten onder de vensterbank zit te gluren voor het geval iemand een jointje draait?' Hij verkruimelde de tabak en wat marihuana in het vloeitje, rolde er zorgvuldig een sigaret van en stak die op met een aansteker die eruitzag als een klein zilveren pistooltje. Een wolkje doordringende rook met een citroenachtige geur dreef in mijn richting. Ik wapperde het weg.

'Wat voor soort dingen heeft Harry dan gevraagd?' wilde ik opnieuw weten.

'O...' Dickie gaapte uitgebreid. 'Dat weet ik niet precies meer... Dingen over Rupert, waar je woonde en over je familie.'

'Wat heb je hem verteld?'

'Alleen maar aardige dingen. Als trouwe vriend heb ik het niet over je ordinaire voorliefde voor patat gehad of over die irritante gewoonte om iemand een heel verhaal te laten vertellen zonder toe te geven dat je eigenlijk niet eens luistert.'

'Doe ik dat? Wat vervelend. Wat heb je hem nog meer verteld?'

Dickie inhaleerde diep en blies de rook weer uit voordat hij zei:

'Dat weet ik niet precies meer. Hoezo? Waarom vraag je dat niet gewoon aan hem?'

'Nee, eigenlijk maakt het niets uit.'

Dat was waar. Alleen vroeg ik me af waarom Harry me nooit had verteld dat hij ook op dat feestje was. Dat was wel raar.

'Waar is Harry?' De stem klonk afgebeten. Dickie en ik draaiden ons om en zagen oom Jago in de deuropening staan.

'Hij is naar Truro.' Ik keek op mijn horloge. 'We verwachten hem over een uurtje terug.'

'Verdómme! Hij zou me helpen met melken.' Jago liep verder de kamer in en bleef chagrijnig naar het vuur staren. Zijn haar zat in de war, hij had knieën in zijn broek en een van de zakken van zijn tweed colbert hing er los bij. 'Wat spookt hij uit in Truro?'

'Hij is met mijn zusje een paar schoolboeken gaan kopen... voor haar huiswerk...' Mijn stem stierf weg toen ik zag hoe boos hij keek.

'Kan ik misschien helpen?' Dickie kwam loom overeind. 'Ik kan niet zeggen dat ik ooit een koe heb gemolken, maar ik heb ooit het achtereind van zo'n beest gespeeld in een productie van *Jack and the Beanstalk*. Destijds wilde ik nog acteur worden, maar mijn vader wilde daar niets van weten. Volgens hem werden alle toneelspelers door seks geobsedeerde egocentrische fantasten. Maar hij was oncoloog en gespecialiseerd in darmkanker, dus dat zal zijn levensvisie wel beïnvloed hebben.'

Jago staarde naar Dickies glimmende gezicht, zijn haarband en zijn paarse kasjmieren kamerjas. 'En u bent...?'

'Dit is Richard Sheridan.' Ik was me er scherp van bewust dat ik er opnieuw niet op mijn voordeligst uitzag. 'Dickie, dit is Harry's oom, Jago Tremaine. Dickie was zo vriendelijk om mijn koffer hierheen te brengen. Die was per ongeluk achtergebleven...'

'Zeg maar tegen Harry dat hij meteen naar me toe moet komen zodra hij terug is...' Jago hield zijn mond en snoof. Hij keek naar de sigaret die Dickie elegant in zijn hand hield en richtte toen zijn scherpe blik op mij. Ik had alleen een onschuldig kopje thee vast, maar de manier waarop hij zijn lippen op elkaar kneep gaven me het gevoel dat ik medeplichtig was aan een schandalig misdrijf. Hij richtte zijn aandacht weer op Dickie.

'Meneer Sheridan, ik neem aan dat u niet bekend bent met het artikel uit de opiumwet dat inhoudt dat de eigenaar van een pand gearresteerd en vervolgd kan worden als hij toestaat dat in zijn huis illegale middelen worden gebruikt. Mijn landgoed omvat hooguit vijftig hectare. Daarentegen telt het graafschap Cornwall meer dan vijftienhonderd vierkante kilometer. Ik verzoek u daar dan ook gebruik van te maken.' Hij beende weg.

Dickie trok zijn wenkbrauwen op en zoog zijn wangen in. 'Ik snap wat je bedoelt. Lang niet zo charmant als Harry. Hij vertelde me min of meer dat ik op kon stappen. Zou ik echt weg moeten?'

'Dat kunnen we beter aan Harry vragen. Ik zou het heel vervelend vinden als je nu moest gaan, terwijl je eigenlijk een nacht goed moet slapen.'

'Nou ja, er zal vast wel een hotel in de omgeving zijn. Alleen zal ik geen oog dichtdoen als daar lelijke gordijnen hangen. Hier in mijn kamer hangt een stel van charmant verschoten chintz.' Hij kneep zijn ogen dicht en gaapte voor de zoveelste keer. 'Ik denk dat ik er nog maar even naar ga kijken.'

'Dat lijkt me een goed idee. Dan ga ik even naar de mijne kijken.'

Zodra ik in mijn kamer was, ging ik zonder me uit te kleden op het bed liggen en trok het dekbed over me heen. Ik wilde tien minuutjes uitrusten voordat ik in bad ging en iets aan mijn gezicht en haar zou doen. Toen ik ogenschijnlijk twee seconden later mijn ogen weer opendeed, was de avond al gevallen.

'Er bestaat toch niets fijners dan tot de ontdekking te komen dat er een mooie vrouw in je bed ligt te wachten om overweldigd te worden,' fluisterde een stem in mijn oor.

'Harry! Hoe laat is het?'

'Vijf voor zeven. Niet woelen. Ik probeer je uit te kleden.'

'Ik wilde helemaal niet in slaap vallen. O lieverd, dat kunnen we niet maken... Je oom wil dat je hem helpt bij het melken. Ik zei dat je een halfuur geleden al terug zou zijn.'

'Dat was ook de bedoeling, maar ik was vergeten dat zelfs Truro een spits heeft. Jago redt zich nog wel even zonder mij. Wip eens op, anders trek ik je blouse kapot.' Hij liet een warme hand over mijn dij glijden.

Een halfuur later stapte ik in een warm bad. Harry, de schat, was op weg naar zijn oom. Die zou hem vast niet met open armen verwelkomen, maar een van de dingen die ik in Harry bewonderde, was zijn zorgeloosheid. In dat opzicht waren we volkomen verschillend. Hoewel ik best in staat ben om voet bij stuk te houden en zelfs af en toe mijn geduld kan verliezen, heb ik het altijd vreselijk gevonden als andere mensen boos op me zijn. Harry moest altijd lachen als andere mensen zich lieten gaan, hij mokte nooit en vervelende dingen vergat hij binnen de kortste keren. Hij was niet alleen ongelooflijk fantastisch, intelligent, lief, amusant en attent maar ook een geweldige minnaar en ik moest gek zijn geweest dat ik ook maar een seconde had geaarzeld toen hij me ten huwelijk vroeg.

Het was toch wel heel bijzonder, dacht ik twintig minuten later toen ik aan de toilettafel zat, dat hij juist mij had gekozen uit al die honderden vrouwen die hij kende. Ik glimlachte naar mijn spiegelbeeld. Het litteken op mijn bovenlip werd een bredere witte streep. 'Ik ben dol op dat litteken,' had hij gezegd. 'Het is ongelooflijk sexy.' Andere mensen deden net alsof ze niets zagen, maar dat was niet zo, dat wist ik zeker. Tot een paar jaar geleden brak het klamme zweet me uit als ik dacht dat er naar me gekeken werd. Nu leek dat ontzettend overdreven. Maar ziekelijke angstgevoelens mogen dan nog zo irrationeel zijn, ze zijn meestal het gevolg van ware gebeurtenissen. Volgens mevrouw Smiley, onze kokkin, had ik mijn moeder bij mijn geboorte een hartaanval bezorgd. Ik was al geopereerd toen ik een paar weken oud was, dus ik had mezelf nooit gezien met dat gapende gat tussen mijn neus en mond, maar ik had wel een foto gezien van een kind met een gespleten lip en daar was ik ontzettend van geschrokken.

Ik maakte me zorgvuldig op en trok een witte jurk en een wit linnen vestje aan, omdat de avondlucht behoorlijk kil was. Daarna spoot ik een stevige hoeveelheid *Miss Dior* op – een cadeautje van Harry – schoot een paar roze Chanel pumps aan – afdankertjes van Hermione – en rende naar beneden.

Percy zat alleen in de Grote Zaal met een reep chocola en een boek.

'Hoi Art. Dit is gewoon geweldig! Moet je deze tekening zien van de Egyptische hemelgodin die 's avonds de zon inslikt en hem elke ochtend opnieuw baart.' Percy giechelde. 'Ze heet Noet.'

Ik keek naar de tekening van de blauwe, met sterren bespikkelde vrouw die in een boog stond. 'Volgens mij moet je dat als Noët uitspreken. Heb je al gegeten?'

'Harry zei dat ik gewoon met de volwassenen aan tafel mocht, omdat het alleen familie is. Toen Roza dat hoorde, zei ze dat meneer Tremaine dat vast niet goedvond, maar Harry zei dat hij het waarschijnlijk niet eens zou merken en dat het minder werk betekende voor Morveran. Harry is niet echt volwassen, hè? Hij is niet constant chagrijnig en op zoek naar excuses om je op je vingers te tikken.'

'Natuurlijk is hij ontzettend lief en aardig. Daarom ben ik met hem getrouwd. Hou eens op met chocola eten. Straks heb je geen trek meer.'

'Ja en hij heeft ook echt lef.' Ze giechelde opnieuw. 'Ik wou dat ik je kon vertellen wat we gedaan hebben, maar ik moest beloven dat ik dat niet zou doen. Want anders zou hij me mijn tong uitrukken en die aan de mast van de *Saucy Sal* spijkeren.'

'In dat geval zou ik mijn mond maar houden,' zei Dickie die net op dat moment binnenkwam in een prachtig groen fluwelen pak. 'Stel je eens voor hoe eng die er na een paar dagen uit zou zien... een verschrompeld ding, zwart van de vliegen.'

Daar moest Percy nog harder om lachen.

Ik fronste tegen Dickie. 'Als jij met ons aan tafel gaat, Percy, dan moet je je meteen gaan verkleden. En je handen goed wassen. Waar ben je in Truro zo smerig van geworden?'

'O.' Percy legde haar boek neer en liep naar de deur. 'Ik ben nog een eindje gaan wandelen toen we terug waren.'

'In het donker?'

'Het begon net te schemeren. Ik kon genoeg zien.'

Ze klonk zo bestudeerd nonchalant dat ik meteen argwanend

werd maar ik had geen tijd om verder te vragen. 'Je hebt nog een kwartier voordat we gaan eten, dus schiet maar op.'

Percy slaagde er op het nippertje in om Roza te ontwijken die binnenkwam met een blad waarop vier glazen stonden. Ze droeg een blouse, een rok en veterschoenen, een hele gedaanteverandering vergeleken met haar exotische kledij van de avond ervoor. De suikerspin was een paardenstaart geworden. Van dichtbij was duidelijk te zien dat ze een keurig zwart snorretje had.

Ze kwam naar me toe. 'Sherry, mevrouw?'

Ik hou niet van sherry, maar ik pakte toch een glas omdat ze anders misschien het gevoel zou krijgen dat ik niets van haar moest hebben.

'Dank je, Roza.' Ik glimlachte vriendelijk. 'Ik hoorde dat je vandaag naar Truro bent geweest. Is dat een leuke stad?'

Roza verstijfde. Haar vochtige bolle ogen keken minachtend. 'Heeft Morveran dat verteld? Het is beneden mijn waardigheid om te roddelen.' Kennelijk vond ze het niet beneden *míjn* waardigheid. 'Sherry, meneer?'

'Lekker!' zei Dickie. 'Ik heb geen sherry meer gehad sinds de dood van mijn grootmoeder. Zij had altijd een fles bij de hand. Ze was constant boven haar theewater, dat is het beste wat je kunt doen als je in de tachtig bent.' Hij pakte een glas, nam een slokje en zette het toen haastig neer.

'Hallo Roza.' Harry kwam binnen en streek met zijn handen door zijn vochtige haar. Hij had nog steeds een spijkerbroek aan, maar wel een schoon overhemd. 'Wat heb je in de aanbieding? Sherry? Nee, bedankt. Er staan twee flessen Montrachet in de koelkast. Zou je er een van willen halen?' Hij keek op zijn horloge. 'Dan drinken we die ander wel bij de krab.'

'Er is geen krab. Iemand...' Roza keek ons een voor een beschuldigend aan, '... heeft ze gepikt.'

Harry lachte. 'Hou nou op, Roza. Wie zou zoiets nou doen?'

'Ik niet weten. Morveran vindt mand leeg. Ze doet nu dingen in soep van gisteren in plaats van krab. Eten is tien minuten later.'

'Maakt niet uit. Wees nou maar een brave meid en haal die fles op.' Hij lachte naar haar en kreeg een ijskoude blik retour. Ik had nog geen spoor gezien van de smoorverliefde Roza over wie hij zo had opgeschept.

Toen ze terugkwam met de wijn hadden Dickie en ik inmiddels de sherry geloosd in de pot van een ongelukkige kamervaren.

Harry schonk in en gaf iedereen een glas. 'Proost. Op ons allemaal.'

'Wat moet de jongedame drinken bij eten?' vroeg Roza me.

'Percy? O, water uit de kraan is prima.'

Roza's neus werd nog spitser. 'We hebben hier niet anders. Dit huis is aangesloten op waterleiding. Bronwater is alleen voor beesten.'

Het speet me dat ik haar had gekwetst. 'Ik bedoelde gewoon... thuis hebben we nooit flessen water. Dat is veel te duur.'

'Over thuis gesproken,' zei Harry. 'Heb je je ouders al gebeld, schat? Ze zitten vast op bericht van je te wachten.'

Harry moest kennelijk nog veel leren met betrekking tot mijn familie. 'Dat is heel attent van je,' zei ik, 'maar de kans is groot dat ze mijn bestaan inmiddels volkomen vergeten zijn.'

'Arts vader, Lord Castor, is bijzonder excentriek. Maar dat kan hij zich ook veroorloven. Ik zou ook wel een lord willen zijn. Zelfs als je een volslagen sukkel bent en de saaiste vent ter wereld zal iedereen toch het hoofd voor je buigen.'

Harry's opmerking was kennelijk tot Roza gericht, aangezien Dickie al op de hoogte was van mijn vaders eigenaardigheden. Ik wilde niet als een snob overkomen, dus ik zei: 'Mijn vader is er helemaal niets mee opgeschoten dat hij een lord is. Hij heeft nooit gewild dat mensen het hoofd voor hem buigen en het zou hem niet eens opvallen als iemand dat wel deed.'

Tot mijn verbazing hield Roza me ineens met een glimlach een zilveren schaaltje voor met een paar gebroken zoute koekjes. Opnieuw bang om haar voor het hoofd te stoten pakte ik er een en nam een hap.

'Ik haal voor u betere koekjes dan deze. Deze heeft jaren in kast gelegen. Morgen ga ik naar Truro voor verse biscuitjes.'

Omdat ze vlak bij me stond, slikte ik de muffe hap door. 'Doe alsjeblieft geen moeite. Je zult het wel heel druk hebben.'

'Druk ja. Ik slaaf in dit huis. Maar voor u, mevrouw, ik is bereid veel te doen.'

'En zo hoort het ook,' zei Harry onaangedaan. 'Ga nu maar gauw de glazen op tafel poetsen, Roza. Gisteren zat er een spin in mijn glas.'

Ze trok een gezicht naar hem, maar ze verdween toch.

'Zo,' zei Harry, 'ik wist wel dat ze je geweldig zou vinden zodra ze begreep dat je van adel bent.'

'Dat klopt voor geen meter,' zei ik. 'Mijn overgrootvader is al op zijn twaalfde van school gegaan en heeft zijn leven lang in een huisje met twee slaapkamers gewoond. Hij minachtte de adel. Ik vind het wel vreemd dat het feit dat mijn vader een titel heeft zo'n dramatische omslag kan veroorzaken. Gisteren behandelde ze me als een of andere lellebel die je ergens op straat had opgepikt.'

'Ik neem aan dat ze je ervan verdacht dat je een ander soort slet was. Roza vindt het verschrikkelijk om hier te zitten, mijlenver van de bewoonde wereld. Eerst beschouwde ze je als een concurrente, nu denkt ze dat je wat glamour in haar leven zult brengen.'

Ik keek naar het gebeeldhouwde plafond en naar het schitterende raam met vijfhonderd glazen ruitjes die allemaal in een iets andere hoek waren ingezet, zodat het voortdurend twinkelde naar iedere lichtbron. 'Ik zou het heerlijk vinden om hier te wonen. Wat mij betreft, is dit huis volmaakt.'

'Ik wist wel dat je het mooi zou vinden.' Harry liet zich in een stoel naast de open haard vallen. 'Laten we je vader en stiefmoeder uitnodigen om te komen logeren. Zij zullen er vast ook door betoverd raken. We kunnen de balzaal uitmesten en een feest ter ere van hen geven.'

Ik vond het aandoenlijk dat Harry zich zo druk maakte over het welzijn van mijn familie. Maar omdat Jago op dat moment binnenkwam, hoefde ik niet de moeite te nemen om uit te leggen dat mijn vader noch Hermione er zelfs maar over zouden piekeren om de vermoeiende reis naar Cornwall te maken. Jago had zich omgekleed en zijn haar gekamd, maar zijn gezicht stond nog steeds onvriendelijk. Opnieuw viel de oppervlakkige gelijkenis tussen neef en oom me op. Ik leek totaal niet op mijn tantes en daar was ik innig dankbaar voor. Maar heel even kreeg ik het gevoel dat de oom de donkere kant van dezelfde man vertegenwoordigde en zijn neef de lichte kant. Onzin, natuurlijk.

'Hallo,' zei ik koel.

Jago pakte de pook op en gooide een blok hout om dat naar voren was gevallen, waardoor een vlaag rook de kamer in woei. Hij richtte zich op en keek me aan. In zijn blik was afkeuring te lezen. 'Goedenavond.'

Percy kwam op een holletje binnen. 'Sorry dat ik te laat ben.' Ze zag er redelijk schoon uit.

Op hetzelfde moment flakkerden de kaarsen in een tochtvlaag en een deur sloeg met een harde klap dicht. Een luid geblaf weergalmde door de Grote Zaal en in de deuropening onder de galerij verscheen een opvallende vrouw. Ze was lang en had een dikke bos gitzwart haar dat tot halverwege haar rug viel en volkomen verwaaid was. In elke hand hield ze een riem vast waaraan een enorme hond zat. De kraag van haar enkellange jas met luipaardmotief was opgezet en verborg de onderste helft van haar gezicht. Daarboven flitsten haar ogen door de kamer en bleven op mij rusten.

'Prima timing, Demelza,' zei Harry. 'Hallo, Minver, hallo, Mawes.' De honden rukten aan de lijn en sleepten zijn tante naar ons toe. Zodra ze bij Jago waren, sprongen ze tegen hem op en probeerden hem in zijn gezicht te likken, waardoor hij bijna in de open haard viel.

'Af!' snauwde oom Jago en de honden lagen meteen plat op de grond, hoewel een van hen het effect een beetje bedierf door op zijn of haar rug te rollen met de poten in de lucht.

Zodra Percy dat zag, kwam ze in beweging. 'Mag ik ze aaien?'

'Dat mag,' zei hun baas.

'Wat voor soort honden zijn het?' vroeg ze, terwijl ze een van de grote koppen aaide. Minver of Mawes beloonde haar door haar hand te likken.

'Ierse wolfshonden. Dat is Mawes. En dit...' Hij duwde zijn voet tegen de andere hond, 'is Minver. Je kunt ze herkennen aan hun oren. Die van Minver zijn donkerder bruin.'

Percy ging op haar knieën zitten en sloeg haar armen om hun nek. 'Mag ik morgen met ze gaan wandelen? Alsjeblieft?'

Jago fronste. 'Ze moeten bij de schapen aan de lijn worden gehouden en ze zijn eigenlijk veel te sterk voor je. Maar eentje kun je wel aan. Mawes is de gehoorzaamste. Die zal je waarschijnlijk niet omver trekken.' Dat stond gelijk aan toestemming. Percy keek blij.

Harry hielp zijn tante uit haar jas. Eronder droeg ze een strak zwartleren jurkje met een diepe hals die de bovenkant van twee bruine borsten bloot liet. Haar glanzend rode mond paste precies bij haar vuurrode hooggehakte lakschoenen en de grote scheefstaande ogen onder de dikke pony die tot in haar wimpers viel, leken op die van een kat. Als Demelza een staart had gehad, zou die heen en weer gezwiept hebben. Ik schatte haar tussen de veertig en de vijfenveertig. Harry vertelde me later dat ze eenenveertig was.

'Dus jij bent Artemis,' zei ze. Aan haar tongval was duidelijk te horen dat ze uit Cornwall kwam.

'Aangenaam kennis te maken,' zei ik glimlachend.

'Van hetzelfde. Hoe istermee? Niet slecht, hè? Althans voorlopig niet.'

Ik wist niet wat ik daarop moest zeggen.

'Demelza, dit is Dickie,' zei Harry.

Demelza tuitte haar lippen en zei: 'Leuk je te leren kennen.' Haar stem klonk hees en een tikje gebarsten, alsof ze net een heel pakje sigaretten opgerookt had.

Dickie pakte haar hand aan. 'Met uw welnemen, mevrouw Tremaine, maar... u ziet er gewoon geweldig uit!'

'Vinnu me jurk leuk?' kweelde Demelza.

'Echt absoluut...' Dickies hoofd duizelde kennelijk terwijl hij naar het gewelfde landschap van haar borsten keek, 'subliem!'

Ik keek even snel naar Jago om te zien hoe hij op dat enthousiasme reageerde. De sombere blik die even was verdwenen toen hij met Percy over de honden praatte, was weer terug.

'En dit is Percy,' zei Harry.

'Hallo, meid!' Ze gaf Percy een vriendelijk klopje op haar

schouder. Ik vroeg me af waarom ik de enige was die haar goedkeuring niet weg kon dragen.

'Ach, Jago,' zei ze tegen haar man. 'Geef me maar een kusje.' Ze stak hem haar wang toe.

Hij hield even hoorbaar zijn adem in en week achteruit. 'Geen denken aan.'

Demelza lachte. 'Dan moet je het zelf maar weten, ouwe zak. Laten we maar gaan eten. Ik heb zo'n trek dat ik met gemak die honden op kan vreten en nog een koe op de koop toe.'

Ze liep met een overdreven wiebelende kont voor ons uit de eetkamer in, waar we nog geen kwart van de tafel in beslag namen. Jago schonk voor iedereen wijn in terwijl Jem de eerste gang opdiende. Zelfs het beven van zijn harige knuisten bracht geen beweging in de modderkleurige soep als hij de kommen voor ons neerzette.

'Geef mij m'n gewone drankje maar, Jem,' zei Demelza. Jago had haar glas overgeslagen. 'En vergeet het ijs niet.'

'Wat is dat?' vroeg Dickie toen Jem terugkwam met een whiskyglas gevuld met een donkere vloeistof. 'Het ziet er erg lekker uit.'

'Een cuba libre. Rum, lime en cola. Het zou eigenlijk vers limoensap moeten zijn, maar we hebben helaas alleen uit een fles. Daardoor is het eigenlijk een beetje te zoet. Jem, haal er ook maar een voor Dickie!'

Dickie was een echte wijnkenner, maar ik had geen medelijden met hem. Het was zijn eigen schuld. Ik richtte mijn aandacht op de soep. Het vloeibare gedeelte was nog wel te eten, ook al smaakte het naar modder, maar ik kreeg de groente niet weg. Dikke, rauwe rapen zijn oneetbaar. Dat dacht ik tenminste, tot ik zag dat Demelza ze kennelijk vol genoegen zat weg te kanen.

Jem zette een cuba libre naast Dickies bord. Het drankje was robijnrood en klef van de suiker. Hij nam een slokje en zag er heel even uit als een man die door een stel wilde paarden wordt gevierendeeld. 'Goeie genade, dat is... heel bijzonder.'

'Hij's in ieder geval geen snob,' reageerde Demelza op Jago's uitdrukking van walging. 'Ik neem maar een rokertje tussendoor.' Ze legde een pakje sigaretten en een doosje lucifers op de tafel en

Dickie was er als de kippen bij met zijn aansteker. Ik zat met mijn rug naar het vuur, dus de tocht blies de rook in mijn richting, waardoor mijn ogen begonnen te tranen. Ik deed net alsof ik niets merkte, maar Jago wapperde met zijn servet en keek boos naar zijn vrouw.

'Watisser, lieve schat?' Ze plukte een draadje tabak van haar tong terwijl ze haar echtgenoot een uitdagende blik toe wierp. 'Heb je er bezwaar tegen dat ik effe een sigaretje neem?'

Als ze glimlachte, kreeg ze leuke kuiltjes in haar wangen. Ik zag ook wel dat ze in fysiek opzicht een wandelende natte droom was. Als ze inhaleerde, bewogen haar gebruinde borsten onafhankelijk van elkaar als een stel jonge beesten. Ik zag dat Harry ernaar keek en moest lachen en hoewel ik totaal geen lesbische neigingen heb, werd ik ook geboeid door dat atletische duo. Alleen Jago leek niets te merken.

'Ik hoop dat de persoon die onze krabben heeft gepikt ter plekke kaal wordt en zijn of haar neus verliest,' zei Harry. 'Dan zouden we meteen weten wie het is geweest.'

'Krabben?' zei Jago.

'Morveran heeft vanmorgen een stel krabben voor het eten gekocht, maar iemand heeft ze gejat,' zei Harry. 'Dat zal Jem wel zijn geweest.'

Jago keek boos. 'Dat hoop ik niet. Ik heb gezegd dat ik hem de laan uitstuur als hij weer iets van me jat.'

'Wat zou hij dan met die krabben moeten?' vroeg Demelza.

'Verkopen natuurlijk,' zei Jago. 'Hij zal ze in de kroeg wel geruild hebben voor een fles whisky.'

'Waarom betaal je hem dan niet beter?' vroeg Demelza.

Jago wierp haar een gemelijke blik toe. 'Ik betaal hem al meer dan hij eigenlijk verdient. Vorige week heeft hij de accu uit mijn auto gehaald en die verpatst. Toen heb ik hem verteld dat hij het kan schudden als hij ook nog maar één raap pikt.'

'Je kunt hem niet ontslaan,' zei Harry. 'Jem was hier al voordat ik geboren ben. En trouwens...' glimlachte hij, 'vergeet onze onvervreemdbare familieplicht niet.'

Jago schonk nog een glas wijn in en sloeg het achterover. 'Natuurlijk vind ik het ook vervelend, het is gewoon ellendig, maar hij laat me geen keus.' Hij schoof zijn stoel achteruit. 'Excuseer me maar even... Dit soort dingen kun je maar beter meteen doen. Zachte heelmeesters maken stinkende wonden.'

Ik keek naar Percy. Ze liet haar hoofd hangen en zat verdrietig in haar soep te staren. Ik had geen tijd meer om over de consequenties na te denken.

'Wacht even,' zei ik. 'Jem heeft de krabben niet gepakt. Dat heb ik gedaan.'

8

'Dus Percy had die krabben gejat?' vroeg Harry de volgende ochtend in bed. Hij had de gordijnen opengetrokken zodat we naar de jagende wolken konden kijken die met de minuut donkerder werden.

'Ja. Toen ze terug was uit Truro heeft ze de krabben gewoon weer in zee gegooid. Ik vind het niet erg dat ze daar niet voor uit durfde te komen. Je oom kan behoorlijk imponerend zijn. Ik werd zelf bijna bang van hem.'

Harry schoot in de lach. 'Dat gezicht van Jago... Hij had niet verbaasder kunnen kijken als je had bekend dat je de kroonjuwelen had gestolen.'

Toen ik zei dat ik de schuldige was, had Jago me met opgetrokken wenkbrauwen aangekeken.

'Mag ik weten waarom?'

'Art heeft het helemaal niet gedaan. Ik was het,' zei Percy. Ze klonk uitdagend maar ik kon zien dat ze haar tranen niet kon bedwingen. 'En ik heb er geen spijt van!'

Jago keek even toe hoe ze een traantje wegpinkte en richtte toen zijn blik op de wijnkaraf. Hij schonk mijn glas nog eens vol, vervolgens zijn eigen glas en schoof daarna Harry de karaf toe. 'Nou ja...' zei hij langzaam. 'Ik neem aan dat het niet om geldelijk gewin ging.'

'Het was uit medelijden,' zei ik. 'Het zal een boer wel heel sentimenteel in de oren klinken, maar nadat wij die krabben in levenden lijve hadden gezien, hadden we geen zin meer om ze op te eten.'

Jago keek fronsend naar het slaphangende boeketje camelia's dat midden op tafel stond. 'Ik ben blij dat het Jem niet is geweest. Maar degene die ze echt heeft weggenomen, had daar eigenlijk eerlijk voor moeten uitkomen. Hij of zij zou precies moeten uitleggen waarom ze het voor de krabben heeft opgenomen in plaats van zo stiekem te doen dat er bijna een onschuldige voor moest boeten.'

Ik wist best dat Percy oud genoeg was om de gevolgen van wat ze had gedaan onder ogen te zien, maar ik was zo gewend om haar te verdedigen dat ik daar geen weerstand aan kon bieden.

'Het motief was onbaatzuchtig,' zei ik. 'En ik vind wel dat daar rekening mee moet worden gehouden.'

'Het zou best kunnen dat krabben gevoelens hebben,' zei Jago. 'Misschien voelen ze inderdaad pijn als ze in een pan kokend water worden gegooid. Dat is een vervelend idee, dat geef ik toe. Maar je moet niet de vergissing begaan om je eigen gevoelens op andere wezens te projecteren. Krabben hebben bijvoorbeeld geen ouderlijke gevoelens. Als hun eieren uitkomen, laten ze die gewoon in zee achter, zonder zich daar ook maar een moment druk over te maken.' Ik vroeg me af of dit soms een ironische reactie was op mijn beschermende houding ten opzichte van Percy. Jago prikte een glibberige wortel die vrijwel zeker uit een blikje kwam aan zijn vork. 'Vertel eens, mevrouw Tremaine, komt uw geweten ook in opstand als het om groente gaat? Misschien moet ik wel dankbaar zijn dat ik nog iets te eten krijg.'

Ik zag tot mijn stomme verbazing dat zijn mondhoek trilde. Zou hij gevoel voor humor hebben? Ik pakte de olijftak, als het dat al was, haastig aan en veranderde van onderwerp. 'Als we aanhangers van het jainisme waren,' zei ik, 'zouden we alleen het groene loof van wortels eten, omdat de wortel anders niet kan regenereren.'

Dickie schoot me te hulp. 'O, lieverd, vertel mij niets over het jainisme. Mijn vader reisde in zijn vakantie altijd met een stel ongelukkige hulpverleners de halve wereld rond en op een keer moest ik met hem mee naar Rajasthan. Daar moesten we naar een jaintempel klimmen die helemaal boven op een enórme heuvel ligt. En dat moet te voet, want het is zogenaamd een spirituele tocht. En ik verloor mijn hoed meteen al in het begin, zodat ik een zonnesteek opliep en weer naar beneden moest worden gedragen door twee dunne mannetjes die bijna dood vielen van vermoeidheid toen we er waren. Al het goede karma dat ik op weg naar boven had opgebouwd was daarmee weer van de baan.'

'Ik zou helemaal geen jain willen zijn,' zei Harry. 'Dan wordt van je verwacht dat je afziet van alle vleselijke geneugten.'

'Maar dat geldt toch voor alle godsdiensten?' zei ik. 'Ik kan me er niet één voor de geest halen waarbij geen sprake is van matiging en zelfopoffering.'

'Ik zou veel liever een jain zijn dan een christen,' zei Percy die inmiddels wel begrepen had dat niemand echt boos was vanwege die krabben. 'Al die saaie preken. En dat is nog niet eens het ergste.'

'Wat dan wel?' vroeg Jago. Tot mijn grote opluchting scheen de ketterse opmerking van mijn zusje hem niet te deren.

Percy stak meteen van wal. 'Nou, laten we maar beginnen met de kruisiging. Vorige week zei zuster Gabriëlla tegen ons dat God meteen nadat Eva het verboden fruit had gegeten al had besloten om Jezus aan het kruis te laten sterven om ons van onze zonden te verlossen. Dus het is kennelijk God geweest die mensen op het idee van kruisigen heeft gebracht. Toen ik zei dat God wel heel wreed moest zijn om zoiets afschuwelijks te bedenken werd zuster Gabriëlla gewoon woest en stuurde me naar de kapel om daar tijdens de lunch vijfentwintig aktes van berouw op te zeggen. Maar dat vond ik niet erg, want het was vrijdag en dan eten we altijd sardines, die lust ik toch niet.'

'Je hebt wel een punt,' zei Jago. 'En dat brengt ons op de netelige kwestie van predestinatie versus vrije wil. Ik zit samen met de bisschop van St. Just in het bestuur van de Landelijke Ontwikkelingsraad. Ik zal hem eens vragen hoe dat precies zit.'

'Ik heb echt spijt van die krabben.' Percy schonk hem een van haar meest betoverende lachjes. 'Mag ik morgen nog steeds met Mawes gaan wandelen?'

'Volgens mij,' zei Jago, 'moeten we het lot van de krabben maar aan het dossier onopgeloste zaken toevoegen.'

Als je naging hoe vreselijk de soep smaakte, was dat heel inschikkelijk van hem.

'Ik durf te wedden dat de preken bij de jains even lang zijn als de katholieke,' zei Dickie. 'En ze moeten ook weken achter elkaar vasten. Als je een jain was, zou je ook nooit meer een garnalencocktail of een ijsje mogen eten.'

Percy was dol op garnalen en ijs.

'Waarom geen ijs?' vroeg ze.

'Dat is gemaakt van melk, en melkproductie is wreed tegenover koeien.'

Percy keek verschrikt. 'Maar het doet koeien toch geen pijn om gemolken te worden?'

'Nee, maar als je melk wilt hebben, zul je de kalveren bij hun moeders weg moeten halen. En al die lieve kleine stierkalfjes die geen melk kunnen produceren worden in het holst van de nacht in kratten gestopt om naar de vleesfa... au! Verdomme, Art, dat deed zeer!'

Dickie was kennelijk vergeten dat onze gastheer een melkveehouder was. Ik had hem onder tafel stevig in zijn dij geknepen om te voorkomen dat hij verder doorborduurde op dat thema.

'Je wilt toch niet zeggen dat ze stierkalfjes altijd in het donker opsluiten en ze nooit vrijlaten?' vroeg Percy ontzet.

'Ach, dat verzin ik maar,' jokte Dickie. 'In werkelijkheid worden ze meteen in de wei gezet waar ze rond kunnen huppelen en eh... gewoon doen wat alle koeien doen.'

Percy zat nadenkend op haar lip te knabbelen.

'Mijn pa was een methodistenpredikant,' zei Demelza tegen Dickie. Haar amberkleurige kattenogen glansden. 'Iedere zondag twee preken. Op woensdag en vrijdag werd er gevast. Mam vond snoepjes en minirokken het werk van de duivel. Ik heb genoeg van religie, bedankt.' Ze trok haar schouders op waardoor de spleet tussen haar borsten nog dieper werd. Dickies mes viel met een luid gekletter op zijn bord.

Demelza was overduidelijk tegen het methodistische geloof in opstand gekomen met een felheid waar je alleen maar naar kon raden. Als ze niet at of praatte, zat ze haast vijandig met een strak gezicht naar me te kijken. Dat was jammer, want haar oprechtheid beviel me en ik bewonderde haar opwindende uiterlijk.

'Waarom doet iedereen hier, met uitzondering van Morveran, alsof Hitlers droom over het Herrenvolk oorspronkelijk mijn idee was?' vroeg ik de volgende ochtend aan Harry toen we naar de eerste regendruppels op ons slaapkamerraam keken.

'Is dat niet een beetje overdreven? Die bloemen naast je kussen zijn een zoenoffer van Roza. En het was ook ter ere van jou dat ze gisteravond zelf de koffie binnenbracht. Draai je eens om, lieverd. Mijn arm wordt stijf.'

Ik ging gehoorzaam op mijn linkerzij liggen. Op mijn nachtkastje stond een vaas met fluwelige viooltjes die bedwelmend roken. 'Goed, ik geef toe dat Roza is omgeslagen – omdat jij zo schaamteloos hebt staan te pochen – maar in het begin was ze ook ontzettend onvriendelijk.' Ik sloeg mijn rechterarm om de slapende Percy. Ze bewoog, maar werd niet wakker. De stalklok had net drie uur geslagen toen Percy onze kamer binnenstormde en naast me in bed kroop, trillend van angst en met voeten als ijsklompjes. Ze had zich stijf aan me vastgeklemd en snikkend een warrig verhaal opgehangen over een nare droom waarin ze op een boot in de mist had gezeten, met een met bloed besmeurde bijl in de mast en een afgehakt hoofd op het dek. Om aan de onzichtbare slager te ontkomen was ze overboord gesprongen, maar toen ze wakker werd, kwam ze erachter dat ze uit bed was gevallen. Ze was een tijdje gewoon ontroostbaar geweest. Ik had zelf ook wel eens een nachtmerrie en ik wist dat die ook als je wakker was nog lang een nare uitwerking konden hebben.

Harry leunde op zijn elleboog. 'Percy is helemaal uitgeteld. Als we nu eens heel rustig doen... Zouden we dan...' Hij liet zijn hand over mijn billen glijden.

'Nee, lieverd. Sorry, maar ik zou doodsbang zijn dat ze wakker werd.'

'Oké.' Harry sprong uit bed. 'Laten we dan maar gaan zeilen.'

Ik vond het ontzettend vervelend dat ik de man met wie ik pas twee dagen getrouwd was moest teleurstellen. 'Sorry,' zei ik opnieuw. 'Ik weet dat ik een echte spelbreker ben en een watje en zo, maar ik waag me niet opnieuw op een boot.'

'Vooruit dan maar. Maak je geen zorgen.' Harry lachte me toe toen zijn hoofd weer tevoorschijn kwam uit de hals van zijn T-shirt. 'Zou je het heel erg vinden als ik zelf een tochtje door de baai ging maken?'

'Natuurlijk niet! Ga maar lekker zeilen. Dan kan ik Percy ondertussen met haar huiswerk helpen.'

Een uur later, na een kolossaal ontbijt, sloegen Percy en ik het eerste van drie grote, rijk geïllustreerde boeken open. Morveran had ons verzekerd dat we haar aan de keukentafel helemaal niet in de weg zaten. Bovendien hoefde dan de open haard in de zitkamer niet aangestoken te worden. Het regende nog steeds en de rest van het huis was vol dansende schaduwen, maar in de keuken was het warm. Vanaf haar plekje in de kast liet Emily, de broedse kip, af en toe een peinzend gekakel horen.

Terwijl wij allerlei feiten verzamelden voor het opstel dat Percy moest schrijven, maakte Morveran een stoofpot voor het avondeten. Ik keek een beetje onbehaaglijk toe hoe zielige kleine stukjes konijn door het bloem werden gehaald en samen met rapen in een pan verdwenen. Ik was bang dat Percy, die geen woord wenste te wisselen met de boerenarbeiders van Brentwell omdat ze op konijnen jaagden, niet van die stoofpot zou willen eten, maar gelukkig werd ze afgeleid door Myrtle, de witte kat, die net de keuken binnenkwam.

'Ik heb eigenlijk best medelijden met Toetanchamon,' zuchtte Percy toen de kat van haar schoot was gesprongen en het schoteltje met restantjes vlees aanviel dat Morveran voor haar op de grond had gezet.

'Waarom dan, lieverd?' vroeg Morveran die naar ons geluisterd had.

'Hij was pas negen toen hij koning werd en hij was achttien toen hij stierf.' Percy was maar al te graag bereid om haar pas verworven kennis te etaleren. 'En al die jaren werd hij op z'n kop gezeten door een of andere engerd die Ay heette. En Toetanchamon werd gedwongen om met zijn eigen zús te trouwen. Volgens mij zijn er niet veel jongens die bereid zijn om met hun zus...' Percy zweeg even veelbetekenend. '... nou ja, je weet wel. Het moet ontzettend gênant zijn om hét te doen met iemand die je je hele leven al kent.'

Morveran was duidelijk geschokt. 'Volgens mijn is dat bij de wet verboden. Kwee nie, hoor,' mompelde ze terwijl ze de stoofpot in de oven zette. 'Wat ze die lieve keinders tegeswoordigs toch al niet leren! 't Moes niet maggen.'

'Ja, maar toen ik aan zuster Luke vroeg waar Kaïns vrouw vandaan kwam, omdat Adam en Eva maar drie zoons hadden, Kaïn, Abel en Seth, en de enige mensen ter wereld waren, zei ze dat ze nog veel meer kinderen hadden, alleen die werden niet in de Bijbel genoemd. Maar toen zei ik dat Kain dan met een van zijn zusjes moest zijn getrouwd, wat volgens mij helemaal niet mocht, werd zuster Luke helemaal rood en boos en zei dat ik stil moest zijn en gewoon moest luisteren zonder vragen te stellen.'

Ik begon me af te vragen of De Heilig Hart-school wel de juiste school voor Percy was en ik twijfelde geen moment dat ze zich op school hetzelfde afvroegen.

'En voordat Toetanchamons vrouw met hem trouwde, had ze al een baby gehad van haar eigen vader. Gossie!' Percy huiverde dramatisch. 'Ik zou echt een keel van jewelste opzetten als ik pappie zag zonder kleren aan en met zijn geval helemaal stijf...'

'Nou ja...' Ik sloeg het boek met een klap dicht, omdat ik zag dat Morveran duidelijk overstuur raakte van Percy's opmerkingen. 'Volgens mij hebben we voor vandaag genoeg gedaan. Hoog tijd om een luchtje te gaan scheppen.'

'Maar het regent dat het giet,' protesteerde Percy.

'Ja,' zei Morveran. 'En het is zo mistig dat je je eigenste voeten niet ken zien. De duivel zit vandaag op zijn troon, zeker en vast.'

'Echt waar?' Percy was meteen geïnteresseerd. 'Hoe weet je dat?'

'Nog een kop thee, meisjes? Tegen de kou.'

'Ja graag, Morveran,' zei Percy. 'Jij zet de lekkerste thee ter wereld.'

Morveran verwarmde de theepot onder de hete kraan en deed er vier theezakjes, drie eetlepels suiker en een half blikje koffiemelk in. Daarna vulde ze de pot bij met kokend water en roerde alles nog eens goed door met een houten lepel. Dat verklaarde die vreemde smaak van de thee die ik bij het ontbijt had gedronken.

'Biskwietje, meisjes?' Morveran zette een schaal met biscuitjes voorzien van een laagje roze of witte fondant op tafel. 'Toe maar, liefie, pak er maar twee.' Dat liet Percy zich geen twee keer zeggen.

'Wat bedoelde je nou toen je zei dat de duivel op zijn troon zat?' vroeg ze.

'Dat zeggen ze hier altijd. Als je door de mist zijn troon nie ken zien, dan moet je uit de buurt blijven.' Toen ze zag dat we haar niet-begrijpend aankeken, legde ze uit: 'Bij mooi weer is de troon leeg, dan kujje ernaartoe gaan als je dat zou willen. Maar da's nie verstandig.'

'Waar ís die troon dan?' wilde Percy weten.

'Als je uit 't raam kijkt, kun je 'm vanaf hier net zien.' Ze wees naar de rotsen. 'Als de zon erop staat. Een rotsblok dat sprekend op een stoel lijkt.'

Percy liep naar het raam. 'Ik zie alleen maar wolken. Laten we even gaan kijken, Art.'

'Nee, lieve schat.' Morveran schrok ervan. 'Het is een griezelig plekje, zelfs as 't zonnig is, met al die sloomkruipers, die luchtmuizen en de Jacky-lantaarns. Daar deugt niks van.'

'Art zegt dat de duivel niet bestaat. Ze zegt dat het gewoon een sprookje is, dat in het verleden is verzonnen om domme mensen zover te krijgen dat ze zich gedroegen zoals de slimme mensen wilden...'

Ik kwam haastig tussenbeide. 'Ik neem aan dat je met luchtmuizen vleermuizen bedoelt, maar wat is een sloomkruiper?'

'Een klein, glad en glibberig slangetje.'

'En een Jacky-lantaarn?'

'Een lichtje waarmee een boze fee je naar de rand van de rotsen lokt. Daar blaast ze het uit en jij blijft achter in het donker om een doodsmak te maken.' Morverans donkere kraaloogjes stonden ernstig. 'Je ken gemakkelijk zeggen dat je niet in de duivel gelooft. Maar tis een ander geval als je z'n merkteken heb gezien.'

Percy keek opgewonden. 'Wat voor merkteken?'

'Hoefafdrukken.' Morveran ging ineens zachter praten. 'De duivelstroon ligt op Tremaine-land en door de jaren heen is 't een vreselijke vloek voor de familie geweest. De meester komter nooit in de buurt as 't niet nodig is.'

Ik kon me niet voorstellen dat Jago bijgelovig was. Ik hoopte dat Morveran nog meer zou vertellen, maar ze zei dat ze nu eerst de melk moest afromen voordat Jem met een verse voorraad kwam.

Toen Percy en ik op pad gingen, miezerde het nog steeds een beetje. Minver en Mawes waren met hun baas mee, maar Myrtle sloot zich bij ons aan en Percy vond dat eigenlijk net zo leuk, alleen anders. Ik gaf er zelf de voorkeur aan, want Myrtle blafte niet, rolde niet door koeienvlaaien, zat niet achter konijnen aan en probeerde ook niet de schapen te bijten in het veld achter het pad over de rotsen. Hoewel het een modderige bedoening was en alle blaadjes en stengels kletsnat waren van de regen, bleef Myrtle ons trouw volgen.

Percy was vastbesloten om op zoek te gaan naar de Duivelstroon.

'Is dat niet een beetje griezelig? Misschien kunnen we beter een strandwandeling maken. Kijk, de mist begint op te trekken,' wees ik. 'Is dat de *Saucy Sal* niet?'

Een boot met een roestbruin zeil was op weg naar de landpunt en ik dacht dat ik Harry herkende die aan het roer zat. Daarna bezorgde een ijzige windvlaag me tranende ogen en zijn oliepak werd een wiebelende gele vlek. Een tweede in geel gehulde figuur leunde achterover om het zeil strak te houden, hoe heette dat ook alweer, o ja, de fok. Het haar en gezicht gingen schuil onder een zuidwester.

'Zullen we naar het strand lopen om hem te begroeten?'

'Je hebt nog zo beloofd dat we naar de Duivelstroon zouden gaan.'

Dat was niet helemaal waar, maar misschien had ik die indruk gewekt. 'Goed, maar ik ben bang dat het een anticlimax wordt. Misschien herkennen we hem niet eens.'

Maar toen we uiteindelijk na een fikse klauterpartij bij de troon aankwamen, was die duidelijk herkenbaar. En uiteraard onbezet, maar de mist was dan ook volledig weggeblazen door iets wat op een plaatselijk wervelwindje leek. Onze haren en kleren wapperden om ons heen en we moesten bijna schreeuwen om ons verstaanbaar te maken. De troon, die kennelijk door moeder natuur zelf was gemaakt, was van donkere leisteen met een spits toelopende rugleuning in de beste gotische traditie. Toen we ernaartoe liepen, steeg een zwarte vogel op van de zitting en fladderde ons in het gezicht. Ik ving een glimp op van een boos, smaragdgroen oog voordat het dier in de richting van de zee zeilde.

'Je denkt toch niet...' schreeuwde Percy.

'Dat was gewoon een aalscholver,' riep ik terug, hoewel ik zelf ook achteruit was gesprongen van schrik. 'Voorzichtig!'

De troon stond op het randje van een steile rotswand, zeker vijfenveertig meter boven zee. Als iemand gek genoeg zou zijn om erop te gaan zitten, bungelden zijn of haar voeten boven de afgrond. De rand eronder was bedekt met grof gras vol kuiltjes die gevuld waren met regenwater. Percy boog zich over een van de armleuningen om de zitting aan te raken. 'Ooo! Die is warm!'

Ik greep haar in haar kraag. 'Van de zon.'

'Au! Je keelt me bijna!' Percy deed een stapje terug en keek om zich heen. 'Waar is Myrtle?'

'Die zal wel achter een muis aan zitten.'

'Het zit er dik in dat ze hier duistere krachten kan voelen.' De griezelige omgeving scheen een abrupt einde te hebben gemaakt aan Percy's vrijzinnigheid. 'Dieren voelen dat altijd aan.'

'Je fantasie slaat op hol.'

'Goh, wat vind ik het toch vervelend als grote mensen dat zeggen. Het klinkt zó denigrerend... Art! Kijk!' Percy wees naar een plek modder. 'Een hoefafdruk!'

'Van een koe, denk ik.'

'Die is te klein voor een koe.'

'Van een schaap dan. Of van een kalfje. Kijk,' wees ik. 'Daar ligt een koeienvlaai.'

'O ja, de duivel gaat natuurlijk op de wc. In films heeft hij altijd een echt gezicht, met ogen en een neus en een mond, dus hij zal ook wel een kont hebben met alles wat daarbij hoort.'

Ik pakte een stok en roerde in de koeienvlaai. 'Dit is stront van een planteneter, niet van een vleeseter. Kijk maar, helemaal groen en glibberig. Op de een of andere manier kan ik me niet voorstellen dat Satan, zo die al bestaat, een vegetariër is... Jasses, wat is dat?'

Iets glibberde weg bij mijn voeten en verdween in het gras. 'Een slang! Hij is het wél!' gilde Percy en greep mijn arm vast.

'Het is maar een hazelworm. Een van Morverans sloomkruipers. Die doet niks. Laat eens los, Percy. Zometeen kukelen we allebei naar beneden!'

Ik keek omlaag. Het bruisende zeewater leek omhoog te komen en tegelijkertijd kwam de lucht omlaag. De grond onder mijn voeten scheen te bewegen. Tegelijkertijd griste een felle windvlaag mijn sjaal van mijn nek. De schitterende kleuren dwarrelden omlaag, bleven even op de wind drijven en verdwenen toen worstelend als een vreemd en mooi zeewezen onder de golven.

'O verdorie!' De tranen sprongen me bijna in de ogen. Het was een cadeautje van Harry geweest.

'Kijk uit!' gilde Percy, zo plotseling dat ik van schrik bijna over de rand tuimelde.

'Wat is er?'

Ze wees naar de troon. Ik zag niets, maar zij slaakte een kreet en begon naar beneden te hollen. Ik rende glibberend en struikelend achter haar aan en riep dat ze rustig aan moest doen. De lucht werd weer donker en ineens begon het weer te regenen, eerst zachtjes en vervolgens met grote druppels die op ons hoofd kletterden. Met Percy luid krijsend voorop stoven we door het weiland, waardoor de geschrokken schapen alle kanten op stoven. Zodra we bij het tuinhek waren, bleef ik staan en haalde diep adem. De bui was even plotseling voorbij als hij was begonnen.

'Waarom gedragen we ons ineens als een stel idioten?' vroeg ik hijgend.

'Hij kwam terug!' zei Percy. 'Ik zag zijn schaduw! Met grote fladderende vleugels!'

'Dat was maar een vogel. Er is daar niks om bang voor te zijn, hoor!'

'Waarom gilde jij dan zo?'

'Ik gilde helemaal niet!'

'Wel waar!'

'Ik heb geen mond opengedaan...'

'Hé, jullie daar!' Harry's hoofd verscheen bovenaan het pad naar het klif en een moment later was zijn hele lichaam zichtbaar. 'Wat heeft al dat geschreeuw te betekenen? Jullie zijn toch niet bang voor Hannibal? Die is zo mak als een lammetje.'

'Hannibal?' vroeg ik.

'De stier.' Harry wees naar een hoek van het weiland waar iets wat ik voor een crèmekleurige koe had aangezien vredig stond te grazen.

Percy en ik kwamen bijna klem te zitten tussen het hek toen we haastig de tuin in stapten.

'We hebben het niet zo op stieren.' Ik had het gevoel dat mijn geloofwaardigheid als meisje van het platteland snel begon te minderen.

'De stier op onze boerderij heeft vorig jaar de veehouder op de hoorns genomen,' legde Percy uit. 'En ik heb zelf gehoord dat zijn vrouw tegen Janet zei dat hij nu geen echte man meer voor haar kan zijn, maar dat ze dat helemaal niet erg vond omdat ze er toch al vier had.'

'Vier mannen?' vroeg Harry.

Percy keek ernstig naar hem op. 'Ik denk dat ze vier kinderen bedoelde.'

Ze keek langs Harry heen naar de jongeman die in zijn kielzog naar boven was geklommen. Zijn oren waren even rood als zijn honkbalpetje en hij bleef met gebogen hoofd staan, alsof hij verlegen was.

'Dit is Kitto,' zei Harry. 'Kitto, dit is mijn kersverse vrouw en haar zusje, Percy.' Kitto keek even op en ik ving een glimp op van felblauwe ogen. 'Oké, breng de spullen maar naar binnen.'

De jongeman ging schuifelend op weg naar het huis.

'Heb je lekker gezeild?' vroeg ik toen Harry zijn arm door de mijne stak.

'Heerlijk. Kitto heeft ze niet allemaal op een rij, maar in een boot weet hij precies wat hij moet doen. Ik rammel van de honger. Laten we maar weer een picknick organiseren en naar Wheal Crow gaan, zodat je met de plattegrond kunt beginnen. Nu je me met lichaam en ziel toebehoort, wil ik daar ook van profiteren.'

Ik was ervan overtuigd geweest dat Harry met een vrouw was gaan zeilen. Maar ik had alleen een figuurtje in de verte gezien, gehuld in regenkleding, waarvan ik de indruk had gekregen dat het... Ik zette de gedachte beschaamd van me af. Harry zou vast nooit tegen me liegen. De eerste keer dat we met elkaar naar bed waren geweest had hij gezegd: 'Ik wil dat je alles van me te weten komt. En ik wil alles van jou weten. Goed of slecht, dat maakt niet uit. Alles. En ik zal voor jou ook niets verborgen houden.'

Dus toen Adrian, mijn baas, die altijd de kredietwaardigheid van mogelijke cliënten controleerde, met een lang gezicht had gezegd: 'Ga je nog steeds om met die Harry Tremaine? Dan moet ik je wel waarschuwen dat hij in de gevangenis heeft gezeten,' kon ik zeggen dat ik dat allang wist.

'Ik verheug me er echt op om aan Wheal Crow te beginnen,' zei ik en kneep in Harry's warme hand die op mijn arm lag.

9

Dickie was in de keuken en verklaarde dat hij na twaalf uur slaap weer een nieuw mens was en bereid overal naartoe te gaan en van alles te doen. Dat enthousiasme van hem was heel aanstekelijk, ook al wist ik uit ervaring dat het waarschijnlijk op niets uit zou lopen.

Ik liep naar de moestuin om sla te halen, maar daar groeiden alleen rapen, dus maakte ik maar een salade van de paardenbloembladen die welig tierden in de bloembedden. Boterhammen met tomaat, ei en kaas werden in vetvrij papier gewikkeld en met een touwtje dichtgebonden. Uit beleefdheid deed ik ook een paar plakjes van de vruchtencake in de mand. Daarna maakte ik limonade voor Percy en er werden twee flessen wijn uit de kelder gehaald.

We liepen achter Harry aan de voordeur uit en via een smal hekje in een van de muren naar de volkomen overgroeide rozentuin en vervolgens naar een groot veld vol wilgenroosjes en distels, dat door een hek en een karrenpad werd gescheiden van modderige akkers die nauwelijks begaanbaar waren. Ineens dook Myrtle op uit de heg en de kat liep helemaal met ons mee naar de mijn.

Ongeveer anderhalve kilometer van het huis, ver genoeg om ervoor te zorgen dat de familie Tremaine zich niet hoefde te ergeren aan de aanblik en het lawaai van een vulgaire commerciële onderneming, stonden drie dakloze gebouwen en een hoge schoorsteen.

Dat was alles wat er bovengronds was overgebleven van de Wheal Crow-mijn. De ruïnes stonden op een richel, ongeveer dertig meter onder de top van het klif, waardoor het bijzonder moeilijk zou worden om materiaal naar de bouwplaats te brengen.

Ik pakte mijn opschrijfboekje. 'We zullen een weg moeten aanleggen,' zei ik tegen Dickie. 'Maar zouden vrachtwagens die steile helling wel kunnen nemen?'

'Voor vierwielaangedreven voertuigen met een ervaren chauffeur zal het geen probleem zijn, zolang we er maar een paar bochten in leggen. Maar een cementwagen zou wel eens rechtstreeks in zee kunnen belanden.'

We klauterden omlaag naar de muur rondom de mijn, die een meter tachtig hoog was en vrijwel compleet ingestort. Het uitzicht over kilometers olijfkleurige golfjes, hier en daar oplichtend in een blauwgroene tint, was adembenemend.

'Misschien kunnen we aan de kant van de zee een hek maken. Dat lijkt me wel nodig als we willen voorkomen dat vakantiegangers hun nek breken. En natuurlijk moet wel goed duidelijk worden gemaakt dat dit geen geschikte plek is voor kleine kinderen.'

'Kunnen we nu eerst gaan picknicken?' viel Percy me in de rede.

We legden de plaid op de grond en vermeden zoveel mogelijk de pollen wit lijmkruid die in de wind stonden te wiegen. Twee blauwe vlinders zaten elkaar achterna boven stapels roestige wielen, staken en stenen.

'Ik vind het een akelig idee dat onder ons de tunnels zijn waar mannen zich in nauwe, hete gangetjes moesten uitsloven,' zei ik. 'Daar zou ik dan ook voor geen goud naartoe willen.'

'Een van die tunnels reikt tot onder zee,' zei Harry. 'En die schijnt ontzettend steil naar beneden te lopen. Helemaal onderin ligt een man begraven – iemand die de baas wilde spelen over de mijnwerkers. Ze hebben hem om zeep gebracht en zijn lichaam ingemetseld. Destijds ging het er hier nog behoorlijk ruig aan toe. Ik heb het nu over zo'n honderdvijftig jaar geleden. Alle dorpelingen moesten zweren dat ze hun mond zouden houden. Dat kon gemakkelijk, want ze waren voor hun inkomen afhankelijk van de Wheal Crow. Op latere kaarten van de mijn werd het een herkenningspunt dat Robs Rames werd genoemd. "Rames" betekent skelet in het plaatselijke dialect en de onfortuinlijke man heette Robert.'

Percy zat zo geboeid te luisteren dat ik probeerde het gesprek een andere wending te geven. 'Wil er iemand wat paardenbloemsla?' Ik gaf de ronde plastic doos door. 'Is er hier ook ergens water te vinden, een bron of zo?'

Harry pakte wat sla. 'Geen idee. Natuurlijk zou het gewoon een volksverhaal kunnen zijn. Niemand heeft zin om op onderzoek te gaan in een tunnel die tachtig jaar geleden gesloten is. Maar het is geen slechte plek om de eeuwigheid in te gaan, zo diep dat je het geraas van een storm niet kunt horen en met alleen een stelletje wormen als gezelschap.'

'Denk je dat we de gebouwen aan elkaar moeten koppelen of moeten ze los van elkaar blijven staan?' vroeg ik vrij nadrukkelijk.

'Het regent vaak in Cornwall,' zei Harry met een mond vol brood, boter en tomaat. 'Koppelen lijkt me beter.'

'Als we dat doen, krijgen we twee keer zoveel ruimte,' zei Dickie. 'Maar graniet is nogal log. Wat zou je denken van glas?'

'Glazen gangen? Mm, ja, dat zou mooi zijn. En ook een stuk goedkoper,' zei ik.

Dickie keek naar de top van het klif. 'Moet je je voorstellen dat je grote glaspanelen langs die helling naar beneden moet brengen.'

'We kunnen ze ook van boven naar beneden takelen,' zei ik. Het idee sprak me aan. 'Desnoods een voor een. Dat zou nog altijd een stuk vlugger gaan dan het bouwen van granieten muren. En op die manier zou je een van origine vrij donker gebouw veel lichter en weidser maken.'

'Myrtle houdt van kaas,' onderbrak Percy ons. Ze had gedurende haar korte leventje al vaak naar het geklets over architectuur moeten luisteren en dat hing haar de keel uit.

'Maar wat moeten we dan als dakbedekking gebruiken?' vroeg Dickie. 'Leisteen zou veel te zwaar lijken.'

'Met glas zouden het regelrechte broeikassen worden. En de

extra ventilatie die we dan moeten aanbrengen zou de prijs alleen maar opdrijven. Wat dacht je van koper? Dit was vroeger per slot van rekening een kopermijn.'

'En dakpannen zouden vier keer zo zwaar zijn. Dat is ronduit briljant, Art.'

'Dank je.' Ik probeerde bescheiden te kijken. 'En dan op een rol, over een ondergrond van latten.'

'Heeft iemand misschien nog een stukje kaas voor Myrtle?' vroeg Percy met stemverheffing.

'Koper heeft ook een hoog geleidingsvermogen, dus we zouden de daken kunnen gebruiken als onderdeel van het bliksemafleidingssysteem. Op die schoorsteen zullen twee masten moeten staan. Weet jij waar die gebouwen precies voor dienden, Harry?' vroeg Dickie.

Harry keek om zich heen, alsof hij de bron van het familiefortuin voor het eerst zag. 'Dat met die schoorsteen is de machinekamer met de kaapstander die werd gebruikt om de mannen en het erts omhoog te takelen. En het gebouw met die twee puntgevels was de boilerruimte. En dat...' Hij wees naar het grootste pand, 'was het pompstation. Meer kan ik je echt niet vertellen. Ik heb nooit belangstelling gehad voor mijnbouw en Wheal Crow was al ver voor mijn geboorte gesloten.'

'En natuurlijk granieten vloeren,' zei Dickie. 'Glanzend of niet?'

'Niet,' zei ik. 'Dan zijn beschadigingen niet zo snel te zien.'

'Ik denk dat ik net zo goed naar beneden kan springen,' zei Percy met een boze blik.

Ik duwde haar het restantje van de vruchtencake toe en zei tegen Dickie dat ik een centimeter had meegebracht zodat we wat dingen konden opmeten zodra hij zijn wijn ophad. Harry gooide een stukje cake naar een meeuw die vlakbij zat en vroeg aan Percy of ze geen zin had om samen met hem de hoofdtunnel te gaan verkennen. Ik sloeg een blaadje in mijn opschrijfboekje om. 'We zullen gedetailleerde tekeningen moeten maken van de bestaande... Wat? Wou je naar beneden gaan? Harry! Néé! Straks breekt ze haar nek nog...'

Harry lachte. 'Ik wou alleen maar weten of je moederlijke gevoelens echt plaats hadden gemaakt voor het fanatisme van de architect. Ik meende het niet, hoor. Je zou een hele klimmersuitrusting nodig hebben om beneden te komen. Het gaat daar tweehonderd meter steil omlaag. Dat zou het stalen plaatje dat ik in mijn hoofd heb misschien niet overleven.'

'Heb je dat echt?' vroeg ik. Ik was even helemaal afgeleid. 'Een stalen plaatje in je hoofd? Dat wist ik niet. Hoe is dat gebeurd?'

Harry ging languit achterover op het gras liggen, met zijn armen onder zijn hoofd en sloot zijn ogen tegen de felle zon. 'Door op school haasje-over te spelen.'

'Dan moet je wel een zachte schedel hebben,' zei Percy een tikje minachtend. 'Wij doen heel vaak haasje-over en daarbij loopt nooit iemand iets op.'

'Ja, maar ik zat op een motor. Ik had zes jongens gebukt naast elkaar laten staan. Jammer genoeg was de grond een beetje nat, zodat het achterwiel op de afzetplank wegslipte. Ik moest mezelf en de motor wel opzijgooien om te voorkomen dat Foster-Thomas platgewalst zou worden en ik landde met mijn kop op de trap naar de squashvelden.'

Ik voelde een steek in mijn hoofd. 'Hoe lang heb je in het ziekenhuis gelegen? Heb je veel pijn gehad?'

'Vier maanden. En dat viel best mee.'

'Heb je straf gehad?' vroeg Percy.

'Ik werd van school gestuurd.'

'Maar je zult wel veel bewondering geoogst hebben.' Dickie klonk bewonderend. 'Ik heb nooit iets uitgespookt waarvoor je zoveel lef moest hebben. Het ergste wat ik ooit heb gedaan was het kussen van de dochter van de terreinknecht in het cricketpaviljoen. Haar vader betrapte me en troggelde me mijn horloge en een heel semester zakgeld af, in ruil voor zijn stilzwijgen.' Zijn stem kreeg een tedere klank bij die aangename herinnering. 'Ze had een kapotte voortand en dat vond ik destijds heel aantrekkelijk.'

Percy negeerde Dickies opmerking. 'Ik vind het wel heel gemeen van ze dat ze je van school stuurden terwijl je zo zwaar gewond was geraakt,' zei ze tegen Harry.

'Ze waren ook heel gemeen. Het was een rotschool. Het kon me niets schelen.'

'Ik vind het een vreselijk idee dat je zoveel pijn hebt gehad,' zei ik.

Harry draaide zijn hoofd naar me om en deed zijn gentiaanblauwe ogen open. Ik kreeg van tederheid een brok in mijn keel.

'Hallo, Demelza,' zei hij.

Ik zat met mijn rug naar het klif en had haar niet zien aankomen. Haar zwarte haar zat in twee dikke vlechten. Een kort blauw jurkje toonde haar lange bruine ledematen en haar gebruinde borsten. 'Je had me wel eens mogen vertellen dat je een feestje gaf,' zei ze tegen Harry.

'Je had me verteld dat je het druk had,' zei Harry glimlachend, kennelijk niet in het minst onder de indruk van het misnoegen van zijn tante.

'Ik moest een pakje naar het postkantoor brengen.'

'Ik had je er best naartoe willen rijden als je me dat had gevraagd.'

'Ik heb geen gunsten van jou nodig. Kito heeft me ernaartoe gereden.'

'Nou, dat is dan mooi.' Harry leunde op zijn ellebogen en keek naar haar op. Hij kon zijn lachen nauwelijks inhouden. 'Ga nou maar zitten en doe niet zo dwars, anders knevelen we je met Arts centimeter en rollen je van het klif af.'

'Ik ben bang dat we niets meer te eten hebben en de wijn is ook op,' zei ik vergoelijkend. 'Maar er is nog wel wat limonade. Zelfgemaakt.'

Demelza negeerde me. 'Ik ben van plan om nog een eindje verder te lopen. Er ligt een laat-mesolithisch stuk grond bij Willer's Tor en volgens mij zitten daar stuifmeel en sporen in dateerbaar afzettingsmateriaal.'

Als Demelza had verkondigd dat ze van plan was om een high energy-versneller te bouwen voor experimenten in subatomische deeltjesfysica had ik niet verbaasder kunnen zijn. Ik schaamde me omdat ik haar intelligentie onderschat had.

'Ik loop wel mee,' bood Harry aan. 'Ik voel me een beetje overbodig bij dit stel architecten.'

'Da's dan jammer voor je,' zei Demelza met een minachtende blik omlaag. 'Maar toevallig heb ik zin om iemand anders mee te vragen. Heb je zin in een wandeling, Dickie?'

Dickie krabbelde haastig overeind. 'Nou en of!'

'Volgens mij is het opgraven van oude stukken steen net zo saai als architectuur,' mopperde Percy een uur later toen we weer op weg naar huis waren. Ze was meegegaan met Dickie en Demelza naar de laat-mesolitische plek en had tot haar afkeer ontdekt dat het gewoon eenzelfde soort veld was als waar we eerder doorheen waren gelopen. Ze was in haar eentje teruggekomen en had Harry en mij aangetroffen aan de uiteinden van een meetlint, waardoor ze gedwongen was om zich te amuseren met het oefenen van radslagen.

'Je hebt me niet verteld dat Demelza archeoloog was,' zei ik tegen Harry.

'Lieverd, je blijft maar zeuren dat ik je dingen niet verteld heb, maar de wereld is vol fascinerende informatie en het is niet eerlijk van je om te verwachten dat ik als bij toverslag weet welke van die triljoenen feitjes jij wilt horen. En strikt genomen is Demelza nog geen archeoloog. Ze volgt een opleiding aan de Open Universiteit en heeft de eerste twee examens afgelegd met het hoogst mogelijke aantal punten. Niet gek, als je nagaat dat ze op haar vijftiende zonder diploma van school is gegaan.'

'Dat vind ik fantastisch,' zei ik. 'Ze moet een heel vastbesloten type zijn.'

'Ze heeft een ijzeren wil,' zei Harry.

Daaraan moest ik denken toen ik in Pentrew op het elegante bibliotheektrapje stond. Het was weer zo'n schitterend vertrek, ditmaal met een vlechtwerkplafond, mahoniehouten boekenplanken en bustes van de grote dichters boven de kroonlijsten. Tegenover de mooie stenen open haard waren twee hoge ramen met daartussenin een tweepersoons bureau. Ik vroeg me af of Jago en Demelza daar wel eens samen aan gezeten hadden en of dat had geholpen om hun gemankeerde relatie te herstellen. Dat

Jago altijd aan de linkerkant zat, zag ik aan het titelvel van de slordige stapel papieren die op het bureau lag: *Kunstmestsubsidies 1983*.

Zou hij aangenaam verrast zijn geweest toen de vrouw met wie hij was getrouwd plotseling met succes aan een studie was begonnen of had hij zich bedreigd gevoeld? Als ze een ijzeren wil had, pasten ze beter bij elkaar dan ik aanvankelijk had aangenomen.

'Zoek je iets bepaalds?'

Ik draaide me haastig om en zag de man aan wie ik stond te denken naar me opkijken.

'Ik ben op zoek naar een boek over mijnen in Cornwall, voornamelijk met betrekking tot de gebouwen. Ik neem aan dat Harry het met je over de restauratie van Wheal Crow heeft gehad? Hij wil het verbouwen tot een vakantiehuisje met drie of vier slaapkamers en ik zou graag iets meer willen weten over de constructie van het pomphuis. Waarom een van de gevelmuren veel dikker is dan de andere bijvoorbeeld.'

'Dat is omdat die muur als steunpunt diende voor de pomp. Ik zal het wel even voor je tekenen.' Hij liep naar het bureau, pakte een potlood, draaide een blaadje van de stapel kunstmestpapieren om en begon te schetsen.

Ik sprong van het trapje af en liep naar hem toe. Hij werkte snel en had geen enkele moeite met het aangeven van perspectief terwijl hij me de werking van de pompinstallatie uitlegde.

'Mag ik die tekening houden?' vroeg ik toen hij even stopte om adem te halen. 'Dan kan ik die ter plekke als referentie gebruiken.'

Hij duwde het blaadje naar me toe. Het liet een spoor achter in de stof die zich op het bureau had verzameld. 'Ik geloof niet dat we hier iets hebben over pomphuizen... Maar je vindt de ruïnes ervan overal in Cornwall. Toen ik nog jong was, heb ik ze vaak zitten tekenen.'

'Nu niet meer?'

'Te druk. Het kost me veel moeite om dit bedrijf draaiende te houden. Niet dat het echt lukt.' Hij zweeg even en zei toen: 'Ik heb geen aanleg voor boer.'

Hij stond neer te kijken op het bureau en zijn stem klonk kortaf, maar toch leek dit een eerste poging tot een normaal gesprek.

'Wat heb je daar dan voor nodig?' vroeg ik dapper.

Hij lachte even. 'Ik denk dat je liefde voor het vak moet hebben, zoals bij alles. Terwijl het mij meestal verveelt. En af en toe haat ik het gewoon.'

'Mijn vader zou het roerend met je eens zijn. Hij heeft zijn boerderij aan iemand verpacht. Zou jij dat ook niet kunnen doen?'

'Melkveehouders draaien een overcapaciteit. Het gerucht gaat dat de EU volgend jaar een melkquotum in gaat voeren, om de melkproductie te reduceren. Als je meer dan de toegestane hoeveelheid produceert, krijg je een boete. Niemand met een beetje verstand wil er nu nog aan beginnen. Alle melkveehouders in de omgeving proberen juist aan iets anders te beginnen.'

'Zoals wat?'

Hij sabbelde nadenkend op zijn bovenlip. 'Sommigen concentreren zich op de bijproducten, zoals boter, slagroom en yoghurt. Een boerderij aan de andere kant van Truro heeft dat met succes gedaan, maar er moest wel veel geld in gestoken worden. Ze hebben gekozen voor een landelijk imago, met mooie verpakkingen vol plaatjes van koeien die met de hand gemolken worden door plattelandsmeisjes met boerenmutsen. Anderen hebben zich op chique landbouw geworpen, door bijzondere groente te verbouwen voor restaurants, dat soort dingen. Maar dan moet je wel behoorlijke grond hebben. Die van ons is niet vruchtbaar genoeg. Heuvelachtig, zanderig en vol stenen.' Jago tekende met een wijsvinger de omtrek van een huis in het stof op het bureaublad. 'De meesten veranderen hun landgoed in campings of ze verkopen het aan projectontwikkelaars. Ik heb vorige week nog een brief gehad van een man uit Birmingham die twintig hectare wil hebben om vakantiehuisjes op te zetten.'

'Maar dat zou gewoon schandalig zijn!' zei ik ontzet. 'Dat zou dit schitterende landgoed volkomen ruïneren.'

Hij wierp me een boze blik toe. 'Pentrew is al vierhonderd jaar het exclusieve bezit van mijn familie. Vind je dat niet erg egoïstisch van ons? Waarom zouden andere mensen er ook niet van mogen genieten?'

'Daar zit wel wat in... Maar ik word altijd boos als ik zo'n mooi oud pand op een klein lapje grond zie staan, helemaal ingekapseld door nieuwbouw.'

'Hmm.' Hij slaakte een diepe zucht. 'Ik heb het wel even overwogen. Ongeveer vier seconden. Op die manier blijft het huis bewaard. In ieder geval gedurende mijn tijd van leven. En we zouden er bomen omheen kunnen zetten. Maar ik ben niet de enige die er iets over te zeggen heeft. Harry zal de eigenaar van Pentrew zijn als ik er niet meer ben. En zijn erfgenamen.'

Mijn kinderen, dacht ik. Omdat Jago echter maar negen jaar ouder was dan Harry had ik nog niet de moeite genomen om na te denken over de kans dat ik meesteres van Pentrew zou worden. Maar de volgende generatie... als Demelza geen kinderen had... Onwillekeurig zuchtte ik met hem mee. Het was een hele opgave om verantwoordelijk te zijn voor zo'n in verval geraakte molensteen. Brentwell was voor mij alleen interessant omdat mijn vader en Hermione er woonden. Ik was er niet echt aan gehecht. Maar Pentrew was echt mooi.

'Ik zou toch denken dat dit huis architectonisch bezien belangrijk genoeg was om op de lijst van monumentenzorg te komen,' zei ik. 'Maar daar heb je vast ook al aan gedacht.'

'Ja. Maar in dat geval verwacht de National Trust wel een grote schenking van mij.' Hij staarde langs me heen met zijn blik op oneindig, alsof hij ergens anders aan stond te denken. 'Elke cent die ik heb, moet weer geïnvesteerd worden om het bedrijf op de been te houden... En ik word er echt dóódziek van dat ik constant aan geld moet denken. Het is een soort walgelijke ziekte die al je energie opvreet... en alle tevredenheid en plezier...'

'Ja, ik moet toegeven dat het heel vervelend is.'

Hij keek me even aan en vroeg scherp: 'Wat weet jij daar nou van?'

'Vrijwel alles,' antwoordde ik even venijnig. 'Ik wed dat jij nog nooit bij een groenteboer bent geweest om gratis wortels te vragen voor een niet-bestaand konijn.'

Hij trok zijn wenkbrauwen op. 'Nee... Bedoel je dat letterlijk? Voor een konijn?'

'Hij had een bordje op de deur, *Voor Niets Gaat De Zon Op*. Mensen vinden het niet erg om dingen te geven voor een dier, maar als het om mensen gaat, zijn ze bang dat het uit de hand gaat lopen. Destijds studeerde ik nog, maar nu ik een behoorlijke baan heb, kan ik mijn wortels wel betalen. Als ik echter asperges wil, zal ik ze zelf moeten kweken. Dus ik weet best hoe vervelend het is om arm te zijn.

'Nou, nou,' zei hij en propte zijn handen in zijn zakken. 'Wat een ontroerend verhaal.'

Het sarcasme in zijn stem was onmiskenbaar. Maar hij had zelf toch ook net staan klagen over het feit dat hij zo arm was?

'Art! Ik heb je overal gezocht!' Percy die in de keuken huiswerk had zitten maken kwam de bibliotheek binnen rennen. 'Morveran zegt dat *E.T.* in Truro draait. Beloof me alsjeblieft dat we ernaartoe gaan!'

'Maar lieverd, we hebben die film al vier keer gezien,' zei ik glimlachend terwijl ze haar armen om mijn middel sloeg.

'Maar ik móét hem gewoon nog een keer zien! Je weet best dat ik het de mooiste film van de hele wereld vind!'

'Mag ik hem niet gewoon voor je opzeggen? Ik ken de hele dialoog inmiddels uit mijn hoofd!'

'Hè, doe nou niet zo flauw! Beloof nou maar dat we gaan! Dan aanbid ik je voor eeuwig!'

'O god... Nou ja, als het niet anders kan, vooruit dan maar.'

'Dank je wel, Art. Hartstikke lief van je. Ik zal proberen om vannacht niet weer bij je in bed te kruipen. Alleen als ik echt héél naar droom...'

Percy holde weer weg. En ik ving nog net de blik van Jago op, ook al pretendeerde hij meteen dat hij naar de zieltogende sering voor het raam keek. Hij ging aan het bureau zitten. 'Een bijzonder overtuigende jongedame. En een toegeeflijke oudere zus.'

'Je bedoelt zeker dat ik haar verwen,' antwoordde ik nijdig. 'Dat weet ik best, hoor. Haar moeder... onze moeder... is bij haar geboorte overleden. Dat is nogal wat, hè? En onze vader... Hij is echt een lieve man, vriendelijk en intelligent, maar totaal niet geïnteresseerd in kinderen. En trouwens... Het is heel moeilijk om nee te zeggen als je van iemand houdt. En als je in je eentje voor iemand moet zorgen valt het niet mee om objectief te zijn.' Ik probeerde wat luchtiger te klinken. 'O jee, alweer zo'n zielig verhaal.'

'Ja, dat valt niet mee.' Jago begon de stapel papieren recht te leggen. 'Toen Harry's moeder stierf, nauwelijks een jaar na de dood van zijn vader, werd ik zijn voogd. Een zestienjarige jongen is nog steeds een kind. Hij was wild en een gevaar voor zichzelf. Elsa was zo geconcentreerd op Quin dat ze geen echte moeder was geweest. En Quin... destijds bewonderde ik hem grenzeloos, maar als vader was hij geen knip voor de neus waard... Wat ik eigenlijk bedoel, is dat ik ook bang was dat ik veel te streng zou zijn voor iemand die al... beschadigd was.'

Ik fronste. Het idee dat Harry niet volmaakt was geweest, was een klap in mijn gezicht. 'Dan was het maar goed dat Harry van nature eerlijk, vriendelijk en oprecht is.'

Jago tekende een tijger in het stof. Of misschien was het een varken. Hij bleef zo lang stil dat ik me afvroeg of het gesprek afgelopen was. Toen zei hij: 'Dus je hebt een tijdje krap gezeten... zoals de meeste studenten. Maar daar heb je waarschijnlijk evenveel van geleerd als van drie jaar colleges en het schrijven van scripties. Of klink ik nu als een zuurpruim die zelf niet heeft mogen studeren?'

'Nou nee... Ik geef toe dat een studie geen echte voorbereiding op het leven is. En veel van mijn medestudenten hebben hun studietijd verlanterfanterd. Maar ik heb de zeven jaar die het me kostte om architect te worden echt hard moeten werken. Ik kwam weliswaar van een landgoed en ik had op kostschool gezeten, maar er was nooit geld voor dingen als kleren of vakanties of feestjes en zelfs niet voor boeken. Het geld van mijn grootvader raakte al op toen ik nog een kind was en het kwam niet bij mijn vader op dat hij zelf geld zou moeten verdienen. Hij heeft meer geld geleend dan hij ooit zal kunnen terugbetalen...' Ik schokschouderde en vroeg me af waarom ik dat allemaal vertelde aan iemand die toch vastbesloten was om het slechtste van me te denken. Nou ja, misschien juist daarom. 'Ik wil echt niet klagen. In andere opzichten heb ik juist veel geluk gehad. Maar als jij denkt dat ik een rijkeluisdochter ben en alleen maar hoef te fluiten om alle fijne dingen van het leven op een presenteerblaadje aangeboden te krijgen, dan vergis je je toch echt.'

Terwijl ik tegen hem praatte, had Jago zich omgedraaid om me aan te kijken en het licht dat op zijn gezicht viel, benadrukte de zwarte stoppeltjes op zijn kin. Ja, sprekend Harry, maar die blauwe ogen waren harder, de neus scherper en de wangen en de lippen smaller. Hij fronste. 'Ik moet bekennen dat ik niet goed begrijp... Wat had het dan voor zin...?' Hij snoof even en slaakte opnieuw een zucht. 'Ik kan er niet bij.'

Hij lachte even terwijl hij een boom in het stof tekende. Of misschien was het wel een atoombom.

10

Een knokig vingertje met een lichtgevend puntje wees naar de lucht. *'Ho-o-ome,'* zei een krakend stemmetje en ondanks alles voelde ik mijn ogen prikken. Wat stom om te zitten janken bij een film over een mechanisch poppetje. Ik hoorde Percy naast me iets wegslikken en dwong mezelf om te denken aan het houten platform dat op ongeveer drie meter van het dak uit een pomphuis steekt. Jago had me uitgelegd dat het diende om toegang te krijgen tot de voorkant van de kaapstander. Bij Wheal Crow zou het een prachtig balkon kunnen worden voor de slaapkamer op de tweede verdieping, met uitzicht op zee. Ik noteerde in gedachten dat er openslaande deuren in die kamer moesten komen. Harry was zo lief geweest om ons bij de bioscoop af te zetten en hij zou ons na afloop ook weer ophalen, dus probeerde ik me te concentreren op de verbouwing. Dan zou de mascara die ik die ochtend had opgedaan in ieder geval blijven zitten.

'Goh!' zei Harry twintig minuten later. 'Wat zien jullie eruit! Heeft iemand jullie onder stroom gezet?'

'Er bestaat ook zoiets als psychologische martelingen, hoor.' Ik trok het achterportier van de Aston Martin open voor Percy en ging zelf voorin zitten. We voegden ons tussen het verkeer met een nijdig gegrom, dat zorgde voor jaloerse blikken van de andere bioscoopbezoekers die in de stromende regen met hun paraplu's stonden te worstelen. 'Wat heb jij uitgespookt terwijl wij zaten te worstelen met het grove geweld waarmee de maatschappij reageert op alles wat buitenaards en onbekend is?'

'Ik heb iets voor je gekocht. Kijk maar in het handschoenenkastje.'

'Maar ik heb al zoveel van je gekregen... dit blauwe doosje?'

Beeldschone oorbelletjes, grote halfedelstenen in de kleur van geschilde komkommers omringd door zoetwaterpareltjes. 'O, lieverd, ze zijn enig! Wat lief van je! Je weet echt precies wat ik mooi vind.'

'Ik dacht dat ze wel mooi bij die jurk van je zouden passen.'

Bij aankomst op Pentrew ging Percy naar de keuken om troost te zoeken bij Morveran, Harry ging zijn oom helpen bij het melken en ik liep naar onze slaapkamer om mijn gezicht bij te werken. Ik nam de plastic zak met een stofdoek, boenwas, een theedoek en een fles Ajax die ik in Truro had gekocht mee. Ik ben absoluut geen geweldige huisvrouw, maar het was gewoon zonde dat die mooie kamer zo stoffig en vuil was. Toch ging ik eerst aan de toilettafel zitten om de nieuwe oorbelletjes in te doen. Ik poetste een plekje op de spiegel schoon en schrok van het gezicht dat ineens achter me opdook.

'Roza! Ik heb je niet binnen horen komen.'

'Ik doe de badkamer schoonmaken.' Ze was gewapend met een spons en een blik schuurpoeder en richtte haar bolle ogen op de schoonmaakmiddelen die ik net op de toilettafel had gezet. Haar mond verstrakte.

'O,' zei ik gegeneerd. 'Wat lief van je. Ik had net bedacht dat je zoveel te doen had en dat ik net zo goed zelf deze kamer schoon kon houden.'

'Niet nodig, mevrouw,' zei Roza terwijl ze me in de spiegel aankeek. 'Sommige mensen zijn voor dubbeltje geboren. Ik moet brood verdienen door hard werk.'

'O, maar ik ook, hoor! Dit is de eerste vakantie die ik in tijden heb gehad. En dit is zo'n mooi huis. Eigenlijk ben je een soort schatbewaarder.'

Daar moest Roza even over nadenken, maar tot mijn opluchting krulden haar mondhoeken iets omhoog. 'Die jurk staat u erg goed. Is elegant. U hebt groen aura.'

'O ja? Is dat goed?'

'Soms wel. Lichtgroen betekent natuurliefhebber, houdt van dieren. Maar donkergroen is jaloezie, paranoia, angst.'

'O.' Ik had geen zin om te vragen welke kleur groen Roza bij mij vond passen. Maar uit beleefdheid zei ik: 'Die blouse die jij aanhebt, is ook erg leuk.'

Het klonk niet erg oprecht, maar Roza scheen er echt blij om te zijn. 'Vindt u mooi? Ik zelf gemaakt.' Ze trok de blouse recht over haar borsten. 'De revers waren moeilijk. Ik heb de linker twee keer uitgehaald, maar niet helemaal gelukt.'

'Wat ontzettend knap van je,' zei ik. 'Ik zou niet weten waar ik moest beginnen.'

'Ik kan wel verstelwerk voor u doen.'

'Dank je, maar dat zou ik nooit van je durven vragen...'

'O, vind ik leuk, hoor. En wilt u iets voor mij doen?' We keken elkaar aan in de spiegel. 'Ik is Française van goede afkomst. Familie is vermoord door nazi's omdat ze niet willen collaboreren. Heel rijk, maar alle geld, juwelen en schilderijen gestolen. Uw vader is lord. Hij kan voor mij terugkrijgen.'

'Het spijt me, Roza, maar ik ben bang dat mijn vader geen enkele invloed heeft.'

'Hij is in House of Lords. Hij kan wet maken.'

'Daar gaat hij nooit naartoe.'

'Maar u moet hem vertellen ik dat familiegeld hard nodig heb.'

'Daar zou je niet veel mee opschieten, vrees ik. En hij is ook al behoorlijk oud.' Mijn vader was pas zesenvijftig, maar ik wilde Roza ervan doordringen dat het geen enkele zin had.

'Ik heb heel goede pil die hem sterk maakt. Als hij me leert kennen, wil hij wel helpen. Ik kan bij u logeren.'

'Dat zou ontzettend leuk zijn, maar ik woon niet bij mijn vader en hij ontvangt nooit mensen.'

'Nooit?'

Ik schudde mijn hoofd ernstig. Roza bleef me aankijken met die felle donkere ogen tot ik er bijna bang van werd. Daarna leek ze het vuur dat erin oplaaide plotseling met de druk op een knop uit te doen.

Maar ik was nog niet van haar af. Eerst wilde ze per se mijn haar borstelen, wat vrij hardhandig gebeurde, en daarna stond ze er met haar neus bovenop terwijl ik me opmaakte. Ik keek op mijn horloge. 'Ik denk dat ik me nu maar even ga omkleden.'

Ik stond op en glimlachte vriendelijk om aan te geven dat ze wel kon gaan, maar ze begon langzaam de toilettafel af te stoffen dus pakte ik mijn spullen en ging naar de badkamer die eigenlijk veel te klein was om me te verkleden. Maar binnen de kortste keren stond ze al op de drempel, een beetje loom heen en weer te zwaaien met de bezem, terwijl ik me in mijn jurk worstelde. Roza voelde zich heel snel in haar waardigheid aangetast, maar om de mijne scheen ze zich niet te bekommeren. Toen ik aangekleed was, liep ze achter me aan de trap af en bleef er onafgebroken op hameren dat ze meer dan genoeg had van het feit dat ze de 'trouwe gedienstige in groot stoffig huis' was. Aangezien ze me net had verteld dat ze 's ochtends naar de kapper was geweest en de middag daarvoor in de bibliotheek had gezeten, leek haar werkdruk nogal mee te vallen. In de Grote Zaal striemde de regen tegen de vijfhonderdzesenzeventig ruitjes van het grote glas-in-lood raam.

Ik huiverde. 'Het is hier erg kil. Ik denk dat ik maar even naar de keuken ga om warm te worden.' Terwijl we de trap af liepen, had ik al besloten dat het de enige plek was waar ik aan Roza zou kunnen ontsnappen. Ik had het vermoeden dat ze zich te goed voelde om samen met Morveran aan de keukentafel te zitten.

'Het vuur in de salon is aangestoken, mevrouw. Ik haal thee en gebak.'

'Dat is lief van je, maar ik wil je geen werk...'

'Geen moeite.' Terwijl ik aarzelde en mezelf probeerde in te prenten dat ik vastberaden moest zijn, voegde ze er met veel dramatiek aan toe: 'Ik heb bus gemist omdat ik speciaal voor u gebak ging halen. Moest veertig minuten wachten tot de volgende.'

'O, nou ja...'

Ik zat in mijn eentje naast het vuur terwijl Roza de thee en een gebaksschaal binnenbracht. Mijn knieën werden bedekt met een gesteven servet en met behulp van een taartschep werd een éclair op mijn bordje gelegd. Ze bleef naast me staan, zodat haar schaduw over me heen viel terwijl ik zat te eten.

'Wil je niet ook een kopje thee, Roza? En zo'n heerlijk gebakje?'

'Ik heb ze voor u gekocht, mevrouw. Ik ben hier alleen maar de dienstmeid.'

'Noem me maar Artemis.'

'Als ik bij u logeer, noem ik u bij uw voornaam. In deze huis, waar ik dienstmeid ben, zeg ik liever mevrouw.'

'O. Nou, vooruit...' Ik slikte het laatste hapje door en vouwde het servet op. 'Dat was heerlijk. Nu moet ik op zoek naar mijn zusje...'

'Neem nog een.'

'Ik zit echt vol. Ik heb uitgebreid geluncht.' Harry had Percy en mij getrakteerd op fish-and-chips in het *Get Stuffed Cafe*.

'Ik voel sterke band met u, mevrouw. U is maagd, net als ik.'

'Eigenlijk ben ik steenbok,' zei ik verontschuldigend.

'Maagd en steenbok zijn hetzelfde. Ik ben telepathisch. Kan gedachten lezen.'

Daar geloofde ik niet in, maar voor alle zekerheid probeerde ik toch maar alle verveelde en ongeduldige gedachten uit mijn hoofd te bannen.

Haar ogen leken op elektrische lampen en haar lange magere handen kronkelden om elkaar als een stel parende slangen. 'Weet u wat metempsychose is? Er is dynamische invloed in deze kamer die ik nicht kan weerstaan.'

De vlammen in de haard laaiden op en wierpen schaduwen op de muren. Buiten begon de wind te loeien. Hoewel ik doorgaans van mening ben dat occultisme eerder op ijdele hoop dan op gezond verstand is gebaseerd, begon ik me toch onbehaaglijk te voelen.

'Neem nou maar een gebakje.'

'Ik eet nooit zoete dings. Maar u moet eten. U is veel te dun.'

'Echt niet, ook al zien ze er nog zo lekker uit...'

Roza trok een lang gezicht. 'Het regent terwijl ik op bus wacht. Mijn schoenen helemaal vernield.'

Ik nam het kleinste gebakje, iets met felgroen fondant, en begon me een beetje misselijk te voelen.

'Heeft iemand Harry gezien?' vertolkte Jago's stem mijn gedachten. Hij kwam met grote stappen de kamer binnenlopen en keek boos om zich heen, alsof zijn neef onder de bank of onder de tafel verscholen zat. Zijn blik viel op de gebaksschaal.

'Ik heb echt geen flauw idee waar hij zit,' zei ik, zodra mijn mond leeg was. 'Zal ik hem even gaan zoeken?'

Zijn mond krulde. 'Ik kan zien dat je bezig bent. Roza, als je klaar bent met de thee, zou je dan de slager willen gaan betalen? Ik heb vanmorgen een verwijtende brief van hem gehad.'

'Thee is allemaal voor mevrouw.' Roza's gezicht had een soort marsepeinkleur gekregen en haar ogen glinsterden. 'Ik eet nooit zoete dings. Ik zal rekening meteen regelen. Ik wacht met betalen door kruideniersrekening voor vier extra mensen in huis.'

Jago keek nog eens naar de volgeladen gebaksschaal. 'Misschien zou je hier en daar wat kunnen bezuinigen...' Hij zuchtte. 'Ik laat het aan jou over.'

Hij was alweer weg.

'Wilt u me nu excuseren, mevrouw,' zei Roza, alsof het mijn schuld was dat ze van haar werk werd gehouden. 'Ik moet weer aan de schlag.'

Percy zat in de keuken boterhammen met chocoladepasta te eten terwijl ze Morveran op het verhaal van *E.T.* trakteerde. Ik liep haastig verder en ontdekte Harry en Dickie uiteindelijk in het ketelhuis. En ik begreep ook meteen waarom ze in een huis vol beeldschone kamers de voorkeur gaven aan twee kapotte fauteuils in een vertrek vol stofvlokken die als motjes ronddwarrelden toen ik de deur abrupt opentrok. Ze zaten te hijsen aan een paar zelf gerolde sjekkies en te giechelen als een stel pubers.

Ik keek Dickie verwijtend aan. 'Dat moeten jullie echt niet doen. Harry's oom heeft je al verteld dat hij net zo strafbaar is als jullie als je betrapt wordt op het roken van wiet.'

Harry pakte mijn hand en trok me omlaag naar de armleuning van zijn stoel. 'Ik vind het heerlijk als je de schooljuf uithangt. Dit is Jems plekje, waar hij zich altijd zit te bezuipen, dus Jago komt hier nooit.' Het schoot door mijn hoofd dat de familie Tremaine weliswaar bijzonder loyaal was ten opzichte van hun personeel, maar dat het uiteindelijke resultaat was dat het huishouden slecht beheerd werd, het eten afschuwelijk was en de boerderij op zijn laatste benen liep. Harry kneep in mijn arm. 'Waar ben je geweest, leid-ster van mijn leven?'

'Ik heb thee gedronken met Roza. Het was afschuwelijk. Eigenlijk had je me best kunnen komen redden.'

'Voor zover ik weet, is theedrinken niet verplicht. Waarom heb je er zelf geen eind aan gemaakt?'

'Ik wilde haar niet kwetsen.'

'Waarom zou jij als enige teerhartig mogen wezen? Dickie zat zo diep in de put dat ik vond dat ik hem een beetje moest opvrolijken. Als ik had geweigerd een jointje met hem te roken zou ik hém gekwetst hebben.'

'Waarom zat je in de put, Dickie?' vroeg ik.

'Ik heb de hele middag zitten schrijven. Ik vond dat je gelijk had en dat de held veel heldhaftiger moest zijn. Maar uiteindelijk draaide het erop uit dat Valentine zichzelf dodelijk verwondt omdat hij haar initialen in zijn arm wil kerven en als Darlene dat hoort, grijpt ze het mes en plant het in haar borst. Ik heb nog niet besloten hoe het verdergaat. Ik was zo ontroerd van haar laatste woorden.'

'Misschien moet je het daar maar bij laten,' zei Harry. 'Met een trieste afloop zal het eerder literatuur zijn dan romantische fictie.'

'Dat gaat niet,' protesteerde Dickie. 'Ik ben pas bij hoofdstuk vier.'

'Dan moet je het er nog een beetje dikker opleggen. Maak er een ziekenhuisdrama van, ik heb gehoord dat die heel populair zijn bij de dames.' Hij blies een rookpluim uit en lag die na te kijken. 'Hé, da's raar! Ik zie een gezicht met een lange witte baard! Zou het God zijn? O hemel! Het is het afkeurende gezicht van mijn geliefde.' Hij duwde me de joint in de hand. 'Neem een teug en doe gezellig mee, goddelijke donderwolk.'

Ik gehoorzaamde omdat ik geen saaie piet wilde zijn.

'In godsnaam, Harry, ik heb je overal lopen zoeken.' Jago was binnen gekomen. 'Wat spook je hier in vredesnaam uit? Jem is van de aanhanger gevallen en wordt op dit moment in het ziekenhuis gehecht en de tractor staat vast in het hek tussen Five Acres en Tolmen Ridge. Je zult me los moeten trekken met de Land Rover.' Jago snoof en keek naar de sigaret die ik in mijn hand had. Er viel een korte, onbehaaglijke stilte, toen klonk er een grommend geluid en hij maakte rechtsomkeert met de precisie van een militaire wachtpost.

'O, verdorie, is dat pech!' kreunde ik toen de deur dichtsloeg. 'Je oom vindt me vast de slechtste vrouw die je had kunnen treffen.'

'Waarom zou je je druk maken over wat Jago denkt, schattebout?'

'Mijn trots wordt gekwetst als iemand zo duidelijk laat merken dat hij me niet mag.'

'Echt waar? Het interesseert me niets als mensen me niet mogen. Dan vind ik het gewoon stommelingen.'

Ik was dol op dat zelfvertrouwen van Harry. Hij werd nooit gekweld door twijfel of onzekerheid zoals vrijwel iedereen die ik kende, met inbegrip van mezelf. 'Waarschijnlijk zijn er gewoon weinig mensen die een hekel aan je hebben... Wat is dat witte spul daar op tafel?' Om een opengeslagen boek lagen wat restantjes wit poeder, die leken op basterdsuiker. 'Hebben jullie aan Roza's gebakjes gezeten? Hopelijk wel, want ik kan ze niet meer zien...' Ik hield mijn mond toen Harry het boek met een zwaai oppakte, waardoor een spiegeltje, een scheermesje en een strootje zichtbaar werden. De afschuw op mijn gezicht maakte hem aan het lachen.

'Dickie! Je hebt gezwóren dat je het niet meer aan zou raken!' Ik was echt overstuur. 'Cocaïne is ontzettend slecht voor je! Harry, hou op!' Ik drukte mijn handen tegen mijn oren om Harry's gelach niet te horen. 'Het is helemaal niet leuk of slim... O! Er valt met jullie echt geen land te bezeilen!'

Ik beende net als Jago het ketelhuis uit. Toen ik langs de openstaande keukendeur liep, zag ik Roza, die alleen aan tafel zat en een roomhoorntje naar binnen propte.

11

Nadat ik Harry en Dickie in het ketelhuis had achtergelaten liep ik naar onze kamer om mijn boosheid in stilte te verwerken. Op het bed lag Roza's blouse, keurig met de mouwen wijd en het middel iets ingenomen. Ernaast lag een briefje: *Beste mevrouw, Omdat u zo mooi vond, krijgt u dit van mij. Uw toegenegen, Roza Meisel.*

Ik werd heen en weer geslingerd tussen ergernis en wroeging. Het was aardig van haar om me een cadeautje te geven, maar ik had gejokt toen ik zei dat ik haar blouse mooi vond. De kleur was een onflatteuze geelbruine tint en het was een model met een opgezet juk en pofmouwen, waarin zelfs de hertogin van Windsor nog dik zou hebben geleken. Maar Roza had lange tenen, dus ook al zou het een aanslag zijn op mijn ijdelheid, ik moest die blouse een keer aan zolang ik hier was. Ik pakte het kledingstuk op en rook een okselgeurtje.

In de badkamer wreef ik de mouwen van de blouse in met een nieuw stuk zeep dat daar ineens lag. Aan de deur van de badkamer hing een badjas die ook nieuw leek. Daar had Roza ongetwijfeld voor gezorgd. Ik was dankbaar, want de versleten badhanddoek die ik bij aankomst had aangetroffen rafelde al behoorlijk. Maar deze weelde was ongetwijfeld betaald uit het toch al schamele huishoudbudget.

Ik ging aan de toilettafel zitten en poetste het glazen blad schoon. De oorbellen die ik van Harry had gekregen, glinsterden als groen ijs. Ik had echt ontzettend veel geluk dat ik een man had getroffen die mijn smaak zo goed kende. Ik begon alweer spijt te krijgen van mijn driftaanval. Ik wist eigenlijk niet hoe andere getrouwde mensen zich gedroegen, maar al zouden mijn moeder of Hermione zich zo volgespoten hebben met drugs dat hun aders op gatenkaas leken, dan nog wist ik zeker dat mijn vader dat beleefd genegeerd zou hebben, zoals hij deed bij elk gedrag dat afweek van de geldende normen. Ik vond het een naar idee dat mijn reactie misschien vol eigendunk en bekrompen was geweest.

Bij wijze van afleiding pakte ik het fotoalbum uit de la en vond een foto van Harry's ouders op het bordes van een kerk. Zij stond in een kanten trouwjapon met de sluier teruggeslagen op te kijken naar haar kersverse echtgenoot, hij keek recht in de lens en scheen aan iets leuks te denken. Er speelde een glimlachje rond zijn lippen en aan zijn glinsterende ogen was te zien dat hij heel tevreden was met de wereld en zijn plaats daarin. Quintin was blonder dan Jago, met een ronder gezicht, een grotere mond en een kortere, bredere neus. Traditioneel bekeken was hij niet zo knap als zijn jongere broer, maar zijn goede humeur maakte hem aantrekkelijker.

Ik bladerde haastig verder, op zoek naar Harry. Op de doopfoto stak een klein vuistje uit een omslagdoek. Twee bladzijden verder stond een klein jongetje met gebogen hoofd tussen zijn ouders. Naarmate hij ouder werd, was hij afwisselend gefotografeerd met zijn vishengel, een cricketbat of zijn fiets, in schooluniform en verkleed als piraat. Maar zijn vader stond ook op al die foto's en vormde daarop het middelpunt. Je moest onwillekeurig wel naar hem kijken. Zelfs als hij ogenschijnlijk in een ligstoel lag te slapen leek Quintin alle energie uit zijn omgeving op te slurpen en te veranderen in een aura van onweerstaanbare charme.

Ik legde het album terug in de la en ging naar beneden om het weer goed te maken met Harry. Ik zag Roza pas staan toen ik al halverwege de grote zaal was. Ze stond naast de deur naar de gang, in de schaduwen onder de galerij, waardoor alleen haar neus zichtbaar was. Toen ze me hoorde aankomen, legde ze haar vinger tegen haar lippen en wenkte dat ik bij haar moest komen. De deur stond open en ik kon Jago's stem duidelijk verstaan.

'... maar als dit een poging is tot emotionele chantage, Caroline, dan verspil je je tijd. Ga jij maar lekker met Freddy Joliphant naar Barbados als je daar zin in hebt.'

Het bleef een tijdje stil, waardoor ik begreep dat Jago stond te telefoneren. Het enige toestel in het huis hing onhandig genoeg vlak naast de voordeur. Ik wilde weglopen, maar Roza pakte me bij mijn arm en hield me tegen.

Caroline had kennelijk heel wat te vertellen en het gesprek ontaardde in een ruzietje tussen geliefden dat ik boeiend genoeg vond om te blijven staan, ook al kon ik maar één van beide partijen horen.

Na een tijdje zei Jago: 'Als ik een egoïstische bruut ben plus al die andere dingen waar je het over had, dan is het maar goed dat ik helemaal niet van plan ben om je mee te slepen naar de andere kant van de wereld om daar walgelijke, zoete cocktails uit ananasschillen te drinken... Ja, ik ben het met je eens, we kunnen er beter een eind aan maken. Hoe bedoel je... Hoezo geef ik je de bons? Je hebt net zelf gezegd dat onze relatie je meer pijn dan plezier oplevert. Dan kunnen we het dus maar beter voor gezien houden... O god, ga nou niet huilen, Caroline...'

Roza en ik keken elkaar met grote ogen aan, zonder ook maar een moment stil te staan bij ons onfatsoenlijke gedrag.

'Endlich!' fluisterde ze hijgend. 'Hij beseft zij is niet goede vrouw voor hem. Had ik hem wel kunnen vertellen, maar hij vraagt mij nichts... Ik ben maar dienstmeid...'

'Hoor eens,' Jago schreeuwde bijna in de hoorn, 'als ik een harteloos monster ben en een sadistische op seks beluste klootzak, hoe kun je dan in één adem zeggen dat ik de enige man ben om wie je ooit iets hebt gegeven? Dan zou jij dus of een masochist of een idioot moeten zijn...'

Er ging een huivering door Roza heen. 'Ja, een idioot,' fluisterde ze. 'Hij heeft behoefte aan vrouw met hersens.' Haar glanzende ogen suggereerden dat ze zichzelf als een goede vervangster beschouwde en dat was zo onwaarschijnlijk dat ik nog meer medelijden met haar kreeg.

'... als je zo zit te janken versta ik er geen woord van,' zei Jago. 'Wat? Nee, niet vanavond, ik heb gasten. En morgenochtend heb ik een vergadering in Truro en 's middags ga ik proberen om een akker te ploegen. We kunnen toch wel verder praten als je terugkomt uit Barbados? Hoewel ik niet snap wat er nog te zeggen is. Misschien vraagt Freddy je wel om Lady Joliphant te worden, dan zijn al je problemen opgelost... Wat heb ik nu weer gezegd? Caroline? Ben je daar nog? Ach... verdómme!'

De hoorn werd op de haak gesmeten en snelle voetstappen kwamen onze kant op. Roza en ik hadden nog net genoeg tijd om een stapje opzij te doen voordat Jago de kamer binnen kwam, met een donker gezicht en een vertrokken mond. Hij bleef stokstijf staan toen hij ons zag en grijnsde verbeten. 'Wat spoken jullie daar uit?'

'Ik ben de kast aan het stoffen.' Roza pakte haar zakdoek en begon ermee te wapperen, waardoor we ineens omhuld werden door een stofwolk.

'Kennelijk begin je net,' zei Jago bijtend. 'En jij stond zeker net het stucwerk te bewonderen, mevrouw Tremaine? Of stonden jullie misschien stiekem een privégesprek af te luisteren?'

'Ik heb er geen woord van verstaan!' protesteerde ik leugenachtig. 'Ik stond net met Roza over... over zeep te praten. Ze heeft een nieuw stuk in onze badkamer gelegd en daar wilde ik haar voor bedanken.'

'Echt waar?' Hij keek Roza aan. 'Sjonge, wat ben jij vandaag druk bezig geweest. Een nieuw stuk zeep. Niet te geloven!'

Op de een of andere manier werkte zijn boosheid op mijn lachlust. Ik deed mijn best om het te onderdrukken, maar er ontglipte me toch een soort geknor.

Hij keek me aan. 'Wat is er zo grappig?'

'Niets.' Ik probeerde ernstig te blijven, maar onwillekeurig schoot ik toch in de lach.

Hij zuchtte. 'Volgens mij zijn vrouwen van nature hysterisch.

Er is niets voor nodig om ze aan het lachen of aan het huilen te maken.'

'Ik ga theeblad halen,' zei Roza met een waarschuwende blik op mij.

'En ik ga Harry zoeken,' zei ik.

'Hij is naar een van de pachters toe. Tegen een uur of zeven is hij wel weer thuis.'

'O. Nou, dan ga ik wel op zoek naar Dickie.'

'Je vriend heeft zich opgesloten in de bibliotheek om aan zijn boek te werken.'

'O ja? Ik hoop dat je dat niet erg vindt...'

'Niet echt.' Aan zijn stem was te horen dat hij me een echt lastpak vond. 'Ik vroeg nog waarom hij niet in zijn eigen kamer ging zitten, maar hij zei dat er duiven in de schoorsteen nestelden en dat hij gek werd van het gekoer.'

'Ik ben bang dat we je erg veel overlast bezorgen,' zei ik nederig.

'Dat klopt,' zei hij op onaangename toon. 'Maar dit huis zal op een dag van Harry zijn als ik in de tussentijd niet failliet ga en het is in het belang van het landgoed dat hij zoveel mogelijk bij het beheer ervan betrokken wordt.'

'Nou ja, ik ga wel even een wandelingetje maken voor het eten,' zei ik.

'Het begint net te regenen,' riep hij me na.

'Ik ben op het platteland opgegroeid. Ik ben niet bang om nat te worden,' riep ik terug en liep naar buiten.

Hij had gelijk, al was het hooguit een motregentje. Maar omdat hij door het raam naar me stond te kijken, bleef ik hardnekkig over het terras heen en weer lopen, ook toen het harder begon te regenen. Pas toen Harry naast hem opdook, ging ik haastig naar binnen om vrede met hem te sluiten.

'Wat deed je daar in de regen?' Harry kuste me eerst in mijn hals en vervolgens op mijn oor. 'Je zag er een beetje mal uit, terwijl je daar op en neer liep te struinen.'

Ik was zo blij dat hij weer gewoon lief tegen me deed dat ik daar niet op reageerde. 'Ik had frisse lucht nodig.'

Hij kneep me zacht in mijn linkerbil, dus ik wist dat alles weer in orde was. Maar zodra ik die zorg van me had af gezet, had ik weer iets anders om me druk over te maken. 'Heb jij Percy gezien?'

'Ik moest tegen je zeggen dat zij bij Morveran blijft om te eten en tv te kijken. Ze gaan marshmallows roosteren boven het fornuis.'

Een bezoek aan de tandarts was een van de eerste dingen die ik moest regelen als we weer in Londen waren.

Toen het tijd was om aan tafel te gaan, was ik een beetje bang dat de sombere bui van onze gastheer de sfeer zou bederven, maar toen Dickie een losse opmerking maakte waardoor het gesprek ineens op de zeventiende-eeuwse Barbarijse zeerovers kwam die 's nachts dorpjes in Cornwall overvielen om mannen, vrouwen en kinderen gevangen te nemen en als slaven te verkopen, vertelde Jago ons niet alleen precies hoe de vork in de steel stak, maar hij stond zelfs van tafel op om een dagboekfragment van Pepys voor te lezen over twee van die gevangenen, die er bij grote uitzondering in waren geslaagd om te ontsnappen. Een gesprek over koetjes en kalfjes viel Jago kennelijk moeilijk, maar zodra het onderwerp hem interesseerde kon hij heel gezellig en informatief zijn. We hadden net het voorgerecht op toen Roza binnenkwam en zei dat er telefoon was voor Harry.

'Moet dat nu, onder het eten?' vroeg Jago.

Roza keek gekwetst. 'Ik zeg dat de familie aan tafel zit, maar ze zegt het is dringend. Ik ben maar dienstmeid hier, ik ga nicht met iemand aan telefoon in discussie...'

'Ja ja, al goed,' zei Jago. 'Ik zou het maar aannemen, Harry.'

'Dat was de secretaresse van mijn baas,' zei Harry een kwartiertje later. 'Er is iets gebeurd op het werk waarvoor ze mij nodig hebben.' Hij keek me aan. 'Het spijt me, schat. Ik moet morgenochtend vroeg weg, dan ben ik de dag erna tegen de avond weer terug. Het zal hooguit achtenveertig uurtjes kosten.'

'Zal ik meegaan?'

'Dat zou ik heerlijk vinden, maar zeven uur heen en zeven uur terug... Wordt dat niet een beetje veel voor Percy? Want die wil je vast niet achterlaten.'

Hij had gelijk. En Percy werd ongetwijfeld weer wagenziek. Het zou gewoon egoïstisch zijn om mijn poot stijf te houden.

'Ja, dat klopt. Nou ja, we redden ons vast wel.'

Toen we veel later in bed lagen, werd de ruzie ondubbelzinnig bijgelegd en zijn aanstaande vertrek was even vergeten.

12

'Onze eerste ruzie,' zei ik de volgende ochtend berouwvol. We lagen nog in bed.

'Geen sprake van. Ik was absoluut niet boos. En je kunt niet in je eentje ruziemaken.'

'Ik had moeten weten dat je niet zo dom zou zijn.'

'Ik weet niet of dat waar is, maar omdat ik meteen hooikoorts krijg als ik ergens aan snuif, al is het maar een roos, zal ik nooit cocaïne gebruiken. Wat heb je toch een mooie rug. Maar als we niet met elkaar mogen vrijen, zou je dan alsjeblieft niet zo stijf tegen me aan willen gaan liggen?'

'Daar kan ik niets aan doen.' Ik duwde Percy voorzichtig iets opzij. 'Maar weet je, toen ik bij Talbot Sheridan & Co begon, was Dickie zo aan cocaïne verslaafd dat zijn halve salaris eraan opging. Hij was er echt vreselijk aan toe, trillende handen, bloedneuzen, toevallen... Adrian heeft de privékliniek waar hij is afgekickt betaald en hem laten beloven dat hij dat spul nooit meer zou aanraken. En tot nu toe heeft hij dat ook niet gedaan.'

'Hoe weet je dat?'

'Dat kan ik aan hem zien. Hij is zwaarder geworden, zijn ogen staan helder... Maar goed, ik denk dat hij me het anders vast wel verteld zou hebben.'

'Is dat niet een tikje naïef, schat? Iemand die verslaafd is, kan heel berekenend zijn, hoor. O, god! Als ik niet met je mag vrijen, sta ik nu op.'

Ik zorgde ervoor dat Harry een stevig ontbijt kreeg en toen hij een uur later was vertrokken, was het een hele troost dat Dickie en Percy er nog steeds waren om me gezelschap te houden. Ik vond Percy in de keuken bij Morveran, waar ze met een houten lepel in iets geels en kleverigs roerde.

'Heb je zin om iets te gaan doen, lieverd?' vroeg ik. 'Naar het strand of zo?'

'Nee. Morveran gaat me leren om toffeetjes te maken. En roze suikermuizen. Dan kunnen we die in een stalletje gaan verkopen.'

Het zou onaardig van me zijn geweest om haar erop te wijzen dat ze meer dan tien kilometer zouden moeten lopen als ze meer dan drie klanten per dag wilden hebben.

'Heb jij zin om met me mee te gaan naar de mijn?' vroeg ik aan Dickie die zichzelf stond te bewonderen in de spiegel in de gang. 'Ik heb een idee voor de luiken. We kunnen een fles drinken en boterhammen meenemen.'

'Sorry, maar ik heb een afspraak. Bij Demelza thuis. Ze wil me haar verzameling mesolithisch gereedschap laten zien.'

'O, en dan laat jij meteen die van jou zien?'

Dickie wierp me een gekwetste blik toe. 'Het is niets voor jou om zo vulgair te doen, Art.'

'Dat komt omdat iedereen me vanochtend nul op het rekest heeft gegeven.'

'Je bent gewoon een beetje overstuur omdat Harry de benen heeft genomen,' zei Dickie vriendelijk. 'Maar het was heel verstandig van je om niet van hem te eisen dat hij voortdurend naar je pijpen danst. Een vent als Harry zou dan het gevoel krijgen dat hij aan handen en voeten gebonden was.'

Ik snapte die opmerking niet. 'Harry is naar kantoor omdat ze hem daar nodig hadden, niet naar de slavenmarkt om een nieuwe concubine aan te schaffen. En wat bedoel je precies met "een vent als Harry"?'

'O niets.' Dickie streek over zijn glanzende zwarte haar en trok aan zijn manchetten tot ze precies een centimeter onder de mouwen van zijn rood-wit gestreepte blazer uit kwamen. 'Elke vent zou de neiging krijgen om ervandoor te gaan als ze aan de leiband moeten lopen. Laat maar zitten, Art.'

Uiteindelijk wandelde ik alleen over het rotspad naar de mijn en vroeg me af waarom Dickie die opmerking had gemaakt. Ik kon me niet herinneren dat ik Harry ooit een opdracht had gegeven of had geëist dat hij bij me zou blijven, maar ik besloot toch om in de toekomst heel voorzichtig te zijn als ik iets van hem wilde. Ik liep wat steviger door dan gewoonlijk, om een opkomende depressie te onderdrukken. De wind blies mijn haar in mijn ogen waardoor ik mijn enkel openhaalde aan een braamstruik en toen ik me bukte om het bloed op te deppen met mijn zakdoek poepte een zeemeeuw mijn halve mouw onder.

Het was een hele opluchting om de roerselen van menselijke relaties uit mijn hoofd te zetten en alleen nog maar te denken aan de kosten van een systeem waarbij je met een druk op de knop alle ramen kon beschermen met glasvezel panelen, zodat de inwonenden geen last zouden hebben van zwaar weer. Tegen de tijd dat ik ook had uitgevogeld hoe ik een trap kon laten aanleggen zonder dat de treden vijf centimeter breed en zestig centimeter hoog zouden worden, ging ik in een veel vrolijker stemming weer op weg naar huis.

In het vierkante stuk tuin dat het dichtst bij het huis lag, bleef ik staan. De met een schelpenrand afgezette tuinpaden waren bedekt met gras en mos. Ik pakte een puntige steen en bleef wroeten tot ik iets hards voelde. Het onkruid kon als een mat worden opgetild van de bakstenen die in een visgraatdessin waren gelegd. Het was een heel bevredigend werkje en terwijl ik bezig was, rook ik een verrukkelijke geur. Ik zat op mijn knieën in een pluk munt. Aan de andere kant van het pad stond een uit zijn krachten gegroeid struikje rozemarijn. Dit was vroeger een kruidentuin geweest. De rozemarijn had het moeilijk omdat de jeneverbesheg eromheen zo hoog was opgeschoten dat de struik in de schaduw stond, maar dat kon zo opgelost worden door de heg terug te snoeien.

Ik ontdekte de gereedschapsschuur in de bijgebouwen bij de stallen die waren opgetrokken uit mooie oude rode baksteen met glas-in-loodraampjes en deuren met afbladderende blauwe verf.

Overal waar de metselspecie verdwenen was, groeiden paarse en bruingele muurbloemen, die zwermen bijen aanlokten. Binnen in de schemerige gereedschapsschuur stond een werkbank met een rommelige verzameling schepjes, poothoutjes, labels en terracotta potten, alsof de tuinman gewoon even naar buiten was gelopen om te zien hoe de tomaten erbij stonden en was ontvoerd door Barbarijse zeerovers. Het leek een romantisch schuurtje, zo uit Doornroosje, maar ik wilde het wakker schudden.

De deur naar het bijgebouw ernaast stond open. Toen ik naar binnen keek, zag ik dat er hopen compost in lagen, van elkaar gescheiden door houten wanden. Op de grootste hoop lag een man languit te slapen, met een bierblikje in zijn hand. Dat zou Pasco wel zijn, de tuinman. Een kringeltje rook rees omhoog uit het stro, dat was aangestoken door de sigaret die tussen de vingers van Pasco's andere hand bungelde. Ik liep terug naar de schuur, pakte een gieter en vulde die bij een buitenkraan. Binnen de kortste keren waren de vlammen gedoofd en de sigaret uit. De man deed zijn ogen, die verrassend blauw bleken te zijn, halfopen en draaide zich toen kreunend op zijn andere zij om verder te slapen.

'Zou je het goedvinden als ik wat in de tuin ging werken?' vroeg ik aan de eigenaar van het huis toen we om halfacht 's avonds in de Grote Zaal stonden.

We waren alleen, met uitzondering van Minver en Mawes, die bij het vuur lagen te pitten als een stel doezelige buffels bij een drinkplaats. Ik bukte me om ze over hun kop te aaien en ze begonnen beleefd te kwispelen, ondanks het feit dat ik ze 's middags nog had uitgekafferd.

'Bedoel je hier?' Hij keek verward. 'Waarom in vredesnaam?'

'Ja, hier. Met name in de kruidentuin. En ik weet niet waarom. Omdat ik niet graag stilzit, denk ik. Harry houdt van zeilen, maar daar word ik zeeziek van. Ik wil niet dat hij zich schuldig gaat voelen als hij de zee op gaat. Die kruidentuin moet vroeger heel mooi zijn geweest. Het zal niet zoveel moeite kosten om er weer iets van te maken. Als je tenminste een elektrische heggenschaar hebt.'

Hij fronste, keek omlaag en bleef als gehypnotiseerd naar mijn voeten kijken, gestoken in donkerrode sandaaltjes. Ik had mijn teennagels in dezelfde tint gelakt. 'Als we ooit zo'n apparaat hebben gehad, dan waag ik te betwijfelen dat het nog steeds bruikbaar is. Sinds Elsa's dood heeft niemand hier meer iets aan de tuin gedaan. Pasco gaat de jeneverbesstruiken af en toe met een heggenschaar te lijf en kweekt die verrekte rapen, maar dat is het wel.'

'Zou je hem niet kunnen overhalen om zijn repertoire iets uit te breiden?' Zodra ik dat zei, herinnerde ik me weer dat ik me had voorgenomen om niet te heerszuchtig over te komen.

'Pasco laat zich niets zeggen. Hij is een halve gare, of slim genoeg om zich zo voor te doen. Ik ben er nooit achter gekomen hoe het precies zit. Maar,' vervolgde hij toen ik net stond te piekeren hoe ik op een tactvolle manier kon vragen waarom Jago hem dan in dienst had, 'volgens zijn moeder is Pasco een onecht kind van mijn vader. En dat zou best kunnen.'

'Is hij je halfbroer?' Ik probeerde niet te laten merken dat ik daarvan schrok, maar het idee dat de wettige zoon hier in de Grote Zaal een vrij goede witte bordeaux zat te drinken terwijl de onwettige zat van het bier op een composthoop lag, deed onsmakelijk ouderwets aan.

'Tja, wie zal het zeggen? Volgens de praatjes die in het dorp de ronde doen, was mevrouw Pasco nogal vrijgevig met haar gunsten.'

'Hij heeft wel echte Tremaine-ogen.'

'Dat bewijst niets. Uit je afkeurende toon maak ik op dat je het idee hebt dat ik de familiebanden met Pasco zou moeten erkennen door hem uit te nodigen bij mij in te trekken. Maar de helft van het dorp heeft blauwe ogen. Van mijn betovergrootvader werd gezegd dat hij drieëntwintig onechte kinderen had. Pentrew is behoorlijk groot, maar ik ben bang dat er toch niet genoeg ruimte is voor iedereen die zich in St. Issy daarop mag beroemen.'

Ik zei niets.

'Wat zou jij dan in mijn plaats doen?' wilde hij weten.

'Nou ja, in dat geval zou ik waarschijnlijk heel goed nadenken over wie ik zou willen steunen,' gaf ik toe. 'Eigenlijk alleen de echt hopeloze en hulpeloze gevallen...'

'Precies,' zei hij triomfantelijk. 'Daarom mag Pasco, of hij nu wel of niet geschift is, ook misbruik maken van mijn schaarse inkomen en mijn jeneverbesstruiken vernielen. Hij heeft een huisje op het landgoed en verdient wat ik kan missen in ruil voor het recht om rond te lopen met een heggenschaar en de scepter over de moestuin te zwaaien. Het is alleen jammer dat hij niet voor een wat bruikbaarder gewas heeft gekozen. Aardappels bijvoorbeeld. Of uien.'

Roza stak haar hoofd om de deur. 'Eten staat klaar,' verkondigde ze kortaf. Haar gezicht zag er anders uit.

'Ben je niet aan het overwerken?' vroeg Jago. 'Ik dacht dat je meestal eerder ophield.'

Roza tuitte haar lippen geërgerd en kwam naar binnen. Ze had een lap knalroze zijde als een soort sarong om zich heen gewikkeld en tussen haar wenkbrauwen zat een klodder rode verf. 'Op woensdag hou ik meistens om halb vier op om naar bloemschikcursus te gaan. Maar ik denk erover om damit op te houden, ook al hebben ze me geschmeekt om te bleiben. In de buurt van Megavissey is naamlijk een commune gekommen en ik denk dat ik daar ein mittag per week naartoe ga om zu meditieren. Ik lees boek van Indiase yogi, Sri Aurobindo. Sehr interessant. Hij denkt de mens is op weg om supermens te worden. Nog maar één stap weg van godstatus.'

'Dat is een prettig idee,' zei Jago op sarcastische toon. 'Maar niet te bewijzen. Een aantal van ons lijkt de verkeerde kant op te gaan.'

'Zal natuurlijk vele millennia overheen gaan,' zei Roza minachtend.

'Dan zullen we ons daar ook maar niet druk over maken.' Hij keek naar haar blote voeten. 'Wat is er met je schoenen gebeurd?'

'Het is belangrijk voor muladhara – het eerste chakra – om immer open te staan door contact met aarde.'

'Dus je moet met één voet op de grond slapen? En altijd een been over de rand van het bad laten hangen?'

Roza zag er geïrriteerd uit en dat kon ik haar niet kwalijk nemen. Het is vervelend als je uitgelachen wordt. De klok sloeg kwart voor acht en hij pakte me mijn glas af, hoewel ik mijn wijn nog niet ophad. 'Laten we dan maar aan tafel gaan, mevrouw Tremaine. Ik heb vandaag het werk van twee mannen verzet, en ik heb honger. Die anderen zullen naar de eerste gang kunnen fluiten als straf voor het feit dat ze te laat zijn.'

'De andere mevrouw Tremaine belde om te zeggen dat ze nicht kwam voor eten,' zei Roza. 'Zij en meneer Sheridan had andere plannen. Eten is koud als jullie niet beginnen.' Ze liep weg en wij liepen naar een vertrek waar de open haard eigenlijk een halfuur eerder aangestoken had moeten worden om verschil te maken in de temperatuur. Minver en Mawes gingen met tegenzin mee.

Jago duwde mijn stoel zo hard aan, dat ik met een plof neerviel. 'Wat leuk dat ze dat ook aan ons verteld hebben.'

Uit zijn minachtende toon kon ik opmaken dat hij geen moment aan hun eigenlijke bedoelingen twijfelde. Hoewel de relatie tussen Jago en Demelza openlijk vijandig was, moest het toch vrij vervelend zijn als je echtgenote onder je neus overspel pleegde. Ze wilde hem vast boos en jaloers maken en als dat lukte, kon je hem dat niet kwalijk nemen. Op de een of andere manier moesten we met ons tweeën drie gangen nauwelijks eetbaar voedsel weg werken en dat terwijl we nauwelijks begrip voor elkaar konden opbrengen.

Jago nam een hap van de hard gekookte eieren en trok zijn mondhoeken omlaag. 'Ik weet niet hoe Morveran mayonaise maakt, maar het smaakt altijd raar. Tegelijkertijd vet en zuur.'

Het kostte mij geen enkele moeite om slasaus uit een flesje te herkennen, omdat Percy daar ook aan verslaafd was. Toen ik een keer echte mayonaise had gemaakt met fijngemalen peper, selderij en augurken, had ze volgehouden dat het lang niet zo lekker was als die uit een potje.

'De eieren zijn uitstekend,' zei ik. 'Een beetje peterselie zou al wonderen doen.' Om te voorkomen dat hij zou denken dat ik klaagde, voegde ik er haastig aan toe: 'Morveran doet haar best en ik kan goed met haar opschieten.'

'Jullie vrouwen houden elkaar altijd de hand boven het hoofd.'

'Je hebt geen echt hoge dunk van ons, hè?' Ineens herinnerde ik me weer dat zijn vrouw hem op datzelfde moment bedroog met een van mijn beste vrienden. 'Nou ja, een heleboel vrouwen hebben ook hun twijfels over mannen, dus dat weegt tegen elkaar op.'

'Maar jij niet?'

'Ik weet eigenlijk niet zoveel van mannen. Ik heb namelijk geen broers en ik heb op een meisjeskostschool gezeten. Mijn vader is een schat, maar heel… gereserveerd. Vóór Harry heb ik wel een paar vriendjes gehad, maar ik kan niet zeggen dat ik die echt kende. Seksuele aantrekkingskracht lijkt alles te verhullen, of daar nu wel of geen sprake van is.'

Ik bevond me op gevaarlijk terrein. Waarom konden we het nu niet over een veilig onderwerp hebben, bloembollen bijvoorbeeld, of de Koude Oorlog?

'Hm. Maar je kent toch ook wel mannen waarmee je geen intieme relatie hebt? Medestudenten. Vrienden. Collega's.'

'Ja, mijn baas. Met hem ben ik echt bevriend.'

Op het moment dat ik dat zei, besefte ik dat ik niet de hele waarheid vertelde. Ik was verrast geweest door Adrian Talbots reactie toen ik hem vertelde dat ik met Harry zou gaan trouwen. Hij keek me een tikje ongeduldig aan, zijn normale manier van doen met zijn vrouwelijke werkgevers.

'Adrian, ik wilde jou als een van de eersten vertellen dat ik met Harry Tremaine ga trouwen.'

'Hou je me nou voor de gek?'

'Nee hoor. Hoezo?'

Hij had me over zijn leesbrilletje boos aangekeken. 'Je weet niets van hem af. Hoe lang ken je hem eigenlijk? Een maand?'

'Zes weken.'

'Pfff! Lang genoeg om te weten dat jullie allebei Venetië leuker vinden dan Florence, de voorkeur geven aan films van Powell en Pressburger boven die van Antonioni en dat jullie alle twee dol zijn op de strijkkwartetten van Beethoven. En waarschijnlijk klopt dat ook nog voor geen meter. Je weet niets over de echte man die schuilgaat achter de façade en de manier waarop hij zich voordoet.' Ik zag tot mijn schrik dat er rode vlekken waren verschenen op Adrians sproetige wangen en in zijn nek, zodat ik het gevoel kreeg dat hij behoorlijk overstuur was. 'Ik dacht dat jij intelligent genoeg was om niet voor een knap gezicht en een gladde tong te vallen. Veel te glad naar mijn smaak, te glad, te zelfverzekerd en veel te geslepen...'

'Zo is het wel genoeg,' was ik hem in de rede gevallen. 'Ik wil niet dat je afgeeft op Harry. Ik hou van hem en ik ga met hem trouwen.'

'Maak dan maar dat je wegkomt,' had hij zonder omhaal gezegd en dat had ik gedaan.

De volgende dag had hij zijn verontschuldigingen aangeboden en niet lang daarna had hij ons een belachelijk duur trouwcadeau gegeven. Hij bleef Harry als een potentiële cliënt behandelen en maakte af en toe een opmerking over de geplande bruiloft, maar dan klonk zijn stem altijd gespannen. Op onze trouwdag moest hij op het laatste moment naar Parijs voor een bezoek aan een belangrijke cliënt.

Jago schonk zijn glas weer vol. 'En Dickie?'

'O, Dickie is een echte vriend. Ik voel me absoluut veilig bij hem.'

'Veilig?'

'Hij zal niet proberen om me te versieren, gewoon omdat hij een man is. Hij houdt alleen van onontwikkelde meisjes.' Ik besefte meteen dat ik me vergaloppeerd had. 'Maar natuurlijk geldt dat niet voor Demelza... Ik bedoel...' Ik werkte me steeds dieper in de nesten. 'Demelza is een complexe en interessante vrouw. Ik hoop dat ik haar wat beter zal leren kennen, ook al schijnt ze mij om een of andere reden niet te mogen. Misschien vindt ze één mevrouw Tremaine op Pentrew voldoende.' Jago keek me aan alsof ik knettergek was. 'Ik meen het echt... Als wij vrouwen wat meer zouden samenwerken, konden we misschien huiselijk geweld voorkomen... en seksuele uitbuiting van kinderen... een eind maken aan oorlog en corruptie... Maar ja, dan zullen er wel grote culturele verschillen overbrugd moeten worden en we zullen serieus moeten proberen om de zienswijze van andere vrouwen te begrijpen.'

'Ik kan niet zeggen dat ik ooit ook maar heb geprobeerd om

Demelza's zienswijze te begrijpen,' zei Jago gortdroog. 'Of onze culturele verschillen te overbruggen.'

Nou ja, hij was in ieder geval eerlijk. Roza dook weer op om de eieren te verwisselen voor iets soortgelijks van vorm, maar dan donkerbruin.

'Mmm, niertjes,' zei Jago.

Ik roerde zwijgend met mijn vork door de groenbruine jus.

'Lust je die niet?'

'Het is misschien heel kinderachtig van me, maar ik heb niertjes altijd heel... onappetijtelijk gevonden.'

'Dan vind je het vast niet erg dat ik ze opeet.' Jago prikte ze aan zijn vork.

'Roza ziet er helemaal niet Frans uit.'

'Ze is Pools. Dat wil zeggen, ze is in Polen geboren maar haar ouders kwamen uit de Oekraïne. Haar vader was een intellectueel, een lid van de ondergrondse, en is door Stalin vermoord.'

'O.'

'Waarom dacht je dat ze Frans was?'

'Dat heeft ze me verteld. En ook dat de bezittingen van haar familie gestolen waren door de nazi's. Maar tegen Harry heeft ze gezegd dat ze Albanees was en dat haar ouders vermoord waren door bandieten.'

'Ze heeft meer fantasie dan ik had verwacht.' Onze blikken kruisten elkaar voordat hij zijn aandacht weer op zijn bord richtte, maar een spiertje naast zijn mond vertrok en herinnerde me eraan dat hij ook wel eens geamuseerd reageerde. Ik voelde me meteen iets meer op mijn gemak en begon te piekeren over een ander onderwerp van gesprek, maar voordat ik iets kon bedenken zei hij: 'Dus je vindt het leuk om je handen uit de mouwen te steken. En je bent niet te trots om voor je brood te werken.'

'Te trots? Nee, dat zou bespottelijk zijn. Het is bittere noodzaak, maar ik hou ook van mijn werk. In ieder geval van bepaalde aspecten ervan.'

'Welke?'

'Ik vind het leuker om oude huizen te restaureren dan nieuwe gebouwen te ontwerpen. Het modernisme was in mijn ogen een grote vergissing en het neo-classicisme lijkt te vaak een zwakke imitatie.'

Jago stopte met eten en bleef even zitten nadenken. Ik wachtte vol belangstelling op zijn opvatting over moderne architectuur. Uiteindelijk zei hij: 'Je bent heel anders dan ik uit Harry's beschrijving had opgemaakt. Gelukkig gaat mij dat niets aan.'

Die opmerking zat me een beetje dwars. Wat zou Harry gezegd hebben? En was de werkelijkheid een verbetering of een teleurstelling? We zaten een tijdje zwijgend te eten. Tot dan toe had Jago alle vragen gesteld en mij daardoor in een kwetsbare positie gemanoeuvreerd. 'Laten we het voor de verandering eens over jou hebben,' zei ik, misschien wel een tikje uitdagend.

Hij legde zijn mes en vork neer en leunde achterover in zijn stoel. 'Wat wil je weten?'

Omdat ik er niet op had gerekend dat hij zo meegaand zou zijn, besloot ik er een soort spelletje van te maken.

'Eh... Wat zijn volgens jou je beste eigenschappen?'

'O, die heb ik volgens mij niet eens. Behalve een zekere mate van uithoudingsvermogen. Als dat een goede eigenschap is. Maar het kan ook best koppigheid zijn. Ik heb geleerd dat er ergere dingen zijn dan verveling en teleurstelling. Zoals spijt en zelfverachting.' Hij schudde zijn hoofd alsof hij vervelende gedachten van zich af wilde zetten.

Al die onverwachte eerlijkheid was ontwapenend. 'Ik heb zelf ook genoeg fouten gemaakt,' verzekerde ik hem. 'Ik heb dingen gedaan waaraan ik nu huiverend terugdenk. Geldt dat niet voor iedereen?'

Hij keek me strak aan. 'Maar je hebt nooit iets gedaan dat je misselijk maakt van schaamte,' zei hij.

Ik was niet alleen gefascineerd door de wending die het gesprek had genomen, maar ik schrok er ook van. Wat zou hij voor verschrikkelijks gedaan hebben?

'Ik zie dat ik gelijk heb,' zei hij op zijn meest kille en afstandelijke manier. 'Je zou me niet zo vergevingsgezind aankijken als dat wel het geval was geweest. Je gelooft kennelijk nog steeds dat goede daden beloond worden en het kwaad gestraft, want je vindt het idee dat er niets of niemand de leiding in handen heeft – dat er geen almachtige vader over ons waakt en dat ons bestaan geen enkele structuur, doel of betekenis heeft – beangstigend, hè? Je denkt echt dat begrippen als plicht en verantwoordelijkheid je zullen beschermen tegen onrecht en kwaad. De desillusies die jou nog te wachten staan, zijn ronduit hartverscheurend!'

Ik was niet voorbereid op zoveel heftigheid en de vlammen sloegen me uit, ook al was het nog zo kil in de kamer.

'Dat was onbeschoft en oneerlijk,' zei hij, terwijl ik nog op zoek was naar een antwoord. 'Ik bied mijn verontschuldigingen aan.'

Zijn stem klonk niet bepaald hartelijk en hij keek me niet eens aan, maar het gebaar was voldoende om hem niet meteen lik op stuk te geven. Door mijn baan bij Adrian was ik gewend geraakt aan mannelijke woede-uitbarstingen. Jago was Harry's oom, ik was bereid om veel van hem te slikken. Bovendien was hij in zijn trots gekrenkt door Demelza en waarschijnlijk ook door Caroline. Hij was moe, hij had een hekel aan zijn werk, hij had geldzorgen en het eten was afschuwelijk geweest. Dus reageerde hij zich af op de enige persoon die in de buurt was, zijn onwelkome gast.

'Ik moet trouwens iets bekennen,' zei ik luchtig alsof ik niet had gemerkt dat hij even zijn geduld had verloren. 'Toen Percy en ik vanmiddag met de honden gingen wandelen, was er geen konijn te bekennen toen ik hen losliet. En tot op dat moment hadden ze heel braaf meegelopen. Maar op het moment dat ze los waren, sloegen ze om als een blad aan de boom en sprongen meteen over de eerste de beste heg om achter de koeien in de wei aan te gaan. Gelukkig was een stel mannen bezig de tractor te repareren. Ze hoorden ons schreeuwen en slaagden erin om ze weer te pakken te krijgen. Het spijt me ontzettend. Ik hoop dat ze geen echte schade hebben aangericht.'

'De melkopbrengst was wat minder vanavond, maar dat komt morgen wel weer goed.'

'Het spijt me echt,' zei ik nog een keer.

Jago zette zijn vingertoppen tegen elkaar. 'Laat maar zitten. Het maakt echt niets uit. Koeien raken nogal snel overstuur. Net als alle vrouwen.'

'Wat een bespottelijke generalisatie!' Ik ving een glimp van een boosaardig grijnsje op. 'O! Je probeert me zover te krijgen dat ik kwaad word, alleen maar om je gelijk te bewijzen.'

'Ontken maar niet dat je even je hoofd verloor. Davy en Thomas zeiden dat je hen kostelijk hebt geamuseerd door als een gek heen en weer te rennen en te gillen. Maar je hebt het tenminste eerlijk toegegeven. Dat had ik niet verwacht.'

Een van de houtblokken in de haard viel om en een paar vonken kwamen op het haardkleedje terecht. Terwijl Jago ze uittrapte, kwam Roza binnen met het dessert.

'Zou je tegen Pasco willen zeggen dat hij houtblokken van onder op de stapel binnen moet brengen?' vroeg Jago geïrriteerd. 'Deze zijn nog vochtig.'

Roza sperde haar neusvleugels wijd open. 'Mag ik u een compliment machen, mevrouw Tremaine? Uw jurk is echt sehr mooi. Dat vond ik gestern al, toen ik hem eerst zag. Er gaat nichts boven wit om een mooie huid te benadrukken zeg ik alzeit mar.'

'O ja? Dat heb ik je anders nooit horen zeggen,' zei Jago op de mild ironische toon die hij meestal tegen haar aansloeg. 'Maar misschien kan mijn huid je goedkeuring niet wegdragen?'

Haar gezicht verstrakte en haar antwoord klonk bijna als een schreeuw. 'Jij trekt je nichts an van wat ik zeg! Jij luistert nooit! Voor jou ben ik precies zo als die houtblokken dar!' Ze trok haar hoofd in met die rare schildpadbeweging die me al eerder was opgevallen en zeilde de kamer uit.

'Wat was dát nou weer?' vroeg Jago zodra ze weg was. 'Ik snap wel dat ik zoals gewoonlijk iets misdaan heb, maar ik heb geen idee wat.'

'Je hebt haar gekwetst.'

'Wat heb ik dan gezegd? Alleen maar dat ze me nooit een complimentje maakt. Wat is daar mis mee?'

'Ik denk dat het meer gaat om de manier waarop je haar meestal behandelt.'

'Nou mag ik toch doodvallen!' Jago streek een lucifer aan om de kaarsen aan te steken en in het licht van het vlammetje zag ik dat hij me verontwaardigd aankeek. 'Ik heb die vrouw in huis genomen – let wel, een volkomen vreemde – omdat ze nergens naartoe kon. Ik betaal haar een salaris hoewel ze nauwelijks iets uitspookt. Ik nodig die geschifte duivelsaanbidders die ze vrienden noemt een keer per maand uit om te komen eten. Ik zeg er niets van dat ze op de raarste momenten ineens opduikt. Ik draag die walgelijke stropdassen die ik met Kerstmis van haar krijg minstens één keer en dan zeg jij dat ze zich gekwetst voelt door de manier waarop ik haar behandel! Au!' Hij liet de lucifer vallen en sabbelde op zijn vinger.

Hij zag er zo geërgerd uit, dat ik onwillekeurig in de lach schoot. 'Zo te horen heb je je als een halve heilige gedragen. Maar ze is ongelukkig en ze is overgevoelig.'

Ik vertelde hem niet dat Roza zich inbeeldde dat ze verliefd op hem was en dat daarom de meest onschuldige opmerking haar tegen de haren in kon strijken. 'Ach, alle vrouwen kunnen naar de hel lopen!' riep hij, en toen ik niet reageerde: 'Je hoeft niet zo zielig te doen. Ik ben degene die dagelijks met haar moet optrekken. Als je klaar bent met eten, kunnen we net zo goed meteen een cognacje nemen.'

Hij wachtte tot ik voor hem uit naar de zitkamer liep, al waren Minver en Mawes eerder bij het vuur dan ik. Op het bijzettafeltje naast een van de oorfauteuils stond een blad met een prachtige zilveren koffiepot en een volle bonbonnière, allebei glanzend gepoetst, kennelijk Roza's laatste poging om wat meer cachet aan te brengen.

'Ik drink mijn koffie zwart, zonder suiker.' Jago bukte zich om het vuur op te poken. 'Hou je van Beethoven?'

'Ja,' zei ik. 'Speel je zelf?' Ik keek om me heen of ik een piano zag.

'We hebben misschien geen elektrische heggenschaar, maar we hebben wel een paar van de geneugten die de elektriciteit ons biedt.'

Jago trok de deurtjes van een Queen Anne-secretaire open, haalde er een plaat uit en legde die op de draaitafel die erin verstopt zat. Ik herkende de *Ouverture Egmont* toen de muziek begon. Hij schonk twee glazen cognac in en gaf er een aan mij, met een knikje naar de stoel tegenover de zijne en wachtte tot ik ging zitten, voordat hij ook plaatsnam en een sigaartje uit zijn borstzak pakte. Hij hield het omhoog alsof hij me wilde vragen of ik bezwaar had dat hij rookte en ik schudde mijn hoofd.

De geur van de sigaar vermengde zich plezierig met de rook van het houtvuur. De koffie en de bonbons namen de smaak van het eten weg. Ik nam een slokje cognac en dacht aan de twee liefste mensen in mijn leven – Percy en Harry. De eerste zat samen met Morveran tv te kijken. Ik wierp een blik op mijn horloge. Het was bijna bedtijd. Ik nam nog een slokje en deed mijn ogen dicht. Een van de honden legde zijn of haar kop op mijn voeten.

Het was fijn om aan Harry te denken. Ik had eigenlijk verwacht dat hij wel zou bellen als hij in Londen aankwam, maar hij zou het vast druk hebben. Een van zijn collega's werd van verduistering verdacht. De omstandigheden vereisten tact. Harry zou binnen vierentwintig uur weer terug zijn. Ik kon toch niet nog gelukkiger zijn?

De muziek was schitterend. Mijn vader was dol op Beethoven, dus ik had dit stuk vaak genoeg gehoord, maar het was nooit tot me doorgedrongen hoe fantastisch het eigenlijk was. Graaf Egmont was onthoofd... hij had ruziegemaakt met een of andere kardinaal... Ik moest toch eens aan Harry vragen of de Tremaines die Pentrew hadden gebouwd katholiek waren... de Spaanse Inquisitie... de vlammen van de brandstapel laaiden op rond mijn voeten... en toen mijn ogen met een schok openvlogen, voelde ik de warme adem van Minver of Mawes tegen mijn enkels. Ik keek op mijn horloge. Ik had hooguit vijf minuten geslapen. De muziek denderde naar een climax. Jago zat met het glas in zijn ene en een sigaar met een lange askegel in de andere hand te staren naar de tang voor het hout. Zijn ogen stonden vol tranen.

13

Ik schrok wakker omdat iemand op mijn slaapkamerdeur stond te bonzen.

'Goede morgen, mevrouw.' Roza stond naast me met een blad. 'Ik breng u ontbijt op bed. Zelfgemaakt. Morveran laat toast altijd aanbranden en kookt eieren keihard.'

Ik ging rechtop zitten. Het blad had uitklapbare pootjes en Roza zette het op mijn bovenbenen, zodat ik me niet meer kon verroeren. De klodder rode lipstick op haar voorhoofd was twee keer zo groot geworden. Het verbaasde me niet dat haar gezicht glom van het zweet want het blad was volgeladen. Behalve een uitgebreid ontbijt en een vaasje met een enkele camelia lagen er ook twee brieven op die doorgestuurd waren vanuit Brentwell. Ik zag meteen dat het om vervelende officiële mededelingen ging.

Onder het kussen naast dat van mij klonk gekreun en Percy's verwarde haardos dook op. Ze was midden in de nacht bij me in bed geglipt met een gloeiend voorhoofd en ijskoude voeten.

'Wat ondeugend van je om mevrouw lastig te vallen terwijl je zelf goed bed hebt,' zei Roza afkeurend.

Je kon erop rekenen dat Percy deze ongewenste bemoeienis niet over haar kant zou laten gaan. 'Kijk eens, schat,' zei ik terwijl ik haar voorzichtig in haar dij kneep. 'Wat een heerlijk ontbijt! Laten we het samen opeten.'

Roza gooide de ramen wijd open, waardoor ons haar ineens

rechtop stond, en begon de kleren op te vouwen die ik de avond ervoor op de toilettafel had gegooid.

'Wat hebt u mooie nachtpon, mevrouw. Een man die verliefd op me is, gaf me een keer zijden nachtpon afgezet met zwanendons. Hij filmregisseur en wil ster van me machen, maar ik niet geïnteresseerd. Ik trouw aan mijn grote liefde die dood is.'

Inmiddels was ik al zover dat ik geen geloof meer aan Roza's verhalen hechtte, maar ik keek haar vol sympathie aan.

'Mijn liefde die dood is, was fantastisch violist, even goed als Heifetz. Besser dan Heifetz. Als Heifetz hem hoorde spielen, hij zei: "Kan net so gut mijn viool meteen kaput slaan.'

'Lieve hemel,' zei ik zwak.

'Ja. Hij is geheim agent in Koude Oorlog. Hij dood toen hij boven Kaukasus uit vliegtuig sprong. Spion van de KGB had groot gat in zijn parachute gemaakt.'

Percy giechelde.

Ik kneep haar stevig in haar dijbeen. 'Wat tragisch!' zei ik. 'Hij moet wel heel dapper zijn geweest.'

'Ja.' Ze sloeg het boek waarin ik bezig was dicht, zodat ik niet meer wist waar ik was gebleven. 'Ik is ook geheim agent...' begon ze, maar ze werd gelukkig afgeleid door Morveran die nog hijgde van het trappenlopen.

'Morrege, mevrouw Tremaine... telefoon, Roza. Je grote vriend, de kruidenier.'

'Meneer Parsley bedoel je,' zei Roza scherp.

Ze duwde Morveran opzij en liep de kamer uit.

Het had me ongeveer anderhalf uur gekost, maar toen lagen de stenen paden in de kruidentuin er schoon bij. Het ontwerp was simpel. Een rond pad werd door twee paden doorkruist, waardoor er acht bedden lagen, in de vorm van vier taartpunten en vier stukken taart waarvan de punt afgebeten was. In het midden lag een stukje beton waarop eigenlijk een zonnewijzer of een vogelbadje moest staan. Zeker een derde van de schelpen die elk bed omzoomden was kapot, maar ik kon ze er gemakkelijk uittrekken. Een van de wigvormige bedden zat vol wortelstokken en ik herinnerde me dat iriswortel een belangrijk geneeskundig kruid was. Dus sneed ik de wortelstokken aan stukken en stopte de uiteinden, die heerlijk naar viooltjes geurden, weer in de grond.

Het was een zeldzame luxe om weer eens alleen te zijn. Op de zaak kwam het wel eens voor dat Dickie en Adrian allebei tegelijkertijd een pand moesten inspecteren, maar mevrouw Jupp die de telefoon aannam en onze brieven typte, was altijd aanwezig. Ze woonde alleen in een flat in Neasden en voelde zich duidelijk eenzaam, dus het zou heel wreed zijn geweest om mijn beklag over haar te doen bij Adrian, maar ik werd er bijna gek van dat ze zo vaak een excuus verzon om op de rand van mijn bureau te gaan zitten voor wat zij 'een babbeltje van meisjes onder elkaar' noemde.

Ook in Oracle Street was ik maar zelden alleen. Behalve Percy was daar ook nog Wendy die na schooltijd en in de vakanties kwam om Percy gezelschap te houden, haar eten te geven en haar te helpen met haar huiswerk. En de laatste tijd was Harry er ook vaak, natuurlijk. Bovendien kwamen er vrienden langs, meestal Birdie en Dickie. Vandaar dat ik heerlijk in mijn eentje in die kruidentuin zat te werken, waar ik mijn gedachten de vrije loop kon laten. Ik zette de energierekening en de belastingaanslag die op mijn ontbijtblad hadden gelegen vastberaden uit mijn hoofd en begon te dromen over een fontein in mijn eigen tuin toen ik achter me voetstappen hoorde en iemand een hand in mijn nek legde.

'Ssst!' zei Dickie. 'Ik had gehoopt dat ik ongezien het huis binnen zou kunnen glippen, maar als jij een keel opzet, zal iedereen meteen aan komen rennen.'

Dickies mooie haar was niet alleen slap en vet, maar hij had ook donkere kringen onder zijn ogen en alle knoopjes van zijn overhemd waren verdwenen, waardoor hij de indruk wekte dat hij eerst gevierendeeld was en vervolgens haastig en slordig weer in elkaar was gezet.

'Wat heb je in vredesnaam uitgespookt?' vroeg ik. 'Nee, zeg maar niks. Hoe wist je dat ik hier was?'

'Ik hoorde je neuriën toen ik over het pad sloop. Hebben anderen ook gemerkt dat ik afwezig was?'

'Als je Jago bedoelt... Ja. Natuurlijk heeft hij dat gemerkt. Ik wil niet afkeurend klinken, maar had je niet wat discreter kunnen zijn? Had je niet op zijn minst kunnen komen eten?'

'Lieve schat, dat kun je mij niet kwalijk nemen. Ik had helemaal niets te vertellen. Demelza greep me in mijn kladden en liet me niet meer los tot ze al mijn levenssappen uit me geperst had.' Hij knipperde alsof hij een waas voor ogen had. 'Geloof me, die vrouw is een mirakel. Ze kan zo college gaan geven in de rosse buurten van Shanghai.'

'Nou, fijn hoor. Maar ik vond het niet aardig van je, dat je dat vlak onder de neus van haar man hebt gedaan, Dickie.'

'Ik vroeg haar nog of Jago het niet erg zou vinden, maar ze lachte en zei dat hem dat niets kon schelen. Hij scharrelt zelf kennelijk met een aantrekkelijke gescheiden vrouw uit Redruth en heeft totaal geen belangstelling meer voor Demelza's kunstjes.' Dickie sperde zijn neusvleugels open als een zeehond die boven water komt. 'Hoewel ik dat nauwelijks kan geloven.'

Het was niet de bedoeling geweest dat ik het verdriet op Jago's gezicht had gezien toen we samen bij de haard zaten. 'Ik denk dat hij het zich nog steeds aantrekt... in ieder geval een beetje.'

'Nou ja, ik was toch van plan om over een paar uur naar Londen te vertrekken. Ik geloof niet dat ik onder Jago's dak nog een oog dicht zou kunnen doen.'

'Ja, dan zou je in een lastig parket zitten. Maar ik wou toch dat je niet wegging.'

'In zekere zin vind ik dat zelf ook jammer. Maar goed, Jago nam zelf vanmorgen Adrians telefoontje aan en hij gaf de boodschap telefonisch door naar het huis van Demelza. Dat was toch heel netjes van hem. Ik schrok echt behoorlijk toen ze de telefoon opnam en ik besefte wie het was. We lagen nog steeds in bed na te stomen van onze laatste stoeipartij en toen zei dat brutale nest ineens: "Waarom vertel je Dickie dat zelf niet, hij zit hier naast me." Maar Jago had al opgehangen. Enfin, toen ik Adrian belde, vertelde hij me het grote nieuws. We hebben de opdracht voor die restauratie in Kent!'

'O, geweldig!' In mijn blijdschap vergat ik meteen de ongelukkige driehoeksverhouding. Of misschien was het wel een vierkant, als je Caroline ook meetelde. 'Ik dacht echt dat we geen schijn van kans hadden!'

'De anderen die meedongen, zullen wel te duur zijn geweest. Ik kan niet wachten tot ik mijn tanden in een echt antiek pand kan zetten.' Dickie liet zijn hand met een klap op zijn dijbeen landen en vertrok zijn gezicht. 'Maar ik heb morgen ter plekke een afspraak met de cliënt. Vandaar dat ik vanmiddag zal moeten vertrekken.'

'Je belt toch wel als je iets weet?' smeekte ik.

'Als je zeker weet dat ik je niet stoor tijdens je sprookjesachtige huwelijksreis.' Ik wist zeker dat Dickie dat niet sarcastisch bedoelde. 'Nu ga ik nog maar een paar uurtjes liggen,' vervolgde hij met een paar diepe kniebuigingen. Hij had kennelijk last van spierpijn. 'Waar kan ik je straks vinden? Ik wil nog even afscheid van je nemen voordat ik vertrek.'

We spraken af dat ik om zes uur beneden zou zijn om hem uit te wuiven. Dickie liep naar het gat in de heg en keek schichtig om zich heen voordat hij zich naar het huis repte. Hij had tandafdrukken in zijn nek staan.

Nadat ik een vrij vruchteloze discussie had gevoerd met Pasco, die ineens opdook en me ervan beschuldigde dat ik een van zijn kruiwagens had gestolen – hij scheen er nogal aan gehecht te zijn, want hij had ze zelfs namen gegeven – moest ik met tegenzin toegeven dat Jago waarschijnlijk gelijk had gehad. Pasco kon net zo goed een prima toneelspeler zijn als een gevaarlijke gek. Hoe dan ook, het was geen man met wie ik veel te maken wilde hebben... Ineens hoorde ik een discreet kuchje. Ik draaide me met een ruk om en zag dat Roza vlak achter me stond.

'Het is halbzwei en u hebt nog kein lunch gehad, mevrouw. Dus breng ik nu koffie en boterhammetjes.'

'Ach, wat lief van je!' Ik pakte het bord en de mok aan.

'Ik heb de boterhammen selbst gemaakt. Morveran laat altijd korsten zitten en doet dingen op als zure bieten... Walgelijk, helemaal niet wat je gewend bent in grote huis met butlers en dienstmeisjes enzo.'

'Nou, eerlijk gezegd leeft mijn vader heel gewoon. Hij gedraagt zich helemaal niet als een lord. Hij en mijn stiefmoeder eten ook heel simpel.' Roza keek ongelovig. Waarschijnlijk dacht ze dat iedereen voortdurend sprookjes vertelde. 'En ikzelf woon maar in een klein huisje in Londen, samen met mijn zus. En ik kook altijd zelf.'

'Ik heb kookles in Parijs gevolgd. Ik heb blauwe lint gewonnen. Chefkok van Maxim zegt mijn eten is super, hij wil me in de keuken. Maar ik hou niet van de mannen die in keukens werken. Ze vloeken de hele dag. De chefkok is verliefd op me en heeft me geschmeekt om te trouwen.'

'Wil je ook een boterhammetje?'

'Ik eet nooit lunch. Als ik bij jou kom logeren in grote huis, kook ik voor jou en je zult merken hoe goed ik ben.'

Zoals de meeste mensen die zich misnoegd voelen, luisterde Roza nauwelijks naar wat andere mensen zeiden.

'Ik ben dol op de Franse keuken. Als Parisienne moet je wel een expert zijn.'

Daar keek Roza even van op. 'Parisienne?... O ja, ik koken voor Général de Gaulle. Hij me geschmeekt om bij hem te werken, maar ik ben tegen zijn buitenland politik.'

Ik maakte korte metten met haar fantastische verhalen door te vragen waarom ze hier dan niet wilde koken. 'Ik bedoel maar, jij zou de scepter in de keuken kunnen zwaaien en Morveran zou je kunnen helpen. Ze is een schat maar het is veel te zwaar werk voor iemand van in de tachtig. Ik geloof ook niet dat ze echt van koken houdt.'

'Hopelijk nicht, want ze kan er helemaal nichts van.'

'Nou dan.'

Roza richtte zich in haar volle lengte op en keek scheel van afschuw. 'Ik hoor bij familie. Huishoudster is min, maar kokkin... bah!'

'Je hebt het helemaal mis als je denkt dat koken niet eerbiedwaardig is. Ik schaam me helemaal niet dat ik zelf moet koken. Integendeel. Ik beschouw het als een geschenk aan de mensen van wie ik hou. Denk eens aan die arme Jago. Hij zou waarschijnlijk heel wat beter in zijn hum zijn als hij wist dat hij na een dag hard werken iets lekkers voorgezet krijgt.' En uitdagend voegde ik eraan toe: 'Ik weet zeker dat de weg naar het hart van een man door zijn maag gaat.'

Roza keek nog scheler, maar ik kon zien dat ze stond na te denken.

'Dickie zei dat je hier was,' kwam Percy ineens de tuin binnen vallen. 'Morveran zegt dat er morgen kermis is in St. Issy. Gaan we daarnaartoe?'

'We hebben geen vervoer, lieverd...' Percy's gezicht betrok. 'Maar misschien gaat er wel een bus naartoe. In dat geval gaan we samen.'

'Dank je wel, allerliefste Art!'

'Je hebt wel geluk, meidje,' zei Roza belerend. 'Toen ik nog klein war, ging niemand met me naar kermis.'

'Misschien omdat niemand je aardig vond,' zei Percy prompt. 'Misschien gingen ze wel met andere meisjes, omdat ze die veel aardiger en mooier vonden.'

Roza's gezicht kreeg de kleur van een zeemleren lap. Ze beende de tuin uit.

'Dat was erg onbeleefd, Percy,' fluisterde ik.

'Dat was ook de bedoeling. Ze is een gemeen kreng en ik haat haar.'

'Je moet mensen niet haten. Heb je je opstel al netjes overgeschreven?'

'Ja hoor. En ik heb geoefend voor het schoolconcert.' Percy was uitgekozen om een solo te zingen en daar was ik bijzonder trots op, hoewel zuster Clarence, de muzieklerares aan de Heilig Hart-school, had gezegd dat het jammer was dat Percy's engelachtige stem geen weerslag was van haar gedrag. 'Wil je het horen?'

'Heel graag.'

Ze schraapte uitgebreid haar keel en begon te zingen. De eerste zinnen kwamen er zuiver en lief uit, maar ze was een beetje te hoog begonnen, dus toen Minver, of misschien was het Mawes, ineens met een oorverdovend gejank de tuin binnen rende en ook meteen weer naar buiten stoof, klonk ze meer als een krijsende zwaluw dan als een engeltje.

'Het martelen van kinderen is bij de wet verboden.' Jago keek om zich heen naar de schoongemaakte paden en de omgespitte bedden.

'Het is hier zo donker dat ik dacht dat ik het wel ongestraft kon doen,' zei ik.

'Noem me maar Lucifer.' Hij gaf me een gevaarlijk uitziend apparaat met een lange kabel die hij begon af te wikkelen.

'De duivel?'

'Je hebt toch wel Latijns gehad op school? Lucifer is de brenger van het licht.'

Vanwege de heggenschaar vergaf ik hem die terechtwijzing. 'Waar heb je die vandaan?'

'Geleend van een vent met wie ik samen in de raad van bestuur van het ziekenhuis zit. Doe me een lol,' zei hij tegen Percy, 'en kijk even of de waterbak van de honden naast de achterdeur wel vol is. Ze hebben vandaag een heel eind gelopen en ze hebben vast dorst.'

Ze ging er spoorslags vandoor.

'Hoezo is Lucifer de brenger van het licht?' vroeg ik.

'Lucifer staat voor de morgenster – die we tegenwoordig kennen als de planeet Venus. Die naam werd pas veel later met de duivel geassocieerd. Maar ik heb pasgeleden een lange preek van de bisschop over de duivel moeten aanhoren. Vandaar dat ik dat wist,' erkende hij.

Op de een of andere manier had ik de indruk gekregen dat Jago niet bepaald religieus was. 'Ga je vaak naar de kerk?'

'Nooit, als het aan mij ligt. Omdat mijn vader zo'n schuinsmarcheerder was, werd mijn moeder van de weeromstuit heel religieus en daar moesten wij als kinderen onder lijden.' Op een wat minder strenge toon voegde hij eraan toe: 'Al had ik destijds natuurlijk geen flauw idee van wat haar dwarszat.'

Inmiddels, dacht ik, zou hij de kwellingen van seksuele jaloezie maar al te goed kennen.

'Ik ging ook bijna nooit, omdat mijn moeder zo ziekelijk was.

En als mijn vader iemand aanbidt dan is het Zeus. Ik ben alleen in de kerk getrouwd omdat Harry vond dat we dat moesten doen. En omdat ik de gevoelens van onze dominee wilde ontzien.'

Jago wierp me een van die nadenkende blikken toe, hoewel ik geen idee had waarom. 'Dat lijkt me een prima reden.' Hij stopte de stekker in een verlengsnoer en bleef dat afwikkelen. 'De bisschop was heel lief voor mijn moeder vlak voordat ze stierf. En toen ik een school voor Harry moest zoeken, heeft hij de weg voor ons geëffend. Alles bij elkaar zou het een beetje onbeschoft zijn geweest om niet op te komen dagen als hij in de parochie een nieuwe predikant komt installeren.'

'Het was lief van je om eraan te denken dat ik een heggenschaar nodig had,' zei ik.

'En nu moet ik zeker zeggen dat het lief van jou is om iets aan de tuin te doen,' reageerde hij scherp. 'Die schelpen... Dat was een idee van Elsa,' zei hij op een wat vriendelijker toon, alsof hij besefte dat hij onaardig was geweest. 'En daar in het midden stond een standbeeld...' Hij wees naar het stukje beton.

'Een standbeeld waarvan?' vroeg ik.

'Een of ander stenen beeldje.' Hij leunde op de riek die ik rechtop in de omgespitte aarde had laten staan. 'Was je van plan om er wat nieuwe plantjes in te zetten?'

'Ja, als jij daar geen bezwaar tegen hebt.'

Hij haalde zijn schouders op. 'Dat maakt niet uit. Dit zal in de toekomst toch Harry's eigendom worden.'

'Misschien.' Ik vond nog steeds dat Jago jong genoeg was om kinderen te krijgen.

'Zeker weten. Waarom heb je die brandnetels laten staan?' Hij schopte naar het vervelende onkruid. 'Au! Verdomme! Er ligt hier iets... Kijk nou eens!'

Het was het omgevallen standbeeld van een jong kind met vleugels die uit de schouders ontsproten. Naakt en onmiskenbaar mannelijk.

'Wat toevallig!' Ik was verbaasd en verrukt tegelijkertijd.

'Nauwelijks. Het zat er dik in dat het hier ergens in de buurt lag. Maar vrouwen willen nu eenmaal nooit accepteren dat er zoiets als logica bestaat. Ze beschouwen de meest normale voorvallen als veelbetekenend.'

Ik onderdrukte een glimlach en vermoedde dat zijn voet pijn deed. 'We moeten het meteen weer op de plaats zetten.' Ik bukte me om het op te pakken.

'Ben je nou mal?' zei Jago. 'Het is veel te zwaar en je zult je prikken aan de brandnetels.'

Hij sloeg het verlengsnoer om de nek van het beeld en hees het overeind. Het was ongeveer een meter twintig hoog en stond op een vierkant voetstuk. Het hoofdje zat vol stenen krullen en het gezicht en het lijfje waren charmant bedekt met gelige en groene plakken mos. De vingers van een hand waren tegen zijn mond gedrukt... om een grijns te verbergen of een handkus uit te delen. De gelaatsuitdrukking was een tikje kwaadaardig. Op het voetstuk stonden drie letters gekerfd.

Ik bukte me om de modder met mijn vingers weg te schrapen. 'J... O... Y... Wat schattig!'

'Ik vind het eerder cynisch.'

'Hoezo?'

Herinner je je de *Ode to Melancholy* van Keats niet meer? Ach, laat ook maar zitten.'

Twee uur later had ik pijn in mijn armen en een dode vinger van het getril van de heggenschaar, maar ik had mijn zin. De kruidentuin had een metamorfose ondergaan, werd nu omringd door een meter tachtig hoge heggen van jeneverbes, en er viel nu meer dan genoeg licht naar binnen. Ik keek op mijn horloge. Bijna zes uur. Met de heggenschaar onder mijn arm ging ik op zoek naar Dickie.

Zijn auto, een Sunbeam Alpine die hij Princess Pushy had gedoopt omdat het ding het zo vaak liet afweten, stond buiten voor de ingang van de binnenplaats en Dickie kwam net aanlopen met zijn koffers.

'Ik zal je missen, lieve Dickie.' Ik sloeg mijn armen om hem heen.

'Ik jou ook.' Hij knuffelde me. 'Maar ik zal aan jou en Harry denken als twee minnekozende torteltjes in hun nestje terwijl ik alleen in mijn kuise bedje lig.'

Voordat ik hem erop kon wijzen dat die beschrijving van het Franse mahonie hemelbed met de pruimkleurige taffeta gordijnen waarin hij in Londen sliep niet geheel juist was, kwam Demelza wankelend de oprit op, in een rood leren jack met bijbehorend minirokje en op witte naaldhakken. Ze had twee koffers bij zich.

'Zet maar in de auto, schattebout.' Ze zette ze voor Dickies voeten neer. 'Ik ga met je mee.'

'Maar... maar lieve meid, heb je daar goed over nagedacht?' Dickies ogen waren groot van schrik. 'Natuurlijk zou ik dat heerlijk vinden, maar hoe zit het dan met Jago...'

Ze pakte zijn hoofd stevig vast en gaf hem een klapzoen. 'Zeur niet en stap in.'

Ze ging op de passagiersstoel zitten, deed haar tas open, pakte een lipstick en keek in de achteruitkijkspiegel.

Dickie bukte zich en klopte op het raampje. Ze liet het zakken. 'Ik moet wel werken, hoor. Van acht tot zes. Dan zul je je toch geheid gaan vervelen?'

'Nou, dan krijg ik in ieder geval meer dan genoeg slaap. Schiet nou maar op. Het gaat zo regenen.'

Dickie keek me aan en spreidde zijn handen, alsof hij wilde zeggen dat hij er ook niets aan kon doen. Hij kon haar inderdaad moeilijk bij kop en kont pakken om haar eruit te zetten. Hij borg de koffers op in de ruimte achter de stoelen en kuste me vaarwel.

'Ik heb een brief voor Jago waarin ik hem bedank en me verontschuldig omdat ik er ineens vandoor moest, achtergelaten op de kast in de gang. Jij zorgt wel dat hij die krijgt, hè lieverd?'

'Ik zou maar een voorraadje ijzerpillen inslaan,' mompelde ik.

Demelza leunde uit het raampje om mij aan te kijken. 'Jemig, moet je haar zien. Ze heeft er behoorlijk de pest in, die arme meid. Schiet nou maar op, Dickie, dan kan zij lekker gaan zitten treuren om 'Arry.'

Dickie startte de motor. Er kwamen zwarte rookwolkjes uit de uitlaat. De Sunbeam Alpine gedroeg zich als vanouds. Ik lachte en zwaaide vrolijk. Het was altijd de passagier die moest uitstappen en duwen, want Dickie was de enige die om kon gaan met de overjarige versnellingsbak. Ze reden weg in een wolk van smerige uitlaatgassen. Wat heerlijk, dacht ik, om een getrouwde vrouw te zijn en alle twijfels, moeilijkheden en mogelijke fatale wendingen van tijdelijke relaties te kunnen vergeten.

'Telefoon, mevrouw.' Roza stond op het bordes. 'Is Harry.'

14

'Ik vind dit echt de zaligste honden van de hele wereld,' zei Percy en bukte zich om de nobele koppen van Minver en Mawes te strelen. Ze keek met haar glanzende groene ogen op naar Jago. 'Welke vind jij het liefst?' vroeg ze kinderlijk.

Het was avond en Jago en ik stonden met een glas in de hand voor het vuur in de grote zaal. De regen droop door de schoorsteen naar binnen en de druppels sisten als spetterend vet op de houtblokken.

'Ik vind ze allebei even lief,' zei Jago en bewees daarmee dat hij niet zo'n oude brompot was als ik aanvankelijk had gedacht. Hij begreep kinderen.

'Waar vinden ze het fijnst om geaaid te worden?'

'Dit is hun favoriete plekje.' Jago bukte zich en wees een plekje aan onder een van de voorpoten.

'Heet dat ook een oksel? Hebben honden twee oksels of vier?'

'Percy,' zei ik op een toon die het midden hield tussen streng en toegeeflijk, 'waarom ga je niet kijken of Morveran je eten klaar heeft?'

'Ja, zo. Wat een geluk dat honden nooit naar zweet ruiken, hè? Als zuster Paul – dat is onze wiskundelerares – naast me staat, val ik soms flauw van de stank. Nou zijn die habijten natuurlijk heel warm en deodorant zal wel als luxe worden beschouwd...'

'Schiet nou maar op, Percy,' zei ik. De toegeeflijkheid was verdwenen.

Ze trok een onschuldig smoeltje. 'Art zegt dat ik ook deodorant zal moeten gebruiken als ik aan de rode vlag raak, alleen zal dat nog wel even duren, denk ik, want de andere meisjes op school hebben veel dikkere poezen dan ik...'

'Zo is het wel weer mooi geweest, Percy,' zei ik heftig en Percy maakte zich met een tevreden gezicht uit de voeten.

Er viel een korte stilte die ik doorbrak met de opmerking: 'Ik wou dat ik me meer van mijn eigen jeugd kon herinneren.'

'Hoezo?' vroeg Jago, niet bepaald geïnteresseerd.

'Omdat Percy me af en toe met stomheid slaat.'

'Daar zou je niets mee opschieten. De ene volwassene is de andere niet en hetzelfde geldt voor kinderen. We zijn allemaal onbegrijpelijk, als je niet al te diep graaft.' Hij schonk zijn glas nog eens vol en zag toen pas dat het mijne ook leeg was. 'Sorry. Als je altijd alleen drinkt, vergeet je je manieren.' Hij hield de fles tegen het licht. 'Ik zal Jem even zeggen dat hij een andere moet halen.'

'Doe maar geen moeite,' zei ik een tikje kil.

'Jem!' schreeuwde Jago. 'En ga jij nou niet staan mokken,' zei hij tegen mij. 'Dat past niet bij je. Bovendien lukt het voor geen meter.'

'Waarom lukt het niet?'

'Daar ben je het type niet voor. Jij wordt even kwaad en dan is het ook meteen weer over. Bovendien heb je niet het lef om heel lang chagrijnig te blijven. Je voelt je schuldig als je denkt dat je niet aardig bent geweest. Een echte kniesoor trekt zich daar niets van aan. En ik kan het weten. Mijn moeder kon wekenlang blijven mokken.'

'Hoewel je denkt dat andere mensen ondoorgrondelijk zijn, schijn je toch het idee te hebben dat je precies weet wat ik denk.'

Hij schoot in de lach. 'Ja... misschien wel. Vertel me nu maar eens waarom Harry vanavond niet naar huis komt.'

'Een van zijn collega's heeft het vertrek van een werknemer geheim gehouden voor de loonadministratie en vanaf die tijd het salaris van die werknemer op zijn eigen rekening laten storten. Harry's baas wil er de politie niet bij halen omdat het de naam van de zaak kan schaden. Maar natuurlijk moet het zwarte schaap wel verantwoording afleggen.'

'Heeft hij gezegd wanneer hij verwacht terug te komen?'

'Morgen.'

'Ik neem aan dat er altijd wel ergens iets aan de strijkstok blijft hangen als het om zaken gaat.' Jago liet de steel van zijn glas tussen zijn vingers ronddraaien. 'Maar misschien zijn dat van mijn kant gewoon zure druiven. Marcus Aurelius heeft gezegd dat armoede de moeder van alle misdaad is. Ik vraag me af of dat waar is.'

'Hij zal niet alleen een tekort aan bankbiljetten hebben bedoeld. Rijke mensen plegen ook misdaden. Ze hebben meer dan genoeg, maar ze willen gewoon nog meer.'

'Of ze willen van hun vrouw af en huren iemand in om haar te vermoorden.' Jago glimlachte grimmig, alsof dat idee hem wel beviel.

'Misschien had Marcus Aurelius het wel over armoedig van geest. Of over een gebrek aan verstand.'

'Maar wat zorgt er dan voor dat het geweten verdwijnt? Als we er tenminste van uitgaan dat er in de jeugd pogingen zijn ondernomen om iemand dat mee te geven. O, ik weet wel dat we allemaal wel eens oneerlijk zijn, maar ik heb het over dingen waarvoor je de gevangenis in draait. Niet over leugentjes om bestwil of maatschappelijke blunders, maar om echte, brutale misdaden.'

'Eh... arrogantie misschien? De overtuiging dat je bijzonder bent en boven de wet staat?'

'Maar hoe komt het dan dat iemand aan zoveel zelfoverschatting lijdt?'

'Misschien te veel verkeerde complimentjes gehad? Of zoveel kritiek dat een kind zich wel uitdagend moet gedragen om te overleven. Wordt iemand als sociopaat geboren of zo gemaakt? Als vredesrechter moet jij daar meer van weten dan ik.'

'De mensen die in Truro voor de rechtbank moeten verschijnen zijn geen sociopaten. Ze zijn meestal vrij dom en ze komen uit families waar diefstal en oplichting volkomen normaal zijn. Maar ze lijken wel bijzonder gehecht aan hun kinderen of aan hun moeders en hun honden en ze kennen de betekenis van de woorden liefde en schaamte.'

'Wou je zeggen dat een doortrapte crimineel zich van de rest onderscheidt omdat hij of zij niet in staat is een relatie te onderhouden?'

'Het passieve gedeelte van een relatie – het ontvangen van liefde – heeft er niets mee te maken. Het gaat om het vermogen om die liefde te beantwoorden. Harteloze bedriegers zijn bijzonder aantrekkelijk voor vrouwen en worden aanbeden in ruil voor klappen en ontrouw.'

'Dat is waar. Ik ken heel wat mooie en intelligente meisjes die door de knieën gingen voor volslagen smeerlappen en die geen kwaad over hen wilden horen.'

Hij vertrok zijn mond, alsof hij wilde lachen maar zich op het laatste moment bedacht. 'Het lijkt er echt op dat hoe aantrekkelijker een man is, des te slechter hij zich gedraagt. Neem nou die vrouwen die veroordeelde moordenaars die op hun doodstraf wachten een huwelijksaanzoek doen. De meest populaire gevangenen schijnen seriemoordenaars te zijn. Die krijgen zakken vol fanmail.'

'Waarom zou dat zo zijn?' vroeg ik. 'Een kwestie van doorgeslagen medelijden? Of hervormingsdrang?'

'Ik denk eerder dat ze naar opwinding snakken. Of het zijn masochisten... of gewelddadige mensen die zo hun neigingen plaatsvervangend uiten. Wat mij betreft, is lang niet elke vrouw een engel die alleen maar uit is op het bieden van troost en steun. Hoewel dat je natuurlijk wel ingeprent is. De vrouwengemeenschap is slim genoeg om haar licht onder de korenmaat te zetten.'

'Ik ben echt wel in staat om de gebreken van mijn eigen sekse te onderkennen,' zei ik uit de hoogte.

Jago bood me een kom olijven aan, die in een dikke groene olie dreven vol gehakte tijm en rozemarijn. Het waren de lekkerste dingen die ik sinds mijn aankomst op Pentrew gegeten had.

'We hadden het toch over misdaad in het algemeen, hè? Maar hoe zit het dan met de *crime passionel?* Een impulsieve daad, waarbij het geweten even buitenspel staat. En misdaden die zijn begaan onder invloed van derden... of zelfs onwetend, zoals in

Harry's geval. Hij heeft de prijs voor een moment van onachtzaamheid moeten betalen door in de gevangenis te belanden, maar je kunt niet zeggen dat hij een armoedzaaier was, in geestelijke noch in materiële zin.'

'Heeft hij je dat verteld?' Jago's gezicht bleef effen, maar ik hoorde aan zijn stem dat hij verbaasd was.

'Ja, natuurlijk! Ik vertrouw Harry volkomen en ik weet dat hij nooit iets verborgen zal houden. En ik hoop dat hij hetzelfde over mij denkt.'

'Ik ben ervan overtuigd dat jij altijd de waarheid spreekt, maar als een man probeert een meisje over te halen om met hem te trouwen is het feit dat hij in de gevangenis heeft gezeten niet bepaald een aanbeveling.'

Zijn woordkeuze beviel me helemaal niet, hij klonk alsof Harry een of andere oplichter was. 'Als je nagaat dat het Damians idee was om die tip betreffende een ophanden zijnde overname te gebruiken om wat extra geld te verdienen, dan vind ik dat Harry zich keurig heeft gedragen door de schuld op zich te nemen. De laatste paar maanden van Damians moeder zouden helemaal ondraaglijk zijn geweest als Damian in de gevangenis had gezeten. En ze wisten geen van beiden dat ze iets onwettigs deden tot ze er tot hun nek toe in zaten.'

'En dat geloof jij?"

'In het geval van Harry wel, ja. Wat Damian betreft, weet ik dat natuurlijk niet. Harry heeft pech gehad. Zoals je je vast wel zult herinneren was zes maanden twee keer zolang als zijn advocaat verwachtte, maar er waren net een paar schandalen over handelen met voorkennis geweest en de rechter wilde niet te licht oordelen.'

'Harry heeft zes maanden gezeten, maar de volledige straf bedroeg een jaar. Het had zelfs nog langer moeten zijn, maar zoals gewoonlijk bij dit soort zaken was er alleen indirect bewijs... maar toch...'

Uit zijn hele houding sprak afkeuring. Ik wist dat het verstandiger was om het onderwerp te laten rusten, maar Harry was er niet bij om zichzelf te verdedigen.

'Handelen met voorkennis is niets nieuws en tot voor kort was het niet eens in strijd met de wet. En er zijn economen die het daar nog steeds niet mee eens zijn. Om te beginnen zijn er geen slachtoffers... en het komt bovendien niet alleen in beurskringen voor en dan is het niet strafbaar.'

'Harry heeft kennelijk zijn uiterste best gedaan om zijn misstap zo voordelig mogelijk af te schilderen.' Zijn stem klonk kil, droog en sarcastisch. 'Uiteraard.'

'Uiteraard!' beaamde ik en heel even keken we elkaar boos aan, tot ik mezelf inprentte dat het niet in Harry's belang was als Jago en ik nu ruzie kregen. 'Maar goed,' zei ik, iets minder agressief, 'dat is alweer een paar jaar geleden en Harry heeft er duidelijk niet onder geleden.'

Harry had er heel luchtig over gedaan toen hij het me vertelde. Hij was naar een open inrichting gestuurd, waar hij een eigen kamer had en had een bijbehorende taakstraf gekregen. Ik wist dat het allemaal niet zo'n zorgeloze toestand was geweest als hij deed voorkomen, maar het had geen zin om zijn oom te vertellen dat ik grote bewondering had voor het feit dat Harry niet bij de pakken was gaan neerzitten.

'Ken je Damian?' vroeg ik.

'Ja, ik ken hem. En zijn moeder ook.'

Wat Jago betrof, was het onderwerp afgesloten. Hij bleef een tijdje zwijgend naar het vuur staan kijken, bukte zich toen om wat nieuwe houtblokken op het vuur te gooien en wakkerde de vlammen aan met behulp van een blaasbalg. Toen ze weer oplaaiden stond hij op en veegde zijn handen af. 'Het is maar goed dat Demelza is vertrokken. Ze heeft haar goeie kanten – ze is intelligent en geestig – maar ze vindt het leuk om de knuppel in het hoenderhok te gooien. En dat is onder deze omstandigheden maar al te gemakkelijk.'

'Het was wel fijn dat Dickie haar een lift naar Londen kon geven,' zei ik, alsof ik dacht dat ze bij de ondergrondse in Marble Arch afscheid van elkaar zouden nemen.

'Ze is lawaaierig en ik hou van vrede.' Hij bedoelde uiteraard stilte. Een nog minder vredelievend persoon was in de wijde omtrek niet te vinden. 'En wat me ook goed bevalt,' vervolgde Jago, 'is dat ik onwillekeurig mee mag profiteren van Roza's pogingen om indruk op jou te maken. Gisteren was de bibliotheek voor het eerst in maanden gestofd en aangeveegd.'

'Als ze dacht dat het je zou opvallen had ze dat vast wel eerder gedaan.'

'Onzin. Maar ik geef toe dat ik mijn best doe om niet op het stof en de rommel te letten, want het zou allemaal veel te veel moeite kosten. De laatste keer dat ik Roza vroeg om iets aan de spinnenwebben te doen viel ze van de trap, verstuikte haar enkel en moest een week in bed blijven. Morveran liep zich de benen uit het lijf om eten naar boven te brengen en behalve te koken ook nog eens de huishouding te doen. Overigens hield ze de boel een stuk beter aan kant dan nu het geval is. Maar Morveran is ook een bijzondere vrouw. Geen schoolopleiding, geen privileges, maar ze heeft in haar eentje zes kinderen grootgebracht en ze hebben allemaal een fatsoenlijke baan.'

'Wat is er met haar man gebeurd?'

'Op zee vermist. Hij was visser.'

'Och, die arme Morveran!'

'Ja.' Hij fronste en beet op zijn bovenlip. 'Mijn vader gaf haar een baan en een huisje op het landgoed en ze nam haar jongste kind, een baby van zes maanden, elke dag mee naar het werk tot hij oud genoeg was om naar school te gaan. Hij is nu het hoofd van de school.'

Ik keek naar het portret van Harry's grootvader. Het schilderij was vrij goed en toonde hem op latere leeftijd. Hij stond met een hand op de kop van een Ierse wolfshond, met Pentrew op de achtergrond, op en top de landedelman. Zijn gelaatsuitdrukking kon zowel karaktervol als arrogant genoemd worden, afhankelijk van hoe je over hem dacht.

'Dat was aardig van je vader,' zei ik.

'Misschien voelde hij zich verplicht. Het hoofd van de school lijkt als twee druppels water op hem.'

Mijn mening over Harry's opa, die heel even in zijn voordeel was veranderd, wijzigde zich meteen weer.

‘Eten staat klaar.’ Roza keek even om de deur en verdween weer.

Jago hield me de kom met olijven voor. ‘Neem jij de laatste maar. Hoeveel bewondering ik ook heb voor Morverans veerkracht, haar kookkunst is wat mijn vader vroeger altijd een religieuze ervaring noemde.’

‘Religieus?’

‘Verbrande offerandes.’

‘O, ik snap het.’ Ik huiverde. ‘Dat we zo gemeen zijn om een onschuldig dier te offeren om leniging te krijgen voor onze eigen zonden, was een van de eerste dingen waarom ik niets meer met de georganiseerde godsdienst te maken wil hebben.’

‘Dat is typisch vrouwelijke onlogica. Je eet toch ook vlees? Als ze het mes op de keel krijgen, dan maakt het voor een dier niets meer uit of ze op een altaar terechtkomen of in karbonaadjes gehakt worden.’

‘Toevallig eten Percy en ik thuis nooit vlees. Als ik ergens anders ben, eet ik wat me voorgezet wordt omdat ik niet lastig wil zijn. En je hoeft me niet te vertellen dat de mens van nature een vleeseter is. Dat weet ik best. Maar de waarheid is dat je heel oud kunt worden zonder vlees te eten. Tolstoi is tweeëntachtig geworden en George Bernard Shaw vierennegentig. En ze zijn allebei hun leven lang vegetariërs geweest.’

Ik zal wel verdedigend hebben geklonken. Ik wist uit ervaring dat het vegetarisme een gevoelig onderwerp was, zeker voor boeren. Ik zette me dan ook schrap, maar Jago zei alleen kortaf: ‘Nou, dan laten we het daarbij’ en gebaarde dat ik voor hem uit naar de eetkamer moest lopen.

Daar rook het sterk naar boenwas. Onze messen en vorken sprankelden in het kaarslicht. Ik zag voor het eerst dat elk stuk bestek was gegraveerd met wat op het eerste gezicht een S leek en bij nadere bestudering een kleine zeemeermin bleek te zijn. Twee soepkommen bevatten een in tweeën gesneden meloen waarvan de rand een zigzagpatroon vertoonde. Het vruchtvlees was in balletjes uitgestoken en daartussen lagen kleine blaadjes munt en minutieus schoongemaakte sinaasappelpartjes.

‘Goeie genade!’ Jago pakte de lepel die op het schoteltje lag.

'Wat bezielt Morveran?' Hij nam een hap. 'Dat smaakt trouwens helemaal niet slecht.'

We zaten even in stilte te eten tot ik zei: 'Ik geloof niet dat dit het werk is van Morveran.'

Jago reageerde door mijn glas nog eens vol te schenken.

'Ik neem aan dat het wapen van de Tremaines een zeemeermin is,' zei ik om het gesprek op gang te houden. 'Veel leuker dan de gebruikelijke leeuwen- of berenkop.'

Hij keek me koel aan, maar vond kennelijk dat de beleefdheid een uitgebreid antwoord gebood. 'Volgens de overlevering heeft een zestiende-eeuwse Tremaine een zeemeermin uit een visnet gered. Uiteraard was ze heel mooi en uiteraard heeft hij haar daarom verleid. Ze heeft hem een zoon geschonken wiens ogen even blauw waren als de hare. Toen hij hen verliet voor een wat conventionelere partner, heeft ze hem vervloekt. Vanaf die dag zou het hoofd van de familie Tremaine nooit meer een gelukkig huwelijk sluiten. Een afgezaagd, sentimenteel verhaaltje.' Hij glimlachte een tikje spottend en ik moest meteen aan Demelza denken. 'Maar de Tremaine-mannen zijn altijd egoïstisch geweest en hun vrouwen ongelukkig.'

Ik veranderde van onderwerp. 'Harry heeft me verteld dat je kunstenaar was voordat je terugkwam om leiding te geven aan de boerderij. Heb je jezelf leren schilderen of heb je les gehad?'

Hij vertelde me dat hij een jaar kunstacademie had gedaan en daarna naar Parijs was gegaan waar hij eerst nog twee jaar op de *Académie Henri Martin* had gezeten en daarna een baan had aangenomen als grafisch ontwerper. 'Ik begon ook wat schilderijen te verkopen, dus kon ik een flatje in het elfde arrondissement kopen, in de buurt van de Place de la République. Ik was dom genoeg om te denken dat het succes voor het grijpen lag.' Jago drukte zijn servet even tegen zijn mond en het verband gleed van zijn hand waardoor een open wond zichtbaar werd. 'Maar ik praat te veel.' Hij dronk weliswaar twee keer zoveel als ik, maar hij was verre van dronken.

De komst van Roza met een serveerwagentje onderbrak het gesprek.

'Dat was echt verrukkelijk!' zei ik glimlachend tegen haar. Ze zag er doodmoe uit, met donkere kringen onder haar ogen en de klodder lipstick was inmiddels over haar hele voorhoofd uitgesmeerd. 'Er zat een smaakje aan dat ik niet thuis kon brengen.' Ik negeerde de geamuseerd cynische gelaatsuitdrukking van Jago, die me van hypocrisie beschuldigde. 'Was het een of andere likeur?'

'Een dezzertlepel kirsch, hetzelfde van port, een theelepeltje gember...'

Roza beschreef uitvoerig hoeveel moeite ze had gedaan en ik luisterde vol belangstelling omdat ik wist dat ze zich even gelukkig voelde als ze zichzelf op de borst mocht kloppen. Maar Jago's geduld was al snel op. 'Ja... bedankt, Roza,' zei hij zodra hij de kans kreeg om haar in de rede te vallen. 'Is er nog meer te eten?'

Roza deed met een klap haar mond dicht en liep weg met de serveerwagen, het goede humeur dat ik haar had bezorgd volkomen verknald.

Ik vond dat een protest op zijn plaats was. 'Ik weet uit ervaring dat een schouderklopje effectiever is dan kritiek.'

Jago leunde achterover, zodat zijn obstinate blik nog duidelijker overkwam. 'Als we haar allebei naar de mond zouden praten, zaten we hier morgenochtend nog. Ik heb er veel tijd en moeite in gestoken om de reputatie van mensenhater en stuk chagrijn te krijgen, zodat ik in ieder geval in mijn eigen huis met rust gelaten wordt. En dat zet ik niet zomaar opzij om iemand te plezieren die het liefst de rol van de bazige grote zus speelt.' Hij trommelde met zijn vingers op de leuningen van zijn stoel en keek fel. 'Ook al ziet ze er dan toevallig nog zo aantrekkelijk uit.'

Ik haalde net diep adem om te reageren op het middelste stuk van zijn opmerking, maar ik moet toegeven dat ik zo verrast werd door het complimentje aan het eind dat ik vergat wat ik had willen zeggen.

Jago keek tevreden. 'Je bent niet de enige die iemand naar haar hand kan zetten, hoor. Je was bereid om me naar de keel te vliegen, maar je bedacht je toen ik zei dat ik vond dat je er leuk uitzag.'

Wat een gemene, sluwe, hardvochtige, geslepen...

'Maar ik meende het wel. Dat je er leuk uitziet. Hoewel je dat best zult weten. Een aantrekkelijke vrouw weet altijd dat ze de mannen in haar macht heeft. En denk nu niet dat ik met je zit te flirten. Dat zou niet alleen onverstandig maar ook onbehoorlijk zijn. Ik kijk gewoon naar je met een schildersoog, precies zoals ik naar een landschap of een stilleven zou kijken.'

Ik probeerde een scherp antwoord te bedenken, maar ik had een vrij vermoeiende dag achter de rug en drie glazen wijn op. In plaats daarvan keek ik naar mijn bord.

'Goh!' zei ik.

Roza moest de hele middag onder hoogspanning hebben gewerkt. Een kippenborst was platgeslagen tot de dikte van een dubbeltje, gegarneerd met gepelde druiven en opgesierd met een witte saus. In een ovenschaal lagen roosjes aardappelpuree die gebruind waren in de oven.

Jago duwde me een schaal met doperwtjes, uitjes en gesmoorde sla toe. 'Laten we maar gauw gaan eten. Als er ook maar een kruimeltje overblijft, zal er een scène volgen waarbij Antigone een komische figuur uit een goedkope klucht zal lijken.'

'Vertel maar iets meer over je vader,' zei ik.

'Er valt niet veel te vertellen. Hij had een maag als een ijzeren pot en evenveel benul van kunst als... deze hond.' Jago stak zijn been uit en tikte met zijn teen tegen het achtereind van de slapende Minver of Mawes. 'Schrik je ervan dat ik zo openhartig ben?'

'Als het echt waar is...' Ik aarzelde. 'Je klinkt alsof je boos bent op je vader. Boosheid betekent meestal dat iemand zich gekwetst voelt.'

Hij snoof alsof hij die gedachte meteen opzij zette. 'Zoek je altijd excuses voor mensen? Op die manier zou je wel eens moeilijkheden kunnen krijgen.'

'O ja? Hoezo?'

'Omdat er ook mensen zijn die geen nobele inborst verbergen onder complexe neuroses die zijn veroorzaakt door een moeilijke jeugd. Die zijn gewoon écht gewetenloos en onaardig en dan zul jij dat moeten bekopen.’ Hij knikte naar mijn bord. ‘Kun je dat allemaal op?’

‘Het is erg lekker, maar wel heel machtig.’

‘En je houdt niet van vlees. Zal ik een handje helpen?’

‘Graag.’

Jago prikte de kippenborst aan zijn vork en legde hem op zijn bord. ‘En wat heb jij op jouw ouders aan te merken?’

‘Eigenlijk niets. Mijn moeder overleed toen ik veertien was en ze was zo ziekelijk dat ze zich niet gedroeg als andere moeders. We gingen nooit samen ergens naartoe, ze koos mijn kleren niet uit en mijn cadeautjes evenmin en ze bracht me ook nooit naar school. De zeldzame keren dat ik bij haar was, gedroeg ik me altijd keurig. Maar ik hield heel veel van haar, waarschijnlijk omdat ik het gevoel had dat ik haar moest beschermen.’

‘Voelde je je dan niet verwaarloosd?’

‘Ik was heel gelukkig. Ik had geen flauw idee dat alles ook anders kon.’

Jago at peinzend en met een frons mijn stuk kip op. Ik werkte met een gevoel van opluchting het laatste hapje aardappelpuree naar binnen.

‘Ik mag barsten als ik ook maar iets van je begrijp,’ zei hij op het moment dat Roza met een glimmend gezicht en loshangende haren weer binnenkwam. Jago liep naar het buffet om nog een fles wijn open te trekken.

‘Het was echt heerlijk,’ zei ik. ‘Ik snap niet hoe je dat allemaal in die korte tijd hebt klaargespeeld.’

‘Die oven is aan één kant te heiss en aan de vorkant te kalt.’ Roza trok een gezicht naar Jago’s rug. ‘Een elektrisch fornuis ist was die antieke keuken nötig hat.’

‘Zet dat maar gerust uit je hoofd. En in de theeketel die je eindelijk hebt gepoetst kan ik zien dat je smoelen staat te trekken.’ Roza haalde zo diep adem dat haar borsten twee maten groter werden, maar voor ze kon reageren, zei hij: ‘Dat was een uitstekende maaltijd. Dank je wel.’

Zo’n onverwacht complimentje had hetzelfde effect op Roza als op mij. Haar ogen werden zachter en ze kreeg dezelfde kleur als het stuk kaas dat ze op tafel zette. 'Ik zet appelgebakjes op buffet. Kunnen nog lekkerder met betere ingrediënten.'

Maar toen hij zich omdraaide, verknalde hij alles weer. 'Goeie genade, Roza! Wat heb je in vredesnaam met je gezicht gedaan? Vertel me nou niet dat je je bij de abstracte expressionisten in Truro hebt aangesloten.'

Ze rende naar de theeketel, zag de rode streep op haar voorhoofd, slaakte een kreet van afschuw en holde weg.

Toen hij na de kaas opstond om een stukje appeltaart te pakken zei hij: 'Kijk toch eens aan! Hoe ben je erin geslaagd om Roza zover te krijgen dat ze de handen uit de mouwen steekt?'

'Ik heb haar verteld dat ik altijd zelf kookte en dat het volgens mij een achtenswaardige bezigheid was. Het was een gokje dat goed uitpakte. Ze kan echt heel goed koken. Ik wou dat ik niet zo vol zat.'

'Bedoel je dat ik al die appeltaart op moet eten?'

'Ik ben bang van wel.'

Uiteindelijk aten Minver en Mawes de rest van de appeltaart op. We bliezen de kaarsen uit en gingen naar de salon, waar ik koffie inschonk en hij een symfonie van Brahms opzette. Ik sloot mijn ogen om beter te kunnen luisteren en binnen de kortste keren moest ik een maaltijd voor zestig personen koken, met niets anders dan een vat haringen en een pot frambozenjam. Toen ik wakker schrok van een luidruchtige kopersectie zat Jago met zoveel afkeer naar me te kijken, dat ik me meteen schuldig voelde, ook al had ik geen flauw idee wat ik misdaan had. Toen hij zag dat ik wakker was, trok hij weer zijn gebruikelijke spottende gezicht. Daarna zaten we allebei te gapen tot de tranen ons in de ogen sprongen en toen de plaat was afgelopen gingen we allebei naar bed.

15

'Maar Harry, kun je niet gewoon een auto huren en later een nieuwe kopen?'

'Sorry, lieverd, maar de lijn is niet best. Wat zei je?'

Het probleem zat hem niet zozeer in de telefoonlijn, maar meer in de denderende muziek op de achtergrond. Dat wil zeggen bij Harry, want bij mij was alleen het gekrijs van zeemeeuwen en de wind om het huis te horen. Het was zes uur 's avonds en de lucht begon al van vochtig grijs te verkleuren naar schitterend paarsblauw.

'Ik vroeg waarom je nu geen auto kunt huren om dan volgende week, als we terug zijn in Londen, een nieuwe te kopen. Ik had me er zo op verheugd dat ik je vanavond weer zou zien.'

'Dat weet ik wel, schattebout, en ik verlang ook ontzettend naar jou en al die heerlijke dingen die we samen kunnen doen. Maar ik ben tot de conclusie gekomen dat de man van wie ik die Aston Martin heb gekocht een boef is en ik denk dat hij best wist dat er iets ernstigs mis was toen hij mij die auto verkocht. Ik wil hem nu het mes op de keel zetten om voor een redelijke prijs iets anders te kunnen kopen, anders geef ik hem aan. Maar ik kom heus zo gauw mogelijk terug. Verveel je je erg, arme schat?'

'Helemaal niet. Vanmorgen ben ik teruggegaan naar het pompstation en vanmiddag ben ik met Percy naar de kermis in St. Issy geweest.'

Toen ik die ochtend de keuken binnenkwam, was Jago mopperend op zoek geweest naar het broodmes. Ik vroeg waar iedereen was en hij zei dat Morveran de kippen voerde en dat Roza voor zover hij wist nog in bed lag. Ik begreep dat hij opnieuw in zijn eentje alle koeien had moeten melken, vandaar zijn slechte humeur. Hij had argwanend gefronst toen ik een bord vol eieren met spek voor hem neerzette. 'Wat nou? Ik heb je toch niet gevraagd om ontbijt voor me te maken?'

'Ik moest toch iets voor Percy en mij klaarmaken. Maar als je het niet lust, geef ik het wel aan de honden.'

'Nou ja, ik eet het wel op. Bedankt.'

'O, Art,' zei Percy met een mond vol geroosterd brood. 'Ik was eigenlijk een beetje vergeten dat die gemene zuster Francis me ook had opgedragen om de eerste tien hoofdstukken van *The Trumpet Major* te lezen terwijl ik weg was. Dat is ons nieuwste leesboek.'

'Niet met volle mond praten, schat. Ik wou dat je daar eerder aan had gedacht, want het zit er dik in dat de boekwinkel in Truro dat niet in voorraad heeft.'

Jago viel me in de rede. 'Waar is de blauw-witte botervloot?'

'Dat vroeg ik me ook af. Die heb ik al een dag of twee niet meer gezien.'

Hij keek fronsend naar het saaie bruine schaaltje dat ervoor in de plaats was gekomen. 'Ik hoop dat hij niet kapot is. Ik hield van dat ding.'

'Ja, het is beeldschoon,' beaamde ik. 'En trouwens ook veel geld waard.'

'Ja natuurlijk. Het is antiek Worcester.'

Als Harry's vader dat ongeluk niet had gehad, zou Jago nou in een atelier aan het stoeien zijn in plaats van tegen me te snauwen voordat hij weer in de modder aan de slag moest met onwillige apparaten, dus het was niet zo vreemd dat hij geërgerd was.

'Morveran, wat is er met de botervloot gebeurd?' wilde Jago weten toen ze binnenkwam met een mand vol eieren.

'Nadat Demelza hem bijna uit d'r handen liet vallen, heb ik 'm weggezet, omdattie zo kostbaar is.' Morveran liep naar de bijkeuken en kwam terug met een verbaasd gezicht. 'Foetsie. Ik ben wel een beetje doezelig tegeswoordigs maar ik weet waar ik 'm neergezet heb. Iemand heeft 'm vast weggepakt.'

Morveran rustte niet tot ze de hele keuken en bijkeuken op de kop had gezet, maar de botervloot was niet te vinden. Jago liep weg met een gezicht als een donderwolk om volgens mij Jem aan de tand te voelen, maar een minuut later kwam hij terug met een in donkerblauw leer gebonden boek, goud op snee. *The Trumpet Major* van Thomas Hardy. Ik kon hem niet eens fatsoenlijk bedanken, want hij was alweer weg voordat ik de kans kreeg.

Ik had het even ingekeken voordat we met de bus naar de kermis waren vertrokken en in gedachten was ik nog steeds in de West-Country van een eeuw geleden. Maar in het heden stond het sportveld van de school vol kermisattracties, fel verlicht en met de bijbehorende schelle muziek.

'Een Waltzer!' Percy greep me bij mijn arm. Mensen met verdacht groene gezichten zaten in een soort grote theekopjes die met een noodgang rondtolden op een draaimolen. 'Daar moeten we in! Gauw, Art, hij gaat net stoppen.'

'De laatste keer dat ik me in zo'n ding heb gewaagd heb ik een week lang last van mijn rug gehad.'

'Ik vinnut niet erg om een beetje doormekaar gehusseld te worden,' zei Morveran die met ons mee was gegaan. 'Ik pas wel op juffrouw Percy.' Haar ogen glansden bij voorbaat.

'Zit je zus niet op je te wachten?'

'Die vinnut best als ik rond theetijd komp.'

'Nou, als je het zeker weet...' Ik gaf haar een briefje van vijf pond en zei dat ik hen over een halfuurtje wel weer zou zien.

Maar het was bijna drie kwartier later toen ik met een paar tassen vol planten die ik op de markt had gekocht weer terugkwam bij de kermis. Morveran en Percy waren nergens te bekennen, dus ik liep over het veld waar de geest van Hardy in een moderne vermomming rondwaarde. Jonge knullen met achterover gekamd haar en strakke broeken deden net alsof ze niet geïnteresseerd waren in al die meisjes met hun korte rokjes en T-shirtjes onder hoogspanning. Toen Morveran en Percy opdoken, hadden ze allebei een ijshoorntje bedekt met chocoladevlokken in de hand.

'Is dat wel verstandig, lieverd?' Ik dacht aan de busrit terug naar huis.

'Dit is veel lekkerder dan die ijslolly's die ik van jou altijd moet nemen.'

Er zat een rode kring om haar mond, waaruit ik kon opmaken dat ze ook een suikerspin had gehad.

'Hoe laat gaat de volgende bus?' vroeg ik aan Morveran.

'Tien over.'

'Geweldig! Dan kunnen we nog net in de Jet Fighter Flight-simulator! Gauw!' Percy pakte Morverans arm.

Voordat ik kon protesteren, renden ze het kermisterrein weer op. De vijfentachtigjarige kromme benen van Morveran hadden de grootste moeite om de rappe twaalfjarige van Percy bij te houden. Ik ging erbij zitten en telde in gedachten de uren die het nog zou duren voordat Harry terug zou zijn – vier als er geen files waren – terwijl om me heen vrouwen stonden te kletsen en de rij voor de bus steeds langer werd.

'Sorry, dames,' zei een man in het uniform van de busmaatschappij toen de kerkklok net had geslagen. 'De bus is onderweg vanuit St. Stephen kapotgegaan. Er is een monteur naartoe, maar het ziet er niet best uit.' Zijn ogen waren zo blauw als campanula's.

'Wanneer gaat de volgende bus?' vroeg ik terwijl iedereen om me heen begon te mopperen.

'Dat hangt ervan af.'

'Waarvan af?'

'Of hij 'm snel kan repareren. 't Is namelijk de enige bus, snapt u? Die rijdt de hele dag heen en weer.'

Ik begreep het.

'En hoe kommen wij dan thuis?' vroeg een van de vrouwen.

De man wees over zijn schouder. 'Jenks komt deraan met de janplezier.'

Er klonk het geluid van een slecht afgestelde motor en alles rook ineens naar benzine toen een fantastisch ouderwets voertuig aan kwam sputteren. Het had een gestreept linnen dak en was aan de zijkanten open, zodat je de verweerde houten banken zag die het interieur vormden. De andere vrouwen klommen meteen naar binnen.

‘Effe opschieten, juf,’ zei de man tegen mij. Jenks begon als extra aanmoediging te toeteren.

‘Vraag of hij nog even kan wachten, dan ga ik mijn zusje halen.’

Ik rende de kermis op, maar de kaartverkoper van de simulator zei dat het nog vijf minuten zou duren voordat de rit voorbij was. Toen ik me omdraaide, zag ik de janplezier de straat uit tuffen.

‘O, hemeltje,’ zei Morveran een tijdje later. Ze hadden haar uit het apparaat moeten tillen omdat haar knieën dienst weigerden na de virtuele vlucht door de troposfeer, maar ze zag er beter uit dan Percy, die even groen leek als mijn nieuwe oorbellen. ‘Hoe mot u nu thuiskommen?’

‘Is er geen taxi?’

‘Alleen in Truro.’

‘O. Nou, dan gaan we maar lopen. Het is nog geen vijf kilometer.’

Morveran keek omhoog. ‘D’r komt regen.’

Ze had gelijk. We waren nog maar net onderweg toen het al flink nevelig begon te worden. Nog erger was dat drie opgeschoten knullen achter ons aan kwamen toen we net het dorp uit waren.

‘Wat een lekker stel brammen! Lach es! Doe maar niet zo verwaand!’

‘Niet op letten,’ zei ik tegen Percy. ‘Ze krijgen er zo wel genoeg van.’

Ik zette er flink de pas in, maar dat beviel Percy niet. ‘Ik wou dat ik die hotdog niet had gegeten,’ klaagde ze.

‘Haal maar even diep adem. Het begint al te regenen, dus ze zijn zo weg.’

Maar de jongens hielden vol.

‘Willen jullie me slagwerk zien, meiduh?’ schreeuwde eentje, waardoor de andere twee de slappe lach kregen.

‘Wat bedoelt hij?’ vroeg Percy.

‘Geen idee.’ Ik verplaatste de tassen, omdat ik pijn in mijn schouders kreeg. ‘Loop nou maar door.’

Waarschijnlijk was het gewoon grootspraak, maar ik had geen zin om dat uit te proberen.

'Heb je geen zin om een roze sigaartje te roken?' riep een ander. Ze waren inmiddels veel dichterbij gekomen.

'Zo is het mooi geweest.' Ik draaide me met een ruk om. 'Maak nu maar dat je weg komt.'

Twee van het stel deinsden achteruit toen ze zagen dat ik echt boos was, maar de leider grijnsde onaangenaam. 'O! Hoor haar nou! We hebben niks gedaan. Dit is de openbare weg.' Hij pakte m'n arm vast. 'Kom nou maar, lekker ding. Je hebber best zinnin, hè?'

'Laat haar los!' schreeuwde Percy terwijl ze hem een schop gaf.

Binnen de korste keren waren we omsingeld.

'Daar krijg je spijt van,' zei de brutaalste en greep Percy bij haar haren.

Een Land Rover kwam de hoek om zeilen en remde abrupt. Jago's hoofd dook op uit het raampje.

'Stap in.'

'Ik ben nog nooit zo blij geweest om iemand te zien,' zei ik terwijl Percy achterin ging zitten bij de honden. 'Ik begon echt bang te worden.'

'Je had alleen maar boe hoeven te zeggen,' zei Jago lomp.

Mannen hebben er geen idee van hoe vervelend het is om kleiner en minder sterk te zijn. Op het moment dat hij opdook, waren onze kwelgeesten als sneeuw voor de zon verdwenen.

Het leek me beter om maar niet dieper op het onderwerp in te gaan waar Percy bij was. 'Wat is er met je hand gebeurd?'

Die was van de vingertoppen tot de pols ingezwachteld met schoon wit verband.

'Het begon een beetje zeer te doen en omdat ik me koortsig voelde, ben ik naar het ziekenhuis gegaan. Ze hebben me antibiotica meegegeven.'

Hij zag er moe uit. Inmiddels regende het pijpenstelen en de weg kwam bijna blank te staan.

'Ik heb de gemeente nog zo gezegd dat ze hier een afwateringskanaal moeten aanleggen, maar ze zeggen dat er te weinig verkeer is. Wat is er?'

Percy tikte hem dringend op de schouder met haar hand voor haar mond.

'Stop!' riep ik. 'Ze moet overgeven!'

Maar het was al te laat. Percy deponeerde het ijsje, de suikerspin en de hotdog in een of andere gereedschapskist. Toen Jago ons bij de voordeur van Pentrew afzette en met een boos gezicht wegreed, kon ik dat best begrijpen. Mijn aanbod om de kist schoon te maken was op een muur van stilzwijgen gestuit.

'Nee,' zei ik tegen Harry, 'ik verveel me helemaal niet. Maar ik durf nauwelijks tegen je oom te zeggen dat we voor de derde achtereenvolgende dag met ons tweetjes aan tafel zullen moeten.'

'Hoezo? Waar zijn Demelza en Dickie dan?'

'Die zijn naar Londen vertrokken.'

'Kijk eens aan.' Het was even stil. 'Samen?'

'Ja. En dat was best gênant, want ik ken geen man die het leuk vindt als zijn vrouw opzichtig met iemand anders begint te flirten.'

'Misschien heb je wel gelijk,' zei Harry nadenkend. 'Ze is wel een ondeugende tante, hoor.'

'Harry, schiet nou eens op!' zei een vrouwenstem op de achtergrond.

De geluiden verdwenen abrupt, alsof hij zijn hand over de hoorn had gelegd. 'Sorry, schat,' zei hij een paar seconden later. 'Dat was de receptioniste. Ze rijdt me even naar de garage. Ik moet er echt vandoor.'

'Nou goed, dan,' zei ik. 'Als je maar zo gauw mogelijk terugkomt.'

Achter hem begon een vrouw schaterend te lachen.

'Dat beloof ik, liefste van me. Ik wil alleen maar bij jou zijn. Geloof je me?'

'Ja.'

Als ik had gezegd dat ik dat in twijfel begon te trekken, zou het gesprek alleen maar vervelend zijn geëindigd. Ik had het gevoel dat ik overdreven sentimenteel en fantasieloos reageerde. We zouden de rest van ons leven bij elkaar zijn. Wat maakten dan die paar daagjes tijdens de huwelijksreis uit?

Roza zat aan de keukentafel met haar linkervoet op haar rechterknie, een vergrootglas en een pincet in haar handen.

'Ha! Weer terug van de kermis. Ik Jago verteld dat bus kapot is en hij je moest halen.'

'Hoe wist je dat?'

'Osbert Parsley heeft boodschappen gebracht. Hij heeft drie grote winkels maar hij speelt graag voor boodschappenjongen om mij te zien. Hij is verliefd op me. Hij vertelt me dat je janplezier miste. Iedereen weet hier altijd alles van mekaar, want er gebeurt nooit iets. Ik krijg die verdraaide splinter niet uit. Doet echt zeer.'

Ik ging naast haar zitten. De splinter bezorgde me geen problemen, maar de doorn in haar andere voet was lastiger. Ik haalde een bak warm water zodat ze haar voet kon laten weken.

'Jago is vandaag echt uit de hum. Ik denk zijn hand doet pijn. En Jem ligt al hele dag in bed met hoofdpijn.'

Op dat moment klonk het geluid van de fluitketel en een plan dat me al een paar dagen door het hoofd speelde, kreeg vaste vormen.

'Waarom pikt Jago zoveel van Jem?' vroeg ik. 'Waarom ontslaat hij hem niet?'

'Jem is hier al heel lang. En Quintin, Harry's vader, heeft zijn oog met een luchtbuks uitgeschoten.'

'Wat triest. Maar het zal wel een ongeluk zijn geweest.'

Roza haalde haar schouders op. 'Was allang gebeurd toen ik hier kwam. Maar Quintin was slecht. Houdt van meisjes maar het loopt altijd slecht met hen af. Dat zeggen ze hier in de buurt. Is nu alweer lang dood. Ik was toen vrolijk jong meisje. Veel mannen gek op me. Nu ben ik dienstbode en niet vrolijk.'

'Maar nog wel jong,' zei ik braaf.

'Ik zesendertig.' Roza trok een pruillip. 'Ik maak gekruide kaasrolletjes,' vervolgde ze met een blik op het volle tafelblad.

'Geweldig! Jago was diep onder de indruk van je kookkunst gisteravond. Maar hij was wel een beetje bezorgd dat je te hard werkt.'

Roza wierp me een snelle blik toe. 'U bedoelt lief, maar is niet waar. Als ik doodval van werk stapt Jago gewoon over me heen. Hij haat alle vrouwen. Hij gebruikt ze en dan weg. Hopla!' Met een wegwerpgebaar.

'Dus Quintin en Jago waren van hetzelfde laken een pak?' informeerde ik nieuwsgierig.

'Nee. Heel anders. Quintin houdt van jonge meisjes. Liefst maagd. Jago houdt van ervaren vrouwen. Nu. Vroeger ook wel van maagden.'

'Dat zal wel voor de meeste mannen gelden.'

'Ik jou iets vertellen over Jago. Is bijna twintig jaar geleden gebeurd. Morveran heeft mij verteld. Een jong meisje uit St. Issy vrijt met Quintin en Jago. Niet tegelijk, maar afgewisseld. Dan zegt ze dat ze kind krijgt van Quintin. Van hem kan ze naar de hel lopen, dus zegt ze dat het van Jago is. Hij geeft haar iedere week geld. Maar vader van meisje dreigt met aanklacht wegens vaderschap. Hij wil meer geld en misschien wel huwelijk met zoon van landedelman. Daarna wil Jago niets meer van haar weten en geeft geen geld meer. Anders nadelig bij rechtszaak, snap je?'

'Ja.'

'Meisje stuurt hem brief en wil afspraak bij Duivelstroon. Sentimentele dwaas gaat ernaartoe. Ze zegt dat ze van hem houdt. Hij mag haar niet in steek laten anders springt ze van Duivelstroon af. Ga maar naar huis, zegt hij.' Roza's chocoladebruine ogen puilden uit van opwinding. 'En voor hij weet wat gebeurt, springt meisje naar beneden. Valt dood op de rotsen.'

'Nee toch!' Er ging een rilling door me heen.

'Vader van meisje zegt tegen iedereen is moord. Jago wordt met dood bedreigd en paar koeien vergiftigd. Jago gaat naar Frankrijk en wil voorgoed wegblijven, maar dan Quintin dood in auto-ongeluk en Jago moet weer terug. Auwau!'

'Sorry. Maar de doorn is eruit. Kijk maar. Is er nog een rechtszaak van gekomen?'

'Politiedokter zegt zelfmoord. Meeste mensen nu wel vergeten. En maakt toch niks uit voor rijke mensen zoals u die in grote huizen wonen.'

‘Is er iets te eten?’ Percy leunde over mijn schouder. ‘Ik ben in bad geweest en nu rammel ik van de honger.’

‘Ik maak wel wat toast met jam voor je,’ zei ik.

‘Ik geen “alsjeblieft” gehoord,’ zei Roza.

‘Art,’ zei Percy terwijl ze opvallend haar best deed om Roza niet aan te kijken, ‘jij vertelt me toch altijd dat het heel onfatsoenlijk is om je in het gesprek van andere mensen te mengen?’

Roza stond op en strompelde de keuken uit.

‘Dat was heel onaardig, lieverd,’ zei ik. ‘Ik weet best dat ze moeilijk is, maar het leven kan heel wreed zijn.’

Dat sloeg niet alleen op Roza. Ik keek op mijn horloge. Kwart voor zes. Tijd om mijn plan uit te voeren.

16

Behalve de herrie van herkauwende koeien, stampende hoeven en het gerinkel van halskettingen klonken ook de rustgevende klanken van Beethovens Pastorale in de melkstal. Jago zat op zijn hurken met zijn rug naar me toe en probeerde de bekers van de melkmachine aan te sluiten op de uier van een koe.

'Hallo,' zei ik.

'Wat doe je hier?' Hij draaide zich niet om. Het woordje 'verdomme' ontbrak er nog net aan.

'Ik dacht dat ik misschien een handje kon helpen. Aangezien jij er nog maar één overhebt.'

'Dat is heel... aardig van je.' Dit keer keek hij wel op. 'Maar ik heb toch het idee... Pas op!'

Ik stapte achteruit toen de koe haar staart optilde en een stomende groene vlaai deponeerde op de plek waar ik net had gestaan.

'Snap je wat ik bedoel?' Hij schonk me dat bekende flauwe glimlachje.

Hij kon natuurlijk niet weten dat ik in mijn jeugd in de vakanties elke dag de stal van Charity had uitgemest en dat ik dus niet bang was van een beetje mest. En hij kon ook niet weten dat ik dan vaak genoeg en met veel plezier allerlei klusjes had opgeknapt voor Bob Stickle, de pachter van onze boerderij. Jago had een plastic zak om zijn verbonden hand gedaan en met die hand hield hij de klauw met de rubberslangen vast waaraan de bekers zaten. Vandaar dat hij nu moest proberen de machine aan te sluiten met zijn verkeerde hand en dat ging niet. Hij vloekte binnensmonds.

'Laat mij dat maar doen,' stelde ik voor en bukte me. Binnen de kortste keren was de machine aangesloten en ik pakte de emmer met desinfecterende vloeistof op en zei: 'Zal ik ook de volgende doen?'

De gezichtsuitdrukking van Jago was voldoende beloning. De twee uur daarna was ik druk in de weer, tot de melkstal een oase van rust was, vol klassieke muziek en het gezoem van de melkmachine, af en toe onderbroken door wat geloei en malende (koeien)kaken. Myrtle kwam binnen lopen, die voelde zich kennelijk bijzonder op haar gemak in de melkstal. Het wederzijdse begrip tussen koeien en katten was me al eerder opgevallen. Terwijl de kat rondliep en handig alle zwiepende staarten en stampende hoeven ontweek, was ik me bewust van Jago die zonder iets te zeggen heen en weer liep met de roestvrijstalen melkbussen die in de grote tank geleegd moesten worden.

Nadat ik uiteindelijk de klauwen, de rubberslangen en de bekers van de melkmachine met kokend water en een schoonmaakmiddel had afgeborsteld lieten we de koeien weer los in de wei. Minver en Mawes die boven op een brede stenen muur hadden liggen slapen, sprongen eraf.

'Moe?' vroeg Jago terwijl we terugliepen.

'Nee.'

'Jokkebrok.'

We liepen zwijgend verder over het rotspad. Eerlijk gezegd was ik wel degelijk afgepeigerd en ik denk dat hij last had van zijn hand. De zee was een impressionistische droom van brede penseelstreken, pruisisch blauw, cadmiumgeel en zachtoranje. Een oranje vlinder fladderde rond onze voeten.

Toen we bij het huis aankwamen, zei Jago: 'Dat had je absoluut niet hoeven te doen. Dank je wel.'

'Je bent ons vanmiddag ook komen ophalen.'

Hij hield de deur voor me open. 'Roza had de hele zaak op stelten gezet als ik dat niet had gedaan.'

Ik wist best dat hij zich niets aantrok van wat Roza zei, maar om de een of andere reden vond hij het leuk om net te doen alsof hij was omringd door een stel veeleisende vrouwen die hem onder de duim hielden.

'Nou ja, het was eigenlijk geen kwestie van dienst en wederdienst,' zei ik. 'Toevallig vind ik het leuk werk.'

'Hoe vond Morveran het eigenlijk dat ze niet langer voor keukenprinses hoeft te spelen?' vroeg ik een halfuur later aan Jago toen we ons te goed deden aan eieren en garnalen in gelei vergezeld van zelfgemaakt notenbrood.

'Daar heeft Morveran het vanmiddag nog met me over gehad. Het schijnt dat Roza haar voorgoed uit de keuken heeft verbannen. Ik had het gevoel dat ze ieder moment in tranen uit kon barsten.' Toen hij mijn bezorgde blik zag, grinnikte hij. De klier. 'Van blijdschap dan. Zij gaat in plaats daarvan de boel aan kant houden. En beschuldig me er nu niet meteen van dat ik me als een slavendrijver gedraag tegenover een zielig oud vrouwtje. Ik mag dan niet veel begrip voor andere mensen kunnen opbrengen, maar Morveran zou het vreselijk vinden als ze zich overbodig zou voelen.'

'Dat ben ik roerend met je eens.'

Hij zag er een tikje onbehaaglijk uit. Ik had me veel eerder moeten realiseren dat een beetje inschikkelijkheid de beste manier was om met deze opvliegende man om te gaan. Bij een echtgenoot zou dat een gevaarlijk precedent kunnen scheppen, maar bij een aangetrouwde oom kon het geen kwaad.

'Voelt je zusje zich weer wat beter?' vroeg hij.

'Ja, dank je. En ze heeft al een heel stuk van *The Trumpet Major* gelezen.'

'Wel een stuk chagrijn, die Hardy. Maar zijn beschrijvingen van het platteland zijn adembenemend mooi.'

We begonnen over boeken te praten en ik ontdekte tot mijn verrassing dat we het, in tegenstelling tot eerdere onderwerpen, roerend eens waren over literatuur. Hij vroeg niet naar Harry en daar was ik blij om.

Ik begon me te ontspannen. Roza bracht de gekruide kaasrolletjes binnen en ik prees haar uitbundig voor het voorgerecht.

Ze beschreef uitvoerig hoe ze dat had gemaakt en net toen ik begon te wensen dat Jago niet duidelijk liet merken dat het hem niet interesseerde, zei ze: 'O ja, toen je vanmiddag weg was, belde Caroline Brassy. Ze heeft boodschap doorgegeven. Is bij haar tante en daar moet je haar vanavond tussen tien en halfelf bellen. Dit is nummer.' Roza legde een stukje papier naast zijn bord. 'En zeg dan meteen dat ik niet leuk vind om "vrouw" genoemd te worden. Zo van "schiet toch eens op, vrouw" als ik zoek naar potlood.'

'Waarom kunnen vrouwen toch nooit met elkaar opschieten?' mopperde Jago toen Roza zich waardig had teruggetrokken. Ik zei niets. 'Nou goed, Roza is op dit moment helemaal weg van jou,' ging hij verder, 'maar ik waarschuw je, dat zal niet lang duren. Je hoeft maar iets te doen om haar te beledigen, dan vergeeft ze je dat nooit. Caroline kan walgelijk onbeschoft zijn, maar daar moet Roza helemaal niet op reageren. Het is een soort emotionele chantage als je overal zo gevoelig op reageert dat iedereen om je heen op zijn tenen moet gaan lopen.'

Hij pakte zijn vork op en begon te eten.

'Nou ben je volgens mij niet echt eerlijk.' Ik volgde zijn voorbeeld. Het eten smaakte heerlijk. 'Als Caroline onbeschoft doet tegen jóú, dan weet je desondanks dat ze... dat ze je graag mag.' Ik had eigenlijk willen zeggen dat ze van hem hield, maar dan zou hij meteen begrijpen dat ik zijn telefoongesprek van een paar dagen geleden had afgeluisterd. 'Dat geldt niet voor Roza. Ze is onzeker omdat ze eenzaam is.'

'Eenzaam?' Hij schreeuwde bijna. 'Hoe kan een mens eenzaam zijn in een huis waar je geen moment rust krijgt?'

'Ik heb het niet over de tastbare aanwezigheid van allerlei mensen, ik heb het over de wetenschap dat er iemand in de buurt is die net zo denkt als jij en die waardering voor je heeft. Dat weet je best, trouwens,' voegde ik er aantoe.

Hij zuchtte en leunde achterover. 'Of van wie je kunt aannemen dat je allebei over hetzelfde praat. Ik begrijp wat je bedoelt.'

Dat was aardig van hem. Toen ik aanbood om zijn eten in stukjes te snijden omdat het hem moeite kostte dat met één hand te doen accepteerde hij mijn aanbod en keek toe terwijl ik daarmee bezig was. 'Vertel eens wat je precies van plan bent met de mijn.'

Ik was ervan uitgegaan dat hij het hele project dwaas en onverstandig vond. Daarom begon ik voorzichtig uit te leggen wat mijn bedoeling was en hij luisterde toe zonder me in de rede te vallen. Toen Roza weer opdook met een soufflé Rothschild en vertrok nadat ze haar verontschuldigingen had aangeboden omdat ze perziken uit blik had moeten gebruiken, zei ik: 'Je moet haar zo tactvol mogelijk aan haar verstand zien te brengen dat we niet op dit soort extravagante schotels zitten te wachten. Daarvoor heb je een hele ploeg keukenhulpen nodig. Op deze manier houdt ze het geen veertien dagen vol.'

'Waarom moet ik dat doen? Ze eet uit jouw hand.'

'Als ik dat zeg, zal het als kritiek klinken. Als jij het zegt, zal ze gewoon denken dat je de voorkeur geeft aan eenvoudige maaltijden. Dat geldt voor een heleboel mannen. Of dat je niet zoveel geld wilt uitgeven.'

'Met andere woorden, ik moet voor boeman spelen. Nou vooruit, dat ben ik wel gewend. Ik snap alleen niet waarom ze hiervóór nog geen toetje heeft klaargemaakt.'

'Als ze maar had gedacht dat jij dat zou waarderen had ze dat vast wel gedaan.'

'O, nou ja, ik snap toch niets van dat mens. Ook niet waarom ze na vijf jaar nog steeds geen fatsoenlijke Engelse zin kan uitbrengen. En ik wil inderdaad niet zoveel geld uitgeven. Hoeveel zou dat koperen dak voor de verbindingsgangen kosten?'

'Ergens tussen de twee- en de drieduizend pond.'

Jago trok een gezicht. 'Wie moet dat betalen? Of ben je van plan zelf voor de rekening op te draaien?'

'Ik wou dat ik dat kon. Harry zal het moeten betalen, vrees ik, maar het zal het geld waard zijn. Niet alleen omdat het beeldschoon zal staan, maar als je het vier tot vijf jaar achter elkaar gedurende meer dan zes maanden per jaar kunt verhuren zal het winstgevend worden. De rekening van de aannemer zal het enige grote bedrag zijn naast het koper en het glas. Alle andere materialen – stenen en dakpannen – kunnen van het pomphuis komen. Als jij tenminste toestemming geeft om het af te breken. Ik haat het om oude gebouwen met de grond gelijk te maken maar het is echt niet meer te redden.'

Jago legde zijn lepel neer. 'Ik zou de tekeningen graag willen zien als je die klaar hebt. Heb je nog andere ideeën om Pentrew rendabel te maken?'

We begonnen te praten over het verbouwen van andere panden (zoals de uitkijktoren) en Jago leek verrassend ontvankelijk voor mijn ideeën. Hij vergat om cynisch te doen en maakte een paar opmerkingen waaruit bleek dat hij een behoorlijke kennis had van architectuur. Ik vergat om verdedigend te doen en zat vol genoegen te fantaseren.

Die avond zette Jago de Negende Symfonie van Beethoven op. 'Ik heb behoefte aan iets dat mijn zorgen wegvaagt. Het schijnt dat Hitler nooit naar de begintonen van het laatste deel kon luisteren zonder een brok in zijn keel te krijgen. Dat heeft hij tenminste vaak verteld. Ongetwijfeld ging hij er prat op dat hij zo gevoelig was. Maar ja, het leven zou ook ondraaglijk worden als we geen valse voorstelling hadden van onze eigen onovertroffen goedheid, hè?'

'Ik heb altijd veel troost geput uit mijn morele superioriteit,' zei ik en werd beloond met een glimlach.

Hij ging zitten, stak een sigaar op en sloot zijn ogen. Ik zat een tijdje in het vuur te staren en toen ik opkeek, had hij nog steeds zijn ogen dicht en zijn gezicht was ontspannen. Er zat een askegel aan de sigaar, die ineens uit zijn vingers viel. Ik pakte hem op en maakte hem uit in de asbak. Om niet van bazigheid beschuldigd te worden, schudde ik hem niet wakker maar maakte de houtblokken met de pook kleiner. Daarna zette ik het haardscherm voor het vuur en liep op mijn tenen de salon uit.

Op de eettafel lag het stukje papier met het nummer van Carolines tante. Ik keek op mijn horloge. Vijf voor halfelf. Ik vroeg me af of ze bij de telefoon zou zitten.

In de keuken zat Roza aan tafel. Een glinsterende wang lag op haar arm en ze snurkte zacht. Ik liet ook haar met rust en liep naar Morverans kamer waar zij en Percy voor een flikkerend tv-scherm zaten te dutten. Ik maakte Percy wakker, bracht haar naar bed en deed het licht uit. Myrtle sprong op het dekbed en nestelde zich in Percy's knieholten.

Toen ik zelf aanstalten maakte om naar bed te gaan voelde ik me ineens gedeprimeerd. Ik deed het raam open en keek naar de blinkende lichtjes van een vliegtuig dat tussen de sterren door vloog voordat het verdween in wolken die sprekend leken op een kudde wollige schapen. Als de maan tevoorschijn kwam, werd de zee ineens met een laag bladzilver bedekt. De stalklok sloeg elf uur. In mijn hart gaf ik Harry een fikse uitbrander omdat hij me alleen gelaten had en voor het eerst voelde ik dat er een grote afstand tussen ons was, zowel emotioneel als geografisch. Ik kon me nog maar al te goed herinneren hoe ik was geweest voordat ik hem ontmoette. Ik was vergeten dat ik me mijn leven lang zorgen had gemaakt tot hij kwam en me daarvan verloste. Vóór die tijd ging ik voortdurend gebukt onder verantwoordelijkheidsgevoel, twijfels en mijn eigen verwarde manier van de zaken in balans te houden.

Nee, nee, nee, berispte ik mezelf terwijl ik tussen de ijskoude lakens gleed en de wekker op halfzes zette. Ik was moe en dat was de reden waarom ik in de put zat. Om in slaap te vallen begon ik gedichten op te zeggen, een methode die meestal uitstekend werkte. Op school hadden we lange citaten uit ons hoofd moeten leren. Om de een of andere reden moest ik ineens aan *Kubla Khan* denken... O ja, daar had Jago het tijdens het eten over gehad. Jago deed zich met opzet voor als een uit de klei getrokken boerenkinkel, maar hij was gecompliceerd, gewiekst en intelligent... Daar zou Harry vast om moeten lachen. Volgens hem waren alle mannen dwazen die alleen maar op goed geluk te werk gingen... Verdorie, Harry! Het raam kraakte in een vlaag wind... Moest ik niet naar beneden lopen om te zien hoe het met het vuur stond? Maar ik begon net warme voeten te krijgen... en het kussen was zo zacht, de dekens zo warm, en alles rook naar... de zee... Ik viel in slaap en ging in mijn dromen op avontuur uit.

Alleen de vossen en de nachtuilen hoorden de klok twaalf slaan, maar twee uur later werd het laken voorzichtig weggetrokken. Een kille tochtvlaag streek langs mijn knieën, een warm lijf vlijde zich naast me.

'Niets aan de hand, schat,' mompelde ik. 'Niet bang zijn... gewoon nare droom...'

'Nou, ik vond het inderdaad een nare droom om niet bij je te zijn,' zei Harry terwijl hij me in zijn armen nam en weer de vrouw van me maakte die ik wilde zijn.

17

Als Jago al verrast was toen hij me de volgende ochtend om tien voor zes bij de melkstal zag staan, dan wist hij dat goed te verbergen. Tijdens de volgende twee uur wisselden we nauwelijks een woord, maar op weg naar huis via het pad over de rotsen zei ik: 'Harry is weer terug. Hij dook midden in de nacht onverwachts op. Echt een heerlijke verrassing.'

'Hij vond het altijd al leuk om mensen te verrassen. Dat sluit naadloos aan bij het feit dat hij zich niets aantrekt van wat er van hem verwacht wordt. Hij houdt niet van verplichtingen.'

'Hij heeft toch verplichtingen tegenover mij.'

'Dat is waar.'

'En hij is helemaal teruggereden naar Londen om het voor zijn vriend op te nemen. Dan voelde hij zich toch ook verplicht?'

'Ja... Nou ja, maak je niet druk. Ik ben blij voor jou dat hij terug is. En ook voor mezelf. Ik mag Harry graag ondanks... ondanks het feit dat ik het niet altijd eens ben met wat hij doet. Maar waarschijnlijk vond je me toch al een asociale mensenhater, dus mijn mening doet er eigenlijk niet toe.' Hij bleef staan en staarde met zijn hand boven zijn ogen naar de zee.

Ik bleef ook staan. 'Ik weet zeker dat hij van je houdt. En dat hij veel respect voor je heeft.' Jago keek me even aan, met een blik waarin ik een spoortje twijfel bespeurde. 'Echt waar. Hij weet best dat hij dankbaar moet zijn omdat je Pentrew draaiend houdt. Hij werd vanmorgen ook wakker toen de wekker afliep en wilde meekomen om bij het melken te helpen, maar ik heb tegen hem gezegd dat hij weer moest gaan slapen. Hij was bekaf na die lange rit. Anders was hij vast en zeker meegekomen.'

Jago zei niets maar richtte zijn ogen weer op de zee. In de verte was een boot met een roestbruin zeil te zien. Het kon net zo goed een of andere vissersboot zijn geweest, maar om de een of andere reden wist ik zeker dat het de *Saucy Sal* was.

'Nou ja...' Ik schoot in de lach.

Jago glimlachte. 'Laten we Harry maar even vergeten. Maar het was ontzettend lief van je dat je vanmorgen weer bent gekomen. En je bent echt een hulp uit duizenden. Je loopt niet te kwebbelen of te dagdromen, je valt niet in slaap en je hoeft niet te kotsen. Laten we nu maar gauw gaan ontbijten. Ik rammel van de honger.'

'Ik ook.'

Ik ging naar boven om een bad te nemen en me om te kleden. Harry kwam de keuken binnen toen ik net een beetje marmelade op een geroosterde boterham deed hoewel ik al eieren met spek en een gebakken boterham op had. Vroeg opstaan en hard werken hadden mijn eetlust verdriedubbeld.

'Hallo, schat.' Hij kuste me. 'Ik kon niet meer slapen nadat jij was vertrokken, dus ben ik maar opgestaan om jullie te helpen bij het melken. Maar toen ik de deur uitliep, kwam ik Kitto tegen, die vroeg of hij zijn kleine broertje mocht trakteren op een tochtje in de *Saucy Sal* bij wijze van verjaardagspresentje. Maar Kitto is nog niet zo'n goede zeiler dat hij de *Saucy Sal* in zijn eentje aan kan en dat knulletje keek zo teleurgesteld dat ik besloot om ze dan maar allebei mee te nemen voor een tochtje.'

Het speet me dat Jago dit niet hoorde. Harry was echt de aardigste man die ik kende.

Voordat ik antwoord kon geven kwam Roza in haar ochtendjas de keuken binnen lopen. 'Ik vanuit het raam gezien dat Caroline Brassy voor het huis staat!'

'Wat moeten we nu doen?' vroeg ik. 'Jago is vijf minuten geleden weggegaan. Hij is naar Truro voor een afspraak met zijn accountants.'

'Ik maar dienstbode hier,' zei Roza, 'maar ik geef haar niet weer kans om me te beledigen en "vrouw" tegen me te zeggen!' Ze schreed de keuken uit.

Ik keek Harry aan.

'Sorry, schat, maar ik heb beloofd om Kitto's broertje als extra verjaardagscadeautje in de Land Rover naar school te brengen. Dan gaan we onderweg nog even langs de snoepwinkel.' Hij keek op zijn horloge. 'Ik moet nu meteen weg, anders komt hij te laat. Over een halfuurtje ben ik terug.'

'Nou ja, dan zal ik het wel tegen haar zeggen.'

Ik was nieuwsgierig om te zien wat voor soort vrouw Jago tegenwoordig kon boeien. Door de open voordeur zag ik een witte sportwagen voor de hekken staan. Caroline ijsbeerde door de Grote Zaal, kennelijk behoorlijk in de war. Ze had een scherp maar ontegenzeggelijk aantrekkelijk gezicht. Haar leeftijd was moeilijk te schatten, want ze had diepe rimpels om haar ogen en haar mond, maar dat kon ook liggen aan het feit dat ze zo ontzettend mager was. Ze had verschillende tinten highlights in haar kortgeknipte haar, van licht blond tot kastanjebruin. Ze had haar zonnebril op haar hoofd geschoven en droeg een roze pakje in de stijl van Chanel. Ze maakte een dure, verzorgde indruk.

'Hallo,' zei ik glimlachend. 'Het spijt me, maar Jago is niet thuis...'

'Wie ben jij?' vroeg ze zonder terug te lachen. Opnieuw ontbrak het woordje 'verdomme' er nog maar net aan. Dit stel paste uitstekend bij elkaar, dacht ik.

'Ik ben Artemis Castor... Ik bedoel...'

Uit macht der gewoonte had ik mijn meisjesnaam gebruikt, maar voor ik mezelf kon verbeteren zei ze: 'Ik wil Jago spreken.' Ze schopte een bot van de honden van het haardkleedje in de haard, viel in een stoel en pakte een sigarettenkoker uit haar tas. 'Christus, dit huis is echt een puinhoop.' Ze stak een sigaret op, inhaleerde diep en liet de rook via haar neusgaten ontsnappen. 'Ga maar tegen hem zeggen dat ik er ben.'

'Hij is een poosje geleden weggegaan en heeft niet gezegd wanneer hij terug is.'

Ze keek me voor het eerst aan en nam me van hoofd tot voeten op, van mijn onopgemaakte gezicht via mijn T-shirt tot mijn spijkerbroek. 'Daar geloof ik niets van.'

Voor zover ik me kon herinneren was dat de eerste keer dat iemand me in mijn gezicht voor leugenaar uitmaakte, maar ik prentte mezelf in dat Caroline de avond ervoor waarschijnlijk ook al had zitten wachten tot Jago zou bellen en zich mede daardoor wel ellendig zou voelen. 'Nou ja, ik weet niet hoe ik u ervan moet overtuigen dat ik de waarheid spreek,' zei ik. 'Of wilt u misschien het hele huis doorzoeken?'

Caroline keek me met opgetrokken wenkbrauwen aan. 'Doe niet zo brutaal tegen me, meisje.'

'Eerlijk gezegd,' zei ik kalm, 'heb ik het gevoel dat ik dat beter tegen u kan zeggen.'

Ze gooide haar sigaret in de open haard, stond op en streek haar rok glad.

'Ik weet niet wie je bent of wat je hier doet, maar er staat je een grote teleurstelling te wachten. Jago is snel verveeld en hij valt echt niet op domme jonge tutjes.' Ze ging vlak voor me staan en ik kon zien dat ze maar weinig slaap had gehad. Misschien had ze zitten repeteren wat ze vandaag tegen hem zou gaan zeggen. 'Als hij terugkomt, zeg dan maar dat hij mevrouw Brassy moet bellen. En wel onmiddellijk. Om zes uur zal ik wel weer thuis zijn.' Ze glimlachte zuur en zei op een minachtend toontje: 'Kun je dat allemaal onthouden?'

'Ik zal mijn best doen,' zei ik minzaam. En voegde er in een valse opwelling aan toe: 'Als ik u was, zou ik dat aanbod voor een vakantie op Barbados maar aannemen. Zo te zien bent u daar wel aan toe.'

Ik had er meteen spijt van, want haar gezicht vertrok alsof ik haar een mes in het hart had gestoken. Ze dacht natuurlijk dat Jago het daar met mij in niet mis te verstane bewoordingen over had gehad. Ze beende met grote passen de kamer uit en even later hoorde ik haar met een loeiende motor wegrijden.

'Het spijt me ontzettend,' zei ik toen ik die avond samen met Jago naar de melkstal liep. 'Maar mijn slechte inborst kreeg de overhand. Dat gebeurt me wel vaker. Ik neem aan dat Caroline woest was.'

'Ze was in elk geval overstuur. Maar wat je ook hebt gezegd, je hebt me in ieder geval een dienst bewezen.'

'Hoezo?'

'Het is beter voor haar ego om te denken dat ze door iemand is verdrongen dan dat ik gewoon genoeg van haar heb.'

'Ik heb echt niet de indruk gewekt dat er iets tussen ons...'

'Nee, natuurlijk niet. Maar een vrouw als Caroline zal meteen argwaan krijgen als ze ineens wordt geconfronteerd met een jonge, aantrekkelijke dame die zich kennelijk helemaal thuis voelt... Bovendien heeft ze Harry nooit ontmoet.'

Ik zei niets.

'Nou vind je me zeker weer een bruut, hè?' vroeg hij geamuseerd. 'Nou, laat me je dan vertellen dat Caroline en ik er het vanaf het begin roerend over eens zijn geweest dat we allebei te oud waren en te veel hadden meegemaakt – zij is twee keer getrouwd geweest – om te veronderstellen dat dit meer zou kunnen worden dan een vrijblijvende relatie. Ik zeg altijd meteen tegen iedere vrouw met wie ik... die ik wat beter wil leren kennen dat ik echt niet van plan ben om verliefd op haar te worden. En dat ze van mij ook geen dure sieraden of een nieuwe garderobe hoeft te verwachten. Ik wrijf haar meteen onder de neus dat ik er emotioneel en financieel volkomen doorheen zit.'

'Daarmee wek je de indruk dat je zit te wachten op iemand die je kan redden en dat is een uitdaging. En die opmerking dat je niet van plan bent om verliefd te worden maakt alles nog interessanter.'

'Ik kan het toch ook niet helpen dat vrouwen zo ijdel zijn om te denken dat ze iemand kunnen veranderen? Jullie blijven maar hardnekkig geloven dat jullie een fatsoenlijke huisvader kunnen maken van een liederlijke en losbandige leugenaar. Dat is toch belachelijk?'

'Dat klopt. Maar toch heb ik medelijden met Caroline. Ze zag eruit alsof ze een klap had gehad.'

'Aha! Nu begrijp ik waarom ze zo'n hekel aan je heeft.'

De volgende dagen was er vrijwel niets dat mijn geluk kon verstoren. Ik ging elke dag met Harry en Percy picknicken en we bezochten alle mooie plekjes in Cornwall in de donkerblauwe Bentley Continental Convertible die de plaats van de Aston Martin had ingenomen. Ik moedigde Harry aan om te gaan zeilen wanneer hij daar zin in had en ging zelf tuinieren of een boek lezen als ik niet met de verbouwing van Wheal Crow bezig was. Het weer hield zich goed en ik hielp Jago nog steeds iedere ochtend en avond bij het melken.

Maar toch waren er ook wel vervelende momenten. Jem werd jaloers omdat ik een deel van zijn werkzaamheden had overgenomen en dook 's avonds regelmatig op in de melkstal, aangeschoten en wel. Roza wende zich aan om me lastig te vallen met allerlei vertrouwelijke mededelingen zodra ik een boek oppakte en een paar dagen na onze eerste kribbige ontmoeting kwam ook Caroline weer opdagen.

Dat gebeurde terwijl Jago en ik in de melkstal waren, maar toen we terugliepen hoorden we al in de gang Harry's stem.

'Ik snap niet waar je je druk over maakt. Er zijn vast genoeg mannen die staan te trappelen om Jago's plaats in te nemen.'

'Dat is heel lief van je,' antwoordde Caroline, 'maar het is niet leuk om aan de kant te worden gezet voor een andere vrouw.'

Ik wilde net naar boven glippen om in bad te gaan en me te verkleden, maar Jago pakte me bij mijn arm. 'Wacht even, het wordt nu pas echt leuk.'

We gingen naar binnen en Harry en Caroline zaten samen op een van de banken. Haar zonnebril zat weer op haar hoofd en haar rok was tot boven haar knieën opgeschoven. Ze hadden allebei een glas wijn in de hand en zij zat opnieuw te roken als een schoorsteen.

'Hallo, Caroline,' zei Jago. 'Wat een verrassing.'

'Hallo, schat.' Caroline wierp hem een provocerende blik toe en negeerde mij volkomen. 'Ik begrijp ineens waarom je dat góddelijke neefje van je altijd verborgen hebt gehouden. Hij is echt een stuk en anders dan jij zegt hij alleen maar aardige dingen.' Ze hief haar gezicht naar hem op, maar toen hij zich bukte om haar een kus te geven, weerde ze hem af. 'Nee, laat ook maar zitten, je stinkt naar koeienpoep.'

'Dat klopt. Mijn kleren zitten helemaal onder.'

'Bah! Hoe kun je!'

'Och... Ik wil ook wel eens een hapje eten.'

'Hè?' Carolines voorhoofd kreeg er een paar extra rimpels bij.

'En ik vind het prettig om af en toe de elektriciteitsrekening te kunnen betalen.'

'O, nu snap ik het. Hoor eens, lieverd, ik heb ons eigen tafeltje bij de Lobster Pot voor vanavond acht uur gereserveerd.' Op haar scherpe smoeltje verscheen een verlangende, kwetsbare uitdrukking die zelfs een hart van graniet kon doen smelten. 'Ik trakteer. Stefano heeft speciaal voor ons een heerlijke tarbot bewaard.'

'Sorry, maar ik ben vanavond al bezet.' Hij wees naar Harry en mij. 'Als gastheer kan ik me niet uit de voeten maken.'

Carolines ogen en mond werden nijdige streepjes. Ze zette haar glas neer, gooide haar sigaret in het vuur en stond op. 'Breng je me even naar de deur, Harry? Ik wil de kostbare tijd van je oom niet verder in beslag nemen.'

'Je hebt een hele tijd met Caroline staan praten,' zei ik 's avonds toen we naar bed gingen. 'Wat viel er te lachen?'

Ik had ze gezien door het raam van de overloop toen ik naar boven ging om me te verkleden. Het dak van de auto was open en toen ik weer naar beneden kwam, waren ze nog steeds in gesprek, zij achter het stuur en hij naast de auto.

'Weet ik niet meer. Ik had medelijden met het arme mens. Ik heb alleen maar geprobeerd haar een beetje op te vrolijken. Je bent toch niet jaloers op die ouwe taart? Ze denkt dat jij zijn laatste liefje bent en ik heb het spelletje maar meegespeeld. Per slot van rekening heeft hij goed voor me gezorgd na de dood van mijn ouders.'

'Het ergerde me alleen dat ze me geen blik waardig keurde.'

'Daaruit kun je opmaken hoe jaloers ze op je is, lieve meid. Niet alleen omdat jij, zoals zij veronderstelt, Jago's hart veroverd hebt, maar omdat je wel duizend keer mooier bent dan zij. En intelligenter en charmanter en met een goddelijk lichaam... Mmm, laat me nou maar bewijzen hoe gek ik daarop ben en zet dat ouwe lijk uit je hoofd...'

Ongeveer tien seconden later was Caroline in rook opgegaan.

18

'Er komt slecht weer aan,' zei Jago.
We zaten aan een stevig ontbijt.
'Wat jammer van onze laatste dag. Ik bedacht net dat de zee er zo kalm uitzag. En het waait ook niet zo hard als anders.'
'Dat komt omdat het een krimpende wind is.'
'Wat is dat?'
'Een wind die tegen de richting van de klok in draait, dus van west naar zuid-west, naar zuid, naar zuid-oost, enzovoort. Als de wind de andere kant op draait, is het een ruimende wind.'
'Hou je van zeilen?'
'Wel als het mooi weer is. Ik worstel liever niet met de zee zoals Harry. Als het goed weer is, vind ik het ontspannend. Maar ik heb er bijna nooit tijd voor.' Hij keek op zijn horloge. 'Ik moet weer aan de slag.'
'Zal ik je helpen?'
'Ga je niet met Harry mee?'
'Nee, hij gaat op bezoek bij zijn oude kleuterjuf in St. Issy. Hij zei dat ik het vast saai zou vinden.'
Jago fronste. 'Waarschijnlijk wel.'
Later maakte ik zoals gewoonlijk wat boterhammen klaar en we gingen naar Wheal Crow waar Harry zich bij ons voegde. Terwijl ik zat te tekenen en dingen opmat, zei hij dat hij nog gauw even ging zeilen. 'Ik ben rond theetijd terug, dan kunnen we daarna naar Truro om *Return of the Jedi* te zien.'

‘Gaaf!’ riep Percy.

‘Maar dan kan ik niet helpen bij het melken. Ik weet wel dat het een beetje mal is, want het is de laatste dag en zo, maar ik wil het karwei toch graag afmaken. Ik vind het vervelend om dat niet te doen.’

‘Mij best.’ Harry rolde om en kuste mijn enkel, het lichaamsdeel dat het dichtst bij hem was omdat hij languit op de grond lag. ‘Dan ga ik wel samen met Percy.’

‘Je bent echt een schat van een man.’ Ik woelde door zijn haar. ‘Percy zal het geweldig vinden. Maar is het wel verstandig om te gaan zeilen als er zwaar weer op komst is?’

Boven de horizon hingen paarse wolken met een geel randje.

‘Zo’n ouwe zeebonk als ik maalt niet om een paar windvlagen. Dat maakt het alleen maar spannender.’

Ik zei niets omdat hij zo lief was geweest over het melken.

‘Mag ik mee?’ vroeg Percy.

‘Nee,’ zei ik. ‘Geen denken aan.’

Harry ging ervandoor en Percy en ik gingen allebei liggen lezen. Ik werd wakker van een regendruppel die in mijn mond viel.

‘Ik wou dat Harry terugkwam,’ zei ik twee uur later toen we in de keuken zaten en thee met warme, zoete broodjes aten.

‘Daar zal ik ook wel naar kunnen fluiten als jullie weer terug zijn in Londen,’ mopperde Jago terwijl hij een flinke hoeveelheid aardbeienjam en slagroom op zijn broodje deed.

Hij moest zijn stem verheffen omdat de regen tegen de ramen striemde. Roza, die de broodjes had gebakken, was even gaan liggen voordat ze nog een laatste sublieme maaltijd op tafel zou zetten.

‘Je hoeft alleen maar te zeggen dat je die lekker vindt,’ zei ik tegen Jago. ‘Je weet toch wel dat je maar hoeft te kikken om haar alles te laten doen wat je wilt? Wat kunnen mannen toch traag van begrip zijn.’

Hij keek geamuseerd, wat inhield dat we al behoorlijk vertrouwd met elkaar waren geworden. ‘Ja, dat heb je al vaker gezegd. Waar zit Harry trouwens?’

‘Hij is eropuit met de *Saucy Sal*.’

'Wát? Maar het is zeker windkracht negen!'
'Bedoel je dat het gevaarlijk is?' Ik zette abrupt mijn kopje neer. Het onrustige gevoel in mijn maag veranderde in een stormvloed.
'Ja, natúúrlijk is het verdomd... Nou ja...' Hij deed zijn best om rustig te blijven. 'Harry is een eersteklas zeiler en hij kent deze kust vanbinnen en vanbuiten. Er zal hem heus niets overkomen.' Hij nam nog een hapje en vroeg toen achteloos: 'Hoe laat is hij weggegaan?'
'Even na tweeën. Hij zei dat hij rond theetijd terug zou zijn, omdat hij met Percy naar de bioscoop gaat.'
Jago stond op. 'Het kan geen kwaad om de kustwacht even te bellen voor het laatste weerbericht.'
Toen hij een paar minuten later terugkwam, zei hij: 'Ze verwachten dat de storm over een uurtje is uitgeraasd. Dus je hoeft je nergens zorgen om te maken. Ze proberen hem via de radio op te roepen.'
'Maar de radio van de *Saucy Sal* is kapot. Harry heeft hem weggebracht om gerepareerd te worden.'
Jago vloekte en verontschuldigde zich meteen. 'Ze waarschuwen alle grote schepen in de omgeving.'
Ik had kennelijk onwillekeurig een kreet van schrik geslaakt, want hij zei direct: 'Gewoon bij wijze van voorzorg. Maak je nou maar niet druk.'
'Terwijl ik best weet dat jij je ook zorgen maakt?'
We keken elkaar aan. Jago kon nog net een glimlachje produceren, maar hij slaagde er niet in zijn gevoelens te verbergen. 'Ik ga even in de bibliotheek aan de boekhouding werken. Mijn accountants zorgen er alleen maar voor dat ik meer werk krijg. Ga jij nou maar lekker zitten lezen en kom het me even zeggen als Harry terug is, goed?'
'Als ik toch niet naar de bioscoop ga, kan ik net zo goed tv gaan kijken,' zei Percy.
Ik was te ongerust om te protesteren, hoewel we hadden afgesproken dat ze nooit voor halfzeven voor de buis mocht zitten. 'Nou, voor deze keer dan maar.'
Een halfuur later gierde de wind rond het huis en ik slaagde er

niet in om me op mijn boek te concentreren. Jago kwam de keuken weer binnenlopen.

'Ik ga even kijken of de omheining die ik gisteren heb gerepareerd nog overeind staat.'

'Je gaat naar de aanlegsteiger, hè?' zei ik beschuldigend. 'Ik ga mee.'

'Maar het is vreselijk weer. Je zult kletsnat worden.'

'Dat kan me niet schelen.' Ik dacht aan Harry, aan hoe nat hij zou zijn. En koud en moe. Tenzij... Nee, daar kon ik gewoon niet aan denken. 'Ik wil mee.'

De regen had van de stenen trap een modderglijbaan gemaakt. Ik had Harry's oliejack gepakt, maar dat was veel te groot. De wind blies het op alsof het een spinnaker was en de geleende zuidwester zakte voortdurend voor mijn ogen, dus die stopte ik maar in mijn zak. Beneden op het strand stormde het zo hard dat ik niet rechtop kon staan en de wind spuugde vlokken schuim in mijn gezicht. Het eind van de steiger was niet te zien. Ik poetste het zoute water uit mijn ogen en probeerde achter de kolkende branding een teken van leven te ontdekken.

Het was een zinloze onderneming. We hadden beter in de warme keuken kunnen blijven zitten, met de telefoon binnen handbereik. Binnen de kortste keren stond ik te klappertanden. Jago sloeg zijn arm om me heen en we kropen tegen elkaar aan. Na wat een eeuwigheid leek, wees hij naar de lucht. In het westen was een stukje lichter grijs te zien. En ik had het idee dat het water wat minder hard tegen de steiger beukte.

Ik weet niet hoe lang we daar hebben gestaan tot Jago uitriep: 'Kijk! Een boot! Volgens mij is het de *Saucy Sal!*'

Het duurde even voordat ik een op en neer deinende zwarte vlek zag, die meteen weer werd verzwolgen door de golven, die nog steeds heel hoog waren hoewel de wind absoluut afnam. Een paar minuten later zag ik opnieuw de vlek, die tergend langzaam groter werd. Een in een geel zeilpak gestoken figuurtje zat gebogen over de helmstok. Ik tuurde tot mijn ogen pijn deden. Het was Harry en de opluchting was zo groot dat het leek alsof ik ineens gewichtsloos was geworden.

Jago liet me los. 'Blijf hier! Verroer je niet!'

Ik knikte. Het was ijzig koud zonder de beschutting van zijn lichaam. Hij liep de steiger op terwijl de golven tegen zijn lichaam beukten en knielde toen de *Saucy Sal* dichterbij kwam om het touw op te vangen dat Harry hem toe gooide. Pas bij de derde poging kreeg hij het te pakken en slaagde er maar met moeite in om de boot vast te leggen, want die lag te bokken tegen de golven. Maar uiteindelijk lukte het Harry toch om op de steiger te springen. Hij wees naar het dek en ze stonden heel even te praten tot Jago in mijn richting knikte en Harry een klap op de schouders gaf.

Ik bleef gehoorzaam wachten tot hij bij me was.

'Schat, wat zie je er ellendig uit!' Hij trok me naar zich toe en kuste me snel op mijn lippen voordat hij me bij mijn arm pakte en me meetrok. 'Wat dom om in dit weer naar buiten te gaan!'

Ik klemde me aan hem vast terwijl we haastig naar de in de rotsen uitgehouwen trap liepen. 'Goddank is je niets overkomen!'

'Natuurlijk niet! Je had je echt geen zorgen hoeven te maken.' Hij drukte mijn arm even liefkozend tegen zich aan. 'Ik help je alleen even naar boven en dan ga ik er op een holletje vandoor. Kitto heeft een ongeluk gehad en ik moet hulp halen.'

'Een ongeluk? Wat is er dan gebeurd?'

'Toen er zo'n verrekt grote golf over ons heen sloeg, werd Kitto tegen de kombuis gesmeten. Er is iets mis met zijn rug.'

'Denk je dat het ernstig is?'

'Waarschijnlijk niet. Maar hij kan niet opstaan. Een beetje rustig aan, schattebout. Je schopt modder in mijn gezicht.'

Ik probeerde zo snel mogelijk naar boven te klauteren, maar ik had ijskoude handen en mijn benen waren stijf. Toen ik zei dat hij vast vooruit moest lopen, wilde hij daar niets van weten.

'Geen paniek. Jago is bij Kitto. Hem kan niets meer overkomen.'

Pas toen we boven waren, rende hij weg. Ik liep over het pad, blij dat Harry nog leefde en trots dat hij zo sterk en koel was gebleven toen er gevaar dreigde. Inmiddels regende het niet meer, maar het water uit mijn natte haar drupte over mijn gezicht. Ik zocht in de zakken van mijn jack – Harry's jack – naar een zakdoek. Die zat er inderdaad in, samen met een kartonnen doosje met een foto van een veer erop. Een verpakking van condooms.

Ik keek erin. Van de drie die er oorspronkelijk in hadden gezeten was er nog één over. Het enige wat Hermione me had verteld toen ik opgroeide, was dat mannen onbetrouwbaar waren als het om anticonceptie ging. Dus zodra ik ging studeren was ik aan de pil gegaan en die gebruikte ik nog steeds. Voor ons had Harry geen condooms hoeven te kopen. Waarschijnlijk had iemand anders Harry's jack geleend en dit aandenken aan een romantisch samenzijn achtergelaten. Ik stopte het doosje terug en liep haastig naar het huis.

Harry stond in de gang te telefoneren. 'Ja, meteen... aan de kust bij Pentrew... Nee, het zal de helikopter moeten worden, want op een brancard krijgen ze hem nooit omhoog... Ja, mijn oom is bij hem...'

Ik hing het kletsnatte jack op en liep naar boven om iets droogs aan te trekken. Toen ik weer beneden kwam, was Harry in de keuken bezig thee te zetten.

'Hier, schat, daar zul je wel weer warm van worden. Je bent nog steeds blauw van de kou.' Hij gaf me een mok en kuste me stevig. 'Het was ontzettend lief van je om daar op de steiger op me te wachten, maar je had je geen zorgen hoeven te maken, hoor. Ik ben praktisch onverwoestbaar.' Op dat moment hoorden we het gedreun van de helikopter boven het huis. 'Misschien kan ik beter teruggaan en kijken of...'

'Blijf maar hier,' zei ik. 'Tegen de tijd dat jij beneden bent, hebben ze hem al aan boord gehesen. En kijk eens naar die arme handen van je!' Ze zaten onder het bloed van het gesjor aan de touwen en vol rimpels omdat ze urenlang nat waren geweest. 'Ik zal ze wel even schoonmaken.'

'Eigenlijk wil ik alleen in bad en droge kleren aantrekken.'

'Dan breng ik straks wel wat pleisters naar boven.'

Maar toen ik twintig minuten later boven kwam, lag Harry op bed, alleen gehuld in een badjas en vast in slaap. Ik legde voorzichtig de dekens over hem heen en nam zijn kleren mee om die uit te wassen en te drogen.

'Ik had je niet verwacht,' zei Jago een halfuur later in de melkstal. Hij zette net de koeien in de boxen.

'Harry slaapt. Heb je nog iets van Kitto gehoord?'

'Ze hebben hem naar het Royal in Truro gebracht, maar ze weten niets tot ze de röntgenfoto's hebben bekeken. Ik heb net zijn ouders gebeld. Als ik zelf naar hen toe zou gaan zouden ze schrikken en meteen denken dat het ernstig was.'

'Is het ernstig?'

Jago wachtte even en zei toen: 'Laten we niet op de dingen vooruitlopen.'

Daaruit maakte ik op dat Jago zich zorgen maakte, maar we gingen gewoon verder met de handelingen die ik inmiddels zo goed kende. Het contact met die geduldige, vriendelijke en mooie dieren was geruststellend. Ik zou de koeien missen. Tegen de tijd dat we ze weer de wei in lieten, blies de wind nog maar op halve kracht en de zee leek op een breiwerkje met witte en grijze strepen.

'Luister eens, Artemis,' zei Jago toen hij het hek voor me opendeed. 'Wat Kitto ook mankeert, Harry en jij moeten morgenochtend meteen naar Londen vertrekken. Als de vooruitzichten goed zijn, heeft het toch geen zin om hier te blijven. Kitto komt uit een groot gezin en hij zal bezoek genoeg krijgen. En als het niet best is... dan zou het wel eens vervelend kunnen worden.'

'Harry kon er toch niets aan doen dat Kitto is gevallen?'

'Nee. Maar Jim Vigus, Kitto's vader, wond er aan de telefoon geen doekjes om. Natuurlijk reageren mensen vaak boos als ze geschrokken en bang zijn, dat weet ik ook wel, maar hij heeft kennelijk tegen Kitto gezegd dat hij niet de zee op mocht omdat er slecht weer voorspeld was. Kitto heeft stiekem de benen genomen en Jim denkt dat Harry hem min of meer heeft gedwongen om mee te gaan. Hij is van mening dat de Tremaines eraan gewend zijn om hun zin door te drijven, ook al levert dat gevaar op voor wat hij "gewone mensen" noemt. Hier in de omgeving huldigen ze de opvatting dat ze wel respect voor ons moeten hebben maar dat we niet te vertrouwen zijn.'

Ik moest meteen denken aan het verhaal dat ik van Roza had gehoord over het meisje dat van de rotsen was gesprongen en ik voelde medelijden opwellen, zowel voor het meisje als voor Jago. Maar hij zou het vreselijk vinden als ik dat zou zeggen en eigenlijk hoorde ik dat ook helemaal niet te weten.

Roza overtrof zichzelf die avond. We begonnen met aspergesoep, gevolgd door lamsbout met gerissoleerde aardappelen, brussels lof met champignons, tomaten en kruiden en een wijnsaus met rode bessen. Jago en ik waren weer alleen, omdat Percy liever bij Morveran naar de *Benny Hill Show* ging kijken en Harry nog steeds lag te slapen. We waren vrij stil, hoewel Jago voor de verandering zijn best deed om het gesprek gaande te houden. Ik moest steeds aan Kitto denken.

'Je zult wel blij zijn dat je weer teruggaat naar Londen,' zei Jago terwijl hij zich over mijn portie lamsvlees ontfermde.

'Ja en nee. Ik zal het huis, de tuin en de zee missen. En de koeien.'

Als ik had verwacht dat mijn gastheer op zijn beurt zou zeggen dat hij zijn hulpje bij het melken zou missen, kwam ik bedrogen uit. In plaats daarvan zei hij: 'Ik heb jullie nog geen huwelijksgeschenk gegeven. Eerlijk gezegd heb ik daar geen moment aan gedacht. Wil je niet iets uit het huis hebben?'

'Dat is heel lief van je, maar ik wil niet iets meenemen waar jij aan gehecht bent.'

'Zit daar maar niet over in. Het komt toch weer terug als Harry alles erft, dus zo'n gul aanbod is het ook weer niet.'

Ik zat even na te denken. 'Op de bovenste verdieping hangt een schilderij van Pentrew in de maneschijn. Ik kijk er altijd naar als ik Percy welterusten ga wensen. Zou ik dat mogen hebben?'

'Neem het maar mee.'

'Dank je wel.'

'Bert Jones is aan de telefoon.' Jem stak zijn hoofd om de deur. Het verband was verdwenen en er waren alleen een paar rode littekentjes over van zijn laatste botsing met iets dat niet uit de weg ging.

Terwijl Jago de kamer uit was, kwam Harry opdagen. Hij zag er uitgerust en fris uit en had een bord met lamsvlees en groente in de hand.

'Ik zei tegen Roza dat ze die soep maar moest laten zitten. Daar was ze behoorlijk pissig over. Die vrouw heeft meer verbeelding dan een Pruisische gravin! God, ik rammel van de honger.'

Hij begon te eten en vroeg ondertussen wat ik die middag had gedaan, of ik moe was en of ik het leuker zou vinden om in september een jacht te charteren of om in januari te gaan skiën. Ik antwoordde afwezig en hij vroeg: 'Wat is er aan de hand, lieverd? Je lijkt een beetje uit je gewone doen.'

Ik wilde net antwoord geven toen Jago terugkwam.

'Dat was Simon Probart-Jones, de orthopedisch chirurg van het Royal. Uit de röntgenfoto's blijkt dat er ter hoogte van zijn borst letsel is aan de ruggengraat. Ze hebben hem aan de beademing gelegd. Morgen wordt hij overgebracht naar een specialistisch ziekenhuis in Bristol. Hij is verlamd vanaf de plek van de breuk, maar de kans bestaat dat hij in de komende weken weer wat gevoel in zijn onderlichaam zal krijgen.'

'Zal ik naar zijn ouders toe gaan?' vroeg Harry. 'Om te zeggen hoe erg ik het vind?'

'Nee, ik ga wel als ze over de eerste schrik heen zijn. Voorlopig kun jij beter uit de buurt blijven. Ik zal zorgen dat zijn ouders met een taxi naar Bristol worden gebracht. Daar hebben ze meer aan.'

Hij liep weer weg.

'Verdomme!' zei Harry. 'Verdomme nog aan toe!' Hij leunde achterover en trok een pruillip. 'Zijn ouders zullen wel van leer trekken en mij de schuld geven. Ik hoop dat ze niet gaan proberen om geld van ons los te kloppen. Dat zal Kitto's rug niet beter maken.'

'Nee, ik vrees van niet.'

Harry kneep even in mijn hand en pakte toen zijn mes en vork weer op om verder te eten. We bleven stil tot Jago terugkwam.

'Zo, dat is geregeld,' zei hij.

'Ik heb geen trek in koffie,' zei ik, zodra ik we uitgetafeld waren. 'Ik ga regelrecht naar bed, dan pak ik morgenochtend de koffers wel in. Welterusten allemaal.'

Het was misschien een beetje abrupt, maar ik was echt bekaf. Ik haalde Percy op en sleepte haar mee naar boven, waar ik tot de ontdekking kwam dat Minver, maar het had ook Mawes kunnen zijn, op haar bed lag. Myrtle kwam meteen daarna opdagen en Percy wilde per se dat ze allebei bleven.

'Nou vooruit dan maar,' zei ik. 'Als je denkt dat je zo een oog dicht kunt doen. En niet meer lezen, want het is al laat. Ga maar lekker slapen.'

Twee uur later stond ze weer naast mijn bed, huiverend na een droom waarin ze achterna werd gezeten door een man met een pistool. Nadat ze in mijn bed weer in slaap was gevallen ging ik op zoek naar Harry. Misschien zat hij wel in zijn eentje te piekeren over Kitto. Het was halfeen en we zouden de volgende ochtend al om acht uur vertrekken. Het hele huis was donker, met uitzondering van het licht van de buitenlamp dat naar binnen viel. Onder aan de trap hoorde ik Harry's stem. Hij zat op een stoel in de gang en alleen zijn voeten waren zichtbaar.

'... beter van niet,' zei hij in de telefoon. 'Ik heb het op het ogenblik nogal druk... O ja, ik kom wel naar dat feestje van Baz, hoor.' Lachend. Hij klonk onbekommerd. 'En jij?' Hij zat even te luisteren en floot toen. 'Was dat niet verdomd riskant? Nou ja, ik weet wel dat het daar juist om ging, maar je moet toch voorzichtig zijn, Damian. Hij kan best maffiaconnecties hebben. Wat? O ja, je weet dat ik altijd graag hier ben... Niet veel te doen, een beetje zeilen en het eten is hier ineens een stuk beter. Ja, ze is echt volmaakt. Beeldschoon om te zien en inschikkelijk in bed. Meer kun je toch niet vragen van je vrouw?'

Ik sloop terug naar boven en stapte weer in bed.

19

In de hoop dat ze dan niet meteen wagenziek zou worden zat Percy tijdens de zeven uur durende rit naar Londen naast Harry, terwijl ik op de achterbank probeerde wat slaap in te halen. En toen de zon ging schijnen en Harry het dak opendeed, leek alles weer goed. Ook het onrustige gevoel dat ik had overgehouden aan Harry's telefoongesprek van de avond ervoor verdween. Trouwens, als ik Harry ter verantwoording had geroepen, had hij waarschijnlijk – en terecht – gezegd dat hij het gewoon als een complimentje had bedoeld. 'Inschikkelijk in bed' had in mijn oren een beetje denigrerend geklonken, maar woorden zeggen niet alles. Oma had me altijd aangeraden om mensen af te rekenen op hun gedrag, niet op wat ze zeiden. En natuurlijk stortten mannen hun hart niet uit bij hun vrienden.

De Bentley was snel en bijna geruisloos. De crèmekleurige leren stoelen zaten heerlijk en ik voelde me slaperig en vredig. Pas toen we in Londen aankwamen, stak mijn verantwoordelijkheidsgevoel de kop weer op.

Oracle Street was in een vervallen deel van Whitechapel. Aan het ene eind stond een leegstaand pakhuis dat als toevluchtsoord diende voor krakers en junks, aan het andere eind was een kroeg, *The Last Beggar,* waar iedere avond de klanten rond sluitingstijd naar buiten kwamen om met elkaar op de vuist te gaan of alles onder te kotsen. Nummer 46 was het middelste van een stel achttiende-eeuwse rijtjeshuizen met een voordeur waarvoor je vijf treetjes op moest en een mooie, smeedijzeren reling. Het huis was in 1752 gebouwd en Harry had begrip voor het feit dat ik het eerst helemaal wilde restaureren voordat we ergens anders gingen wonen. Hij had zijn flat te koop gezet. De rivier zorgde voor veel geluidsoverlast en er was maar één slaapkamer. Ik liep haastig over de drie bovenste verdiepingen van mijn huis om te controleren of alles in orde was en holde toen haastig naar de keuken in het souterrain en vandaar de tuin in.

Dat was een rechthoekig lapje van twaalf bij zes meter dat ik uitsluitend als moestuin gebruikte, met inbegrip van eetbare bloemen zoals oostindische kers, viooltjes, goudsbloemen en rozen. Achterin stond een tafel met stoelen onder een pergola waarover een druif groeide. In de twee weken dat ik niet thuis was geweest had het onkruid welig getierd en ook de slakken hadden zich niet onbetuigd gelaten.

Terwijl ik het eten klaarmaakte, ging Harry praten met een man die hem een afgesloten garage had aangeboden voor de Bentley en Percy ruimde de bierblikjes en de lege sigarettenpakjes op die voorbijgangers in de ruimte hadden gegooid waar onze vuilnisbak stond.

De eenvoudige maaltijd die ik op tafel had gezet was heerlijk volgens Harry die nog een tweede portie rabarbermoes nam. 'En een hele opluchting na al die uitgebreide recepten van Roza.'

'Terwijl ze daar juist zo haar best op deed.'

'Ja, maar ze zorgde er wel voor dat *wij* ons moesten uitsloven om haar te prijzen.'

'Ik had vanmorgen mijn handen vol aan haar,' gaf ik toe. 'Ze huilde en zei dat er niemand meer was die haar kookkunst op prijs zou stellen als ik weg was. Ik probeerde haar in te prenten dat het altijd de moeite waard is om iets goed te doen, maar ja, iedereen vindt het leuk om een schouderklopje te krijgen. Percy, als je klaar bent, kun je maar beter meteen in bad gaan. Je moet morgen weer vroeg op.'

'Gatver! Ik haat school.'

'Dat arme kind,' zei ik op een fluistertoontje toen ze met tegenzin naar boven liep. 'Wie vindt het nou niet vervelend om weer naar school te gaan?' Ik pakte Harry's hand vast. 'Dat was een heerlijke vakantie. Ik begrijp best waarom je zoveel van Pentrew houdt. Ik heb zelf ook weinig zin om weer aan het werk te gaan. Dickie en ik moeten morgen naar Kent om Cherstone Abbey te bekijken dat net door onze nieuwe schatrijke cliënt is gekocht. Hoe vind jij het om weer aan de slag te gaan?'

'Eigenlijk had ik je dat al eerder moeten vertellen, maar ik wilde je niet ongerust maken. Ik hoef niet aan de slag, want ik ben inmiddels een van die lamlendige werklozen waar de media zich altijd zo druk over maken.'

Ik was sprakeloos van schrik.

Hij klopte op mijn arm. 'Het is niet het eind van de wereld, hoor. Een van de redenen waarom mijn baas me op stel en sprong wilde zien, was omdat hij had besloten de hele afdeling op te doeken. Dus nu zitten we alle vijf zonder werk, van het ene op het andere moment.'

'Maar waarom heb je me daar niets van verteld? Bedoel je dat die vriend van je geen geld achterover heeft gedrukt?'

'O jawel. Hij kan dan ook fluiten naar zijn gouden handdruk, de arme kerel. Maar dat geldt niet voor mij. Tegenwoordig zorgt iedereen in de financiële sector er wel voor dat hij een goede ontslagregeling heeft.'

'Maar hoef je dan helemaal niet meer terug? In verband met een opzegtermijn en zo?'

'We zijn geen werksters. Tegenwoordig laten ze je niet eens meer teruggaan naar je bureau, uit angst dat je het klantenbestand meepikt. Maar je hoeft je geen zorgen te maken, hoor, lieverd.' Hij glimlachte me toe. 'Ik vind wel weer iets. Eerlijk gezegd ben ik gewoon blij. Het begon allemaal een beetje saai te worden.'

'O ja? Nou, dan zal het wel in orde zijn. Wat ga je nu doen?'

'Ik ga gewoon op zoek naar iets interessanters. En met een paar mensen praten. Wil je die rabarber bewaren of mag ik die opeten?'

Ik duwde de schaal naar hem toe. 'Heb je iets bepaalds in gedachten?'

'Ik zat aan de reclamewereld te denken. Minder suf en een stuk creatiever.'
'Misschien wel. Ik weet er eigenlijk niets van.'
'Ik ook niet, maar dat maakt het juist leuk. Zal ik water voor de koffie opzetten?'
'Graag.'
Terwijl ik hem daar bij het aanrecht zag staan, met zijn zwarte haar en zijn volmaakte profiel, was ik ervan overtuigd dat hij zich meer zorgen moest maken dan hij liet merken en ik voelde een overstelpend verlangen om hem te troosten en te beschermen. Ik stond op en sloeg mijn armen om zijn middel. 'Als je het geen leuk werk vond, ben ik blij dat je daar niet meer naartoe hoeft,' mompelde ik met mijn mond tegen het holletje tussen zijn schouderbladen.
Hij zette de ketel neer en draaide zich om. 'Ik ben blij dat jij blij bent als je daardoor zin in seks krijgt.' Hij trok mijn rok op en duwde zijn hand tussen mijn benen.
'O nee, schat, niet nu. Percy kan ieder moment naar beneden komen.'
'Dan horen we haar wel de trap af komen.' Hij ritste zijn broek open en zette me op de tafel neer. 'Gauw, even een lekker goor vluggertje.'
'Nou ja...' Ik wilde hem eigenlijk niets weigeren nu zijn ego misschien een opdoffer had gekregen, dus gaf ik maar toe hoewel het voor mij op een heel andere manier goor was, want ik zat op een van de smerige borden. Omdat ik bang was dat het zou breken en dat Percy ineens zou opduiken was ik helemaal niet in de stemming.
'Heerlijk, schat.' Hij ritste zijn broek weer dicht. 'Ideaal voor de spijsvertering. Wat ga je vanavond doen?'
'Niets speciaals.'
'Ik denk dat ik Damian maar even ga opzoeken. Misschien kent hij wel iemand in de reclamewereld. Dat vind je toch niet erg, hè? Ik ben zo weer terug.'
'Natuurlijk niet.'
Maar ik vond het niet echt leuk. Toen de voordeur achter hem

dichtviel, begon ik aan de afwas. Hij had de Bentley gekocht nadat hij te horen had gekregen dat hij ontslagen was, dus hij zou wel een behoorlijke afkoopsom hebben gekregen. Doordat we op Brentwell voortdurend geldzorgen hadden gekend was ik heel voorzichtig met geld geworden, maar Harry was intelligent en charmant en zou ongetwijfeld een succes maken van alles wat hij oppakte.

Terwijl Percy in bed lag te lezen ging ik in de tuin werken. De asperges waren inmiddels bijna rijp. Op de muur zat een lijster uitbundig te zingen. Had ik wel op de juiste manier gereageerd toen Harry over zijn ontslag begon? Misschien was hij wel meer overstuur dan hij liet blijken. Ik zou opblijven tot hij weer thuis was, dan konden we lekker samen naar bed gaan om op een wat meer ontspannen manier te vrijen.

Nadat ik even naar boven was gelopen om Percy welterusten te wensen zat ik in mijn heerlijke salon op een beeldige oude bank die nodig opnieuw bekleed moest worden te lezen tot het kleine met zilver beslagen ebbenhouten tafelklokje naast me middernacht sloeg. Daarna ging ik alleen naar bed.

20

'Eerlijk gezegd is seks met Demelza een geestverruimende ervaring,' zei Dickie. 'Vergeleken daarmee is lsd een wandelingetje in het park.'

We waren onderweg naar Kent in mijn oude maar betrouwbare Renault omdat Princess Pushy een nieuwe versnellingsbak kreeg aangemeten.

'Ik ben blij dat je er plezier in hebt,' zei ik. 'Maar kun je niet beter een dokter even naar die snee in je oor laten kijken? Die ziet er erg rood en pijnlijk uit. Misschien is het wel ontstoken.'

'Demelza heeft iets met oren.'

'Heeft ze ook iets met neuzen?'

Die arme Dickie lag behoorlijk in de kreukels.

'Op het volgende kruispunt moet je linksaf naar Cherstone. Ze houdt van de smaak van bloed.'

Ik stak mijn arm uit het raampje om aan te geven dat ik linksaf wilde. De richtingaanwijzers waren niet altijd betrouwbaar. 'Kan ze dan niet een likje van haar eigen bloed nemen? Bloed smaakt toch altijd hetzelfde?'

'Volgens mij snap jij niet helemaal waar het bij sm om draait, Art.'

Cherstone Abbey stond aan het eind van een lange oprit midden op een lap grond van 250 hectare. De hekken waren verdwenen, maar op de pijlers stonden nog schitterende vuurspuwende loden draken met lange gebogen staarten. De oprit was omzoomd door tamme kastanjes, waarvan een groot aantal door ouderdom, ziekte of bliksemschade waren getroffen. Een paar waren zelfs omgevallen. In de zeshonderd jaar van haar bestaan was de Abbey afwisselend een klooster geweest, een landgoed en een pachtboerderij. Daarna was het in handen gekomen van een zonderlinge weduwe, die maar één kamer in gebruik had gehad en van de rest van het gebouw een volière voor exotische vogels had gemaakt. Na haar dood had het een aantal jaren leeg gestaan, waardoor wilde dieren, schroothandelaren en het weer vrij spel hadden gehad. Het was een prachtige ruïne, die half uit hout en half uit steen was opgetrokken en in de loop der eeuwen een paar keer uitgebreid was. Temidden van het woud van jonge essen die rond de voordeur waren opgeschoten stond een chique, zwarte Mercedes.

'Wat voor mensen zijn meneer en mevrouw Lerner?' vroeg ik.

'Typische beroemdheden. Wacht maar af. Daar heb je hem al.'

Een man was in de deuropening verschenen. Hij was slank en van gemiddelde lengte en je zag meteen dat hij niet Engels was. Hij had zwart haar, een olijfkleurige huid en een keurig zwart snorretje en baardje. Hij kon zo uit de Duizend-En-Een-Nacht zijn gestapt. Toen we naast zijn auto stopten, kwam hij naar ons toe en deed het portier voor me open.

'Hallo. U moet mevrouw Tremaine zijn.'

'Zeg maar Artemis, alsjeblieft.'

'Ik ben Conrad. Hallo, Dickie. Kom maar gauw binnen, dan kunnen we gaan lunchen.'

We liepen de kapotte trap van het bordes op naar een donkere hal, met lelijke Victoriaanse lambrisering. Overal stonden vitrines met opgezette vogels in diverse staat van ontbinding. Vandalen hadden de ruiten kapotgeslagen en de vloer lag bezaaid met bontgekleurde veren en glinsterende glazen ogen.

'Moet je kijken, Art.' Dickie haalde een stuk van de lambrisering naast de schitterende marmeren open haard weg. Erachter was een muur die in een vuilroze tint was geschilderd en versierd met neo-klassiek stucwerk. 'Stel je eens voor dat we dat allemaal kunnen redden.'

'Anders kunnen we het laten kopiëren.' Ik keek Conrad aan. 'Tenzij u natuurlijk de voorkeur geeft aan deze stijl.'

Conrad glimlachte. 'Aan jullie gezichten te zien zou het wel heel wreed van me zijn als ik weer voor een lambrisering zou kiezen. Zodra het kan, zullen we alles eraf laten halen. Nu wil ik jullie graag de refter laten zien.'

Hij ging ons voor naar een grote ruimte, die gelukkig door de victoriaanse verbouwers met rust was gelaten. Het licht viel door een aantal toogvormige vensters op het zuiden en het westen, waarin geen ruit heel was.

'Dit is Marigold, mijn vrouw,' zei Conrad.

Een meisje en twee mannen lagen languit op plaids onder een es die door de vloer was opgeschoten en inmiddels het dak, negen meter boven ons hoofd, raakte. Het meisje stond op en begroette ons met een vrolijk gezicht. Het deerde haar kennelijk niet dat haar man een vervallen huis had gekocht dat bij het eerste het beste windvlaagje in elkaar kon storten. Met haar kinderlijk slanke lijfje, haar hartvormige gezichtje en haar grote grijze ogen leek ze veel te jong om al getrouwd te zijn. Ze had een sneeuwwitte huid en het haar dat tot op haar taille viel, was prachtig donkerrood.

'Hallo, Dickie.' Ze ging elegant op haar tenen staan om hem een kus te geven waardoor ze leek op een bloem die haar kopje ophief. Daarna stak ze mij haar hand toe. 'Artemis, ik weet alles van je af. Je bent net terug van je huwelijksreis.' Haar handdruk was onverwacht stevig. 'Ik hoop dat dit huis,' vervolgde ze met een gebaar alsof ze sterren rondstrooide, 'je niet met geweld wakker schudt uit een heerlijke droom. Dit is Orlando Silverbridge.'

De oudste van de beide mannen sprong overeind alsof hij door onzichtbare draden werd opgehesen. Hij droeg een roze hemdje en een strakke broek van lichtblauw fluweel over een lijf dat alleen bestond uit botten en spieren, zonder een grammetje vet. 'Aangenaam.'

'En dit is Fritz Wolter.'

De jongste van de twee mannen was gezet, met een brede borst en korte, stevige benen. Orlando hees hem overeind alsof hij niets woog. Fritz had ronde, roze wangen, goudblonde krullen en grote, lichtblauwe ogen met een onschuldige blik.

'Hoe maakt u het, eerbare dame.' Met een stralende blik kuste hij mijn hand. 'Vergiffenis, mijn Engels nog niet erg gut. Wilt u lunch? Ik heb simpele maaltijd klaargemaakt.'

Hij wees naar het witte tafellaken op de vloer met wat etenswaren: diverse soorten worstjes, ronde kaasjes, tomaten, olijven, gesneden donker brood en potjes boter.

Fritz drong erop aan dat we meteen aanvielen. Hij schonk een paar glazen heerlijke Riesling in en binnen de kortste keren hadden we het prima naar de zin, ondanks het feit dat de regen inmiddels langs de muren drupte en plasjes op de grond vormde. Gelukkig zaten wij droog onder de boom.

'Dit doet me denken aan *Déjeuner Sur L'Herbe* van Manet,' zei Orlando met een stukje cervelaat in zijn hand.

'Hoezo?' vroeg Conrad. 'We zijn geen van allen bloot, terwijl dat toch de reden was waarom dat schilderij zo beroemd is geworden.'

'Er staat kein Würst op die schilderij,' zei Fritz. 'Alleen brood en fruit.'

'Jullie Duitsers nemen alles zo heerlijk letterlijk,' zei Orlando. 'Dat is zowel een nationaal mankement als een belangrijk deel van jullie charme.' Hij kuste Fritz op zijn mond. 'Eenvoud en de waarheid ten voeten uit.' Fritz bloosde. 'Ik bedoel dat er een sfeer rond deze picknick hangt die op mijn verbeelding werkt,' vervolgde Orlando. 'Iets romantisch, iets landelijks. De gratie en de schoonheid van alle aanwezigen en deze geweldige achtergrond...' Hij wapperde met zijn hand. '... van vergane glorie verandert deze simpele maaltijd in een herdersdicht vol uitzonderlijke poëzie die zelfs een beperkt kunstenaar zou inspireren. Ik zit te denken aan een ballet in één acte.'

'Ik wist wel dat ik je naam kende,' zei ik. 'Jij bent de choreograaf. Vlak voor de kerst heb ik je *Oiseaux Tristes* gezien. Geweldig gewoon!' Ik keek Marigold aan. 'En jij bent Marigold Savage. Ik heb je in *Giselle* zien dansen, samen met het Lenoir Ballet. Ik moest ervan huilen.'

Marigold was duidelijk gestreeld.

Orlando wees met een worstje naar haar. 'Zou jij niet graag het mooie meisje willen zijn dat links in *Le Déjeuner* zit, met haar hand onder haar kin? Conrad, zou jij er bezwaar tegen hebben als Marigold naakt danste?'

'Heb ik daar dan iets over te vertellen?' Conrad en zijn vrouw keken elkaar even geamuseerd aan. 'Maar hoe wil jij uitleggen wat ze daar op die open plek doen terwijl de helft van het gezelschap geen kleren aanheeft? Als ze hebben gezwommen is het ontbreken van handdoeken toch een probleem want het is wel een heel schaduwrijk plekje en ongetwijfeld ook heel koel.'

'Zwemmen? Handdoeken? Bah.' Orlando keek nadenkend.

'Mag ik suggestie doen?' zei Fritz. 'Mooie dame naast me brengt me op idee.' Hij boog naar me. 'Ik spreek van Artemis, de naakte godin?' Hij bloosde en boog opnieuw. 'Neem me niet kwalijk ik het zo zeg...'

'O! Wat een fantastisch idee!' Orlando scharrelde op zijn knieën om het tafelkleed heen (hij moest wel dijspieren als stalen kabels hebben) om Fritz te knuffelen. 'Ik zie het al voor me... de maagdelijke jageres...' Orlando sprong op en deed net alsof hij een boog spande. Zijn atletische gratie was een lust voor het oog. 'Maar ik moet meer over haar weten. Wie kan me dat vertellen?'

'Dat kan ik wel,' zei ik. 'Ze was eigenlijk nogal een onmens. IJdel, wraakzuchtig en belachelijk lichtgeraakt. Er zijn een heleboel verhalen over haar. Ze zorgde er bijvoorbeeld voor dat Orion door een enorme schorpioen in zijn hiel werd gestoken omdat hij verliefd was geworden op een van haar nimfen. Daarna zette ze zowel Orion als de schorpioen als gigantische sterrenbeelden tegen de nachtelijke hemel...' Orlando luisterde geboeid toe terwijl ik hem alles vertelde wat ik van mijn naamgenote wist en dat was, dankzij pa, een heleboel.

Het verhaal over de schorpioen boeide hem het meest. Hij liet Marigold opstaan en in diverse poses rondlopen als Artemis, terwijl hij loerend en dreigend rondscharrelde als een enorm giftig insect.

'Nu zijn ze in hun element,' zei Conrad. 'Dus kunnen wij de plannen doornemen.'

We lieten Orlando en Marigold aan hun lot over en stapten door een gebroken raam in wat ooit de tuin was geweest. Terwijl we tussen de natte struiken liepen, moest ik aan Cornwall denken en aan het onbekommerde geluk (nou ja, bijna) van die dagen met Harry.

We worstelden ons langzaam door een kletsnatte rimboe vol notenbomen, vlieren en braamstruiken, struikelend over de overblijfselen van muren en trappen van wat ooit formele tuinen waren geweest. Het gejank en gedreun van zware machines werd luider tot we bij een open plek kwamen waar werklieden bezig waren bomen om te hakken en de grond te egaliseren met behulp van kettingzagen en graafmachines.

'Ze maken een landingsbaan,' legde Conrad uit. Mijn gezicht moet boekdelen hebben gesproken, want hij voegde eraan toe: 'Het wordt echt geen tweede Heathrow, hoor. Ik heb een vierpersoons Cessna. Marigold danst overal ter wereld en we zouden de helft van ons leven van elkaar gescheiden zijn als ik haar na de voorstelling niet terug zou vliegen naar de plek waar we wonen. Het wordt een landingsbaan van aangestampt zand en als we hier weer weggaan, kunnen de volgende eigenaars er desgewenst iets anders van maken of het gewoon laten verwilderen.'

'Zijn jullie dan niet van plan om hier te blijven?'

'We zijn allebei gewend aan reizen en trekken. En we vinden het leuk om interessante gebouwen te restaureren.'

'Dat vinden wij ook leuk, nietwaar, Dickie?'

Dickie knikte. We liepen verder naar de rivier, waar we een paar plekken vonden die de juiste klei zouden opleveren voor het bakken van bijpassende stenen voor de Abbey. Conrad besloot dat we daarvoor een traditionele steenbakker in de arm zouden nemen. Hij was kennelijk erg enthousiast over het project en ik was blij dat een multimiljonair kennelijk nog zoveel plezier kon beleven aan simpele dingen.

Toen we weer op weg waren naar Londen, onder een loodgrijze hemel verlicht met incidentele zonnestralen, zat ik enthousiast te praten over de dag die we net achter de rug hadden. Dickie beaamde alles wat ik zei.

‘Het was echt allemaal geweldig, lieverd, maar ik wilde toch dat ik alles iets intenser beleefd had. Demelza is natuurlijk voor iedere man een natte droom, maar het zou toch een boel schelen als je af en toe de kans kreeg om een oog dicht te doen. Libido is voornamelijk een kwestie van verbeelding en het enige waaraan ik momenteel kan denken is mijn heerlijke bed, met lekkere schone lakens en vier dikke met dons gevulde kussens. Waar ik dan helemaal in mijn eentje in mag liggen. Mijn verbeeldingskracht is uitgeput.’

‘Och, arme Dickie. Doe maar lekker je ogen dicht, dan houd ik gewoon mijn mond.’

‘Nou ja, als je het niet erg vindt... Het was me trouwens wel opgevallen dat jij ook niet echt het zonnetje in huis was.’

‘Ik heb ook niet goed geslapen.’

‘Bedoel je dat de “boy wonder” in bepaalde opzichten op zijn tante lijkt? Ze zijn toch geen bloedverwanten?’

‘Nee, daar lag het niet aan.’

Misplaatste trots en loyaliteit voorkwamen dat ik Dickie vertelde dat Harry pas om twee uur ’s ochtends thuis was gekomen. De telefoon was gegaan op het moment dat ik in bed wilde stappen. Damian en ik hadden leugenachtige complimentjes uitgewisseld over de bruiloft en daarna had hij gevraagd of hij Harry kon spreken. Ik had gejokt en gezegd dat Harry met een cliënt op stap was, maar realiseerde me meteen dat het er dik in zat dat die leugen achterhaald werd. Toen Harry twee uur later naast me in bed glipte, had ik net gedaan alsof ik sliep. En toen ik die ochtend wegging, lag hij nog op zijn buik te slapen, met zijn voeten over de rand van het bed.

Als ik dat aan Dickie had moeten bekennen, zou ik me vernederd hebben gevoeld. In plaats daarvan begon ik maar over Kitto.

‘Och, die arme knul!’ Dickie kon nog net voldoende sympathie opbrengen. ‘Maar goed, hij is nog jong. Hij zal vast weer beter worden. Jago is toch één brok chagrijn, een echte zwartkijker.’

‘Misschien wel. Maar als je hem beter leert kennen, heeft hij toch gevoel voor humor. Eigenlijk is hij heel anders dan ik aanvankelijk dacht.’

‘Ik vond hem een sarcastische bruut.’

‘Ja, maar jullie eerste indruk van elkaar was ook niet best. Om te beginnen betrapte hij je erop dat je in zijn huis wiet rookte. Vervolgens zat je cocaïne te snuiven en daarna ben je met zijn vrouw naar bed gegaan en hebt haar meegenomen naar je flat in Londen voor een doorlopend orgasme.’

‘Als je het zo formuleert, heb ik waarschijnlijk niet echt de aanzet gegeven tot een mooie vriendschap. Maar daar kan ik helaas niets aan doen. Ik ben alleen maar een seksspeeltje, een morfeem in Demelza’s van lust vergeven lexicon.’

‘Jago is eigenlijk veel gevoeliger en sympathieker dan je op het eerste gezicht zou zeggen. Ik bedoel maar, hoeveel mannen ken jij die voor hun genoegen gedichten lezen?’

‘Ik kan me in ieder geval niet voorstellen dat Harry gedichten leest. Of het moeten schunnige limericks zijn.’

‘Maar hij is juist dol op poëzie. Op de dag dat we elkaar leerden kennen, waren we het er roerend over eens dat het fantastisch zou zijn om samen met John Donne aan tafel te zitten.’

Een zacht gesnurk was het enige antwoord dat ik kreeg.

Tegen de tijd dat we bij Sevenoaks aankwamen, lag Dickie zo vast te slapen dat hij niet eens meer wakker werd van het vreselijk gênante geluid dat mijn auto produceerde als ik de koppeling intrapte. Ik zette hem af bij zijn flat en reed meteen door naar huis, waar Harry in de keuken zat met een motorsportblad en een glas wijn.

‘Hallo, schat.’ Hij stond op om me een kus te geven. ‘Heb je een fijne dag gehad? Je ziet er beeldschoon uit.’

‘Dank je.’ Ik kuste hem terug. ‘Het was een fascinerend huis met bijpassende bewoners. En jij?’

‘Och… zo-zo. Ik heb gesolliciteerd, maar het was geen baan die ik wilde. Fondsenbeheer. Daar heb ik geen zin in.’

Ik liep naar het aanrecht en zette de ketel op het vuur. ‘Ach, je vindt binnenkort vast wel iets. Waar is Percy?’

‘Ze zit in haar kamer huiswerk te maken. Tussen twee haakjes, ik ben Damian gisteravond misgelopen.’

‘O ja?’

'In plaats daarvan ben ik naar Baz gegaan en die zat zo in de put – Helen is weer bij hem weg – dat ik maar gebleven ben om met hem te praten.'

Baz was een oude vriend van Harry die ik een paar keer ontmoet had. Hij was kunsthandelaar, een amusante, vrij louche figuur. Daarnaast was hij min of meer manisch-depressief en als hij in de put zat, viel er volgens zijn vriendin niet met hem te leven.

'Die arme Baz. Ben je erin geslaagd hem op te kikkeren?'

'Ja, maar wel tijdelijk, natuurlijk. We zijn naar de kroeg om de hoek gegaan. Baz werd zo teut dat hij van niets meer wist en dat was ook de bedoeling. Daarna heb ik hem thuisgebracht en in bed gestopt. En omdat hij toch uitgeteld was, heb ik dit stiekem meegenomen... Dat was trouwens de reden waarom ik bij hem langsging.'

Hij pakte een lijstje van de grond naast zijn stoel en draaide het om.

'O, Harry! De boom!' Het was een tekeningetje van Corot van een eik tegen een stormachtige hemel. Ik had het gezien toen ik een bezoek bracht aan de galerie van Baz en Harry had meteen aangeboden om het te kopen, maar Baz zei toen dat het al verkocht was.

'Je hebt het toch niet gestolen?'

'Nee, natuurlijk niet. Baz belde me in Cornwall om te vertellen dat de koop niet doorging en vroeg toen of ik het nog steeds wilde. Dus ik heb gisteravond een cheque voor het bedrag dat we overeengekomen waren op tafel achtergelaten en het gewoon meegenomen. Ik was bang dat hij in zijn huidige toestand – hij is bijna constant dronken – zou vergeten dat hij het aan mij beloofd had.'

'O, schat, wat lief van je! Ik vind het echt geweldig! Dank je wel!' Ik gaf hem opnieuw een kus, ditmaal veel enthousiaster omdat ik me schuldig voelde. 'Het is vast heel duur geweest.'

'Nou ja, Baz is een leuke kerel, maar half-bezopen en grienerig is niemand echt gezellig en ik wilde eigenlijk alleen maar bij jou zijn. Dus in dat opzicht was het wel duur, ja.'

'Wil je Baz nu bellen en vragen of hij mee komt eten?'
'Goeie genade, nee! Ik wil je vanavond voor mezelf hebben. Ik ga morgen wel naar hem toe.'
Pas toen ik de tuin in liep om wat rucola te plukken dacht ik ineens aan Kitto. Ik liep terug naar de keuken.
'Harry, heb je Jago gebeld?'
'Nee. Had ik dat dan moeten doen?'
'Over Kitto.'
'O ja.' Zijn gezicht betrok. 'Tja, lieverd, om eerlijk te zijn... ben ik een beetje bang dat het slecht nieuws zal zijn.'
'Zal ik dan maar bellen?'
'Alsjeblieft, schat. Als je het niet te kinderachtig van me vindt.'
'Welnee.'
Ik liep naar boven, naar mijn werkkamer, en belde het nummer van Pentrew. Het duurde een hele tijd voordat er werd opgenomen, waardoor ik terugdacht aan het huis en besefte hoe ik het miste...
'Ja?'
Ik had me voorbereid op een hele jeremiade van Roza en schrok bijna van die korte reactie.
'O, hallo, Jago. Met Artemis.'
'Artemis.' Hij stond te hijgen alsof hij had gerend om de telefoon op te kunnen pakken. 'Ik dacht dat het Kitto's vader zou zijn. Ik probeerde voor mezelf een omelet te bakken en ik was er net in geslaagd om de ovenhandschoenen in brand te steken toen ik de telefoon hoorde.'
'Lieve hemel! Waar is Roza?'
'In bed, met een gekneusd stuitje. Morveran heeft de trap in de was gezet en Roza is eraf gezeild.'
'Wat afschuwelijk!'
'Ze zal het wel overleven.' Uit zijn afgemeten toon maakte ik op dat hij eerder geërgerd was dan medelijdend. 'In tegenstelling tot Morverans zus die longontsteking heeft. Vandaar dat Morveran naar haar toe is en ik voor mezelf moet zorgen. Het is in ieder geval wel rustgevend.'
'Wie zorgt er voor Roza?'

'Een meisje uit het dorp – met de ontoepasselijke naam Lolita – komt iedere dag langs om haar te helpen. Ik hoop dat ze het volhoudt. De laatste keer dat ik haar zag, stond ze in de tuin bloemen te plukken om Roza's pudding te versieren en ze vloekte als een dragonder.'

'Wat is het voor een type?'

'Ik zou het je niet kunnen vertellen. Ze behandelt me met een soort gedwongen beleefdheid, alsof ik een kinderverkrachter ben die op borgtocht is vrijgelaten. Ze is ongeveer een meter twintig lang met een boezem die het bijna onmogelijk maakt om samen met haar in de keuken te staan.'

Ik schoot in de lach voordat ik me herinnerde waarvoor ik belde. 'Heb je nog iets van Kitto gehoord?'

'Niet veel. Ze hebben hem naar Bristol gebracht. Zijn vader belde vanmorgen om te vertellen dat Kitto's arts denkt dat de motorische functie van zijn benen waarschijnlijk zal terugkeren. Maar er is nog het risico van littekenweefsel. Die arme man verkeert nog steeds in een soort shocktoestand en begreep niet alles wat hij te horen heeft gekregen.'

'En hoe voelt Kitto zich?'

'Hij krijgt nog steeds veel medicijnen dus hij is nog erg wazig. Ik denk dat hij ervan opkikkert als Harry hem een briefje stuurt. Eén velletje is al genoeg. En misschien een kattebelletje aan Kitto's moeder.'

'Geef me het adres maar.'

Ik schreef het op en hij vroeg: 'Hoe gaat het met Harry?'

'Wel goed, alleen... Harry heeft het mij ook pas verteld toen we al thuis waren, maar zijn afdeling is opgedoekt en hij is samen met zijn collega's ontslagen.'

'O.'

Het drong in een flits tot me door. 'Maar jij wist het al. Heeft Harry je dat verteld?' Ik wist dat ik een tikje beschuldigend klonk.

'Nee. Dat maakte ik op uit zijn houding.'

'Wat knap van je.' Nu klonk ik een tikje spottend.

'Ik vond dat hij een beetje afwezig leek toen hij uit Londen terugkwam... alsof hem iets dwarszat.' Hij zweeg even. 'Ben je er nog, Artemis?'

'Ja. Ik ben een beetje nijdig omdat jij het wel hebt gemerkt en ik niet.'

'Ik ken Harry al dertig jaar en jij kent hem pas een maand of drie, vier. En trouwens, mannen begrijpen mannen en vrouwen begrijpen vrouwen. Het is een cliché, maar je weet best dat er een dikke nevel hangt tussen de seksen.'

'Het is lief van je dat je mijn gevoelens probeert te ontzien.'

'Doe niet zo mal.'

'Sorry, je hebt gelijk. Ik heb een lange dag achter de rug.'

Ik had hem graag alles verteld over Cherstone Abbey en Conrad en Marigold, maar inmiddels was de kans groot dat de hele keuken in brand stond. Dus zei ik dat ik over een dag of twee wel terug zou bellen om te horen hoe het met Kitto ging en Jago zei oké en hing op zonder afscheid te nemen.

Terwijl ik het eten klaarmaakte, zette Harry zich aan de brieven voor Kitto en zijn moeder. Ik was een beetje ontroerd bij de aanblik van zijn gefronste wenkbrauwen en het puntje van zijn tong dat uit zijn mondhoek stak.

'Kijk jij ze maar even na,' zei hij ten slotte en smeet de pen neer met een uitdrukking die me deed denken aan Percy die een vervelend klusje had opgeknapt. 'Ik zal wel een paar fouten hebben gemaakt.'

Ik was blij om te zien dat hij een mooi fors handschrift had. Er stonden wel veel spelfouten in en hoofdletters waren lukraak rondgezaaid. Sommige letters stonden achterstevoren en leestekens ontbraken, met uitzondering van een paar punten. Maar hij had zijn gevoelens goed uitgedrukt en precies gezegd wat nodig was. Het leek me beter om geen kritiek uit te oefenen. Kitto noch zijn familie zouden zich iets aantrekken van een paar foutjes en ik had het idee dat Harry in dit opzicht een tikje overgevoelig was.

'Prima. Precies goed,' zei ik terwijl ik de brief teruggaf aan Harry.

'Ach, wat ben je toch een lief moedertje. Je wilt dat brave leerlingetje niet ontmoedigen, hè?' zei hij meteen. Er was niets mis met Harry's waarnemingsvermogen.

Percy kwam met veel misbaar de trap af en de keuken binnen. 'Wat een eersteklas zeurpiet was die Cicero toch. Altijd maar preken.' Ze pakte Harry's brief aan Kitto op. 'Wat is dit?'

'Lieverd, je mag zonder toestemming geen brieven van andere mensen lezen.'

'Ze mag van mij haar gang gaan.' Harry leunde achterover en bleef me strak aankijken terwijl Percy de brief las. Ze begon meteen allerlei fouten aan te wijzen en vroeg waarom hij Weer met een hoofdletter schreef.

Harry legde uit dat hij dyslectisch was en dat ik had gezegd dat er niets mis was met de brief. 'Je zus wil me niet bekritiseren omdat ze bang is dat ik dan denk dat zíj denkt dat ik dom ben.'

Ik kon wel janken en draaide me om.

'Dat zal wel komen omdat dyslexie nog niet uitgevonden was toen zij op school zat,' zei Percy behulpzaam. 'Bij mij in de klas zit een meisje dat ook dyslectisch is. Ze is echt mooi en ze heeft een vriend van achttien. Ze zegt dat ze van plan is om met hem naar bed te gaan. De andere meisjes zeggen dat ze dat niet moet doen, maar ik moedig haar juist aan omdat zij de enige is van wie ik zeker weet dat ze me precies zal vertellen hoe het was.'

Ik haalde mijn neus op. Mijn lafhartige poging om iets glad te strijken wat misschien moeilijkheden kon veroorzaken was niets meer of minder dan verraad geweest. Nu zou hij er nooit meer op kunnen vertrouwen dat ik de waarheid sprak.

Harry's armen gleden om me heen. 'Jij bent een domme meid, Art. En een echte lieverd. Ik weet best dat je me niet wilde kwetsen.'

Ik draaide me om en sloeg mijn armen om zijn nek.

'O god,' zei Percy chagrijnig. 'Gaat het voortaan altijd zo? Iedere keer als het gesprek interessant wordt, moeten jullie elkaar zo nodig kussen. Ik begin me echt eenzaam te voelen.'

'Lieverd, je weet best hoeveel ik van je hou,' zei ik.

Percy's gezicht klaarde op. 'Mag ik dan een hond?'

21

'Verdorie!' zei Birdie. 'Er zit een knoop in mijn draad. Ik begin gewoon een hekel te krijgen aan mevrouw Hartle-top-Smythe. Waarom zit ik te hannesen met die walgelijke gordijnen van haar terwijl zij lekker lui bij de schoonheidsspecialiste ligt?'

Het was zaterdagmiddag, twee weken later. We zaten in de erker in Birdies flat in Holland Park een stel walgelijke bruine gordijnen te zomen. Percy was bij een schoolvriendinnetje en Harry hielp Baz na een fikse brand met het opruimen van zijn voorraadruimte. De brand was de dag nadat Harry de Corot had gekocht uitgebroken. Maar gelukkig waren de schilderijen en de tekeningen die in de as waren gelegd voor een hoog bedrag verzekerd.

'Omdat ze niet alleen meer geld heeft dan jij, maar ook kwark tussen de oren in plaats van hersens.'

'Dat klopt. Hoe gaat het met Harry's sollicitaties?'

'Hij heeft nog niets kunnen vinden. Het zal wel even duren voordat hij voet aan de grond krijgt in de reclamewereld. Maar hij heeft een paar contacten.'

'Wie betaalt dan voor die benzineslurpende Bentley?'

Het was duidelijk dat Birdie nog steeds haar bedenkingen had over Harry's manier van leven, dus ik was blij dat ik haar kon vertellen dat hij de auto had verkocht.

'Het was zijn eigen idee. Hij zei dat die veel te duur was voor een man zonder werk, dus heeft hij hem weer terugverkocht aan de man van wie hij hem had overgenomen. Harry is echt heel verstandig als het om geld gaat. Maar hij heeft natuurlijk ook nog steeds genoeg, vanwege de afkoopsom die hij van Allison Associates heeft gekregen. En hij zal binnenkort zijn flat wel kunnen verkopen. Het was wel jammer dat die eerste gegadigde er op het laatste moment van afzag.'

Birdie hield even haar mond terwijl ze de zijkanten van de gordijnen omspeldde en daar was ik blij om. Ik zou het ontzettend naar vinden als mijn huwelijk een eind zou maken aan mijn vriendschap met Birdie.

'Goed,' zei ze toen ze klaar was. 'Ik heb een cake gebakken, dus laten we nu maar gaan theedrinken, dan kun je me precies vertellen hoe het met Roza en haar stuitje is.'

'Volgens Roza's dokter kan het wel een maand duren voordat het over is. Wel zielig dat je op een ring van rubber moet zitten terwijl je voor het eerst in vijf jaar alleen in huis bent bij de man van je dromen. Wat een zalige cake is dit, Birdie!'

'Je moet de rest maar mee naar huis nemen. Ik kan niet in mijn eentje een hele cake opeten. Hoe is die oom van Harry eigenlijk? Dat heb je me nooit precies verteld.'

'Omdat ik er zelf nog niet uit ben. Hij zegt dat mannen en vrouwen elkaar nooit zullen kunnen begrijpen. Hij denkt dat ik in dat opzicht helemaal van niets weet omdat ik geen broers heb en mijn vader altijd zo afstandelijk was.'

'Dus hij zegt wel waar het op staat.'

'Hij is zo eerlijk dat hij af en toe gewoon grof wordt.'

'Maar toch schijn je hem wel te mogen.'

'Eh... ja. Aanvankelijk had ik een hekel aan hem en om de een of andere reden kon ik zijn goedkeuring ook niet wegdragen. Hij kan zo sarcastisch zijn dat je hem het liefst een mep zou verkopen. En hij is ook wel een beetje een schuinsmarcheerder. Hij is nauwelijks beleefd tegen Demelza, zijn vrouw, en hij heeft openlijk buitenechtelijke relaties met andere vrouwen. Getrouwde vrouwen met haar op de tanden. En Roza heeft me verteld dat een meisje zelfmoord heeft gepleegd – ze is van het klif gesprongen – omdat ze van hem of van zijn broer in verwachting was. Volgens mij wil hij daarom geen serieuze liefdesrelatie meer.'

Om zes uur reed ik terug naar huis en pikte onderweg Percy op. Harry had een briefje op de keukentafel gelegd waarop stond dat hij om zeven uur thuis zou zijn, maar het was al halftien voordat hij vol verontschuldigingen opdook. Ik zei er maar niets van, omdat ik geen zeurpiet wilde zijn.

'Harry, ik vind het vervelend om je iets te vragen terwijl je altijd al zo gul bent...' Ik dacht aan de Corot die echt beeldschoon stond boven de bank in de salon, '... maar er moet echt iets aan mijn auto gedaan worden. Volgens mijn garage zijn het de koppelingsplaten en de reparatie zou tweehonderd pond kosten. Maar dat geld heb ik op dit moment gewoon niet nu we net een nieuwe boiler hebben moeten kopen en de rekening van het elektriciteitsbedrijf vorige week moest worden betaald.'

Harry trok een gezicht en schonk een glas wijn in. 'Ik zit zelf op dit moment ook een beetje krap, lieverd, nu ik deel uitmaak van het leger werklozen.'

'Maar hoe zit het dan met die afkoopsom die je hebt gekregen?'

'Tja, lieve schat, dat geld is slim belegd en daar kan ik voorlopig niet aankomen.'

'En het geld van de Bentley?'

'Dat is in hetzelfde winstgevende project geïnvesteerd.'

'O.' Heel verstandig, maar wel onhandig. 'Wat moet ik dan met mijn auto beginnen?'

'Ik ken een vent die alles op vier wielen kan maken. Ik zal hem ernaar laten kijken. Ik bel hem zo wel even.'

'Als geld een probleem is,' zei Percy toen Harry weg was, 'kan ik altijd nog naar de openbare school.' Daar begon ze steeds weer over, omdat ze had gehoord dat de kinderen daar nooit iets schenen uit te voeren.

'Lieverd, jouw schoolopleiding is het laatste waar ik ooit op zal bezuinigen. Dan verkoop ik nog liever dit huis.'

'Wat is er dan zo bijzonder aan een privéschool? De laatste keer dat ik Hermione zag, zei ze dat ik klonk als een verkoopster.'

'Hermione loopt jaren achter, schat. En wat is er trouwens mis met verkoopsters? Het is een keurige manier om je brood te verdienen.'

'Kan ik dan geen verkoopster worden? Als ik in een dierenzaak ga werken, heb ik geen diploma nodig.'

'Laten we daar nu maar over ophouden. Ik heb toch al hoofdpijn.'

Harry kwam weer naar beneden. 'Dat is geregeld. Ik ga morgen met de Renault naar Mario om hem ernaar te laten kijken. Waarom vragen we niet of je vader en stiefmoeder een paar dagen komen logeren? Of we kunnen naar Brentwell gaan, want je hebt ze al tijden niet meer gezien. Je moet er wel voor zorgen dat ze aan je blijven denken. Een cheque van pappie zou nu wel goed uitkomen.'

Ik onderdrukte de rilling die ik voelde opkomen toen ik dat hoorde. 'Hoog tijd om naar bed te gaan, Percy.' Toen ze mopperend naar boven verdween, zei ik: 'Ik kan pa niet om geld vragen.'

'Onafhankelijkheid is heel mooi,' zei Harry terwijl hij de cognacfles uit het hoekkastje pakte. 'Maar komt hoogmoed niet voor de val? In ieder geval wel in de Bijbel.'

'Het is geen kwestie van hoogmoed.' Ik begon aan de afwas. 'Het zou hem verschrikkelijk ongerust maken.' En bovendien, had ik daaraan kunnen toevoegen, heeft hij niets meer om te verkopen. Niet lang daarvoor hadden we zijn kostbare, in leer gebonden verzamelingen van Dickens, Trollope en Thackeray naar de veiling gestuurd om de belasting te kunnen betalen. Als ik aan hem dacht en aan de manier waarop hij naar zijn hoofd greep als ik hem aan zijn verstand probeerde te brengen dat er nooit iemand zou komen die Brentwell zou willen kopen en dat hij en Hermione toch een dezer dagen zouden moeten besluiten om in een van de cottages te gaan wonen en het grote huis in puin te laten vallen... Nee, ik kon hem niet om geld vragen. Hij zou het me willen geven, want hij was van nature gul. Hij had zijn beste overjas aan een toevallig passerende landloper gegeven en ik was een keer met het schaamrood op mijn kaken naar de dominee gegaan om een cheque van vijfhonderd pond terug te vragen die pa had gegeven als bijdrage voor de restauratie van de kerktoren. Het was vrijwel zijn hele bezit geweest.

'Nou ja, hij hoeft het niet te geven. Te lenen dan. Jasses! Die cognac is niet te drinken.'

'Die is ook om mee te koken. Nee echt, Harry. Het onderwerp geld is taboe als het om pa gaat.'

'Nou, vooruit, maar we kunnen best vragen of hij wil komen logeren.'

'Hij komt toch niet. Hij vindt het vreselijk om van huis te gaan.' Ik veegde het aanrecht schoon. 'Maar jij zult binnenkort toch wel weer een baan krijgen?'

'O ja, vast en zeker. Wie zou hebben gedacht dat het zo moeilijk was om in de reclamewereld voet aan de grond te krijgen? Het komt allemaal neer op wie je kent en al mijn contacten zitten in de geldwereld.'

'Er is nog een beetje rijstpudding met frambozensaus over. Wil jij dat?'

'Mmm. Dat zal de smaak van die afschuwelijke cognac wegnemen.'

Afschuwelijk of niet, hij dronk toch de hele fles leeg en toen we vlak daarna naar bed gingen, sliep hij als een roos.

De volgende dag kwam Adrian mijn kantoor binnen lopen. 'Ik heb net een brief van Conrad gekregen met niets dan lof over jullie. Hij is helemaal verrukt van alles wat Dickie en jij tot dusver hebben gedaan.'

Daar vrolijkte ik van op. 'We hebben een moderne steenbakkerij in Sussex gevonden die nog steeds handgemaakte stenen levert. Als je maar genoeg geld hebt, gaat alles een stuk gemakkelijker.'

'Het is wel een uitzondering,' bromde Adrian. De doorsnee problemen waarmee een architectenbureau geconfronteerd werd, kon hij moeiteloos uit de weg ruimen. Maar als het chequeboek werd dichtgeslagen, zoals zo vaak gebeurde omdat ieder project om de een of andere reden meer kostte dan was begroot, werd Adrian wanhopig. Dan moesten er compromissen worden gesloten en dat ging altijd ten koste van de afwerking. Dan werd hardhout vervangen door gewoon hout, marmer door graniet en handgemaakte stenen door machinaal vervaardigde stenen. Omdat Adrian juist bekendstond om de manier waarop zijn gebouwen waren afgewerkt en om het kwaliteitsmateriaal dat hij gebruikte, deden dat soort concessies hem pijn.

Adrian gaf me de brief en stond met een potlood tegen mijn bureau te tikken terwijl ik hem las. Hij was eenenvijftig, maar zag er ouder uit. Zijn haar was kroezig en grijs en hij droeg altijd driedelige pakken. Maar hij was een intelligente man en ik had respect voor hem.

'Wat vind jij van Lerner?' vroeg hij.

'Ik mag hem graag.'

'Vind je niet dat hij een soort hippie lijkt? Hij hangt zo graag de weldoener uit.'

'Welnee. Hij leeft er goed van, maar niet op de manier waarop de meeste rijke mensen leven. Er wordt niet met geld gesmeten. Hij kampeert vaak met Marigold in de Abbey. Ze hebben twee tenten neergezet – goed, niet direct het soort tent waarin je een stel padvinders aan zou treffen – en ze koken boven een kampvuur dat ze in de open haard hebben aangelegd. Dat wil zeggen, Fritz kookt, hij is een soort manusje-van-alles en is meestal bij hen. Zijn vriend, Orlando Silverbridge, de choreograaf, komt vaak naar hen toe als hij niet hoeft te werken. Het zijn echt interessante mensen. Conrad is zonder twijfel de baas. Zijn woord is wet, maar hij praat niet half zoveel als de anderen. Hij gaat nooit op zijn strepen staan, maar laat wel merken wat hij wil. Waarom ga je vrijdag niet mee om zelf eens rond te kijken? Ze kunnen je toch wel een dagje missen bij die klus in Surrey?'

'Hm. Misschien doe ik dat wel.'

'Probeer het in ieder geval. Eh... Adrian?'

'Ja.'

'Ik weet dat het heel brutaal is om je dat te vragen, maar... Mark werkt toch in de reclame?'

Mark was Adrians jongere broer.

'Ja. Hij is net met zijn eigen bureau begonnen.'

'Ja, dat heb je me verteld. En ik vroeg me af... Zou hij misschien een baan voor Harry hebben?'

'Voor Harry?' Adrian keek verbaasd.

'Ja. Zijn afdeling is opgedoekt en hij heeft het idee dat hij liever een creatievere baan zou willen hebben. Hij zou dolgraag in de reclame gaan, maar hij heeft natuurlijk geen enkele ervaring en...'

'Hij zat toch bij Allison Associates? Op welke afdeling?'

'Vermogensbeheer voor internationale en offshore-cliënten.'

Adrian fronste, waardoor zijn voorhoofd op een velletje gekreukt papier leek. Hij zei niets en bleef met dat potlood tikken terwijl zijn blik gevestigd was op het onappetijtelijk uitziende zakje boterhammen waaraan ik net had willen beginnen toen hij binnenkwam. Ik begon te wensen dat ik hem niets gevraagd had. Maar toen keek hij op en glimlachte. 'Het toeval wil dat ik vandaag met Mark ga lunchen. Ik zal het hem vragen.'

'O, dank je wel. Dat is ontzettend lief van je.'

'Maar ik kan je niets beloven. Misschien heeft hij niemand meer nodig.'

'Natuurlijk niet. Dank je wel, Adrian.'

'Ja.' Hij glimlachte opnieuw en zijn ogen verdwenen tussen plooitjes crêpe-de-chine. 'Maar zoals je weet, heb ik je altijd als mijn protegee beschouwd, Artemis, en dat houdt niet op als de kantoordeur achter je dichtvalt.'

'Protegee?' Birdie snoof minachtend. 'Hij had beter "als mijn vrouw" kunnen zeggen.'

Het was zondagavond en we zaten met een glaasje wijn in de keuken in Oracle Street. Percy zat boven huiswerk te maken en Harry was met Damian gaan squashen.

'Hé, doe niet zo belachelijk.'

'Dat is het echt niet. Ik ben er nooit eerder over begonnen omdat... Nou ja, misschien hield jij er soortgelijke ideeën op na.'

'Maar Birdie... Adrian is oud genoeg om mijn vader te zijn. En zo heb ik hem ook altijd beschouwd. Als een soort lieve oom.'

'En jij denkt dat hij jou als een soort nichtje ziet? Art, ik heb al eerder tegen je gezegd dat je echt ontzettend naïef bent als het om mannen gaat. Hoor eens, als een mooi jong meisje gewoon uit medelijden tegen een zielige tandenloze stakker glimlacht die alleen nog met een stok kan lopen en elk biscuitje in zijn thee sopt, denkt zo'n vent nóg dat er iets achter steekt. En dan kijkt hij haar met zijn waterige oogjes aan en geeft haar met zijn knokige bibberhandje een tikje op haar kont en denkt dat ze dat helemaal te gek vindt.'

Ik lachte. 'Zo oud is Adrian ook weer niet.'

'Nee, maar het komt op hetzelfde neer. Hij werpt begerige blikken op je en jij beschouwt hem als een ouwe schoolmeester die te oud is voor geile gedachten.'

Ik huiverde. 'Hou op, Birdie. Ik hoop dat je je vergist. Hij heeft me zo ongelooflijk geholpen... door me een baan te geven, me geld te lenen... en me alles over architectuur en verbouwingen te leren... Nee, ik weet zeker dat je de plank misslaat. Hij heeft me nooit het idee gegeven dat hij iets anders is dan een oudere man die me uit de goedheid van zijn hart helpt.'

'Uit de goedheid... Hoe kom je op het idee? Nee, lieve sukkel, iedereen die ook maar een greintje verstand heeft, begrijpt onmiddellijk dat Adrian vanaf het moment dat jullie elkaar ontmoetten het onmogelijke heeft gewenst. Hij heeft jou gewoon in een positie gemanipuleerd waarin alles wat hij deed hem aantrekkelijker maakte. Hij is niet dom en hij weet best dat zo'n meisje als jij niet halsoverkop een vent accepteert die vijfentwintig jaar ouder is en nog onaantrekkelijk op de koop toe. Dus heeft hij al zijn troeven uitgespeeld. Een baan, geld, het bijkomende voordeel van zijn professionele ervaring en – het allerbelangrijkste – voortdurend contact.'

'Voortdurend contact?' herhaalde ik verbijsterd.

'Doordat je hem zoveel ziet, leerde je hem kennen en vertrouwen, zodat je hem nu als een lieve vriend beschouwt. En hij hoopte natuurlijk dat die gevoelens op een dag zouden veranderen in iets dat je liefde zou kunnen noemen. Geen hartstocht, maar intense genegenheid. Daar zijn een heleboel goeie huwelijken op gebaseerd. En de mogelijkheid zat er dik in. Een meisje zoals jij zou best op zoek kunnen zijn naar een vaderfiguur. Ja, ik weet dat je al een fijne vader hebt, maar die is wel heel erg in zichzelf gekeerd en jij moest altijd je eigen boontjes doppen. En laten we wel wezen, je had het heel wat slechter kunnen treffen dan met een intelligente, rustige oudere man met een schitterend huis aan Camden Hill Square en geld op de bank. Ook al heeft hij een buikje. Maar dat slaat nergens meer op nu je getrouwd bent met Harry.'

'Ik vraag me af...' Ik stond op en ging even kijken hoe het met de lamsbout stond. Harry had gezegd dat hij zich slap begon te voelen door het feit dat hij bijna geen vlees te eten kreeg en als ik geen slappe vaatdoek in mijn bed wilde hebben, kon ik maar beter meteen naar de slager gaan. 'Ik vraag me af... Hij reageerde echt afschuwelijk toen ik hem vertelde dat ik met Harry ging trouwen. Maar hij heeft nooit ook maar de geringste poging gedaan om me te versieren. Ik krijg nooit een complimentje van hem en hij zegt nooit dubbelzinnige dingen. Dat heb ik altijd heel geruststellend gevonden.'

'Zie je nou wel? Ik gok erop dat hij gewoon wachtte tot je volwassen genoeg was om niet meer over het leeftijdsverschil te vallen. Natuurlijk liep hij daarbij het risico dat je iemand anders zou ontmoeten en dat is dan ook gebeurd.'

Ik probeerde me al die keren dat Adrian en ik alleen waren geweest te herinneren. Had ik iets gemist dat erop wees dat hij meer voor me voelde dan vriendschap?

'Ik denk dat je je vergist,' zei ik ten slotte. 'Gisteren ben ik nog met Adrian naar Cherstone Abbey geweest. We hebben anderhalf uur over de heenreis gedaan en twee uur over de terugreis. In mijn nieuwe auto zit je bijna bij elkaar op schoot. Dan had ik toch iets moeten merken als hij zich lichamelijk tot me aangetrokken voelt? Laat staan als hij me voorgoed de zijne wil maken.'

De dag was begonnen met een humeurige uitval van Adrian toen ik hem ophaalde in de Alfa Romeo Spider die Harry had gekocht in plaats van de Renault die volgens Mario rijp was voor de sloop.

'Een sportauto!' had hij gezegd toen ik voor zijn huis stopte. 'Belachelijk! Ik dacht echt dat je daar te verstandig voor was, Art. Hoe kun je daarin nu cliënten meenemen?'

Eerlijk gezegd had ik mezelf alleen afgevraagd hoe het moest als ik samen met Harry en Percy ergens naartoe wilde.

'Als het om meerdere personen gaat, zal ik wel een auto moeten huren,' had ik tegen Adrian gezegd. 'Wil je liever met je eigen auto gaan?'

'Nee, nee, het maakt niet uit.' Hij stapte in en er heerste een gespannen stilte terwijl ik in de spits in oostelijke richting reed. Toen zei hij op een wat kalmere toon: 'Eigenlijk is het wel goed dat je je een beetje uitleeft en plezier hebt. Toen ik halverwege de twintig was, reed ik in een Jaguar E-Type.' Hij lachte. 'Uiteindelijk begon het me de keel uit te hangen dat iedere weggebruiker probeerde me de loef af te steken.'

'Ja, het is eigenlijk wel een belachelijk autootje voor mij.' Ik was opgelucht dat hij het zo goed opnam. 'En het verbruikt veel meer benzine dan mijn oude auto. Maar Harry vond hem zo leuk. En het is een beeldige kleur blauw.'

Adrian lachte opnieuw. 'Echt iets voor een vrouw! Trouwens, over Harry gesproken, ik heb het met Mark over hem gehad en hij heeft maandag tijd om met Harry te praten. Hij is bezig met de samenstelling van een mediateam.'

'O, dank je wel, Adrian! Dat stel ik echt ontzettend op prijs...'

'Rustig aan. Misschien heeft Harry helemaal geen zin in die baan. Hij zal natuurlijk van onderaf aan moeten beginnen omdat hij helemaal geen ervaring heeft en het kan ook zijn dat Mark hem helemaal niet ziet zitten.'

'Ik ben allang blij dat je die moeite hebt gedaan. Ik wou alleen dat ik iets terug kon doen.'

Adrian had gezegd dat hij het me meteen zou laten weten als ik hem een wederdienst kon bewijzen en dat ik niet het gevoel moest hebben dat ik bij hem in het krijt stond. Toen we bij Cherstone Abbey arriveerden, was hij gecharmeerd geweest van de schoonheid van de ruïne en eigenaardige karaktertrekjes van de bewoners en had met Conrad uitvoerig zitten praten over de architectuur van religieuze gebouwen in Engeland. Conrad had kennelijk alle grote en een behoorlijk aantal van de kleinere abdijen bezocht en kon zich de bijzonderheden goed herinneren. Op de terugweg had Adrian toegegeven dat het een genoegen moest zijn om samen te werken met een cliënt die zo erudiet was. Daarna hadden we over allerlei technische bijzonderheden zitten praten en toen we op Camden Hill Square terug waren, had hij me alleen op het hart gedrukt dat ik Conrad mede uit zijn naam een brief moest sturen om hem voor zijn gastvrijheid te bedanken.

'Nee,' zei ik tegen Birdie. 'Ik weet zeker dat hij geen heimelijke plannen heeft. Waarom zou hij anders Harry aan een baan helpen?'

'Als hij niet de hoofse minnaar uithangt die zijn geliefde wil dienen zonder dat er iets tegenover staat, zal hij daar wel een of andere duistere reden voor hebben,' zei Birdie die halsstarrig volhield dat ze gelijk had.

Om negen uur hadden we zo'n trek dat we besloten niet langer op Harry te wachten. Percy had al gegeten en was naar boven gegaan.

'Dit is echt zalig,' zei Birdie. 'Harry weet niet wat hij mist.'

'Ik vermoed dat hij na het squashen nog iets is gaan drinken en de tijd uit het oog heeft verloren.'

Birdie zei niets. Hoe moest ik haar uitleggen dat je een echtgenoot niet aan de leiband kunt houden? Mensen moesten kunnen doen waar ze zin in hadden. Dat gold niet voor mij, want vanwege Percy moest ik me wel aan vaste regels houden, maar het zou niet eerlijk zijn om van Harry hetzelfde te verwachten. Ik was er al achtergekomen dat hij geen man van de klok was. Door alle hartstocht en opwinding was me dat voor ons huwelijk nooit opgevallen. Niet dat ik daar nu gebrek aan had, natuurlijk.

We waren net aan het dessert begonnen, toen we boven in de hal stemmen hoorden. Harry kwam de trap af, gevolgd door een onbekende.

'Sorry dat ik zo laat ben, lieverd. Hallo, Birdie.' Hij gaf ons allebei een kus. 'Ik liep Ned tegen het lijf...' hij wees op de onbekende. 'Eigenlijk heet hij graaf Tadeusz Szezepanski, maar iedereen noemt hem Ned. Hij heeft slaande ruzie gekregen met zijn huisbaas, dus heb ik gezegd dat hij wel bij ons kon logeren. Dit is Art.'

Ned, die heel lang en mager was, gaf me een slap handje en keek ondertussen om zich heen met geelachtige ogen die loom het interieur in zich opnamen totdat ze ten slotte op mij bleven rusten. Hij schonk me een glimlach en zijn puntige tanden deden me onwillekeurig aan een krokodil denken.

'En dit is Birdie Blashfern,' zei Harry.

Ned leek niet onder de indruk van Birdies koele blik en schudde haar hand op dezelfde ongeïnteresseerde manier. Hij had halflang blond haar en een scherpe puntneus.

'We rammelen van de honger,' zei Harry en keek in de dekschaal. 'Vlees! Ga zitten, Ned, dan pak ik even een bord voor je.'

Ik kon aan zijn stem horen dat hij aangeschoten was. Hij begon het eten op te scheppen en Ned ging op de stoel naast me zitten. Hij droeg een groen fluwelen pak, een tikje kaal langs de naden, en een zijden das. Hij maakte een ongezonde indruk, alsof hij aan de tering of een soortgelijke poëtisch klinkende ziekte leed. 'Ja, ik kan hier wel een tijdje blijven.'

'Al Harry's vrienden zijn uiteraard welkom,' zei ik, eerder beleefd dan waarheidsgetrouw. Uit vrees dat hij zou merken dat ik meteen op het eerste gezicht een hekel aan hem had, vroeg ik glimlachend: 'Ben je al lang in Engeland?'

'Bijna tien jaar. Ik kan niet meer terug naar Polen. De communisten zouden me meteen vermoorden.'

Harry zette een bord en een glas wijn voor hem neer en vroeg aan Birdie hoe het met haar ging. 'Wat heb je een mooie jurk aan. En die kleur is ook prachtig. Is dat azuurblauw?'

'Ik vind het eigenlijk meer aquamarijn, jij niet? Bij daglicht ligt er echt een groene gloed over.'

'Hij is best mooi.' Ned zat in zijn eten te wroeten als een chirurg die op zoek is naar een tumor. 'Maar de hals kan een stuk lager. Ik zie graag wat een vrouw te bieden heeft.'

Birdie en ik keken elkaar aan. 'Ik ga even de logeerkamer in orde maken,' zei ik.

'Ik help je wel,' zei Birdie.

'Misschien ligt het aan zijn Engels,' opperde ik terwijl we schone lakens legden op het bed in de kamer naast die van Percy.

Birdie snoof. 'Al was hij doofstom, dan zou ik nog niets van hem moeten hebben. En die stapel koffers en dozen in de hal bevallen me ook helemaal niet. Ik hoop voor jou dan hij niet lang blijft.'

'We moeten niet te haastig zijn met ons oordeel. Als hij een vriend van Harry is, zal hij wel verborgen kwaliteiten hebben. Misschien is hij wel een geweldige kok en heel behulpzaam in huis.'

'Je hebt optimisten en fantasten,' zei Birdie. 'En die twee zijn nauwelijks van elkaar te onderscheiden.'

22

De telefoon op Pentrew ging een hele tijd over voordat iemand oppakte.

'Hallo?'

'Met Artemis.'

'Dat dacht ik al.'

Zou dat betekenen dat ik te vaak belde? 'Nog nieuws van Kitto?'

'Hij krijgt fysiotherapie. En hij mag in het zwembad. Volgens zijn vader ontspant hem dat.'

'Heeft hij al gevoel in zijn benen?'

'Nee.'

'Maar hebben ze nog steeds hoop?'

'Ik zou het niet weten. Kitto's vader verkeert volgens mij nog steeds in shocktoestand. Maar hij heeft in ieder geval het fatsoen gehad om te zeggen dat het Harry's schuld niet was. Niemand kon er iets aan doen, zegt hij.'

'Gelukkig. Dat zal ik Harry vertellen.' Ik was even stil terwijl ik aan die arme Kitto in het ziekenhuis dacht.

'Hoe gaat het daar bij jou?' vroeg Jago. 'Heeft Harry die baan gekregen?'

'Hij begint maandag. Maar het salaris is minder dan hij gewend was.' Volgens Harry kon je er nog geen broodbeleg van kopen, maar hij had me niet verteld hoeveel hij kreeg en ik had het niet willen vragen omdat hij dan misschien in zijn eer aangetast zou worden. 'Hij zal vast wel promotie maken. En het is niet goed om niets omhanden te hebben, hè?'

'Je hebt groot gelijk. Wat heeft Harry in de tussentijd dan uitgespookt?'

'Dat bedoelde ik niet precies, maar... hij heeft een vriend uitgenodigd om bij ons te logeren. Een zekere Ned... een of andere Pool, met een onuitspreekbare naam. Ken je hem?'

'Nee. Dus daarom klink je zo bezorgd.'

'Is dat zo?' Boos was eigenlijk toepasselijker. Ned met zijn hele hebben en houden was inmiddels vijf dagen bij ons. 'Hij houdt nergens rekening mee. Als ik thuiskom, staat de keuken vol vuile vaat, overal liggen kruimels en de koelkast is geplunderd. Ik kook normale maaltijden, maar daar trekt hij zijn neus voor op en als ik alles heb afgewassen staat hij twee uur later zelf in de keuken en ligt de hele boel weer overhoop. Natte handdoeken in de salon, tandpasta op de trapleuning, de vuile was op een hoopje voor de wasmachine zodat ik alles kan wassen. Het hele huis stinkt naar zijn aftershave. En hij zegt nauwelijks iets tegen me, hij doet alsof ik zijn dienstbode ben. Hij krijgt op de raarste momenten telefoontjes van mensen die doodeng klinken en gisteravond kwamen drie griezels van kerels hem opzoeken. Zwarte leren jassen en gezichten vol littekens. Ze hebben urenlang zo zitten schreeuwen in Neds slaapkamer dat Percy er wakker van werd.'

'Waarom zet je hem niet op straat?'

'Ik heb gevraagd of Harry hem weg wilde sturen. Ned trekt zich van mij niets aan. Gisteravond heb ik hem beleefd maar vriendelijk gevraagd of hij zelf zijn vuile vaat wil afwassen en hij lachte alleen maar, zo'n eng grijnsje alsof hij je bloed kan drinken. En vanmorgen stond er nog meer troep dan anders, alsof hij me wilde straffen. Ik wil niet ongastvrij zijn, maar ik krijg het gevoel dat dit niet langer mijn huis is. Ons huis, bedoel ik.'

'Heeft die Ned Harry op de een of andere manier in zijn macht?'

'Hoe bedoel je? Hoe kan dat nou? Nee, Harry heeft gewoon een klein hartje en Ned heeft tegen hem gezegd dat hij nergens heen kon. Ik zou eigenlijk medelijden met hem moeten hebben, maar het is zo'n akelige vent...'

'Ik denk eerder dat jij jouw eigen gevoelens projecteert op het onderwerp van je genegenheid. Omdat je anders niet zoveel van hem kunt houden. Kortom, jij bent degene met het kleine hartje.' Toen ik niet meteen reageerde, zei hij: 'Misschien had ik dat niet moeten zeggen. Ik wil je je illusies niet ontnemen.'

'Wat bedoel je nou eigenlijk? Dat Harry niet zo aardig is als ik denk? Ik dacht dat je van hem hield.'

'Dat is ook zo. Maar dat betekent nog niet dat ik hem door een roze bril bekijk. Toen Harry geboren werd, was ik zelf nog maar een kind en omdat mijn vader dood was, draaide het hele huishouden om Quin. Elsa zat volkomen in de knoop door de buitenechtelijke relaties van haar man en Harry kwam pas op de tweede plaats. Daardoor had ik altijd een beetje medelijden met hem. Toen ik uit Frankrijk terugkwam om de leiding over Pentrew op me te nemen en met de zestienjarige Harry werd geconfronteerd, kreeg mijn verantwoordelijkheidsgevoel de overhand, maar ja, je kunt wel stellen dat ik genegenheid voor hem koesterde.'

Hoewel het hele toespraakje een tikje zakelijk had geklonken raakte het me toch. Ik had immers soortgelijke gevoelens voor Percy, die ook hulpeloos en verlaten in de wereld was achtergebleven?

'Maar goed,' ging Jago verder, 'volgens mij kun je die Ned toch beter zo snel mogelijk de deur uitzetten voordat er moeilijkheden komen.'

'Moeilijkheden?'

'Dat soort mensen gaat immers steeds meer eisen stellen waardoor het uiteindelijk tot een uitbarsting komt? Het is een bekend gedragspatroon. Waarschijnlijk hebben ze in hun jeugd niet genoeg aandacht gehad.'

'Ik kan me niet voorstellen dat Ned ooit jong is geweest. Hij lijkt meer op een akelige geestverschijning die na een verschrikkelijke gebeurtenis is blijven rondspoken.'

Jago lachte. 'Zorg ervoor dat je niet in omstandigheden verzeild raakt waarin je je ongelukkig voelt. Zeg tegen Harry dat hij hem weg moet sturen.'

'Ja, goed, dat zal ik doen. Ik zal erop aandringen dat hij nog vanavond vertrekt. Hij is nu even iets met Baz gaan drinken, maar zodra hij thuiskomt... Ik kan gewoon niet wachten tot al die rotzooi van Ned uit de hal verdwenen is. Het lijkt wel een rommelmarkt.'

Ik legde de telefoon neer en liep mijn werkkamer uit. Tot mijn ergernis zag ik Ned doelloos rondhangen op de overloop. Ik liep naar de trap, maar hij stak zijn voet uit om me tegen te houden.

'Zou je me alsjeblieft langs willen laten?' vroeg ik boos.

'Nee,' zei hij langzaam, alsof hij die mogelijkheid ook maar een moment had overwogen. 'Denk maar niet dat je zo gemakkelijk van me afkomt. Harry zal me heus niet wegsturen.'

'Je hebt een privégesprek afgeluisterd,' zei ik verontwaardigd. Belachelijk natuurlijk, want Ned, die zich nergens iets van aantrok, zou vast niet met zijn handen tegen zijn oren zijn doorgelopen.

'Harry is me geld schuldig.' Neds kleine krokodillenoogjes stonden vals en minachtend. 'Die kerels van gisteravond zijn boos omdat ze belazerd zijn over een lading heroïne. Ze willen van mij weten wie dat heeft geflikt en als ik zeg dat het Harry was, zullen ze zijn beide armen breken. En dat weet Harry.' Hij pakte mij bij mijn bovenarm vast en kneep.

'Vuile schoft!' Ik moest vechten om mijn tranen van pijn en boosheid in te houden en ik werd misselijk van zijn aftershave. 'Ik bel meteen de politie!'

Hij krulde zijn onderlip. 'En wat ga je dan vertellen? Dat ik je pijn heb gedaan? Dan denken ze gewoon dat het een ruzietje tussen geliefden is. Dat ik in drugs handel? Dan zul je met bewijzen moeten komen. Ze komen echt niet naar het huis van iedere hysterische vrouw die een aanklacht tegen een man indient.'

'Ik zeg gewoon dat je misbruik maakt van mijn gastvrijheid.'

'En daar kom je pas na vijf dagen mee? Daar zullen ze heus niet voor komen.' Hij had ongetwijfeld gelijk. Ik probeerde me los te trekken, maar hij hield me vast. 'Zin om te neuken?'

'Laat me los, smeerlap!'
'Wat is er aan de hand, Art?' vroeg Percy.
'Hè ja,' zei Ned en keek op toen ze naar beneden kwam rennen. 'Om gepijpt te worden door een klein meisje... Dat lijkt me pas echt lekker.'
Hij liet me los en stak zijn hand uit naar Percy. Ik greep een stenen beeldje dat op het haltafeltje stond en sloeg het op zijn hoofd kapot.
'Maak dat je wegkomt, Percy!' schreeuwde ik.
Ik had Ned alleen maar willen afleiden, want het beeld was niet echt zwaar en brak meteen zodra het zijn hoofd raakte, maar hij zakte als een lappenpop in elkaar en bleef angstig stil liggen.
'Goeie genade nog aan toe!' zei Percy.
Ik bukte me om naar Neds gezicht te kijken. Zijn mond was vertrokken in een geile grijns en zijn gele ogen staarden uitdrukkingsloos naar een allang verlaten muizenhol in de plint. De telefoon begon te rinkelen.
'Ik kan maar beter opnemen,' zei ik met lippen die ineens gevoelloos waren. Ik liep de werkkamer in en hield de hoorn tegen mijn oor.
'Artemis?' zei Jago.
'Ja,' zei ik.
'Ik heb net een telefoontje gehad van Kitto's vader met het bericht dat Kitto gevoel heeft gekregen in een van zijn grote tenen. De dokters zijn er kennelijk heel blij mee. Ik dacht dat je dat wel zou willen weten. Artemis? Ben je daar nog?'
'Ja. Dat is fijn... daar ben ik blij om... maar... Jago? Ik heb zojuist Ned vermoord.'

23

Toen ik bijkwam, lag ik languit op de grond en keek in Harry's gezicht vlak boven me.

'Kom nou, lieverd! Wakker worden!'

'Wat? Wat is er... Waarom ben ik zo nat? O néé!' gilde ik bij de herinnering aan Neds gezicht en zijn glazige ogen.

Harry streek het haar van mijn voorhoofd. 'Je bent nat omdat ik een vaas water over je heen heb gegooid. Je bent flauwgevallen van schrik. Ik heb van Percy gehoord wat er is gebeurd.'

'Het was écht eng!' zei Percy. Ze zat op haar knieën achter me. 'Zoals hij daar ligt te staren, afschuwelijk gewoon.' Ze huiverde weer bij de gedachte.

Ik greep zijn hand. 'O god... Harry... Ned is toch niet dood? Zeg alsjeblieft dat het niet waar is.'

'Zo dood als een pier. Hij had kennelijk een schedel van bordpapier. Doe nou maar rustig aan... Hoewel het geen kwaad kan om te huilen, want dat is precies wat de politie verwacht van een vrouw die net een lijk in de gang heeft gevonden. Maar je zult wel met ze moeten praten.'

'Praten?' Ik probeerde rechtop te gaan zitten, maar de kamer draaide nog steeds om me heen en ik gaf over in de lege vaas die Harry onder mijn kin hield. 'Maar ik wilde hem helemaal niet vermoorden! Ik wilde alleen voorkomen dat hij Percy zou pakken...' Ik begon nog harder te huilen en te kokhalzen tot ik niets meer in mijn maag had.

Harry streelde mijn hoofd. 'Kop op, lieverd, flink zijn. Maak je geen zorgen. Ik heb het verhaal al klaar. We zeggen gewoon dat Ned over het vloerkleedje is gestruikeld en met zijn hoofd op de rand van de tafel terechtkwam, waardoor het beeld is omgevallen.'

'Maar Harry! Ik kan toch niet líégen!'

'Waarom niet?' vroeg Percy. 'Ik ga het wel zeggen en als jij niet hetzelfde verhaal vertelt als ik zul je alles bederven. Dan zijn we verplicht om te zeggen dat je ineens stapelgek bent geworden, waardoor je in een gekkenhuis terechtkomt, midden tussen een hoop kwijlende idioten...'

'Hou eens even op, Percy,' zei Harry. 'Wees nou redelijk, Art. Je wilt toch geen proces wegens doodslag aan je broek? Jij en Percy zijn de enigen die weten wat er is gebeurd, dus niemand kan bewijzen dat je hem een klap hebt verkocht.'

'Ik kan niet toestaan dat mijn zusje in een rechtszaal leugens moet vertellen om mijn huid te redden!' snikte ik. 'Dat zou heel verkeerd zijn!'

'Geeft niet, hoor,' zei Percy. 'Dat vind ik helemaal niet erg.'

'Alsjeblieft, Art!' zei Harry. 'Dit is niet het moment om sentimenteel te gaan doen. Percy zegt gewoon dat ze boven was en helemaal niets heeft gezien of gehoord. Op die manier blijft ze overal buiten. Er zal wel een gerechtelijk onderzoek komen, maar dan hoeft zij niet te getuigen. Zolang jij maar je gezond verstand gebruikt en naar me luistert.'

Ik verborg mijn gezicht in mijn handen, maar ik was zo misselijk en zo bang dat ik niet kon nadenken en alleen maar zat te rillen. 'Je hebt echt een shock,' zei Harry terwijl hij over mijn blote armen wreef. 'Percy, ga eens een vest voor Art halen.'

'Oké.' Percy verdween.

'Luister nou eens, Art. Je wilt toch niet dat je zusje meegenomen wordt naar een politiebureau en door een stel gluiperige smerissen wordt verleid om allerlei foute dingen te zeggen? En dan krijgen we ook natuurlijk meteen te maken met die lui van de kinderbescherming die zich overal mee gaan bemoeien en het vast niet goedvinden dat Percy blijft wonen bij iemand die wegens doodslag voor moet komen.'

'Maar als ik nou precies uitleg...'

'Doe niet zo verrekte naïef, lieverd. Als de kranten erachter komen dat je een vent met zo'n slechte reputatie als Ned in huis had, zullen ze meteen denken dat jij van hetzelfde laken een pak bent. Dan zullen ze allerlei wilde verhalen bedenken over de hartstochtelijke buitenechtelijke relatie die je met hem had, het bordeel dat je hier houdt en de jonge meisjes die je in de kelder hebt gemarteld en laten verhongeren.'

Ik wilde net vragen waarom hij Ned had uitgenodigd als die zo'n slechte reputatie had, maar Harry trok me overeind en het kostte me de grootste moeite om mijn knieën, die van rubber leken, stijf te houden.

'Grote meid. Nu moet je eerst in je hoofd stampen wat je tegen die ouwe Bill gaat zeggen als hij zijn opschrijfboekje tevoorschijn haalt. Het is heel belangrijk dat je alleen maar zegt dat je beneden in de keuken was toen je een kreet hoorde. Je rende naar boven en daar zag je Ned languit op de grond liggen. Je viel flauw toen je ontdekte dat hij dood was. Meer moet je niet zeggen, wat ze je ook vragen. Ga niet in op details. Toen ik thuiskwam, trof ik je buiten westen aan. Nadat ik je bij je positieven had gebracht, hebben we meteen de politie gebeld. En dat moeten we nu gauw doen, zolang hij nog warm is.'

'O, god, dit is een nachtmerrie!' kreunde ik met de vaas in mijn handen.

'Nou, nou...' Hij pakte de vaas en zette die op mijn bureau. 'Omwille van Percy moet je nu echt flink zijn. Je hoorde een kreet, je bent naar boven gerend en daar lag hij languit. Dat is alles. Kun je dat onthouden?'

'Ja.' Mijn onderlip was een eigen leven gaan leiden en bibberde als bij een klein kind.

'Goed zo. Grote meid.' Zijn stem klonk zo lief, dat ik wel weer kon janken. 'Ga nou maar zitten, dan haal ik iets waarvan je een beetje opkikkert.' Ik was kennelijk in trance geraakt, want hij was binnen de kortste keren terug met een fles wijn en twee glazen. 'Drink dat nou maar op.' Ik gehoorzaamde en Harry bukte zich om me een kus te geven. 'Voel je je nou wat beter?' Ik knikte.

'Goed zo. Nou moet ik eerst een paar dingen regelen, daarna bel ik de smerissen. Jij blijft hier gewoon zitten. Je gaat de hal niet in.'

Dat hoefde hij me niet te vertellen. Ik was voor geen goud de deur uit gelopen. Percy kwam terug met een vest dat ik aantrok, maar ik bleef rillen.

'Wat gaaf van Harry, hè?' zei Percy. 'Maak je geen zorgen, Art, ik zal nooit aan iemand vertellen wat je hebt gedaan, ook al begraven ze me bij opkomend tij tot mijn nek in het zand.'

Percy had een film gezien waarin dat gebeurde en het was de reden van veel nachtmerries geweest. Ze wilde me natuurlijk troosten, maar toen ik haar dat hoorde zeggen – dat ik niet alleen iemand vermoord had maar binnen de kortste keren ook meineed zou moeten plegen – raakte ik weer overstuur. Ik wist zeker dat Harry gelijk had met zijn opmerking over de kinderbescherming, maar ik was in mijn eigen ogen nog nooit zo laag gezonken. Kwam er maar een dokter opdagen die zou verklaren dat Ned toch niet dood was. Ik was bereid me door hem te laten mishandelen, beroven, verkrachten, wat hij maar wilde, zolang hij maar weer ging ademhalen... Harry kwam terug, gaf me een knipoogje en legde zijn hand op mijn schouder toen hij de telefoon oppakte en de politie belde.

Daarna had ik het gevoel alsof ik meespeelde in een slecht amateurtoneelstuk. Er werd aangebeld en ik hoorde mensen, waarschijnlijk de politie, binnenkomen en met Harry praten. Ik kon niet goed verstaan wat er werd gezegd. Zware voetstappen dreunden de trap op en af.

'Ik kan maar beter even met uw vrouw praten,' zei een mannenstem.

'Ik zou het op prijs stellen als u het kort hield,' zei Harry op een bevelende toon. 'Ze heeft een zware schok gehad toen ze hem daar zo vond. Ze is erg overstuur.'

'Ik zal voorzichtig zijn, meneer.' Daarna stond Harry ineens in de werkkamer met een vrouw in een politie-uniform en een kleine, dikke man in een vuile witte regenjas met donkere vlekken op de schouders. Het was kennelijk gaan regenen.

'Hallo, jongedame,' zei hij tegen Percy, met een flauw glimlachje dat zijn slappe wangen niet eens bereikte. 'Ga jij maar even met de agent mee.'

Percy trok haar meest schijnheilige gezicht. 'Wilt u mijn slaapkamer zien? Daar zat ik net huiswerk te maken toen dat afschuwelijke ongeluk gebeurde.' Ze liep voor de vrouwelijke agent uit.

De kleine dikke man – ik had zijn naam niet verstaan – zakte op een stoel neer. Hij staarde naar zijn aantekenboekje en klikte een paar keer met zijn balpen. 'Mevrouw Tremaine, wilt u me alstublieft in uw eigen woorden vertellen wat hier vanavond is gebeurd?'

Mijn lip begon weer te trillen en met een hoge, schorre stem die me ineens belachelijk bekakt in de oren klonk, stak ik mijn verhaal af. Harry, die met zijn rug tegen de deur stond, glimlachte bemoedigend.

'Hmmm,' zei de man nadat hij alles had opgeschreven en me voor het eerst recht aankeek. Ik voelde dat ik bloosde. 'En hoe lang hebt u de overledene gekend?'

'Vijf dagen.'

'Dus voordat hij hier bij u en uw man kwam logeren kende u hem niet?' Ik schudde mijn hoofd. 'Wat kunt u me verder over hem vertellen? Over zijn werk, zijn familie, vrienden, collega's, wat hij in zijn vrije tijd deed, dat soort dingen.'

'Niets.'

De politieman ging moeizaam verzitten op mijn beeldige maar tere Sheratonstoel. 'Heeft hij u niets over zijn verleden verteld? Over een vriendin of zo? Of over wat hij hier in Londen te zoeken had?'

'Nee.'

Hij trok ongelovig zijn wenkbrauwen op. 'U hebt deze...' Hij keek naar zijn aantekeningen, '... deze graaf Tadzussie... Sezzypanski vijf dagen in huis gehad en u weet helemaal niets van hem af? Het spijt me, mevrouw, maar dat kan ik nauwelijks geloven.'

Ik haalde mijn schouders op. Ik voelde me zo labiel dat ik me als een drenkeling vastklampte aan Harry's opdracht om niet in details te treden.

Hij slaakte een diepe zucht, keek op zijn horloge, gaapte zonder een hand voor zijn mond te houden en gaf me het aantekenboekje.

'Leest u de verklaring maar even door en kijk of u er nog iets aan wilt toevoegen.'

Ik slaagde er niet in om me te concentreren en moest de drie simpele zinnetjes een paar keer doorlezen voordat ik wist wat er stond.

'En?' vroeg hij een tikje ongeduldig. Hij wilde kennelijk graag gauw naar huis. Of misschien de kroeg in. 'Wilt u iets veranderen?'

'Teken het nou maar, schat,' zei Harry. 'Alles is in orde. Maak je geen zorgen.'

De politieman stond op. 'Ze zullen wel vrij snel klaar zijn met het onderzoek en dan nemen ze het lijk mee. We zullen u de uitslag van de autopsie doorgeven. Maar u zult wel naar het gerechtelijk onderzoek moeten komen, mevrouw Tremaine.'

'Dank u wel, inspecteur,' zei Harry. 'U bent bijzonder vriendelijk geweest. Ik ben bang dat we allemaal een beetje overstuur zijn.'

Harry's hartelijke toon had kennelijk een verzoenende invloed op de politieman want hij zei bijna vaderlijk: 'Drink maar een paar koppen zoete thee, mevrouw Tremaine, en ga dan lekker slapen. Dat is het beste medicijn.'

Voordat ze de deur uit liepen, legde Harry zijn handen om mijn gezicht en kuste mijn lippen. Ik was meelijwekkend blij dat hij zo vastberaden was en de toestand volkomen in de hand had.

Ik hoorde de voordeur nog een paar keer open- en dichtgaan, begeleid door het geluid van voetstappen en gedempte stemmen. Iemand zei: 'Een, twee, drie... hop' en ik besefte huiverend dat ze Ned optilden. Daarna viel de deur weer dicht en het bleef heel even stil. Ned was voorgoed het huis uit en de opluchting was zo groot dat de tranen me over de wangen liepen.

'Kom op, lieverd.' Harry schonk me nog een glas wijn in. 'Je moet iets eten en dan naar bed.'

Maar ik kon geen hap door mijn keel krijgen en zodra ik in bed lag, zag ik Ned weer in elkaar zakken. Angst en haat vermengden zich met spijt.

'Slaap je nog niet?' vroeg Harry een uur later in mijn oor. 'Ik weet wel iets waardoor je je beter zult voelen.'

'Percy?' vroeg ik met droge lippen en een gebarsten stem.

'Is in bad geweest en ligt in bed. Ik heb gebakken eieren met spek gemaakt en we hebben nog even zitten kletsen over wat er is gebeurd. Ze zegt dat hij een vervelende vent was, dus ze vindt het helemaal niet erg dat hij dood is. Ze was alleen bang dat jij misschien achter de tralies zou verdwijnen, maar ik heb haar gerustgesteld. Ik wou alleen dat haar grote zus net zo verstandig was. Alleen Percy en ik weten dat je hem een klap hebt verkocht en wij houden onze mond, dus je hebt niets te vrezen.'

Ik kon de energie niet opbrengen om uit te leggen dat het niet alleen de angst was om ontdekt te worden, maar de herinnering aan een gewelddaad die niet meer teruggedraaid kon worden en die tegen alles indruiste waarin ik geloofde, en bleef met gesloten ogen wachten tot Harry uitgekleed was. Ik gaf me over aan zijn omhelzing, ook al had ik absoluut geen behoefte aan seks en deed voor het eerst net alsof ik klaarkwam om hem een teleurstelling te besparen. Daardoor kreeg ik een nog grotere hekel aan mezelf. Harry viel meteen in slaap, maar ik lag nog lang wakker. En ik was net op het randje van de slaap toen Percy's ijskoude hand me om drie uur weer wakker schudde. Een nare droom en dat was niet vreemd. Omdat mijn bed een schitterend, maar smal en gammel hemelbed was, ging ik met haar mee naar boven. De troost die mijn aanwezigheid haar schonk, was niet te vergelijken met de geruststelling die ze mij bood.

Pas toen ik de volgende ochtend om halfacht wakker werd en me langzaam maar zeker realiseerde wat er allemaal was gebeurd, drong er nog iets anders tot me door. Er was nog iemand die wist dat ik Ned vermoord had.

24

Ik had de hele dag het gevoel dat ik vastgeketend zat aan een buslading schuldgevoelens die ik centimeter voor centimeter voor me uit moest duwen. Gelukkig was Adrian die dag naar Surrey, want hij kon verontrustend opmerkzaam zijn en mijn gedwongen vrolijkheid en de donkere kringen onder mijn ogen waren hem vast opgevallen. Nu kon ik ongestoord doorwerken. Ik deed echt mijn best om niet aan Ned te denken, maar om de paar minuten stonden me de gebeurtenissen van de avond ervoor weer scherp voor de geest. Om halfzes reed ik doodmoe naar huis in de hoop dat ik alles nog eens met Harry zou kunnen doorpraten. Hij sliep nog toen ik naar mijn werk ging.

Toen ik nummer 46 binnenliep, zag ik Percy in de hal staan, bij de deur van de salon. Ze legde haar vinger op haar lippen en ik kon Harry's stem horen, samen met die van de dikke politieman. Ik gebaarde zwijgend dat ze naar haar kamer moest gaan en klampte me vast aan de deurklink toen ik naar binnen ging. Kwam hij me arresteren?

'Hallo, schat.' Harry stond op, gaf me een kus en trok me mee naar de stoel naast de zijne. Hij bleef mijn arm stevig vasthouden. 'De inspecteur is even langsgekomen om ons de uitslag van de autopsie te vertellen. Het lijkt erop dat die arme ouwe Ned leed aan een zeldzame afwijking die het syndroom van Marfan wordt genoemd.' Hij keek de politieman aan. 'Dat klopt toch?'

'Ja, meneer.' De inspecteur had nog steeds dezelfde regenjas aan en knikte even naar me toen ik binnenkwam. Hij sloeg zijn opschrijfboekje open. '*Het Marfan-syndroom,*' las hij hardop voor, '*is een erfelijke bindweefselaandoening die gekenmerkt wordt door een lang en slungelig uiterlijk. Zorgt voornamelijk voor afwijkingen aan hart en bloedvaten... aneurysma's en dissecties van de aorta... ernstig verwijde aorta... patiënten worden meestal niet ouder dan begin dertig...* Kortom, de klap die het slachtoffer bij de val op zijn achterhoofd kreeg en die alleen maar een lichte kneuzing veroorzaakte, was de doodsoorzaak. Zijn hart kon er ieder moment mee ophouden. De conclusie van de lijkschouwer is een natuurlijke dood, dus er zal geen gerechtelijk onderzoek komen.'

Het duurde even voordat ik begreep wat hij zei. Geen gerechtelijk onderzoek. Geen vragen. Geen meineed. De klap die ik hem had gegeven was niet de oorzaak van Neds dood geweest. Wat een enorme opluchting! Maar toch moest ik leven met het feit dat de schrik van die klap op zijn hoofd hoogstwaarschijnlijk een hartaanval had veroorzaakt.

Harry stond op alsof de zaak al afgehandeld was. 'Arme kerel. Hopelijk wist hij niet dat het elk moment afgelopen kon zijn.'

De politieman bleef zitten en keek me strak aan. 'We konden niet nagaan of hij in dit land ooit een arts heeft geconsulteerd. Maar hij had een strafblad van hier tot gunder. Hij was drugsdealer en souteneur. Wist u dat, mevrouw Tremaine?'

'Nee.'

'U ook niet, meneer?' Hij keek Harry aan.

'Lieve hemel, nee! Hij was een vriend van een vriend en hij had gewoon een paar dagen een slaapplaats nodig. Dat was alles. Hij vertelde me dat hij een vluchteling uit Oost-Europa was en gezocht werd wegens anticommunistische praktijken.'

'Dat was wel heel vriendelijk van u, meneer, maar u moet in de toekomst toch wat voorzichtiger zijn. Als er een gerechtelijk onderzoek was gevolgd, hadden we heel wat dieper op het criminele verleden van het slachtoffer in moeten gaan, dus die hartaanval heeft de belastingbetaler een boel geld bespaard.'

'In de toekomst zullen we vast heel wat omzichtiger te werk

gaan. Drugshandelaar en souteneur! Je leest dat soort dingen wel eens in de krant, maar je komt toch nooit op het idee dat je er zelf betrokken bij kunt raken.'

'Voor mij is het dagelijkse kost, vrees ik. Maar goed, ik zal u niet langer ophouden.' De politieman stond op en snoerde de ceintuur van zijn regenjas aan. 'Moeder de vrouw zit thuis op me te wachten. Mijn dienst zit er al op, maar ik dacht dat u wel graag de uitslag van de autopsie wilde weten. Omdat u zo overstuur was.' Hij keek me met zijn treurige hondenogen aan.

'Dat was bijzonder attent van u, inspecteur,' zei Harry hoffelijk terwijl hij met hem meeliep naar de deur. 'Mijn vrouw en ik zijn bijzonder dankbaar dat u die moeite heeft willen nemen. Goeie genade, ik kan nog niet begrijpen dat ik er zo ingetrapt ben.'

'Dat soort oplichters kan soms heel overtuigend zijn, meneer,' hoorde ik hem in de hal zeggen. 'Weet u wat zo raar is? Op de hoek van dat leuke antieke tafeltje hebben we twee haren en wat bloed aangetroffen... hier.' In gedachten zag ik hem wijzen. 'Maar toch heeft de kneuzing op zijn hoofd geen bloeding veroorzaakt. Al het bloed... hier op de muur aan de overkant... kwam uit de neus van het slachtoffer. Ik heb het nog wel tegen de patholoog gezegd, maar die scheen het niet belangrijk te vinden.'

'Misschien is dat mijn schuld wel,' zei Harry. 'Ik heb mijn hand tegen de halsslagader van die arme kerel gelegd om te voelen of er nog een hartslag was. Het zit er dik in dat ik toen wat bloed en wat haren aan mijn vingers heb gekregen. En volgens mij leunde ik op dat tafeltje toen ik mijn vrouw overeind hielp.'

'Juist. Zo zal het wel gebeurd zijn, meneer.' Zijn stem stierf langzaam weg toen hij door de voordeur naar buiten stapte. Ik kon zijn laatste woorden niet meer verstaan.

'Het geluk is met de dommen,' zei Harry toen hij terugkwam. 'Ik had alles kunnen verpesten door die haren en dat bloed op dat tafeltje te smeren. Gelukkig voor ons was de politieman een sukkel en de patholoog een luie donder.'

Ik holde naar het raam om er zeker van te zijn dat de inspecteur niet onder het openstaande raam stond te luisteren. Maar hij was weg.

'Het had niet beter kunnen aflopen als ik het hele gebeuren zelf in scène had gezet,' vervolgde Harry vergenoegd. 'Een hele hoop problemen letterlijk met één klap de wereld uit!'

Percy holde naar binnen en stortte zich op me. 'Dus je hoeft niet naar de gevangenis. Wat ben ik blij!'

'Dank je wel, lieverd.' Ik tilde haar gezicht op, zodat ik haar recht aan kon kijken. 'Heb je je huiswerk al af?'

'Dat hoeft toch niet op de dag dat mijn zusje van het schavot is gered?' Ze had net de film *Mary, Queen of Scots* gezien en die had een diepe indruk gemaakt.

'Ik denk niet dat zuster Mary Joseph dat als excuus accepteert. Vooruit met de geit.'

'God, wat ben je toch een verdomde slavendrijver!'

'Hou je alsjeblieft koest, Percy. En vloeken maakt alleen maar dat je dom lijkt. Je weet best dat je veel meer van het weekend zult genieten als je huiswerk af is. En ik moet even ernstig met Harry praten.'

'Dat idee bevalt me helemaal niet,' zei Harry grijnzend. 'Word ik nu op de vingers getikt? Zometeen ga je nog controleren of ik wel schone nagels heb. Percy heeft gelijk, je bent een echte tiran.'

'Helemaal niet,' zei Percy meteen. 'Bovendien verdíén je dat ze je op je falie geeft. Jij hebt die rukker uitgenodigd om hier te komen logeren, dus deze hele toestand is jouw schuld. Dit was ons huis voordat jij op het toneel verscheen en je hoort eerst aan Art en mij toestemming te vragen voordat je die louche vriendjes van je uitnodigt.'

Ik moest eigenlijk protesteren tegen haar woordkeus die vast niet de goedkeuring van de nonnen weg zou kunnen dragen, maar ik was te moe. Percy liep de kamer uit en verdween stampvoetend naar boven.

'Wat een puber.' Harry lachte, maar ik zag dat hij toch een beetje onthutst was.

'Harry… Ik ben bijna aan het eind van mijn Latijn. Ik weet niet hoe lang ik dit nog volhoud. Ik voel me zo ontzettend schuldig…'

'Schuldig?' Harry keek stomverbaasd. 'Waarover?'

'Over Ned, natuurlijk.'

'Waarom? Hij was een verdomd lastpak. Trouwens, je hebt toch gehoord wat die man zei. Jij hebt hem niet vermoord.' Hij zuchtte. 'Laten we Ned nou maar vergeten. Hij hangt me de keel uit.'

'Ik wil eerst een paar dingen rechtzetten. Gisteren zei je dat Ned zo'n slechte reputatie had dat de pers ervan zou smullen. Dus je wist dat hij dealde en in de prostitutie zat. Waarom heb je hem dan uitgenodigd om hier te komen?'

Hij zei niets. 'Hoe kunnen we elkaar nu helpen als we niet strikt eerlijk zijn tegenover elkaar, Harry? Ik zal echt niet boos op je worden, als je maar vertelt hoe de vork in de steel steekt.'

Harry lachte. 'Het is net alsof je het tegen Percy hebt. Maar je bent mijn moeder niet, hoor.' Waarschijnlijk reageerde ik gekwetst, want hij zei snel: 'Nee, je hebt gelijk, hoor Art. Om eerlijk te zijn heb ik Ned in de gevangenis leren kennen. En vergeleken bij een paar van die anderen leek hij best geschikt. Dus toen ik hem onlangs tegen het lijf liep en hoorde dat hij net weer in de gevangenis had gezeten vanwege dealen en dat hij geen kant meer op kon, wilde ik hem helpen. Ex-bajesklanten vervallen steeds weer in dezelfde fout omdat de maatschappij hen uitkotst.' Harry sloeg het restant van zijn glas wijn achterover en stond op om opnieuw in te schenken. Onwillekeurig viel me op dat de fles Muscadet die ik voor bij het eten had gekocht al bijna leeg was. 'Ik heb geluk gehad.' Harry's blauwe ogen straalden me toe in het licht van de avondzon. 'Toen ik uit de lik kwam, kon ik op Jago terugvallen. Hij kwam me bij de gevangenis ophalen, reed me naar Pentrew, gaf me op mijn donder en zei toen dat het onderwerp niet meer ter sprake zou komen als ik voortaan op het rechte pad bleef. En hij leende me het geld om weer van voren af aan te beginnen.' Harry haalde zijn schouders op. 'Ik wilde Ned gewoon een kans geven om uit de penarie te komen. Ik dacht dat hij alleen maar wat hasj en marihuana verkocht aan studenten – wat volgens mij geen kwaad kan – maar toen hij me begon te vertellen wat hij allemaal had uitgespookt drong het tot me door dat hij echt voor geen meter deugde. Gisteren wilde ik net tegen hem zeggen dat hij zijn biezen moest pakken, toen... Nou ja, je weet zelf wel wat er is gebeurd.'

'Maar in welk opzicht heeft zijn dood dan een boel problemen voor je opgelost?'

'Ach, ik overdreef een beetje. Het was gewoon de opluchting dat de smerissen ons met rust zouden laten. Die kerels die dit huis in de gaten hielden... Nou, die hadden me na één woord van Ned om zeep geholpen. Nadat hij naar het lijkenhuis is gebracht, heb ik ze niet meer gezien. Ze denken waarschijnlijk dat ík hem een kopje kleiner heb gemaakt en ze hebben geen zin om zelf ook op die manier weggekruid te worden.'

'Maar Harry... Waarom zouden ze jou om zeep willen helpen? Was je Ned geld schuldig?'

'Wat? Heeft hij dat gezegd?' Harry lachte. 'De man was een onverbeterlijke leugenaar.'

Ergens klopte er iets niet, maar ik was te moe en te hongerig om er verder op in te gaan. Maar één belangrijk ding was ik niet vergeten.

'Harry, voordat ik flauwviel – nadat ik Ned die klap op z'n hoofd had gegeven – heb ik de telefoon opgenomen. Het was Jago en ik vertelde hem... wat ik had gedaan. Wat moet ik nu tegen hem zeggen?'

'O, god!' Harry deed net alsof hij schrok, maar ik kon zien dat hij het grappig vond. 'Niet aan mijn rechtschapen oom!'

'Hoe moet ik dat nu uitleggen?'

Precies op dat moment rinkelde de telefoon.

'Geen idee.' Harry bleef op de drempel staan, op weg naar de werkkamer. 'Ik neem wel op. Het is vast Damian. Hij zei dat hij zou proberen om voor vanavond een squashbaan te regelen.'

'Harry, moet je vanavond nou echt weg?' Maar Harry was al verdwenen.

Ik mag geen veeleisende vrouw worden, prentte ik mezelf in, hoewel ik had gehoopt dat we weer eens een avondje met ons drieën zouden zijn. Maar Harry had de hele dag in huis rondgehangen en verveelde zich natuurlijk stierlijk. Het zou wel anders worden als hij bij het reclamebureau werkte. Dan zou hij 's avonds net zo moe zijn als ik en maar al te graag met een boek in de tuin gaan zitten...

Harry stak zijn hoofd om de deur. 'Het is Jago. Hij wil weten wat er aan de hand is. Ik zei dat hij beter met jou kon praten.'

'O! Zeg alsjeblieft dat ik er niet ben...'

'Ik heb hem al gezegd dat je eraan komt. Schiet nou maar op, dan trek ik nog een fles wijn open.'

'Dat was de laatste fles die we in huis hebben... Help me nou! Vertel me wat ik moet zeggen.'

'Verdorie! Dan zal ik nog gauw even naar de slijter moeten.' Harry verdween en ik hoorde de voordeur dichtvallen.

Ik pakte de telefoon op. 'Hallo.'

'Artemis, wat is er gebeurd? Je zei dat je Ned vermoord had. Was dat een grapje?'

Zodra ik zijn afgemeten, autoritaire stem hoorde, wist ik dat ik hem de waarheid moest vertellen. 'Het spijt me, ik had je terug moeten bellen. Maar ik viel flauw en daarna kwam eerst de politie en toen de patholoog...' Ik hoorde zelf de tranen in mijn stem doorklinken.

'Rustig nou maar. Vertel eens precies wat er is gebeurd.'

'Ik heb Ned met een beeldje op zijn hoofd geslagen. Hij probeerde Percy te grijpen. Hij wilde... haar misbruiken...'

Ik hoorde dat Jago zijn adem inhield. 'En je hebt hem vermóórd? Dat is dan een flinke klap geweest.'

'Hij bloedde niet eens. Maar hij was ziek. Hij had een zwak hart, een bijverschijnsel van het syndroom van Marfan. Maar het is toch mijn schuld, want hij schrok zich dood omdat ik hem sloeg.'

'Wat zegt de politie ervan?'

'Die weten niet dat ik hem heb geslagen. Ze denken dat hij gewoon een hartaanval kreeg en dood neerviel. De lijkschouwer zet in zijn rapport dat het een natuurlijke dood was. Ik heb namelijk gejokt, zie je. Dat was Harry's idee... om me te beschermen. Maar het was natuurlijk fout om te liegen.'

Het bleef even stil, maar toen het antwoord kwam, keek ik daar echt van op. 'Onder deze omstandigheden kan ik wel waardering opbrengen voor dat pragmatisme van Harry.'

'Echt waar?'

‘Als je voor had moeten komen, zou je veroordeeld zijn voor iets in de trant van onvrijwillige doodslag door uitlokking. Je zou vrijwel zeker een voorwaardelijke straf hebben gekregen, maar de beproeving van een lange rechtzaak – en alle bijkomende lasterpraatjes – zouden je waarschijnlijk kapot hebben gemaakt. En eerlijk gezegd lijkt de man dat niet waard.’

‘Hij had een strafblad als dealer en souteneur, maar natuurlijk was ik helemaal niet van plan om hem te vermoorden. Ik was gewoon in paniek. Toch blijf ik steeds in gedachten zien hoe hij als een lappenpop in elkaar zakt...’ Mijn stem trilde. ‘Ik zal de rest van mijn leven gebukt gaan onder dat afschuwelijke schuldgevoel.’

‘Welnee,’ viel Jago me in de rede. ‘Daar schiet híj geen millimeter mee op en het zou jóúw leven verpesten. Je nam een kind – je zusje – in bescherming tegen een verdorven en gevaarlijke figuur. Je wist niet dat hij een zwak hart had en als je dat wel had geweten, zou je hem dan zijn gang hebben laten gaan? Je hebt volkomen juist gehandeld. Zijn dood was het gevolg van een kettingreactie die hij zelf op gang heeft gebracht. Hallo? Ben je daar nog?’

Tranen van dankbaarheid stroomden over mijn wangen. ‘Ja.’

‘Ik meen het echt. Verspil je leven niet aan een zinloos schuldgevoel. Zet die hele zaak nu maar zo goed en zo kwaad als het gaat uit je hoofd en als je daar moeite mee hebt, prent jezelf dan maar in dat het slap en zinloos is om je rond te wentelen in berouw. Beloof je dat?’

‘Ik zal het proberen.’ Ik haalde mijn neus op. ‘Het spijt me dat ik niet teruggebeld heb. Maar vandaag, toen ik nog dacht dat ik voor zou moeten komen en allerlei leugens zou moeten vertellen...’

‘Geeft niet. Ik heb zo lang gewacht als ik kon. Ik kon in de verte wel gedempte stemmen horen...’ Ik herinnerde me ineens dat ik de hoorn van de telefoon nog steeds tegen mijn borst geklemd had toen ik bijkwam. ‘En daarna lag de telefoon de hele avond van de haak.’

‘We waren bang dat er vrienden van Ned zouden bellen.’

‘Maakt niet uit. Probeer je geen zorgen te maken. Je klinkt echt aangeslagen. O lieve hemel, is het al zo laat? Ik moet naar de melkstal. Vergeet niet wat ik heb gezegd. Schuldgevoelens zijn in dit geval zinloos en slap.'

Toen Harry terugkwam met twee flessen wijn stond ik beneden in de keuken het eten klaar te maken. Ik had vertrouwen in Jago's advies, gedeeltelijk omdat ik wist dat hij zelf ook ervaring had met gedane zaken die geen keer namen. Maar natuurlijk wist hij niet dat ik het verhaal had gehoord over het meisje dat van de Duivelstroon was gesprongen.

Na het eten belde Damian dat er pas de volgende ochtend een squashbaan beschikbaar zou zijn, dus kreeg ik toch mijn gezellige avondje thuis. Het was alleen vervelend dat Percy steeds met Harry bleef kibbelen. Ze was kennelijk echt bang geweest dat ik in de gevangenis terecht zou komen. Ik was blij dat ze uiteindelijk besloot naar haar kamer te gaan om *The Black Adder* te zien, een tv-documentaire over de middeleeuwen. Harry vroeg gemaakt onderdanig of hij mee mocht kijken. Ze stemde knorrig toe, maar haar humeur verbeterde aanzienlijk toen hij op de proppen kwam met een doos chocolaatjes die hij bij de slijter had gekocht. Ik was verbaasd over die belangstelling voor zo'n cultureel programma, maar toen ik naar buiten liep om de dode bloemen uit de rozen te knippen was ik bijna opgelucht dat ik even alleen kon zijn.

25

Ik werd wakker in Percy's bed omdat ze weer een nachtmerrie had gehad, ditmaal van een man die in een kleverige giftige vloeistof was veranderd die alles oploste behalve haar botten. Ik vroeg me af of ik niet met haar naar een psychiater moest.

'Wat vind jij?' vroeg ik aan Harry tijdens het ontbijt, toen Percy nog steeds lag te slapen.

'Je wilt haar toch geen complex bezorgen? Psychiaters leveren alleen maar nattevingerwerk gebaseerd op egoïstische machtswellust. Ik weet wel iets beters.' Maar toen ik aandrong, zei hij alleen: 'Wacht maar af. Heb jij die kruisbessenjam gemaakt? Die is heerlijk.'

'Dank je. Harry, waarom heb je de politie niet gebeld toen Ned dreigde dat hij je door die kerels in elkaar zou laten slaan?'

'Dan hadden ze misschien willen weten waarom iemand mijn gezicht wilde verbouwen. Ik ben nogal gevoelig voor de manier waarop mensen naar me kijken als ze horen dat ik een ex-bajesklant ben.'

'Ach, natuurlijk. Sorry, schat, daar heb ik geen moment bij stilgestaan. Het is trouwens maar goed dat ze geen drugs in Neds kamer hebben gevonden. Anders waren wij daar ook nog verantwoordelijk voor geweest,' zei ik, denkend aan de preek die Jago tegen Dickie had afgestoken.

'Ik heb zijn kamer doorzocht voordat die smerissen opdoken

en een hele lading heroïne en coke weggehaald. Mijn zakken zaten vol met dat spul toen ze ons ondervroegen.'

'Goeie genade!' Ik stond ervan te kijken dat hij zo alert had gereageerd. 'Waarom heb je me dat niet verteld?'

'Ik wist dat je overstuur zou raken van het idee dat de verachtelijke uitwassen van een verdorven wereld jouw kostbare huis hadden vervuild.' Het klonk me een beetje spottend in de oren en ik reageerde kennelijk zo onzeker dat hij er snel aan toevoegde: 'Ik weet hoeveel je van dit huis houdt.'

'Eh... dat was lief van je. Wat ga je ermee doen?'

'Ik heb de hele zooi gisteren voor een lief sommetje verkocht.'

'Maar Harry...' Ik kon niet voorkomen dat ik afkeurend klonk. 'Dan ben jij toch ook een dealer?'

'Technisch gezien wel. Maar wees niet bang, ik zal er geen gewoonte van maken. Laten we er verder geen woorden over vuil maken.' Hij stond op en sloeg zijn armen om me heen. 'Wat zou je ervan zeggen als we een gedeelte van die meevaller uitgaven aan een lunch bij *Le Caprice*? Om de dood van Ned te vieren.'

Ik moest even diep ademhalen, want eigenlijk vond ik het immoreel om geld van de verkoop van illegaal verworven harddrugs te gebruiken om de dood van een mens te vieren, ook al had ik nog zo'n hekel aan hem gehad. Maar ik had het idee dat Harry genoeg begon te krijgen van mijn bedenkingen.

'Goed,' zei ik en stond op. 'Dat zou heerlijk zijn. We zijn al tijden niet meer samen uit geweest.'

'Dat klopt. Wat nalatig van me. Daar had je best iets van mogen zeggen. Maar we zitten natuurlijk wel met Percy. Nemen we haar nu ook mee?'

'Ze zou het alleen maar saai vinden. Bovendien wordt ze om twee uur opgehaald door de beroemdste moeder van de school, de vrouw van een filmregisseur, die met haar en nog drie meisjes ergens thee gaat drinken. Ik zal Wendy bellen om te vragen of zij even op haar kan passen.'

Dat wilde Wendy wel en Harry en ik reden in de open Alfa Romeo naar *La Caprice,* het toonbeeld van een vrolijk jong stel dat een dagje uit was. Het was heerlijk, maar helaas bleef ik me wel zorgen maken over de rekening. Ik koos de goedkoopste gerechten van de kaart waar geen vlees in zat, maar Harry hield zich niet in. We begonnen met champagnecocktails, schakelden daarna over op een Mouton Rothschild 1961 en Harry nam een glas Château d'Yquem bij zijn dessert. Hij wilde me de rekening niet laten zien en betaalde contant met een dikke stapel bankbiljetten. Toen we onder een wolkeloze hemel terugreden naar huis probeerde ik niet aan Percy's schoolreisje naar Parijs te denken, of aan de elektriciteitsrekening voor de komende winter. Ik wilde Harry's stralende humeur niet bederven.

'Jammer dat we de rest van de middag niet in bed kunnen kruipen,' zei hij toen we bij ons huis stopten. Hij gaf me een kus. 'Stap maar gauw uit, schat. Ik heb Baz beloofd om hem te helpen bij het inrichten van zijn nieuwe tentoonstelling. Daarvoor heeft hij de begane grond van een onaantrekkelijk pakhuis moeten huren en zijn assistent is ingestort omdat zijn verloofde er vandoor is met een Spaanse kelner. De verloofde van de assistent, bedoel ik. Ik ben om een uur of halfnegen weer thuis, want ik ga daarna met Damian squashen, weet je nog?'

Wendy bleef me nog even gezelschap houden terwijl ik voorbereidselen trof voor de lunch die ik de volgende dag zou geven voor een paar van onze vrienden en toen ze weg was, ging ik in de tuin zitten lezen. Daar had ik sinds we weer in Londen waren nauwelijks tijd voor gehad en toen ik mijn boek uit had, drong het tot me door dat ik zeker drie kwartier lang niet aan Ned had gedacht. Door zijn dyslexie kon Harry zijn akelige gedachten niet op die manier van zich afzetten en ik vroeg me af welke uitweg hij zou hebben. Helaas had ik nauwelijks inzicht in de manier waarop zijn brein werkte. Daar zat ik nog steeds over na te denken toen Percy terugkwam, knorrig en ontevreden omdat wij geen lift en ook geen inpandig zwembad hadden.

'Het spijt me, schat. Je moet maar gewoon hard werken, zodat je je later dat soort dingen kunt veroorloven.'

'Echt iets voor een volwassene om dat te zeggen.'

'Heb je honger?'

'Nee. We hebben pizza gehad en hotdogs en twee ijsjes. Kunnen we morgen naar de bioscoop gaan om *Airplane II* te zien? Gewoon wij saampjes?'

'Er komen mensen lunchen.'

Percy trok een boos gezicht en ik begon hoofdpijn te krijgen. 'Misschien halen we de voorstelling van halfzeven. Maar dat is precies het soort film dat Harry ook leuk vindt. Zou het niet onaardig zijn als we hem dan thuis lieten...'

'Hallo!' We hoorden Harry de trap af rennen. 'Ha, Percy! Ik heb iets voor je meegebracht.'

'Een cadeautje?' Ze keek naar de grote rieten mand die hij op de keukentafel had gezet en begon aan de sluiting te peuteren. 'Wat zit erin? Het maakt geluid... het leeft.' Ze keek erin. 'Een konijn! O, geweldig... fantástisch!'

In gedachten zag ik mijn tuin, gereduceerd tot kale groene stompjes.

Harry lachte. 'Nee, het is geen konijn, sufferd.'

Percy dook in de mand en tilde er een pikzwart pluizig hoopje uit. 'O, gaaf!' gilde ze. 'Mijn allerliefste wens! Een puppy!'

In gedachten zag ik mijn huis en tuin gereduceerd tot een post-apocalyptisch rampgebied.

'Kijk toch eens, wat een snoezig kopje!' Ze drukte het wriemelende beestje tegen zich aan en kuste het op goed geluk voordat ze haar weldoener een stralende blik toe wierp. 'Dank je wel, Harry! Ik heb nog nooit van mijn leven zo'n mooi cadeau gehad!' Ze huilde bijna van geluk.

Harry gaf haar een schouderklopje. 'Ik ben blij dat je haar leuk vindt.'

'Leuk? Ik vind haar helemaal te gek!' Percy gaf haar opnieuw een kus en dit keer zag ik een paar ronde zwarte oogjes en een plat neusje tussen al dat haar. Ik was blij dat Harry's relatie met Percy in één klap hersteld was, maar een pup! Een jong hondje dat binnen de kortste keren een enorm beest zou worden dat gevoerd moest worden en uitgelaten en dat evenveel aandacht zou eisen als een kind. 'Wat is het voor soort hond?' vroeg ik. Het diertje leek het meest op een zwart teddybeertje, met uitzondering van een pluizig krulstaartje.

'Een pekineesje.'

'Een pekinees!' herhaalde ik ontzet. Als ik zelf aan een hond dacht, dan had ik me altijd iets groots voorgesteld, snel en met lange poten. Een retriever, een setter, een spaniel. Of, dat lag het meest voor de hand vanwege morele en financiële overwegingen, een bastaard uit een asiel.

'Heeft dat beestje ook een naam?' vroeg ik.

'Ko-ko.'

'Ko-ko,' herhaalde Percy vol genegenheid. 'Dat vind ik leuk. Chic.'

'Is ze zindelijk?' vroeg ik.

'Bijna,' zei Harry. 'O, verdorie, Ko-ko!' voegde hij eraan toe toen het hondje prompt op de kokosmat die voor de gootsteen lag, ging zitten plassen. 'Dat is nog eens iemand voor schut zetten! Wil je niet zo'n gezicht trekken, Art? Je lijkt sprekend op een bovenmeester, streng en met een nauwelijks onderdrukt verlangen om iemand af te rossen.'

'Dat is zo weer droog.' Percy depte de plek met een vaatdoek.

'Wat eet ze?' vroeg ik zo neutraal mogelijk.

'Gekookt fijngehakt vlees, kip of lam, wat je in huis hebt, en puppybrokjes. Ze moet vier keer per dag gevoerd worden tot ze vier maanden is, dan worden het drie maaltijden.'

'Helaas hebben we dat niet in huis en de winkel op de hoek is al dicht. Gaan jullie nou maar even met haar in het park wandelen, dan snij ik wel een stukje van de lamsbout voor morgen af om dat te koken. Daarna zal Harry naar de Indiase winkel op Commercial Street moeten rijden om hondenkoekjes te kopen.'

Harry maakte een afwerend gebaar, maar voor de verandering hield ik voet bij stuk.

Ik zocht een lintje op dat als halsband kon dienen en een stukje touw als riem en ze gingen ervandoor als de beste maatjes. Toen ze terugkwamen, stond het gekookte vlees net af te koelen. Ik had de lamsbout in tweeën moeten snijden om vlees te vinden dat niet door de marinade was aangetast. Hopelijk zouden mijn gasten het morgen niet erg vinden dat hun vlees er iets minder appetijtelijk uitzag. Als ze het met net zoveel genoegen opaten als Ko-Ko, dan zou ik tevreden zijn.

'Wat moeten we maandag met Ko-Ko beginnen?' vroeg ik later, toen Percy met Ko-Ko in de badkamer was en ik de hondenkoekjes uit de Indiase winkel met een deegroller tot kleine stukjes stond te prakken. 'Jij begint op het reclamebureau, Percy moet naar school en ik ga naar Kent. Wie geeft haar te eten en past op haar? En hoe moet dat de rest van de week en verder?'

'Ik dacht dat Wendy misschien...'

'Wendy werkt van tien tot drie als serveerster in een snackbar.'

'O ja? Dat wist ik niet. Juffrouw Pinker dan misschien?'

Juffrouw Pinker was onze buurvrouw. Ze was in de tachtig en gaf de plantjes water als ik weg moest.

'O, dat dat doet me eraan denken dat ik haar bloemen moet sturen. Ze is in een verpleegtehuis om bij te komen van een galblaasoperatie.'

'Nou ja, er zit vast wel een hondenliefhebber bij al die mensen die morgen langskomen.'

'Ik zou dolgraag op haar willen passen,' zei Birdie de volgende dag om halfzes. 'Maar ik moet morgen in Hampton Court een lezing geven over het repareren en onderhouden van zeventiende-eeuws textiel. Dat doe ik voor het eerst en het zou een beetje onprofessioneel overkomen als ik op kom draven met een jong hondje.'

De andere lunchgasten waren inmiddels weg. Percy was naar een verjaardagsfeestje en Harry was een borrel gaan drinken met een oude vriend die uit Hongkong was overgekomen en ieder moment weer kon vertrekken.

'Ja, natuurlijk,' zei ik. 'Bovendien eet ze waarschijnlijk de spullen op waarover je lezing gaat. Ze heeft al een gat gebeten in Percy's schooltrui en in het geborduurde kussen uit de salon.'

'Och, wat jammer! Foei toch, kleine schat!' Birdie stak haar vinger op tegen de dader die omhoog sprong en er enthousiast keffend in probeerde te bijten. Birdie was net als iedereen helemaal gek van Ko-Ko en was zelfs op handen en voeten gaan zitten miauwen als een kat, tot groot plezier van het hondje. De andere gasten hadden zich al even kinderachtig gedragen, maar ze hadden geen van allen tijd gehad om de volgende dag op de hond te passen.

'Art, je hebt me nog niet eens verteld hoe je van Ned bent afgekomen.' Birdie scheurde een papiertje kapot en maakte er balletjes van die Ko-Ko moest apporteren. 'Het was een hele opluchting dat hij er niet bij was.'

'Dat is een behoorlijk dramatische toestand geweest.' Ik deed mijn best om de gebeurtenissen van donderdag en vrijdag zo nuchter mogelijk te beschrijven en Birdies ogen werden groot van verbazing.

'Godallemachtig!' zei ze langzaam toen ik mijn verhaal gedaan had. 'Wat afschuwelijk. Je bent vast helemaal overstuur geweest, Art. Waarom heb je me niet meteen gebeld?'

'Dat wilde ik ook wel, maar toen besloot ik dat ik er niet meer aan moest denken. Iedere keer als het me te binnen schiet, zet ik het weer van me af. Ik had het je op een gegeven moment natuurlijk wel verteld, maar nu dat is gebeurd, hoeven we er niet langer op door te gaan. Ik moet mezelf echt dwingen om het te vergeten. Dat lukt al prima.'

'O ja? Waarom beginnen je handen dan zo te trillen als je erover begint?'

Ik legde de zilveren vork die ik stond te poetsen neer en wreef in mijn handen. Ik kreeg het ineens koud, hoewel het een heerlijke avond was. 'Dat zal de shock wel zijn... Nee, ik wil er echt niet meer aan denken.'

'Goed, dat kan ik best begrijpen.' Birdie klakte met haar tong, een geluid dat ze altijd produceerde als ze stond na te denken. 'Je moet er eigenlijk even uit, lieverd. Kun je Harry niet overhalen om volgend weekend ergens naartoe te gaan?'

'We zijn nog maar een paar weken terug uit Cornwall.' Ik dacht aan Pentrew, aan de door de wind gehavende bomen en de zee, goudglanzend in het zonlicht. 'En trouwens, Harry begint morgen aan zijn nieuwe baan. Hij zal aan het eind van de week wel doodmoe zijn.'

We knuffelden elkaar hartelijk en uit die omhelzing kon ik opmaken dat ik Birdie nog steeds even hard nodig had als zij mij.

Ze draaide zich om naar Ko-Ko. 'Tot ziens, kleine ondeugd... O, Art! Je tuinklompen!' Ko-Ko tilde haar pluizige kopje op van de tuinschoenen waarop ze had liggen knagen terwijl wij met elkaar stonden te praten en kwispelde enthousiast met haar malle pluimstaartje. 'Je moet geduld met haar hebben, Art. Ze weet niet dat ze ondeugend is.'

'In zekere zin heeft ze al een positieve invloed,' moest ik een beetje narrig toegeven. 'Percy is vannacht niet naar onze slaapkamer toe gekomen. Ze zei dat ze wel wakker is geworden van een nare droom, maar zodra ze voelde dat Ko-Ko in haar knieholte lag te slapen, wist ze dat ze dapper moest zijn om haar te beschermen. En voordat ze het wist, was het alweer ochtend. Het was de eerste keer in tijden dat ik een nacht ongestoord heb kunnen slapen.'

'Geweldig toch? Je moet toegeven dat het eigenlijk best een goed idee was van Harry.'

'Ja, hij geeft altijd heel leuke cadeautjes.'

Ik liep met Birdie naar de voordeur en weer terug naar de keuken om de vloer te dweilen. Ik was al bijna klaar toen ik iets hoorde krabbelen. Ko-Ko had haar behoefte gedaan in mijn groentebak.

'O verdorie! Verdomme!' Ko-Ko hoorde aan mijn stem dat ik niet zo verrukt van haar was als al die andere mensen en liet haar staart op de grond zakken. De angst die op dat pluizige smoeltje verscheen, werd me te veel. Ik pakte haar op. 'Het geeft niet, malle meid. Ik ben stiekem net zo weg van je als de anderen.' Ik drukte een kus op haar kop en streelde haar heerlijk zachte flapoortjes. 'Alleen zal alles op mij neerkomen en ik ben bang dat ik niet genoeg tijd en energie zal hebben om goed voor je te zorgen. Je zult echt een eersteklas lastpak worden.' Ko-Ko keek vergenoegd toen ze dat hoorde. 'En daar komen de kosten van je eten bij, plus de dierenarts en alles wat je nog meer kapot zult maken.'

Ko-Ko likte mijn vingers. Vreemd genoeg viel er ineens een

traan in haar dikke zwarte vacht. Ik wreef hem weg en zette haar in de doos met het dekentje die voorlopig haar slaapplaats zou zijn. Daarna pakte ik de smerige inhoud van de groentebak op met een plastic zakje en gooide dat samen met mijn tuinklompen in de vuilnisbak.

26

De volgende dag reden Dickie en ik in de Alfa Spider naar Kent. Een deken, bakjes, een potje met varkensgehakt, koekjes en een fles water stonden achter de passagiersstoel. Ko-Ko zat op Dickies knie. Hij was meteen verliefd op haar geworden en het duurde even voordat er weer een verstandig woord uit hem kwam. Hij bleef maar tegen haar kirren, tot ik hem vastberaden onderbrak. 'Dickie, wat is er met je hand gebeurd?'

Die was dik ingezwachteld.

'Demelza heeft me gebeten. Het deed zo'n pijn dat ik bijna kwaad werd. Dat had ze natuurlijk leuk gevonden, maar ik ben geen type om vrouwen af te rossen. Echt, die meid is knettergek.'

'Dat vrees ik ook. Ik ben bang dat deze relatie je niet veel goed doet, Dickie.'

Dickies blauwe oog begon inmiddels te verkleuren, maar hij had drie lange krabben op zijn gezicht.

'Nee, beslist niet. Er zitten twee hechtingen in de duim van mijn hand. Ik heb tegen de verpleegster die mijn hand verbond gezegd dat ik door een hond was gebeten, maar ze zei dat de dokter zeker wist dat het tandafdrukken van een mens waren. Ze heeft me behalve een injectie in mijn kont ook een folder gegeven van een blijf-van-mijn-lijfhuis voor mannen. Ik schaamde me dood! Ik ben naar huis gegaan en heb zonder omhaal tegen Demelza gezegd dat het uit was. Dat ik haar weliswaar heel graag mocht, maar dat we qua temperament niet bij elkaar pasten.'

'Hoe nam ze dat op?'

'Ik had verwacht dat ze me in elkaar zou willen trimmen, maar ze lachte alleen maar en zei dat ze tot dezelfde conclusie was gekomen. Ze ging meteen haar koffer pakken en het was maar goed dat mijn hand zo'n pijn deed anders was ik nog gaan denken dat ik niet goed wijs was. Hoeveel vrouwen hebben nou 's morgens, 's middags en 's avonds zin in seks? We hebben dingen gedaan waarvan ik nooit heb durven dromen. En het mooiste van alles was dat ik haar kleren mocht dragen. Ze is net zo groot als ik en afgezien van de buste zaten een paar van haar jurken me als gegoten. Ze heeft een andere smaak dan ik, maar het was toch leuk. En Demelza had nog een goede eigenschap. Ze stond erop om altijd haar deel van de rekening te betalen. Boodschappen, bioscoopkaartjes en zelfs de benzine voor Princess Pushy. Ze zei altijd dat ze graag onafhankelijk bleef.'

'Bewonderenswaardig.'

'En ze had nooit behoefte aan complimentjes. Demelza lachte me gewoon uit als ik iets aardigs tegen haar zei.' Het klonk een beetje treurig.

Ik kreeg genoeg complimentjes van Harry. Zoveel dat ik hem af en toe gewoon niet meer geloofde. 'Ik sta er wel van te kijken dat je het kon opbrengen om het uit te maken.' Toen ik Dickies zucht hoorde, voegde ik eraan toe: 'Maar ik denk wel dat het verstandig van je is.'

'Ja. Een vent wil af en toe ook wel eens een dutje doen. Ik had nooit gedacht dat ik genoeg zou krijgen van seks. Christus! Je denkt toch niet dat ik oud begin te worden?' Hij draaide mijn achteruitkijkspiegel zo dat hij zijn gezicht kon bekijken. 'God, wat zie ik eruit!'

'Doe niet zo mal.' Ik zette de spiegel weer goed. 'Zodra de littekens en de blauwe plekken geheeld zijn, ben je weer even mooi als vroeger. Dus Demelza is weer terug naar Cornwall?'

Ik dacht aan Jago. Na wat Dickie me net had verteld leek het niet meer zo vreemd dat hij met haar was getrouwd. Haar eerlijkheid en haar minachting voor vleierij waren hem vast bevallen. En de meeste mannen zouden het heerlijk vinden als hun vrouw niet genoeg kon krijgen van seks.

'Ik heb aangeboden om haar naar het station te brengen, maar ze zei dat ze een taxi zou nemen. Ik mocht niet eens haar koffer naar beneden brengen. Ik voelde me een schoft, maar tegelijk ook opgelucht.'

Zou Jago blij zijn om zijn vrouw weer te zien? Misschien zou hij haar meer op prijs stellen nu ze zo lang weg was geweest. Per slot van rekening zijn alle dichters het erover eens dat liefde onvoorspelbaar, onbeschrijflijk en onberekenbaar is.

Dickie en Ko-Ko sukkelden onderweg naar Cherstone Abbey in slaap zodat ik in alle rust aan de renovatie kon denken. Toen ik over de oprit reed, zag ik dat iemand het onkruid rond de staanders van het hek had weggehaald. Ko-Ko jengelde een beetje toen ze doorkreeg dat ze alleen in de auto moest achterblijven en Dickie en ik gedroegen ons als een stel kersverse ouders terwijl we controleerden of er wel voldoende schaduw was, of het raampje ver genoeg openstond en of haar waterbak stevig genoeg stond om niet omgegooid te worden. Ik voelde een steek in mijn hart toen we wegliepen.

Marigold en Orlando waren thuis en repeteerden in het deel van de refter dat niet in beslag genomen werd door hun rood-wit gestreepte Arabische tent. Zij verwelkomde me met een hartelijke kus en keek toen Dickie aan.

'Jemig! Arme knul! Ben je op straat overvallen?'

'Mijn ex-vriendinnetje hield van een stevige aanpak. Het lijkt erger dan het is.'

'Lieve hemel, wat boeiend! Ik hoop dat je geen verdriet hebt. Vanwege dat ex, bedoel ik. Zal ik je dan maar geen kus geven?'

'Ik sta erop,' antwoordde Dickie galant. 'Hier kan het geen kwaad.' Hij wees op zijn ongeschonden linkerwang.

Marigold drukte haar lippen voorzichtig op de plek die hij aanwees. 'Conrad is op de binnenplaats met de steenhouwer. Fritz zal jullie koffie brengen en dan spreken we elkaar wel weer tijdens de lunch.'

'Ik zou jullie ook wel een kus willen geven, schattebouten,' riep

Orlando die met zijn linkerhand de rug van een stoel vasthield terwijl zijn linkervoet zijn achterhoofd raakte, 'maar ik zweet zo dat ik aan zou voelen als een geroosterd karbonaadje.'

We liepen naar de binnenplaats. Voordat het interieur kon worden verbouwd moesten de goten en de vijf kapotte waterspuwers, die ervoor zorgden dat het regenwater van het dak niet over de muren liep, gerepareerd worden. Charlie Pope, de steenhouwer, stond bij zijn werkbank te luisteren naar Conrad, die het gesprek onderbrak om ons te begroeten.

Charlie, die al vaker voor ons had gewerkt, was een meter negentig met pluizig blond haar en een bruin verweerd gezicht. Tien jaar geleden had hij nog een baan in de City gehad, een aristocratische vrouw en een groot huis in Fulham. Tegenwoordig woonde hij samen met Lady Arabella en hun kroost in een echte woonwagen, aten onbespoten groente, droegen kleren die gemaakt waren van plukjes wol die ze van omheiningen plukten en bespeelden ze ongewone muziekinstrumenten.

We stonden nog een tijdje te overleggen met Charlie welke stenen gerepareerd en welke vernieuwd moesten worden en gingen toen praten met Brodie, de aannemer. Sinds mijn laatste bezoek hadden Brodie en zijn mensen de tegels uit het voormalige scriptorium verwijderd, nieuwe dakspanten aangebracht en het hele gedeelte afgedekt met vilt en isolatiemateriaal.

Na een kort onderhoud met de loodgieter, die waanzinnig verliefd was op Dickie en dan ook moeite had om zijn handen thuis te houden, liepen we naar de rivier om te zien hoe het met de nieuwe steenbakkerij ging. Tot mijn teleurstelling had Conrad een moderne, op gas werkende oven besteld.

'Je bent een echte romanticus,' zei Conrad met een nauwelijks waarneembaar glimlachje. 'Maar ik wil wel dat hier efficiënt gewerkt wordt. Ik hoef geen winst te maken, maar ik wil op zijn minst quitte spelen. Dus ik vrees dat we ook moeten afzien van kinderarbeid. Wisten jullie dat die kleintjes op een dag wel twaalf kilometer moesten afleggen tussen de steenvormers, de drooggrekken en de oven? En vóór de uitvinding van de stoommachine werden paarden gebruikt om de klei met behulp van een lier te vermalen. Zouden jullie dan willen zien hoe die arme beesten in een kringetje rond moesten zwoegen, warm en dorstig en opgezweept door een wrede boerenkinkel?'

'Absoluut niet... O hemel!' Ik keek op mijn horloge. 'Dat herinnert me eraan dat ik een jong hondje in de auto heb zitten dat nodig aangehaald en uitgelaten moet worden. Wil je me even excuseren?'

'Moet het dan in de auto blijven zitten?' vroeg Conrad. 'We zijn hier allemaal dol op dieren.'

'Nou... als je het echt niet erg vindt... Maar ik ben bang dat ze nog niet eens zindelijk is...'

'Een blind paard kan hier nog geen schade aanrichten, dus dat maakt echt niets uit.'

Ik holde weg om Ko-Ko op te halen, die zo blij was om me te zien, dat ze van top tot teen trilde. Ik nam haar mee naar de refter, waar Marigold haar verrukt begroette. Het 'wat een schatje' was niet van de lucht en werd met aanstekelijk enthousiasme door Ko-Ko ontvangen.

De tent had inmiddels een gedaanteverandering ondergaan. Het eerste wat ik zag was een vleugel, een Steinway, die een hele hoek in beslag nam van wat kennelijk de zitkamer was geworden, want de tent was met behulp van geborduurde gordijnen in verschillende appartementen verdeeld. Er stonden lage, met zijde beklede sofa's en houten tafeltjes, aan het dak hingen Chinese lantaarns en uit rokende zilveren wierookvaatjes steeg een doordringend, kruidig aroma op.

Zodra ik neerviel op de zachte, met dons gevulde kussens, besefte ik pas hoe moe ik was en ik kon nog maar net de verleiding weerstaan om mijn kleren los te maken en loom achterover te leunen, net als de vrouwen op die semi-pornografische Victoriaanse schilderijen van Leighton en Alma-Tadema. Toen Conrad en Dickie opdoken, was dat het sein om de lunch op te dienen. De uitgebreide maaltijd in combinatie met de heerlijke kussens maakten me weer slaperig, maar toen ik Ko-Ko aan de franje van een van de prachtige oosterse tapijten zag knagen, was ik meteen weer klaarwakker.

'Ach, dat maakt niets uit,' zei Conrad toen ik mijn verontschuldigingen aanbood. 'Aan deze tapijten hebben ongetwijfeld ook al geiten en kamelen geknaagd. Er zijn baby's op geboren en oude mensen hebben er hun laatste adem op uitgeblazen. En je zult er waarschijnlijk ook wel korrels woestijnzand of zout in vinden.'

Zoals gewoonlijk ging het gesprek over ballet. Marigold beschreef een ongeluk dat de week ervoor tijdens een uitvoering van *Les Patineurs* was gebeurd, waarbij haar partner over wat kunstsneeuw was gevallen en een knieband had gescheurd. Onwillekeurig moest ik denken aan Ned die ineens in elkaar was gezakt... en viel... 'Hij probeerde net te doen alsof hij kronkelde van genot, maar in werkelijkheid was het van pijn...' Marigold keek naar mijn hand die zo trilde dat mijn koffiekopje op het schoteltje stond te rammelen.

Ik zette het neer en pakte Ko-Ko op. Door haar te aaien voelde ik me meteen beter. Geleidelijkaan verdween het beeld van Neds starende ogen en mijn handen kwamen tot rust.

Conrad stond op. 'Neem me niet kwalijk, maar ik moet even naar de telefooncel lopen.'

'Vind je het niet erg om zonder twintigste-eeuwse gemakken te leven?' vroeg ik aan Marigold. 'Jullie hebben wel een generator, maar waar moeten jullie jezelf wassen?'

'We baden in de rivier. Er is niets zo goed voor je lichaam als ijskoud water. Eerlijk gezegd vind ik dit een heerlijke manier van leven. Zodra het huis bewoonbaar is, pakken we net als de Arabieren onze tenten in en sluipen geruisloos weg, precies zoals die dichter heeft gezegd. Ik ben zijn naam vergeten.'

'Longfellow,' zei Dickie.

'Nou ja, echt sluipen is het natuurlijk niet. We betalen alle rekeningen en laten het huis keurig achter. Dat is het mooie van weinig bezittingen. Dit is alles wat we hebben.' Ze wuifde met haar hand als een fee die tijdens een doopplechtigheid het kind schoonheid schenkt. 'Conrad koopt schilderijen en beeldhouwwerken, maar die geeft hij vervolgens aan musea of openbare gebouwen. Daar ben ik echt trots op. We kunnen alles vervoeren in één middelgrote bus. De piano en die auto zijn onze enige luxe.'

'Maar wil je je dan nooit ergens vestigen?' vroeg ik. Ik wist best dat mijn eigen gehechtheid aan huizen bijna dwangmatig was. Daarom had ik zoveel bewondering voor haar spontane levenshouding.

'Ik ben gewend aan reizen en trekken. Misschien dat ik op een dag, als ik niet meer kan dansen, wel ergens wil blijven wonen. Maar dat soort beslissingen laat ik allemaal aan Conrad over. Daardoor kan ik me helemaal op mijn werk concentreren.' Marigold rolde haar haar op en legde het in een knot die ze met speldjes vastzette.

'Kom op, dikzak.' Orlando stak haar zijn hand toe. 'Laten we maar weer gaan proberen of we die *grand adage* perfect kunnen krijgen.'

Ze liepen de tent uit en een minuut later begon de muziek weer.

'Ik ben eigenlijk best een beetje jaloers op de bewoners van Cherstone,' zei Dickie twee uur later toen we aan de terugreis begonnen.

'Ja, daar zat ik ook net aan te denken,' zei ik. 'Ze doen allemaal precies wat ze leuk vinden waardoor de sfeer ontzettend creatief en stimulerend wordt. En ik geloof niet dat ik ooit twee mensen heb gezien die zo verliefd op elkaar waren als Conrad en Marigold.'

'Jij en Harry uitgezonderd, natuurlijk.'

'Natuurlijk.' Dickie en Ko-Ko vielen ergens tussen Tonbridge en Sevenoaks in slaap, waardoor ik was overgeleverd aan mijn eigen gedachten. Ik zette hem bij zijn flat af en reed naar huis. Percy stond voor het raam al op ons te wachten. Toen Wendy uitbundig de loftrompet had gestoken over Ko-Ko's charmante uiterlijk en haar persoonlijkheid moest ik precies vertellen wat Ko-Ko allemaal had gedaan en wat iedereen over haar had gezegd.

'Waar is Harry?' vroeg ik toen het kruisverhoor was afgelopen.

'Hij belde om te zeggen dat hij na zijn werk nog even met een paar vrienden iets ging drinken,' zei Wendy. 'Hij zou op z'n laatst om halfnegen thuis zijn.'

Het werd negen uur voordat Harry thuiskwam. 'Valt wel mee,' zei hij toen ik vroeg hoe zijn eerste dag bij het reclamebureau was geweest. 'Het is altijd vervelend om de nieuwe kracht te zijn. Het zal vast wel leuker worden. Ik had een paar ideeën die Mark wel interessant scheen te vinden.'

'O ja? Waarover?'

'O, dat weet ik niet meer. Ik heb bijna een hele fles wijn op en nadat we gegeten hebben, ga ik lekker met je naar bed en...'

'Harry!' Percy kwam in badjas en op slippers naar beneden hollen. 'Hier is ze!' Ze duwde hem Ko-Ko in de armen. 'Ik heb de meisjes alles over Ko-Ko verteld en ze zijn ontzettend jaloers. Ze willen allemaal op bezoek komen om haar te zien. Mag dat, Art?'

'Niet allemaal tegelijk. Maar drie per keer kan wel.'

'Ik zal eeuwig van je houden, Harry.' Percy ging op haar tenen staan en drukte een kus op zijn kin. 'Ik ben zo blij dat je met mijn zus getrouwd bent.'

'Ik ook.' Harry gaf haar de pup terug. 'En ik hoop dat hetzelfde voor haar geldt. Dan zijn we allemaal blij.'

'Ik ben ook echt blij,' zei ik toen Percy weer naar boven was. 'Ik moet toegeven dat ik me zorgen maakte toen jij met Ko-Ko kwam opdagen. Maar goed, ondertussen is het tot me doorgedrongen dat ik me veel te snel druk maak. Ik zal proberen om voortaan wat minder...'

Ik hield op toen er langdurig werd aangebeld. Meteen daarna kreeg de deurklopper het te verduren.

'Ik ga wel even kijken wie dat is,' zei Harry.

Hij liep naar boven en ik hoorde het geluid van mannenstemmen in de hal, maar niet wat er gezegd werd. Toen het naar mijn zin te lang duurde liep ik ook de trap op en op het moment dat ik het politie-uniform in het oog kreeg, werd ik misselijk en begon inwendig te beven.

'Dit is mijn vrouw, agent,' zei Harry met die welluidende stem waaraan je kon horen dat hij van 'hoge' afkomst was. 'Ze zal net zo verrast zijn als ik. Het was zelfs een cadeautje voor haar, dus dat maakt het nog erger.' Hij keek me aan. 'Het gaat om de Alfa, schat. Je zult het niet geloven, maar die blijkt gestolen te zijn.' Hij draaide zich weer om naar de politieagent, die lang en mager was, met een grote neus en grote oren. 'Ik heb het wagentje halsoverkop gekocht omdat de auto van mijn vrouw min of meer door de hoeven zakte en ik wilde niet dat ze in de spitsuren op de bus zou moeten wachten. Mijn vrouw is architect en haar tijd is kostbaar.'

'Ik begrijp het, meneer. Mag ik de papieren van de wagen even zien, meneer?'

Terwijl Harry de autopapieren ophaalde, bleef de agent me strak aankijken. Ik legde mijn handen op mijn rug en staarde naar de knopen op zijn uniform. Het leek een hele tijd te duren voordat Harry terugkwam.

De politieagent bekeek de papieren en begon aantekeningen te maken, waarbij hij ons af en toe een argwanende blik toewierp, alsof we van plan waren ervandoor te gaan. 'Goed. Bertram Wooster, 6A Chrichton Mansion, Berkley Street, W1. Chic adres. Zal wel gefingeerd zijn.' Hij keek me aan alsof hij dacht dat ik zou protesteren en schraapte zijn keel. 'De verkoper van een auto is verplicht om de overdracht van het voertuig te melden. Voor zover wij kunnen nagaan is dat nog niet gebeurd. Dus u hebt die meneer Wooster in een café ontmoet? Welk café?'

'De *Horn of Plenty* in Waterfield Street. Hij zei dat hij me ergens van kende en vroeg zich af of we misschien samen op school hadden gezeten. Daarna hebben we een tijdje staan kletsen. Ik kon me hem niet herinneren, maar hij wist zeker dat we elkaar eerder hadden ontmoet.'

De politieagent maakte zuchtend een aantekening. 'Ga verder, meneer.'

'Hij zei dat hij op het punt stond om voor zes maanden naar het buitenland te gaan. Naar Dubai. Maar het kan ook Abu Dhabi zijn geweest. Of Koeweit.'

'Ik denk dat het niet veel uitmaakt wat die meneer Wooster heeft gezegd.'

Harry deed net alsof hij schrok. 'Goeie genade! Ik heb geen moment het gevoel gehad dat hij stond te liegen. Toen hij zei dat hij wel bereid was om zijn Alfa Romeo Spider aan mij te verkopen dacht ik gewoon dat ik voor de verandering eens geluk had. Hij zag er heel respectabel uit.'

'Het uiterlijk kan heel misleidend zijn, meneer.' De agent sloot zijn opschrijfboekje en stopte het in zijn borstzak. 'Aangezien het om een afspraak tussen twee privépersonen ging, ben ik bang dat u naar uw geld zult kunnen fluiten, meneer. We zullen de luchthavens nog natrekken zoals we normaliter in dit soort gevallen doen, maar ik twijfel er niet aan of meneer Bertram Wooster – al zal dat heus niet zijn echte naam zijn – ergens in Londen van zijn oneerlijk verkregen centjes zit te genieten. Ik laat u nog wel weten of u aangeklaagd wordt wegens het in bezit hebben van gestolen goed.'

'Ik?' vroeg Harry gekwetst.

'In het onwaarschijnlijke geval dat de dief een vriend van u blijkt te zijn... Ik wil wel graag uw telefoonnummer hebben en het adres waar u werkt. En de sleutels natuurlijk. De wagen zal morgenochtend vroeg in beslag genomen worden.'

Ik holde naar beneden om de sleutels uit mijn tas te halen.

'Dank u wel, mevrouw,' zei hij een tikje sarcastisch toen ik ze overhandigde. 'Het lijkt erop dat u zich toch zult moeten verlagen om met de bus te gaan.'

'Nou ja,' zei Harry toen hij de deur achter de politieagent dicht had gedaan. Hij spreidde zijn handen en lachte. 'Zo gewonnen, zo geronnen.'

27

Mevrouw Jupp keek op van haar schrijfmachine en wierp een blik op haar horloge. 'Goedemorgen, Artemis.'

Het was bijna tien uur. Ik zette twee boodschappentassen vol dekentjes, bakjes, koekjes, potjes met gekookt vlees en een al behoorlijk gehavende teddybeer neer en streek het haar uit mijn ogen. 'Ik begon me al af te vragen of ik ooit op kantoor zou komen. Twee volle bussen reden voorbij zonder te stoppen. Waarschijnlijk vanwege de regen.'

Londen had een plotselinge wolkbreuk te verduren gekregen en ik had geen regenjas en geen paraplu bij me gehad. Mijn schoenen en blote benen waren kletsnat.

Ik zette de canvas tas die om mijn nek hing op de grond en trok de rits, die ik een eindje open had gelaten om te zorgen dat Ko-Ko voldoende lucht kreeg, helemaal open.

'Ooooo!' Mevrouw Jupp sprong op en trok haar rok om zich heen alsof ik een gevaarlijk, eng beest had losgelaten. 'Wat is dat nou?'

Ko-Ko schudde zich stevig uit en holde toen naar haar nieuwe potentiële speelkameraadje toe. Mevrouw Jupp gilde en ging tegen de deur staan. Geërgerd door dat stomme gedrag pakte ik Ko-Ko op en wreef met mijn mouw over haar natte kopje.

'Het is een pekineesje,' zei ik. 'Een pup. Ze zal je heus niets doen.'

'Een hond?' Mevrouw Jupp ontspande iets. 'Maar waarom breng je haar mee naar kantoor?'

Dat moest ik vijf minuten later ook nog eens uitgebreid aan Adrian uitleggen. 'Ik kan haar niet thuislaten. Maar je zult geen last van haar hebben, ze zal voornamelijk onder mijn bureau liggen te slapen. En in mijn lunchpauze zal ik haar wel uitlaten. Als je had gezien hoe blij Percy was, zou je het er zeker mee eens zijn.'

Adrian was altijd lief voor Percy geweest. Hij noemde haar zijn surrogaatnichtje, wilde precies weten hoe het op school ging en gaf haar dure cadeautjes op haar verjaardag.

'Is er in heel Whitechapel dan geen oud dametje te vinden dat op een hondje wil passen?' vroeg Adrian geïrriteerd.

Hij had een nieuw tweed pak aan en dat zou wel een beetje te warm zijn, want inmiddels scheen de zon weer volop. Ik vroeg me af of er ook een nieuwe vrouw bij dat pak zou horen. Dickie zei dat het aanhoudende slechte humeur van Adrian volgens hem het gevolg was van onderdrukte lustgevoelens. Daardoor had ik weer moeten denken aan wat Birdie had gezegd, maar na ampele overwegingen was ik tot de conclusie gekomen dat ze zich vergiste. Toen ik tegen Dickie zei dat zulke gevoelens toch wel zouden afnemen als gevolg van de middelbare leeftijd, zei hij dat ik echt helemaal niets van mannen afwist. Kerels van middelbare leeftijd waren juist het ergst, omdat ze doodsbang waren dat er binnen de kortste keren een eind zou komen aan de vloedgolf van testosteron.

'Dat zal best wel,' zei ik, 'maar zelfs oude dametjes doen dat niet voor niets.'

Adrian fronste. 'Waarom ben je zo nat?'

Ik vertelde hem wat er met de auto was gebeurd. Adrian luisterde toe met halfgeloken ogen en bleef nog even stil nadat ik mijn verhaal had verteld, alsof hij zat na te denken over de gevolgen. 'Wat is er met de Renault gebeurd?' vroeg hij ten slotte.

'Die hebben we ingeruild voor de Alfa. Het leek Harry beter om te zeggen dat hij die in de kroeg van een vreemde had gekocht, want anders zou Mario – de garagehouder die hem de Alfa had verkocht – misschien moeilijkheden krijgen met de politie. Harry is ontzettend loyaal ten opzichte van zijn vrienden.'

'Dan hebben ze geluk dat Harry binnen de kortste keren een

geloofwaardig verhaal uit zijn duim kan zuigen.' Adrian keek naar me op. 'Ik ben zelf echter van mening dat je niet tegen de politie moet liegen. Afgezien van ethische overwegingen zal de politie altijd argwanend blijven tegenover mensen die gestolen goederen in hun bezit hebben, met name auto's. Als Harry, om welke reden ook, opnieuw met ze te maken krijgt, zullen ze een optelsommetje maken.'

Ik was blij dat Adrian niets van Ned afwist. 'Dat klinkt alsof je denkt dat Harry wel degelijk wist dat de auto gestolen was.'

Adrian tikte met zijn pen op zijn bureau. 'We dwalen af. We hadden het over de hond. Goed, we zullen zien hoe het gaat. Als hij zich gedraagt, mag je hem in je kantoor houden. Maar zorg ervoor dat de cliënten hem niet te zien krijgen.'

'Het is een zij. Dank je wel, Adrian,' zei ik. 'Ik weet zeker dat ze zich als een echte brave kleine meid zal gedragen.'

'Vooruit dan maar.' Hij was nog steeds een tikje kregel. 'En misschien kun je morgen een eerdere bus nemen.'

'Ja, hoor. Maar ik blijf vanavond wel wat langer doorwerken.'

Ik was al bij de deur voordat hij op een heel wat vriendelijker toon zei: 'Nee, dat hoeft niet, Artemis. Ik weet dat je je handen vol hebt. Ga maar gewoon op tijd naar huis, dan hebben we het er niet meer over.'

Mevrouw Jupp liet zich de rest van de dag niet meer zien. 'Ik heb echt heerlijk door kunnen werken,' zei ik tegen Dickie toen ze met een kil 'goedeavond' aan het eind van de middag vertrok. 'Niemand heeft me gestoord. Althans geen mensen.' Ik wierp een strenge blik op Ko-Ko die op haar rug lag te spelen met mijn tekendriehoek.

'Het spijt me dat ik je niet thuis kan brengen. Princess Pushy is nog steeds buiten bedrijf. Ik ga met de ondergrondse naar Kensal Green.'

'Naar Kensal Green? Waarom?'

'Ik heb me aangemeld bij een seks-therapiegroep. Vanavond is mijn eerste bijeenkomst. Demelza heeft niet alleen een aanslag gepleegd op mijn lichaam maar ook op mijn zelfvertrouwen. Ik verlang naar een vrouw die het goedvindt dat ik haar kleren draag zonder dat ze me in elkaar slaat. En ik ben tot de conclusie gekomen dat ik haar eerder zal kunnen vinden tussen verlichte en hoog opgeleide vrouwen. Die zijn veel toleranter en bovendien is dat het type vrouw dat ik het meest ontmoet. Ik moet af van die voorkeur voor vrouwen die qua intelligentie inferieur zijn.'

'Wat dapper van je, Dickie. Ik hoop dat het vriendelijke, lieve en verstandige mensen zijn.'

'Dat hoor je nog wel.'

Ko-Ko en ik waren een uur en een kwartier later thuis. Onze bus was in een file beland en we hadden een halfuur stilgestaan. Er lag een briefje met de mededeling dat Harry even met Damian naar de kroeg was gegaan. Percy liep met Ko-Ko de tuin in en nadat ik de canvas tas had gewassen (omdat het arme beestje daar een plasje in had gedaan, wat ik haar niet kwalijk kon nemen) ging ik met een glaasje drinken en de post bij hen zitten.

Toen ik de brief van de bank las, dacht ik eerst dat die verkeerd bezorgd was. Ze waren erg boos omdat ik ver over mijn kredietlimiet was gegaan en alle cheques die na de 18e van de maand uitgeschreven waren, zouden niet uitgekeerd worden. De tekst gaf me het gevoel dat ik bij de bankmanager had ingebroken, alle juwelen van zijn vrouw had gestolen en vervolgens, nadat ik hun vloerbedekking had bevuild, de hele opbrengst had uitgegeven aan een bontmantel gemaakt van de huid van een bedreigde diersoort. In werkelijkheid had die vervelende bank de eigendomsakte van het huis in Oracle Street aanvaard als onderpand voor het te verstrekken krediet en het huis was heel wat meer waard dan het miezerige sommetje dat ze beschikbaar maakten.

De volgende brief bevatte het overzicht van mijn Visa-kaart. Ik keek naar de lange lijst met uitgaven en vervolgens naar het totaalbedrag. Mijn hart begon te bonzen.

'Harry,' zei ik, toen hij drie kwartier later kwam opdagen. 'Zeg alsjeblieft dat dit niet waar is.'

Ik gaf hem de brief van de bank en het overzicht van de creditcard.

'Goeie genade, wat een overdreven gebruik van bijvoeglijke naamwoorden.' Harry gooide de brief op tafel. 'Allemaal voor de schijn, natuurlijk. Banken vinden het heerlijk als je rood staat. Dan kunnen ze jou weer lekker een vette rente in rekening brengen.'

'Maar we kunnen ons niet veroorloven om nog meer rente te betalen, Harry. En hoe moeten we die schulden afbetalen?'

'O, daar kunnen we het geld van de flat en de auto voor gebruiken.'

'Maar dat staat nog negen maanden vast, dat heb je zelf gezegd.' Ik pakte het overzicht op. 'Ik weet wel dat La Gavroche je favoriete restaurant is, maar vier lunches? En had je echt twéé nieuwe pakken moeten laten maken?'

Harry schonk een glas wijn in. 'Kijk niet zo bezorgd, lieve schat. Wat geeft het nou dat we voor een sommetje van drieduizend pond rood staan? Ik ken niemand die niet voor minstens vijf of tien keer dat bedrag rood staat.'

Mijn maag kromp samen alsof ik een liter zure wijn had gedronken. 'Ik geef toe dat het niet het grootste bedrag ter wereld is, maar we moeten ook nog de hypotheek, het schoolgeld, de rente op de lening van Adrian en de gewone boodschappen betalen. De bank wil ons niets meer geven. Waar moeten we dan geld vandaan halen?'

'Ik vraag gewoon een American Express-card aan. Die geven me wel twee maanden de ruimte voordat ze vervelend gaan doen.' Hij sloeg zijn armen om me heen. 'Maak je geen zorgen, schattebout. Laat de financiën nou maar aan mij over. Ik zorg er wel voor dat je rustig kunt slapen en genoeg geld hebt om uit te geven.' Hij liet me los en stak zijn hand in zijn zak. 'Kijk maar.' Hij pelde tien bankbiljetten van een dikke stapel. 'Tweehonderd ballen, lieverd. En als ik merk dat je daar rekeningen van betaalt word ik echt boos.'

'Harry.' Ik moest echt mijn best doen om een luchthartige toon aan te slaan. 'Hoe kom je aan al dat geld?'

'Ik ben erin geslaagd om een heel duur schilderij van Baz te verkopen toen hij even niet in de winkel was, dus heeft hij me commissie gegeven. Maar hoor eens, Art, ik meende het echt toen ik zei dat ik alles wat met geld te maken heeft wel voor mijn rekening zal nemen. Ik vind het heerlijk dat je zo onafhankelijk bent, maar ik wil niet voor elk pakje chips dat ik koop bij jou rekening en verantwoording afleggen. Dat zou geen enkele vent willen. Heb je ooit gemerkt dat ik slecht bij kas was? Heb je dan helemaal geen vertrouwen in me?'

'Ja natuurlijk wel.'

'Grote meid. Wat staat er op het gas? Het ruikt in ieder geval heerlijk en ik heb honger.' Hij goot zijn glas leeg in de gootsteen. 'Dit is rotzooi. Ik heb onderweg naar huis een paar flessen goeie bordeaux gekocht. Daarmee kunnen we een toost uitbrengen op de bank en hun prachtige bloemrijke schrijfstijl.'

'Het spijt me echt dat ik weer te laat ben,' zei ik twee weken later toen ik praktisch tegen Adrian opbotste, die op het punt stond om weg te gaan. 'Ik heb de bus net gemist en het duurde een kwartier tot de volgende kwam.'

'Geeft niet.' Adrian keek me nauwelijks aan. 'Ik ben op weg naar een taxatie. Kom maar even naar mijn kantoor toe als ik terug ben.'

Ik zat de hele ochtend in over het gesprek dat hij met me wilde hebben. Was hij kwaad omdat ik weer te laat was? Had hij de vlek gezien die Ko-Ko's voer in de smetteloze vloerbedekking had achtergelaten? Wat moest ik beginnen als Adrian zei dat ik Ko-Ko niet meer mee mocht brengen? We konden haar niet meer missen.

De laatste tijd werd ik regelmatig om drie uur 's ochtends wakker en dat was vooral vervelend omdat Percy vanaf het moment dat ze Ko-Ko kreeg geen enkele keer meer 's nachts naar me toe was gekomen. In de uren tot de wekker ging, probeerde ik echt niet aan geld te denken, maar toen dat maar niet wilde lukken had ik een doosje slaappillen gekocht. Nu sliep ik 's nachts als een roos, maar de pillen hadden het bijkomende resultaat dat ik het liefst de hele dag zou willen slapen. Mijn ogen bleven maar dichtvallen.

Dickie stak zijn hoofd om de deur. 'Hallo, mijn kleine honnepon. Hoe gaat het met onze ukkepuk?'

Ik besloot om maar voor Ko-Ko te antwoorden. 'Ze vindt het

niet leuk als ik rare gezichten trek. Hoe ging het deze week bij de sekstherapie?'

Dickie kwam binnen en deed de deur achter zich dicht. 'O, het was nog net uit te houden. Zoals gewoonlijk moesten we ons weer poedelnaakt uitkleden. De bedoeling is dat we daarna door de kamer rondlopen en gezellig met elkaar gaan kletsen tot we ons niet meer schamen omdat we in onze blote kont lopen.'

'Dat zou ik heel moeilijk vinden. Met hoeveel mensen zijn jullie?'

'Tien mannen en drie vrouwen. We mogen niet over ons privéleven, ons werk en dat soort dingen praten en we hebben allemaal een schuilnaam, dus dat maakt het wel gemakkelijker. En als we elkaar een beetje beter hebben leren kennen, kiezen we iemand die we echt zien zitten om samen over onze seksuele fantasietjes te babbelen. Uiteindelijk slaagde ik erin om een gesprek aan te gaan met een lief oud dametje.'

'Zijn er geen leuke jonge meiden met wie je kunt praten?'

'Twee, maar die zijn niet echt leuk. Heel ernstig en agressief en het lukt me nooit om ook maar enige interesse voor hen op te brengen. En een man kan dat niet verbergen, hè?'

'Ik begrijp het.' Mijn nieuwsgierigheid won het van mijn goede manieren. 'Zijn er dan mannen die wel opgewonden van hen raken?'

'O ja. De meeste mannen zijn continu opgewonden. Dat is verrekt lastig, want het vertrek dat we gebruiken is vrij klein en onze therapeut zegt dat we lichamelijk contact ten koste van alles moeten vermijden. Met al die stijve leuters om je heen heb je nauwelijks ruimte om te staan.'

'Arme Dickie. Het klinkt echt afschuwelijk.'

'Ja, vooral omdat drie van die kerels overduidelijk homo zijn. Ik begin bijna te blozen als ze me staan te bekijken.'

Ik schoot onwillekeurig in de lach en gelukkig zag Dickie er ook de humor van in.

Adrian stak zijn hoofd om de deur. 'Ik ben blij dat mijn werknemers zo vrolijk zijn. Waarom blaft dat beest?'

Dickie pakte Ko-Ko op en kriebelde haar onder de kin. 'Waarom praat je op die manier tegen haar?' Hij klonk zo verontwaardigd dat Ko-Ko nog harder begon te blaffen. 'Zie je nou wel? Je hebt haar beledigd. Sluit maar gauw vrede.'

Adrian was een van die rare mensen die geen interesse hebben voor dieren, maar tot dusver had hij Ko-Ko's aanwezigheid geduld. Hij gaf haar een paar stijve klopjes op haar kop en keek mij aan. 'Hadden wij geen afspraak?'

'O ja, dat is waar ook. Ik heb er notabene de hele ochtend aan zitten denken.'

Adrian keek zelfvoldaan. Hoewel hij dat ongetwijfeld zou ontkennen, vond hij het leuk om de baas te spelen. 'Kom dan maar gauw.'

Ik liet Ko-Ko achter onder de hoede van Dickie en liep met Adrian mee naar zijn kantoor.

'Ga zitten.'

Ik gehoorzaamde en ging tegenover hem zitten terwijl hij met zijn laatste hebbedingetje zat te spelen, een Japanse houten puzzel. Hij hield helemaal niet van dat soort dingen, maar hij kreeg ze vaak van cliënten. Het is moeilijk om een cadeautje te kopen voor een rijke vrijgezel.

'Ik heb een geweldig idee gehad.' Adrians ogen verdwenen onder zijn lichte wimpers terwijl hij zijn best deed om het met houtsnijwerk versierde doosje open te krijgen. 'Het schijnt dat je dit in dertien handelingen moet kunnen doen. Ik heb een nieuwe auto gekocht. Een Mercedes SL.'

'Wat geweldig,' zei ik vriendelijk, hoewel ik niets van auto's afwist.

'Ja. Hij wordt vanmiddag afgeleverd. En ik dacht dat jij dan net zo goed mijn oude auto kon nemen, de Bristol. Het slaat nergens op dat jij de helft van je tijd in een bus tussen hier en Whitechapel moet slijten. En zoals gewoonlijk heeft de dealer me een bespottelijk lage inruilprijs geboden, dus heb ik liever dat jij hem neemt en wat eerder op je werk verschijnt.'

'O, Adrian, maar die wagen is vast nog ontzettend veel waard...'

'Hm. Ja. Maar daar gaat het niet om. Ik wil dat je op tijd op je werk komt. Zonder eruit te zien alsof je net een expeditie door de rimboe achter de rug hebt. O, wat een rotding!' Hij gooide het doosje in de prullenmand en leunde achterover in zijn stoel. 'Ik heb de verzekering van de Bristol vanaf vandaag op jouw naam laten zetten, zodat je erin naar huis kunt rijden. Probeer alleen te voorkomen dat die hond krassen op de bekleding maakt.'

'O... dank je wel... ontzettend bedankt...'

'Ik kon Harry alleen niet als medebestuurder opgeven. Hij heeft al zoveel boetes gehad dat de premie daardoor veel te hoog zou worden.' Adrian keek me onderzoekend aan. Hij wilde weten of ik daarvan op de hoogte was.

Ik glimlachte koel. 'Iedereen is in zijn of haar jeugd toch een beetje onverantwoordelijk geweest?'

'Ik heb het niet over jeugd. Hij heeft zijn rijbewijs pas afgelopen december teruggekregen. Hij heeft twee jaar lang ontzegging gehad omdat hij veel te hard reed in de bebouwde kom en een voetganger raakte. Gelukkig voor hem heeft die vrouw het overleefd.'

Ik had het gevoel dat de vlammen me uitsloegen. 'Godzijdank!' kon ik nog net uitbrengen. Hoewel ik mijn best deed, kon ik niet verbergen dat ik verbaasd en ontzet was.

Adrian boog zich voorover om mijn gezicht beter te zien en klikte de aansteker aan die altijd op zijn bureau lag. Ik was vergeten om tegen hem te zeggen dat ik die net gevuld had. De vlam schoot zeker tien centimeter omhoog, waardoor hij met een kreet achterover viel. Hij drukte zijn zakdoek tegen zijn neus en ik rook de vage geur van verbrand haar.

'Het spijt me,' zei ik onhandig. 'Ik hoop dat je jezelf geen pijn hebt gedaan...'

'Ik mankeer niets.' Zijn stem klonk gedempt. Hij pakte de autosleuteltjes uit een la en gooide me die toe.

'Maak nou maar dat je wegkomt,' snauwde hij door zijn zakdoek heen. En dat deed ik.

28

'Ik zou hier best aan kunnen wennen.' Birdie klopte op het notenhouten dashboard van de Bristol. 'Het is stom, maar als je in zo'n grote, chique auto zit, ga je jezelf meteen belangrijk voelen. En hij glimt ook als een spiegel.'

'Ik sta bijna iedere dag te poetsen.' De automatische versnellingsbak schakelde soepel toen we optrokken bij een stoplicht. Het was zaterdag en we gingen lunchen in een restaurant in Richmond. 'Maar het is niet alleen een zegen, hoor, het is ook een hele last. Ik ben zo bang dat ik er krasjes op maak dat ik zelfs een van die maffe plastic hoezen heb gekocht om te voorkomen dat passerende jaloerse tieners er een sleutel langs halen.'

En het was ook de reden geweest dat ik bijna ruzie kreeg met Harry. Ik had hem verteld waarom Adrian hem niet als medebestuurder in de verzekering had kunnen krijgen en hij had heel lief gezegd dat hij het heerlijk zou vinden om rondgereden te worden door het mooiste meisje in Londen. Dus ik dacht dat alles in orde was tot Harry zonder iets te zeggen met de Bristol naar Damian in Battersea reed.

Harry hield vol dat er een heleboel mensen waren die onverzekerd rondreden, maar dat stelde me niet gerust. En ik moest mijn boosheid ook inslikken toen ik hem erop wees hoe egoïstisch zijn gedrag was geweest. Ik had de keuken uit willen lopen omdat de tranen me weer hoog zaten, zoals altijd als ik mijn emoties moet onderdrukken, maar Harry pakte mijn arm, trok me naar zich toe en kuste me. Hij zei dat hij me niet overstuur had willen maken en dat hij het nooit meer zou doen. Dus ik kon natuurlijk niets anders doen dan hem vergiffenis schenken.

'Heeft Adrian hem echt aan jou gegeven?' vroeg Birdie.

'Dat weet ik niet. Zijn verhaal was op twee manieren uit te leggen. Ik doe net alsof hij nog steeds van hem is en dat ik hem mag lenen. Daarom ben ik er ook zo zuinig op. Adrian hecht aan zijn bezittingen.'

'Harry ook?'

'Nee, ik ken niemand anders die zo laconiek is als hij. Hij heeft de Bentley ook afgestaan zonder zelfs maar te mopperen,' zei ik, blij dat ik dat uit de grond van mijn hart kon zeggen.

'Hm. Interessant dat Adrian je nog steeds van alles toestopt.'

'Begin je nou weer over dat idee dat Adrian alleen maar zo gul is omdat hij daar een heimelijk motief voor heeft? We kunnen inmiddels toch veilig aannemen dat dat niet zo is. Hij kan toch niet van me verwachten dat ik met hem naar bed ga terwijl ik met Harry getrouwd ben?'

'Tussen twee haakjes,' zei Birdie, na een heerlijke lunch en een bezoek aan een tuincentrum. 'Ik heb Harry gisteren gezien.'

'O ja?' We reden over King's Road, later in de middag altijd een soort verkeersfuik. 'Waar?'

'Tijdens de lunch in de Ritz. Daar was ik al jaren niet meer geweest maar ik werd samen met een paar van de dames die de tapijten van Hampton Court restaureren door een steenrijke Amerikaan op een etentje getrakteerd.'

Ik remde om een taxi voorrang te geven. Harry had me niet verteld dat hij in de Ritz was geweest. Hij had zelfs gezegd dat hij doodziek werd van boterhammen, omdat er geen goede restaurants in de buurt van zijn werk waren.

'O ja, hij zei dat hij met een paar cliënten op stap was geweest.' Ik schaamde me dat ik tegen Birdie moest jokken, maar ik had het nog gênanter gevonden om toe te geven dat Harry me niets had verteld. 'Maar ik heb het er verder niet met hem over gehad. Hebben jullie elkaar nog gesproken?'

'Nee. Hij zag me niet toen ik binnenkwam. Hij zat te praten

met zijn tafelgenote en ik ging schuil in dat legertje nijvere dames. Vanaf de plek waar ik zat, kon ik haar net zien. Ze zat zo te grijnzen dat ik steeds aan die opgezette tijgerkop in de studeerkamer van mijn vader moest denken. Ze zaten er nog steeds toen wij twee uur later vertrokken. Kennelijk heeft hij ruime onkostenvergoeding. En hij is wel aantrekkelijk, hè? De serveersters zwermden als een stel vlinders om zijn tafeltje.'

'Ja, daar heb ik erg aan moeten wennen. Hoe zag die cliënt eruit?'

'Knap, maar nogal opgepoetst.'

Harry zat met Damian in de tuin toen we thuiskwamen. We gaven elkaar de gebruikelijke beleefdheidskusjes, waarbij Birdie haar gezicht afwendde. Daaruit kon ik opmaken dat ze hen geen van beiden aardig vond. Harry maakte voor ons allebei een daiquiri, volgens hem naar een recept van Ernest Hemingway, en dat was voor Damian weer aanleiding om een grappig verhaal te vertellen over Martha Gellhorn, Hemingways vrouw. Ik luisterde nauwelijks omdat ik wist dat ik heel snel over die lunch moest beginnen want anders zou Birdie vast argwaan krijgen. Daardoor merkte ik pas later dat ze zich op de kast had laten jagen.

Oma had me altijd de raad gegeven om niet over onderwerpen te praten die je overstuur kunnen maken. 'Mensen zitten niet te wachten op een preek, lieverd. Ze willen vermaakt worden. Je bent het aan de wereld verplicht om altijd een vrolijk gezicht te tonen, wat je ook voelt. Het is je plicht om opgewekt te zijn.' Toch bewonderde ik Birdie omdat ze altijd voor haar mening opkwam en mijn berekenende houding maar niets vond.

'Martha Gellhorn zegt in haar brieven dat het egoïstisch zou zijn geweest om haar lichaam niet te delen, omdat mannen er zo naar schenen te hunkeren.' Birdie zat stram rechtop, alsof ze eventuele seksuele gedachten van de mannen af moest weren.

'En dat geloof jij?' Damian tuitte zijn rode lippen in een spottend glimlachje. Ik moest ineens denken aan het standbeeld in de kruidentuin van Pentrew.

Birdie snoof. 'Ik zou niet weten waarom iemand die in alle andere opzichten zo moedig en eerlijk was daarover zou liegen.'

'Niemand is eerlijk over seks,' zei Damian loom. 'Leugens zijn onvermijdelijk om de illusie van romantiek te handhaven. Seks is gewoon een biologische drijfveer. Mensen zijn precies zoals de apen in de dierentuin. Maar wij denken dat we meer geëvolueerd zijn, dus kunnen we niet zeggen: "O, kijk eens, een beschikbare kut. Laat ik die maar eens pakken."' Hij draaide zijn hoofd om en keek me aan met ogen waarin zoveel haat stond te lezen dat het een klap in mijn gezicht was. "'Hè ja, dat was lekker. Nu lust ik wel een banaantje."'

'O, hier zitten jullie,' zei Percy, die met Ko-Ko naar buiten stapte. 'Jago is aan de telefoon en hij wil Art spreken.'

Ik liep naar boven, blij dat ik me uit de voeten kon maken.

'Hallo.'

'Stoor ik niet?'

'We zitten gewoon in de tuin. Hoe is het met Kitto?'

'Ze hebben hem overgeplaatst naar een revalidatiecentrum in de buurt van St. Austell. Ik ben gisteren bij hem geweest. Hij kan zijn knieën alweer buigen en met behulp van krukken een paar stappen doen.'

'Godzijdank. Praat zijn moeder nog steeds niet met je?'

'Ze voelde zich verplicht om een eind te maken aan de koude oorlog omdat ik hun hotelrekening heb betaald. Het is deprimerend dat alles altijd om geld draait.'

'Ik vind het natuurlijk zielig voor Kitto's moeder,' zei ik. 'Maar het moet toch tot haar doorgedrongen zijn dat het jouw schuld niet was.'

'Het was niemands schuld, gewoon een vervelende samenloop van omstandigheden. Maar ik sta er wel van te kijken hoe Harry er altijd weer in slaagt om problemen aan te trekken. Hoe gaat het trouwens met jou?' vervolgde hij. 'Daarom belde ik eigenlijk. Heb je dat... ongeluk van Ned al verwerkt?'

'Eh... volgens mij gaat het alweer een stuk beter.' Ik hield mijn hand omhoog terwijl ik dat zei. Die beefde nog wel bij de gedachte aan hem, maar toch lang niet zo heftig als eerst. Ik had Jago graag willen vertellen dat ik nog steeds kon terugvallen op de manier waarop hij me een hart onder de riem had gestoken als ik het weer te kwaad kreeg, maar ik was bang dat hij zou denken dat ik daarmee een beroep zou doen op zijn sympathie en zijn geduld.

'Het is maar goed dat je voor je zusje moet zorgen. Verplichtingen helpen je om je rug recht te houden. Ze rekenen af met een heleboel vage vragen en helpen sluimerende angst te onderdrukken. Ik zal je niet langer weghouden uit de tuin.'

Hij hing zoals gewoonlijk meteen daarna op, zonder me de kans te geven nog iets te zeggen. Ik legde de telefoon op de haak.

Birdie stond in de hal. 'Ik moet ervandoor, Art. Bedankt voor een zalige dag.' Ze sloeg haar armen om me heen. 'Ik bel je morgen nog wel. Tot ziens.'

Aan de manier waarop ze de voordeur opentrok en haastig het bordes af liep, kon ik zien dat ze behoorlijk uit haar evenwicht was geraakt door Damians manier van converseren. Ik had er zelf trouwens ook een grondige hekel aan. Maar omdat hij me ineens aan het beeldje in de kruidentuin deed denken, liep ik de salon in en pakte de verzamelde gedichten van Keats. Ik zocht de *Ode to Melancholy* op waar Jago het over had gehad en stuitte in het laatste couplet op 'Joy, wiens hand altijd tegen zijn lippen rust in een gebaar van vaarwel.' Bijna boos sloeg ik het boek met een klap dicht.

29

Op zondag reed ik naar Brentwell om de boekhouding van mijn vader te doen. Ik probeerde Percy over te halen om met me mee te gaan, maar ze zei dat ze op Ko-Ko moest passen, nog huiswerk moest maken en toch alleen maar ziek zou worden. Aandringen had geen zin. Pa hield natuurlijk wel van zijn jongste dochter, maar gesprekken met kinderen verveelden hem.

Damian was blijven eten. Hij had me uitgebreid gecomplimenteerd over de maaltijd en gezegd dat hij Harry echt benijdde, maar ik geloofde hem niet. Toen hij afscheid nam, probeerde ik dat af te doen door even mijn wang tegen de zijne te drukken, maar Damian trok me naar zich toe en drukte zijn onderlichaam tegen het mijne. Het voelde als de kus van een gifkikker. Eén druppeltje van het zenuwgif dat ze door hun felgekleurde huid afscheiden, kan je een hartstilstand bezorgen.

'Ik weet dat het kinderachtig klinkt,' zei ik toen Harry en ik op het punt stonden om naar bed te gaan, 'maar ik raak een beetje van mijn stuk omdat Damian zo'n hekel aan me heeft.'

'Hè?' Harry keek stomverbaasd. 'Maar hij vindt je juist zo'n mooie vrouw. Dat heeft hij me vaak genoeg verteld. En heel erg begeerlijk.'

'Fijn,' zei ik een tikje bits. 'Maar dat wil nog niet zeggen dat hij me aardig vindt. Enfin, hij zal wel een hekel hebben aan iedere vrouw die jouw tijd in beslag neemt. Gedeeltelijk althans,' voegde ik eraan toe, denkend aan al die keren dat ze samen gingen lunchen, stappen of squashen. Waarschijnlijk zag Damian Harry even vaak als ik.

'Lieve schat, je wilt toch niet zeggen dat Damian en ik poepstampers zijn, hè?' Harry barstte in lachen uit. 'Is dat een seksueel fantasietje? Ik ken genoeg mannen die het leuk vinden als vrouwen met elkaar stoeien. Hoewel ik niet echt opgewonden word van het idee dat jij het met Birdie zou doen. Ze is veel te bazig en seksloos.'

'Doe niet zo onaardig over Birdie.' Ik keek hem fronsend aan in de spiegel van mijn toilettafel. 'Ze is mijn beste vriendin. Maar goed, daar wou ik het helemaal niet over hebben. Damian walgt van me. Dat kon ik merken toen hij zei dat seks iets puur lichamelijks was. Overigens vind ik het gebruik van het woord "kut" in gezelschap echt ongepast...'

'Ach, lieverd, doe niet zo kinderachtig. Natuurlijk ben ik het met je eens dat je dat moet vermijden als Percy in de buurt is, maar voor zover ik me kan herinneren was zij er niet bij.' Hij kwam naar me toe en sloeg zijn armen om me heen. 'Je bent toch niet jaloers op die ouwe maat van me, hè?' Hij klopte me op mijn wang. 'Dat vind ik heel lief, maar ik kan niet mijn hele leven aan jouw rokken hangen. Een kerel heeft af en toe ook behoefte aan mannelijk gezelschap.'

'Ik wil echt niet stoken tussen jou en Damian. Ik waarschuw je alleen dat hij het maar niets vindt dat je met mij getrouwd bent.'

Harry schoot opnieuw in de lach en streelde mijn borsten. 'Tja, honnepon, als ik niets onaardigs over Birdie mag zeggen – die bepaald niet dol op mij is – dan moet jij je aan dezelfde regels houden, vind je ook niet? Dus mag je niets over Damian zeggen. Schiet nou maar op, ik heb er de hele avond al naar verlangd om met je te vrijen.'

Op de een of andere manier had ik het gevoel dat mijn opmerking expres werd genegeerd. Ik lag er nog een tijdje over te piekeren en herinnerde me toen ineens dat ik was vergeten om over die lunch in de Ritz te beginnen. En 's ochtends, toen ik naar Brentwell vertrok, lag Harry nog te slapen.

Janet stond bij de voordeur op me te wachten. 'Je ziet er geweldig uit,' zei ze. 'Het huwelijk doet je goed.'

'Je ziet er zelf ook prima uit, Janet,' zei ik oprecht. Janets bruine krullen glansden en ze had roze wangetjes.

'Tja, er is iets wat ik je moet vertellen.' Ze bloosde. 'Ik had van m'n leven niet verwacht dat dit zou kunnen gebeuren, Art, maar ik ben in verwachting!'

'Janet! Wat geweldig!' Ik gaf haar een kus.

Ze pakte mijn hand. 'Het is een wonder, echt waar! Ik had het net allemaal van me afgezet... Nou ja, ik bedoel dat ik ermee had leren leven... Je weet wel, nadat de dokter had gezegd dat er iets mis was met mijn eileiders...'

Ik knikte. Janet had wekenlang met rode ogen rondgelopen. 'Wanneer ben je uitgeteld?'

'In januari.' Ze legde haar hand beschermend op haar buik. 'Stel je toch eens voor, Art. Ik word... mama.' Toen barstte ze in tranen uit.

Ik liep samen met haar de hal in. 'Je zult een geweldige moeder worden,' zei ik. 'Denk maar eens aan hoe lief en geduldig je met Percy was.'

'Ach, dat lieve kind! Hoe is het met haar?'

Ik bracht verslag uit en vertelde haar alles over Ko-Ko en dat Percy zo blij met haar was dat ze tegenwoordig prima kon slapen. Daarna begon ik weer over het onderwerp dat me voornamelijk in beslag nam. 'De baby zal wel voor grote veranderingen in je leven zorgen, hè?'

Janets gezicht stond ernstig. 'Het spijt me ontzettend, Art, maar Stanley heeft gehoord dat een garage in Sudbury een monteur zoekt. Stanley kent de eigenaar en het lijkt een goede baan. Hij zou twee keer zoveel verdienen als we hier krijgen. Maar natuurlijk gaan we niet weg voordat jullie iemand anders hebben gevonden... Dat zou verraad zijn...'

'Het is al heel lief dat jullie al die tijd gewoon zijn gebleven. Daarvoor zullen we altijd dankbaar blijven. Het enige wat nu telt, is dat Stanley een betere baan krijgt en jij een mooi huis om in te wonen...' Het duurde even totdat ik Janet ervan overtuigd had dat de familie Castor zich niet verlaten en verraden voelde.

Toen mijn vader me de studeerkamer binnen zag komen, leek hij eerder verbaasd dan blij. 'Hallo, Artemis.' Hij legde zijn vinger in het boek dat voor hem lag, om te onthouden waar hij was gebleven. 'Is alles goed, lieve kind?'

'Prima, hoor.' Ik bukte me om hem een kus te geven. 'Ik heb gisteren gebeld, weet je nog? Ik kom de boekhouding doen.'

'Dat is waar ook.' Hij keek somber. 'Daar ligt de post.' Hij wees naar een grote stapel papier in de vensterbank. 'Het is wel erg veel.'

'Dat komt omdat het meer dan twee maanden geleden is dat ik hier was. Ik heb het ontzettend druk gehad na de bruiloft.'

'De bruiloft? O, eh, ja. Hoe is het met Harry?'

'Hij doet u de groeten.'

'De groeten?' Pa keek een beetje verrast. 'Dat is heel aardig van hem. Fijne kerel, hoor,' voegde hij eraantoe, voor het geval dat te kil klonk.

'Pa, heb je al nagedacht over wat je gaat doen als Janet en Stanley weggaan?'

'Weggaan?'

'Omdat ze een baby krijgen,' legde ik uit, al wist ik best dat Janet hem dat al een paar keer had verteld, 'moet Stanley een betere baan zoeken en een plek waar ze kunnen wonen.'

'Waarom kunnen ze niet hier wonen? Dan kan Stanley in een garage gaan werken als hij dat absoluut wil en ondertussen kan Janet voor ons en voor de baby zorgen.'

'Dat willen ze niet. Ze willen een eigen huis, met ramen die sluiten, een dak dat niet lekt en radiatoren die 's winters warm worden. Bovendien is die garage in Sudbury en dat ligt een uur rijden van hier.'

'Waarom kan Stanley niet in de garage van Bainbridge in het dorp gaan werken?' vroeg mijn vader nukkig.

'Omdat meneer Bainbridge al een monteur heeft en de garage nauwelijks genoeg opbrengt voor hen beiden.'

Pa stak zijn handen op. 'Daar kan ik toch niets aan doen?' Hij zuchtte. 'Ik heb werk te doen.' Hij zette zijn ellebogen op het bureau en legde zijn handen over zijn oren om verder te kunnen lezen. Toen Janet binnenkwam met de koffie keurde hij haar geen blik waardig.

Ik begon de post door te nemen. Zoals gewoonlijk had pa keurig de strookjes in zijn chequeboek ingevuld en die vergeleek ik met de inhoud van de enveloppen waarin ik ook de cheques aantrof die weer even snel 'retour afzender' waren gestuurd. En ergens halverwege de stapel zat ook een envelop die geadresseerd was in het bekende slordige handschrift van Harry.

Beste Hugo, stond boven de brief, *Artemis en ik zijn bijzonder dankbaar voor de geweldige trouwreceptie...* en vervolgens zei hij hoe blij hij was dat ik hem mijn hand had geschonken. Ondanks de vele spelfouten was het een vloeiende brief. Jago had niet voor niets zoveel geld aan dure scholen besteed. Harry's verzoek om een lening van een paar duizend pond was verpakt in beschaafde termen die erop duidden dat op die manier de band tussen schoonzoon en schoonvader op een vriendschappelijke manier versterkt werd. Als je de brief las, raakte je er bijna van overtuigd dat Harry mijn vader een gunst verleende. Op de brief stond in pa's handschrift: *16 mei, £2000 overgemaakt.*

In de tweede envelop met Harry's handschrift zat pa's ongedekte cheque. In de begeleidende brief had Harry grapjes gemaakt over de bank, waarvan hij zeker wist dat ze een domme vergissing hadden gemaakt. Ik pakte mijn koffiekopje op en nam twee slokken lauwe Nescafé om tot rust te komen. Daarna vergeleek ik de beide enveloppen. Ze waren allebei geadresseerd aan Lord Cator. Hughie Cator was een lid van het Hogerhuis met een titel die niet erfelijk was. Hij had miljoenen verdiend met het leveren van wapens aan Arabische staten en had op middelbare leeftijd een fractie van zijn geld aan de regering geleend in ruil voor een adellijke titel, precies zoals mijn grootvader een halve eeuw eerder had gedaan. Lord Cator was een respectabel man geworden die zich bezighield met wetgeving en liefdadige doeleinden. Ik had hem nooit ontmoet, maar hij had pa wel een keer een kribbige brief geschreven over een uitnodiging voor een feestje op 10 Downing Street die voor hem bestemd was en per abuis door pa was ontvangen (en genegeerd). Ik had uit naam van pa zijn verontschuldigingen aangeboden en gewezen op de namen die wel erg veel op elkaar leken. Daarna had Lord Cator nog een keer geklaagd over een paraplu die per abuis door een van de conciërges van het Hogerhuis naar pa was gestuurd, waardoor een van zijn Savile Row-kostuums onherstelbare schade had opgelopen. Ik had de paraplu teruggestuurd, maar de brief in de prullenbak gegooid.

Als Harry dacht dat mijn vader multimiljonair was, verklaarde dat waarom hij er zo vaak op aandrong dat ik mijn ouders om geld vroeg. Bij nader inzien besefte ik dat die vergissing van Harry gedeeltelijk mijn eigen schuld was. Ik had weliswaar bij onze eerste afspraak niet onder stoelen of banken gestoken dat de Castors op het randje van bankroet verkeerden, maar het zat er natuurlijk dik in dat ik, als ik de dochter van een ongelooflijk rijke man was, net zou hebben gedaan alsof we arm waren om gelukszoekers te ontmoedigen.

En afgezien van de bruiloft was Harry maar één keer op Brentwell Hall geweest, waarbij Janet en Stanley hun uiterste best hadden gedaan om alles toonbaar te maken en een goede indruk achter te laten.

Ik keek vol genegenheid naar pa's zilvergrijze hoofd. Hadden de veronderstelde miljoenen een rol gespeeld in Harry's haast om met mij te trouwen? Die vraag lag voor de hand. Rijkdom had natuurlijk een zekere aantrekkingskracht, maar het zou toch minder belangrijk moeten zijn dan karakter, intelligentie, geestigheid, aantrekkelijkheid en dat ondefinieerbare iets dat iemand niet alleen begeerlijk maakte maar ook om van te houden. Toen ik nog dacht dat Harry ontzettend rijk was, vond ik het heerlijk dat ik in de toekomst niet langer elk dubbeltje hoefde om te keren. Maar ik was niet echt teleurgesteld toen dat niet waar bleek te zijn. We waren jong, we hadden allebei werk, we konden allebei geld verdienen. Toch had Harry misschien op een miljoenenvermogen gerekend. O god… Er gleed een rilling van angst over mijn rug… Zou hij nu spijt hebben?

'Waar is Harry?' vroeg ik nadat ik een glas wijn voor Wendy had ingeschonken.

'Naar een toneelstuk.' Percy wees naar de keukentafel. 'Hij heeft een briefje neergelegd.'

Daar stond in dat hij met een zekere Charlotte naar een toneelstuk was. Ik kon me niet herinneren dat Harry het ooit eerder over haar had gehad en hij zei ook niet in welk theater het stuk speelde. Ik pakte de krant, maar het uitgaansgedeelte ontbrak. Bovendien had ik hoofdpijn gekregen van de boekhouding, dus ging ik zitten en nam ook een glas wijn. Ko-Ko ging op haar achterpootjes staan om opgetild te worden en mijn stemming verbeterde. Wat was het toch een lief beestje.

'Heb je je huiswerk af, lieverd?'

'Ja, hoor. Een opstel over Odysseus. Hierin staat...' Percy tikte op de omslag van een groot ingebonden boekwerk met een glimmende kaft, '... dat Odysseus een baby had met Calypso. Dat kan zuster Mark in haar zak steken, want die zeurt altijd dat hij en Penelope zo trouw aan elkaar waren en dat hun grote liefde op de een of andere manier het bindmiddel is van het hele verhaal. Dat zal ik haar bij de volgende les onder de neus wrijven.' Ze grinnikte tevreden.

'Wat een mooi boek.' Wendy bladerde door *Homerus voor Kinderen* en bekeek de kleurplaten. 'Dat soort dingen kunnen natuurlijk alleen privéscholen zich veroorloven.'

'Het is niet van school, het is van mij,' zei Percy. 'Harry heeft het voor me gekocht toen ik hem vertelde dat ik mijn schoolboek was vergeten.'

'Wat lief van hem,' zei ik en voelde een vlaag van dankbaarheid opkomen.

Ik moet toegeven dat ik een beetje teleurgesteld was toen ik ontdekte dat hij niet thuis was. Harry was zo rusteloos dat hij bijna altijd op stap was. Oma zei altijd dat je je man moest verrassen, stimuleren en betoveren door onvoorspelbaar te zijn. Maar oma had mooi praten, dacht ik ineens verbitterd. Dat zou een stuk gemakkelijker gaan als je genoeg bedienden had die ervoor zorgden dat het bed opgemaakt, het huis schoongemaakt werd, en er vier keer per dag een uitgebreide maaltijd op tafel stond. Oma en opa hadden onze hele erfenis erdoor gejaagd door verrassend en stimulerend te zijn. Daarna besefte ik hoe onredelijk ik was. Ik was juist blij dat ik iets omhanden had. Ik hield van mijn baan – af en toe, tenminste – en ik was ook graag thuis. Een leven vol feesten, bridgen en bezoekjes aan de renbaan zou me binnen de kortste keren de keel uithangen.

'Blijf je eten, Wendy? Kijk, het zonnetje gaat net weer schijnen, dus we kunnen in de tuin gaan zitten.'

Maar toen we rond de tafel zaten, viel er een zonnestraal dwars door de wijnranken recht op Percy's hand, die ineens begon te sprankelen.

'Waar heb je die ring vandaan?' Ik trok haar hand naar me toe en keek naar de vijf grote stenen, die sprekend op diamanten leken.

'Van Angelika gekregen. Ik denk dat ze medelijden met me had.'

'Waarom? Omdat jij geen bikini hebt? Je moet haar die ring meteen teruggeven, Percy. Die is vast van Angelika's moeder. Ik kan haar maar beter direct bellen om te zeggen dat wij hem hebben.'

'Als je dat doet, praat ik nooit meer tegen je!' Percy's gezicht werd vuurrood. 'Als dat zo is, krijgt Angelika vast een pak slaag. Haar moeder is echt een monster. En dan zal Angelika nooit meer een woord tegen mij zeggen en dan word ik door iedereen met de nek aangekeken, want zij is het populairste meisje van de klas en ze doen allemaal wat ze zegt. Dan wil ik nog liever dood!' Percy begon te snikken.

'Luister nou eens, Percy,' zei ik. 'Dit is een dure ring, die misschien wel duizenden waard is.'

'Dat wist ik niet,' huilde Percy. 'Ik was gewoon blij dat ze me aardig vond. Ik geef hem morgen wel terug, dan kan ze hem stiekem terugleggen. En dan krijgt ze geen slaag. Je zou die blauwe plekken eens moeten zien!'

'Echt waar? Misschien moeten we er dan de kinderbescherming bij halen…'

'Als je het léf hebt!' zei Percy, die ineens vergat te huilen. 'Als

Angelika erachter zou komen dat wíj het aangegeven hebben, zal ze écht niets meer van me willen weten!'

'Ik denk dat Percy gelijk heeft,' zei Wendy. 'Laat haar die ring nou morgen maar gewoon teruggeven, dan moeten Angelika en haar moeder maar uitmaken hoe het verder loopt.'

Wendy had een knipperlichtverhouding met een dichter waardoor ze af en toe geneigd was zijn mening over te nemen die er kennelijk op neerkwam dat hij consequent weigerde om het gedrag van andere mensen te veroordelen. Mijn hoofpijn werd erger, een stekende pijn boven een van mijn ogen. Ik wenste dat Harry thuis was. Of nog beter, dat ik Jago om raad kon vragen. Zou ik hem kunnen bellen? Nee, want dan legde ik beslag op hem en ik had mezelf bezworen dat ik dat nooit zou doen.

'Alsjeblieft, Art,' smeekte Percy. 'Ik beloof je dat ik die ring morgenochtend meteen terug zal geven.'

'Nou goed, dan. Maar als Angelika je weer vertelt dat haar moeder haar geslagen heeft, moeten we dat echt aangeven. Desnoods anoniem.'

'Oké. Ik vond het trouwens toch een walgelijk ding. Maar ze stond erop dat ik hem aan moest pakken.'

'Dan vertel jij haar nu maar, dat je hem per se terug wilt geven.'

Ik lag die avond nog lang wakker, met een bonzend hoofd, wachtend tot Harry thuiskwam. Ik vroeg me af of ik wel juist had gehandeld. Alsjeblieft God, laat Percy die ring nou gewoon teruggeven, dan hoeven we er nooit meer aan te denken. Maar God luisterde niet of hij dacht er anders over.

30

Ik zat samen met Conrad, Marigold, Orlando, Charlie Pope en Arabella, zijn vrouw, te lunchen op de binnenplaats van Cherstone Abbey, waar Ko-Ko om ons heen rende en tegen de duiven blafte. Conrad had ontdekt dat er vroeger een slotgracht om de abdij lag en die wilde hij in de oude staat herstellen. Dat betekende dat alle plannen voor de riolering herzien moesten worden, aangezien die niet, zoals in vroegere tijden, op de gracht uit mochten komen. Desondanks voelde ik me heerlijk, hoewel ik wist dat de problemen waarmee ik worstelde meteen weer de kop op zouden steken als ik wegreed van Cherstone.

Angelika had de ring zonder morren teruggenomen, zei Percy. Mijn kleine zusje vertoonde echter een soort zenuwachtige opwinding die me zorgen baarde. Ze was op een leeftijd waarop ze geheimen kreeg en het was onvermijdelijk dat ze naarmate ze ouder werd niet meer haar ziel en zaligheid bloot zou geven. Maar ik had het idee dat ze zich zorgen maakte over wat ze voor mij geheimhield.

En wat me ook dwarszat, was dat ik ruzie met Harry had gehad.

Ik sliep al toen hij zondagnacht thuiskwam. 's Ochtends had ik op mijn tenen rondgeslopen door de verduisterde slaapkamer en de badkamer, omdat hij had gezegd dat hij liever naar de ondergrondse liep dan met mij mee te rijden, want dan kon hij nog een halfuurtje langer in bed liggen. Toen ik aan de toilettafel ging zitten om mijn haar te doen, viel mijn oog meteen op het horloge. Een Cartier, met een wijzerplaat vol kleinere klokjes en een gouden band. De schrik sloeg me om het hart. Het horloge had vast een paar honderd, of misschien wel een paar duizend, pond gekost. Ik draaide het klokje om. Het was gegraveerd met de tekst *H. van C. Mijn Droomprins.*

De metamorfose van Scrooge naar Medea gebeurde zo snel dat ik niet eens de tijd had om blij te zijn vanwege het feit dat Harry gelukkig geen geld had gespendeerd aan iets wat hij niet nodig had. Wie was die vrouw die het zich kon veroorloven om zulke dure cadeaus aan míjn man te geven? Ik telde tot tien en prentte mezelf toen in dat ik 's ochtends altijd slechtgehumeurd was, dat ik geen jaloerse echtgenote mocht worden en dat ik te laat op mijn werk zou komen als ik niet meteen wegging.

Ik slaagde erin om het horloge de rest van de dag uit mijn hoofd te zetten terwijl ik werkte aan de eerste opzet van een winkelcentrum in een leuk stadje met veel zeventiende-eeuwse en victoriaanse gebouwen. Eigenlijk heb ik een hekel aan winkelcentra, maar het was een uitdaging om iets moois te maken van iets dat voornamelijk smakeloos was.

Harry was in de keuken toen ik thuiskwam. Hij gaf me een lange kus op mijn mond, die ik beantwoordde.

'Wie is "C" en waarom heeft ze je zo'n duur horloge gegeven?' vroeg ik zodra mijn mond vrij was.

Hij schonk voor ons allebei een glas wijn in. Condrieu 1979, heerlijk, maar daar had hij minstens zes pond voor moeten neertellen en de fles was al bijna leeg. 'Proost, lieve schat. Charlotte is een ex-vriendinnetje dat zich best kan veroorloven om zulke dure horloges te geven.'

'Is ze nog steeds verliefd op je?'

'Ik hoop het niet. Ze is net met iemand anders getrouwd. Een aardige kerel die Simon heet. Hij is ook mee geweest naar dat toneelstuk.' Er viel een steen van mijn hart.

'Is die inscriptie dan ironisch bedoeld?'

'Wat is dat nou weer voor een grove opmerking, schat. Waarom zou ik haar droomprins niet mogen zijn?' Hij glimlachte en nam een olijf. 'Zullen we Wendy bellen en uit eten gaan? We kunnen die nieuwe trattoria in Bermondsey wel uitproberen.'

'Weet haar man van dat horloge?'

'Hij was erbij toen ze het aan me gaf.'

'En dat vond hij niet erg?'

'Waarom zou hij? Charlotte heeft hem net de helft van haar huis op Eaton Square, een chalet in Zwitserland en een ranch in Arizona gegeven. Plus een plaats in de directie van haar vaders hotelketen. Dat had allemaal van mij kunnen zijn en ik neem aan dat hij dat best weet. Het zou wel heel min zijn als hij mij dan een simpel horloge zou misgunnen. Zal ik dat restaurant dan nu maar opbellen?'

'Dat kunnen we ons eigenlijk niet veroorloven.'

'Nu wel.' Hij tikte op de wijzerplaat van het nieuwe horloge. 'Ik ga morgen wel even langs bij Samson, een juwelier met wie ik bevriend ben, om het te verpatsen. Hij zal er een nieuwe achterplaat op moeten zetten, maar desondanks is het minstens duizend pond waard. Misschien wel twee.'

Dus gingen we uit eten en ik moet tot mijn schande bekennen dat ik me toch gelukkig voelde ook al vond ik het niet netjes van Harry om afstand te doen van zo'n gul cadeau. En het zou jammer zijn geweest om de avond te verknoeien door hem te vertellen dat mijn vader niet de steenrijke wapenhandelaar Hughie Cator was, maar Hugo Castor, de armlastige classicus.

Waarom was ik dan nog steeds een beetje boos op Harry? De volgende dag hadden we kaartjes voor een klassiek concert, een huwelijkscadeautje van lieve vrienden, maar een bespreking op kantoor liep zo uit dat ik Wendy moest bellen om tegen Harry te zeggen dat ik in de foyer op hem zou wachten. Hij kwam echter niet opdagen, zelfs niet na de pauze.

Na het concert was ik zenuwachtig naar huis gereden, waar ik hem in de tuin aantrof met Baz en een andere man die ik me nog van onze bruiloft herinnerde. Ze waren alledrie behoorlijk aangeschoten.

'Sorry, Art,' zei Harry toen ik hem (op rustige toon, om hem niet voor schut te zetten bij zijn vrienden) vroeg waarom hij niet was komen opdagen. 'Ik had geen zin in serieus gedoe. We zijn naar het nieuwe Chinese restaurant in Fenchurch Street gegaan. Best goed.'

'Ik wou dat je me even had gebeld om te zeggen dat je niet kwam.'

'Dat heb ik gedaan, maar je was al weg. Ik heb het pas op het laatste moment besloten.'

'Dat was mijn schuld,' zei Baz. 'Ik ben de slang in de tuin die met een beter voorstel kwam.'

'Ik wou dat je die verrekte slang van je ook in de tuin hield,' zei de andere man, die Mikey Ancre-Jones heette. 'Mijn ex-vrouw blijft me maar bellen om te vragen waar je uithangt. Ze denkt dat jij zo'n verlegen en gevoelig artistiek type bent die uit zijn kluizenaarsbestaan moet worden gered. Je bent echt een klootzak, Baz, dat is het probleem.'

'Dat ontken ik,' zei Baz. 'Ik heb alleen maar die arme vrouw proberen te troosten nadat jij haar rijp voor zelfmoord had achtergelaten.'

'Volgende week hebben we kaartjes voor *Winterreise,*' zei ik tegen Harry zonder op de andere twee te letten. 'Moet ik er dan van uitgaan dat je daar ook niet naartoe wilt?'

'Wie weet ben ik de volgende week rond deze tijd wel in de juiste introspectieve stemming om een beetje te navelstaren,' zei Harry lachend.

Dat schenen ze allemaal ontzettend leuk te vinden. Oma zei vroeger altijd al dat het geen zin had om ruzie te maken met mensen die iets te uitgebreid getafeld hebben.

'Je ziet er weer wat vrolijker uit, Art,' zei Marigold. 'Neem nog een broodje.' Ze duwde de schaal naar me toe. 'Ik begon al bang te worden dat je het vervelend vond dat Conrad die slotgracht wil.'

'Welnee, natuurlijk niet. Dat wordt vast schitterend.'

'Wat is er dan aan de hand?' vroeg Conrad. 'Of is het iets dat zo persoonlijk is, dat we er niet naar mogen vragen?'

Ik kon niet over Percy beginnen en al helemaal niet over Harry.

Maar het idee dat ik iets van mijn zorgen zou kunnen delen met deze lieve mensen was zo aantrekkelijk, dat ik besloot dat ik best over de financiële problemen van pa en Hermione kon beginnen. Die zouden ze toch nooit ontmoeten.

'Ik moet nog voor de kerst iemand zien te vinden die voor mijn vader en stiefmoeder kan zorgen. Iemand die bereid is om letterlijk alles voor hen te doen – hun bad vullen, hun schoenen poetsen en hun ontbijt op bed brengen. Mijn vaders kleren moeten klaargelegd worden in de juiste volgorde, dus met de broek en de sokken bovenop. Linkersok links en rechtersok rechts, anders trekt hij ze verkeerd om aan en krijgt hij blaren...'

Ik vertelde hun over de deplorabele toestand van Brentwell en hoe onwaarschijnlijk het was dat iemand daar zou willen wonen en bereid zou zijn voor een grijpstuiver zoveel werk te verzetten.

'Kunnen ze het niet gewoon verkopen en een leuk warm huisje kopen?' vroeg Arabella een beetje weemoedig, alsof ze af en toe genoeg begon te krijgen van de woonwagen.

'Het is veel te groot en er moet veel te veel geld in worden gestoken.'

'Hoeveel land?' vroeg Conrad.

'Om en nabij de veertig hectare. Ongeveer dertig daarvan zijn gepacht door een boer.'

'Hoe lang loopt dat contract nog? En wat is het voor man? Inschikkelijk?'

'O ja, het is een schat van een man. En heel beleefd. Het pachtcontract is voor vijfentwintig jaar en daar heeft hij er tien van opzitten.'

Conrad scheurde een hoek van mijn zorgvuldige tekening van de begane grond van de abdij. 'Schrijf het adres eens op.' Ik gehoorzaamde. Hij pakte het stukje papier op en liep naar binnen.

Ondertussen bleven wij verder praten over ouders en de problemen die de oude dag met zich meebracht.

Toen Conrad terugkwam, keek hij me aan met zwarte ogen waarin niets te lezen stond. 'Hou je van vliegen?'

'Niet echt, om eerlijk te zijn. Maar ik doe mijn best om geen lafaard te zijn.'

'Laten we dan maar eens gaan kijken naar die vervallen ruïne die je ons net zo levendig hebt beschreven.'

'Nu meteen?'

'Ja.'

'Je zult wel moeten, Art,' zei Marigold. 'Hij vindt het vreselijk om te moeten wachten als hij iets bedacht heeft.'

'Maar Ko-Ko dan?'

'Daar pas ik wel op,' klonk het vijfstemmig.

Ik stond op. 'Heb je een idee?'

'Ik wil er geen woord over kwijt tot ik het gezien heb,' zei Conrad. 'Kom maar op.'

Ik kuste Ko-Ko alsof ik voorgoed afscheid van haar nam en liep achter Conrad aan naar de landingsbaan waar een vliegtuig met stormlijnen vastgesjord stond. Een heel klein vliegtuigje met twee propellors en groene en gele cijfers op de zijkant. Conrad trok een van de deuren open.

'Stap maar in.'

Als hij al zag dat ik trilde, liet hij het niet merken. Ik moet toegeven dat ik doodsbang was. Zelfs in grote vliegtuigen, met enorme straalmotoren en een legertje geüniformeerde mensen die overal op letten, kan ik het gevoel niet onderdrukken dat mijn einde nabij is. Toen Conrad naast me ging zitten en een sleutel omdraaide die voor een enorme herrie zorgde, moest ik me aan mijn stoel vastklemmen om te voorkomen dat ik in tranen uit zou barsten. De propellors veranderden eerst in bloemen en werden toen een waas.

'Zet die maar op en maak je gordel vast.' Conrad glimlachte tegen me toen hij me een koptelefoon overhandigde waaraan een microfoon was vastgemaakt. Mijn vingers voelden slap aan. Hij drukte op schakelaars, haalde hendels over en draaide aan knoppen met als resultaat een angstaanjagende hoeveelheid geratel, schokken en trillingen. 'Ik controleer de bedieningsonderdelen.' Ik schrok van zijn stem door de koptelefoon. 'Hier, hou jij de kaart maar vast. Bladzijde drieënveertig.' Ik sloeg het boekje met vochtige handen open. 'Nu neem ik contact op met het vliegveld in de buurt.'

Een krakende vrouwenstem zei iets over wind, zicht en maximumhoogte, het motorgeluid zwol aan tot een gebulder en met een sprong schoten we weg over de zanderige startbaan. We hobbelden en botsten in de richting van enkele bomen die eerst op stukjes broccoli hadden geleken en plotseling in reusachtige eiken veranderden. O, Percy, lieve schat van me! Arme Harry, al zo jong weduwnaar... en met een zwaai die mijn maag in de boomtoppen achterliet, waren we ineens in de lucht, op weg naar de zon.

'Goed zo,' zei Conrad. 'Toen Marigold voor het eerst met me mee vloog, viel ze flauw. Maar toen ze bijkwam, drong het toch tot haar door dat een vliegtuig veel minder gevaarlijk is dan een auto. Nu is ze dol op vliegen en helemaal ontspannen. Kijk eens op de kaart. Onder ons loopt een spoorlijn, die we in noordelijke richting moeten volgen.'

Ik streek de kaart op mijn knie glad met kromme, trillende vingers. Het duurde even voordat ik weer kon nadenken, maar toen ontdekte ik welke symbolen verwezen naar bepaalde herkenningspunten op de grond en mijn angst nam langzaam af. Tegen de tijd dat we boven Southend vlogen, begon ik me bijna goed te voelen. Conrad bleef me vertellen waar ik naar uit moest kijken en mompelde af en toe iets in de trant van India Tango Bravo Foxtrot in de microfoon. Al gauw waren we boven Suffolk.

'Goed. Nu moeten we op zoek naar een privévliegveld in de buurt van het huis van je ouders. De coördinaten zijn vijf-twee-drie-zes-acht...'

Ik voelde me apetrots toen ik het vond.

'Door je werk ben je natuurlijk gewend om op kaarten te kijken. Je zou een prima navigator zijn.'

Ik zat bijna te stralen. Ik wist best dat hij me prees om me te kalmeren, maar heel even was ik bereid om hem op zijn woord te geloven.

'Nu draai ik het vliegtuig om, zodat we tegen de wind in kunnen landen.'

De wereld ging weer op zijn kant staan en ik zag de grond met een noodgang op ons afkomen. De betonnen landingsbaan was onder ons en toen ineens voor ons. O Percy! Zorg ervoor dat je je leven lang braaf, lief en voorzichtig blijft, schat. Toen iedere molecule van het vliegtuig zich verzette op het moment dat de wielen de grond raakten, sloot ik mijn ogen en dacht... aan de zee en de vijf puntgevels van Pentrew. We remden af tot een sukkelgangetje en stopten aan het eind van de landingsbaan. Conrad schakelde de motor uit en zette zijn koptelefoon af. Ik was bang dat hij het bonzen van mijn hart kon horen.

'Ik heb een taxi besteld om ons naar je huis te rijden.'

'Je moet mij wel laten betalen voor de brandstof van het vliegtuig en de benzine voor de taxirit.'

'Nee. Dit is zakelijk. Maar bedankt.' Hij wees naar een auto die naast de windzak stond. 'Dat zal hem zijn.'

Ik zat op de achterbank terwijl Conrad en de taxichauffeur over vliegtuigen zaten te praten.

'Wat een grote puinhoop, hè?' zei de chauffeur terwijl we over de van gaten vergeven oprit van Brentwell Hall hobbelden. 'Moet een fortuin kosten om te onderhouden en dat hebben ze duidelijk niet. Het gerucht gaat dat Lord Castor zijn eerste vrouw vergiftigd heeft. Jarenlang had niemand haar gezien en ineens komt vrouw nummer twee uit het niets opdagen. Wel een stuk, trouwens. In dit land kun je gewoon een moord plegen als je een lord bent. Ik zou maar goed nadenken voordat ik iets te drinken aanpakte. Ik ben over een uurtje weer terug,' riep hij door het openstaande raampje toen hij wegreed.

Conrad keek me aan.

'Ik ben alleen maar verbaasd dat de mensen zo aardig over ons denken,' zei ik. 'Zullen we binnen beginnen?'

We bekeken het hele huis, van de kelders tot de zolders. Ik nam Conrad mee naar pa's studeerkamer en stelde hem voor als een cliënt met belangstelling voor oude huizen. Pa vroeg of we wilden blijven eten en kon zijn opluchting niet verbergen toen we bedankten. Zijn ogen waren alweer op zijn boek gericht voordat we de deur dichttrokken. Daarna liepen we op onze tenen door de salon om Hermione niet wakker te maken. Stanley was diep onder de indruk toen ik hem vertelde dat we in een privévliegtuig vanuit Kent waren overgevlogen en nam Conrad mee om hem het park te laten zien. Ik zat net met Janet over haar zwangerschap te praten toen het geluid van een claxon ons waarschuwde dat de taxi voor stond.

'En?' vroeg ik toen we weer in de lucht waren. 'Zou het huis geschikt zijn voor wat je in gedachten hebt?'

'Ik denk het wel. Maar ik moet eerst weer overleg plegen met de belangrijkste vertegenwoordigers van de Broeders van Sint-Leonardus.'

'Een kloosterorde? Dan moeten ze wel heel hard bidden om te voorkomen dat het dak instort. Ik zag dat er weer een heleboel pannen van de keukenvleugel zijn verdwenen. Maar misschien vinden ze dingen als warmte en comfort niet belangrijk tenzij ze van een hogere macht komen.'

'Het zijn lekenbroeders, dus ze werken meer met hun handen dan dat ze op hun knieën liggen. Hun doel is om onderdak te verstrekken aan ex-gevangenen die geen familie hebben om op terug te vallen en hun een vak te leren.'

'O! Nu begrijp ik waarom je wilde weten wat voor soort man onze pachter was.'

'Precies. Mensen willen geen ex-gevangenen als buren. Daarom is de afgelegen ligging ook ideaal. Ik denk dat de broeders iedereen in de omgeving zullen uitnodigen voor een bijeenkomst waarin ze hun bedoelingen uitleggen en waar vragen kunnen worden gesteld. En daarbij kunnen ze de hulp inroepen van beroemde mensen. Heb je wel eens van Waldo Byng gehoord?'

'De beroemde Shakespeare-acteur? Ja, natuurlijk.'

'Hij is de belangrijkste beschermheer van de organisatie, dus hij gaat wel met de dorpelingen praten.'

'Maar zullen de broeders niet afgeschrikt worden door de staat van het huis?'

'Ze willen de ex-gevangenen alles leren over metselen, dakbedekking, bedrading, loodgieterswerk, tuinieren en inrichting. Ze hebben in de gevangenis al cursussen gevolgd en nu moeten ze ervaring opdoen. Het huis en de tuinen zullen gerestaureerd worden tot alles met winst kan worden verkocht om een nieuw project te financieren.'

'Dat klinkt zeer hoopvol.'

'Ik heb al naar een stuk of tien huizen gekeken, maar die waren geen van alle geschikt. Niet genoeg mogelijkheden tot renovatie, volslagen onbewoonbaar, of te duur. En nu vraag je je natuurlijk af welke prijs ik in mijn hoofd heb? Het blijft nattevingerwerk, maar het zal toch iets in de buurt van tweehonderdduizend pond worden.'

Eerlijkheid gebood me om te bekennen dat hij daarmee zeventigduizend pond boven de schatting van de makelaar zat, bij wie we drie jaar eerder het huis te koop hadden gezet.

'Ja, maar de grondprijzen zijn sindsdien gestegen.'

Tweehonderdduizend pond! Als dat verstandig geïnvesteerd werd, zouden pa en Hermione daar tot hun dood gerieflijk van kunnen leven. Toen de landingsbaan in zicht kwam, had ik nauwelijks de tijd om bang te zijn. En tijdens de terugrit naar Londen prentte ik mezelf in dat ik geen luchtkastelen moest gaan bouwen, maar ik kon niet ontkennen dat ik in een roes van opwinding verkeerde.

Zelfs de boodschap die Harry op het antwoordapparaat had achtergelaten dat hij pas om negen uur thuis zou zijn kon mijn opwinding niet temperen. Ik gaf Percy haar avondeten en stuurde haar naar boven om huiswerk te maken, waarna ik nog een drankje voor Wendy inschonk. Vervolgens haalde ik de strijkplank tevoorschijn en maakte aanstalten om een stapel strijkgoed weg te werken, terwijl ik naar Wendy luisterde die me de laatste ontwikkelingen van haar roman vertelde. Toen er werd aangebeld zei ze dat ze lang genoeg had zitten kletsen en op weg naar buiten zou kijken wie er voor de deur stond.

Ik was helemaal niet blij toen Damian de trap af rende en de keuken in kwam.

'Harry is nog niet thuis, maar je mag rustig op hem wachten.' Ik hoopte dat ik wat gastvrijer klonk dan ik me voelde. Dat er altijd vrienden van Harry rondhingen, was de prijs die ik moest betalen als ik hem zelf ook af en toe wilde zien. 'Pak maar iets te drinken en ga in de tuin zitten.'

'Ik zal wel een cocktail voor ons brouwen.'

Hij zette een boodschappentas op tafel en haalde er drie flessen uit. Daarna pakte hij glazen, ijs en een kan. 'Dit heet "de puritein".' Hij gaf me een groot glas met een abrikooskleurige vloeistof. 'Gin, Noilly Prat en oranjebitter. Laat maar eens zien hoe puriteins jij je voelt als je dit ophebt.'

Onder het strijken dronk ik het snel op. Het was fris en ik kikkerde ervan op, ondanks het feit dat Damian nog steeds aan de keukentafel zat en me strak aankeek.

'Wat heb je vandaag gedaan?' vroeg ik om de stilte te verbreken.

'Eens even zien,' zei hij loom, terwijl jij een sigaret opstak en zijn hoofd achterover liet zakken alsof hij moest nadenken. 'Ik heb vanmorgen een nieuwe cliënt gestrikt en dat leverde een schouderklopje van de baas op. Daarna ben ik vrij uitgebreid gaan lunchen bij Bertorelli's met Kristy, onze nieuwe receptioniste. Te stom om voor de duvel te dansen, maar wel aantrekkelijk. Golvend kastanjebruin haar.' De meeste vrouwen zouden Damian wel aantrekkelijk vinden, maar ik walgde van zijn vlezige rode mond en wenste dat ik de moed kon opbrengen om tegen hem te zeggen dat hij niet mocht roken in mijn keuken. Hij bleef me strak aankijken. 'En na afloop vond ze het goed dat ik haar neukte in de voorraadkamer. Dus alles bij elkaar was het een dag die wel iets had. Maar natuurlijk was ze lang niet zo knap als jij,' ging hij verder. 'Alleen veel bereidwilliger, denk ik. Jij zou niet zo gemakkelijk overgehaald kunnen worden om je te laten neuken door iemand die je nauwelijks kende. Jij zou willen dat zijn lul eerst gewassen, gedroogd en gepoederd...'

'Hou je mond!' Ik wierp hem een boze blik toe. 'Ik ben Harry's vrouw en je bent aan hem verplicht om... om mij met meer respect te behandelen...'

Er werd opnieuw aangebeld.

'Jij bent overstuur, dus ik doe wel even open,' zei Damian. Hij liep naar boven met een zelfvoldane uitdrukking op zijn vervelende smoel en kwam terug met een kleine, transpirerende man met vette haren. Hij droeg een beige safaripak dat hem veel te groot was. 'Ga zitten, meneer... Hoe heette u ook alweer?'

'Andy Pumphrey. Ik kwam eigenlijk voor meneer Tremaine.

Het gaat over de brand in de galerie van meneer Basil Bolitho. Ik ben schade-expert van Delta Verzekeringen.'

'Ik ben Artemis Tremaine,' zei ik. 'Hij zal over een halfuurtje wel thuis zijn.'

'U ziet eruit alsof u het warm hebt.' Damian schonk nog een glas vol met de "puritein" en gaf dat aan meneer Pumphrey. 'Alstublieft.'

'Dat ziet er wel verleidelijk uit,' zei meneer Pumphrey begerig. 'Er zit toch niet te veel alcohol in? Ik moet vanavond nog met moeder de vrouw op verjaardagsbezoek.'

'Misschien wilt u liever een glaasje water?' vroeg ik.

'Nee, nee, dit is prima.' Meneer Pumphrey sloeg de drank achterover en protesteerde niet toen Damian zijn glas weer vulde.

'Drink maar gauw op,' drong hij aan en meneer Pumphrey liet zich dat geen twee keer zeggen. Tegen de tijd dat Harry thuiskwam, had hij samen met Damian de hele kan leeggedronken.

Damian leek nog volledig nuchter, maar de wangen van meneer Pumphrey waren paars en hij was buitengewoon vrolijk. Harry gaf me een kus en vroeg of we een feestje hadden. Ik kon aan zijn stem horen dat hij ook een behoorlijke slok ophad.

'Aha! Meneer... Tremaine!' Meneer Pumphrey, of Andy zoals we hem moesten noemen, stond op. 'Ik ben verplicht om u ernshtig aan de tand te voelen over de avond van eh... de... eh... vijftiende juni. Een brand heeft toen de Bolitho Gallery in de ash gelegd, een galerie met alsh eigenaar meneer... meneer...' Hij keek om zich heen, op zoek naar zijn koffertje.

'Bolitho,' hielp Damian.

'Ja! Preshiesh!' Andy giechelde. 'Rare naam, hè? Maar goed, meneer Tre...maine...'

'Zeg maar Harry.' Het feit dat er een vreemde in de keuken zat die zo dronken was dat hij nauwelijks op zijn benen kon staan scheen hem niet van zijn stuk te brengen. Dat onverstoorbaar goede humeur was een van de redenen waarom ik zoveel van hem hield.

'Bedankt, Harry. Sheffe kijken... Wat zei ik ook alweer? O ja... Ik ben al vierendertig jaar schade-ekshper en ik lame niet tuk nemen. Ze hebben al van allesh geprobeerd maar ik heb altijd meteen door alsher ietsh nie deugt...'

'Hoe weet je dat?' viel Damian hem in de rede.

Andy knipperde met zijn ogen. 'Watte?'

'Dat je je niet tuk laat nemen. Want als dat wel gebeurde, zou je dat toch niet door hebben?'

'Ha, ha, ha!' Andy's lachuitbarsting scheen hem slecht te bekomen. De kleur trok weg uit zijn gezicht en hij begon er grauw uit te zien. 'Dass een goeie, Damian. Wat ben jij een shlimmerik, hè?'

Damian stond op en liep naar de trap. 'Je hebt altijd baas boven baas, Andy. Ik ga een taxi bellen.'

'Jammer dat je weg moet, Dame, ouwe makker,' riep Andy hem na. 'Da's een fijne vent, die Dame,' zei hij tegen ons terwijl het zweet van zijn gezicht gutste. 'Maar luister nou eensh goed, Harry.' Er verscheen een treurige uitdrukking op zijn gezicht. 'Ik zie zo dat jij een fatshoenlijke vent bent en ik wil je geen rottigheid beshorgen, maar brandshtichten is een zwaar mishdrijf.'

'Ik weet niet waar je het over hebt. Wel dat er brand is geweest bij die arme Baz, maar...'

'Harry, Harry, Harry!' zei Andy verwijtend. 'Zo kom je alleen nog dieper in de puree. We hebben een getuige die onder ede wil verklaren dat ze hem shamen met een andere man op de dag van de brand van allesh uit de galerie heeft zien weghalen. Volgens meneer B was jij dat en ik geloof hem. Hij zei dat jij shamen met hem een paar schilderijen wegbracht.'

'Nou...' Harry stak zijn handen op. 'Ik geef het toe.'

'Onderschat nooit de hoeveelheid belangshtelling die een eenzame vrouw voor haar buren heeft, beste Harry.' Andy wankelde en moest zich aan de tafel vasthouden. 'Ze zei dat het er minshtens een stuk of twintig, dertig waren. Dush toen ik dat hoorde, dacht ik bij mezelf: Andy, ouwe jongen, hier klopt ietsh niet.'

'Baz slaat een deel van zijn voorraad op in een afgesloten ruimte die hij ergens in de buurt huurt,' zei Harry op een toon van iemand die ten onrechte ergens van beschuldigd wordt.

'O? Dat had hij dan wel eensh kunnen zeggen. Mag ik dan misschien het adresh?' Hij bukte zich om zijn koffertje te pakken en zijn hoofd kwam onzacht in aanraking met de rand van de tafel.

'Alles in orde, Andy?' vroeg Harry vriendelijk. 'Dat heeft vast pijn gedaan. Neem nog iets te drinken.'

Hij deed een paar ijsblokjes in Andy's glas en vulde dat verder met pure gin. Andy sloeg het in één teug achterover en boerde luid.

'Neem me niet kwalijk, mevrouw T. Mijn maag shpeelt op.' Hij was inmiddels doodsbleek en ik kreeg gewoon medelijden met hem. 'Zeg het maar, Harry.' Met zijn potlood in de hand probeerde hij zich zwalkend op zijn opschrijfboekje te concentreren.

'Dat weet ik niet meer, hoor,' zei Harry. 'Bel Baz maar, en vraag het hem.'

'Dat zal ik doen. O... en er wash nog ietsh dat ik een beetje raar vond. Met betrekking tot de shprinklers, ouwe rukker.' Hij boerde opnieuw, zonder zich te verontschuldigen. 'Onze jongensh hadden die twee maanden geleden gecontroleerd en toen werkten ze prima. Maar toen ik zelf ging kijken, vond ik er een shtukje kauwgom op.' Andy werd ineens groen en begon steeds langzamer te praten. 'Iemand is shlim geweest, ziet u. De zoetshtof in kauwgom... ish op bashish van alcohol... en dush brandbaar. Prop de shprinklers ermee vol en dan werken ze niet meer tot de vlammen...' hij drukte zijn handen tegen zijn maag en zag eruit alsof hij pijn had '... het plafond bereiken en de kauwgom verbranden. En alsh ik dat kleine shtukje kauwgom niet had... gevonden... had er geen... haan naar gekraaid...'

Andy wankelde en miste zijn stoel toen hij probeerde te gaan zitten, waardoor hij met een klap tegen de grond sloeg. 'Au!' kreunde hij. 'Het shpijt me...'

'De taxi is er.' Damian dook weer op. 'Hoog tijd om te vertrekken.'

Samen met Harry hees hij Andy overeind. Hij kreeg niet eens meer de kans om afscheid van me te nemen. Een paar seconden later verscheen Harry weer en griste Andy's koffertje mee.

Ze lachten toen ze weer naar beneden kwamen.

'Zijn vrouw zal wel woedend zijn,' zei ik. 'En hoe moet dat met zijn auto?'

'Dat zoekt hij zelf maar uit. De taxichauffeur wilde hem niet eens meenemen toen hij zag hoe laveloos hij was, maar ik heb hem vijfentwintig pond gegeven en toen was het wel in orde.' Hij keek Damian aan. 'Baz staat bij je in het krijt,' zei hij, 'omdat je hem zo volgegoten hebt. Die arme Pumphrey zal heel wat te verduren krijgen als zijn baas hoort hoe hij zich hier heeft misdragen. Ik denk dat we er wel op kunnen rekenen dat het geld uitgekeerd wordt.'

Ik maakte het eten klaar, deed de afwas en ging naar bed terwijl Harry en Damian in de tuin zaten te drinken en te roken. Toen ik de volgende dag naar mijn werk ging, lag Harry nog te slapen.

31

'Die Conrad is gewoon een tovenaar, hè?' zei Dickie toen ik hem vertelde wat Conrad met Brentwell van plan was.

'Hij is echt een bijzondere man,' zei ik. 'Natuurlijk is alles een stuk gemakkelijker voor hem omdat hij meer dan genoeg geld heeft, maar dat zou hij ook kunnen uitgeven aan renpaarden, vrouwen en dure jachten.'

'Jachten!' herhaalde Dickie walgend. 'Weet je nog die dag op de *Saucy Sal?* Ik kan niet eens meer naar een goudviskom kijken zonder misselijk te worden. Ik zal aan cognitieve gedragstherapie moeten gaan doen als ze de slotgracht op Cherstone laten vollopen.'

'Ja, dat was echt een beproeving, maar ik vind het nog steeds heerlijk om naar de zee te kijken. Dat mis ik het meest sinds ik terug ben uit Cornwall. Over therapie gesproken, hoe gaat het met dat andere probleem van je?'

Dickie slaakte een diepe zucht. 'Ik ben met die groep in Kensal Green gestopt.'

'Waarom?' vroeg ik.

'Bij de laatste bijeenkomst moesten we in kleermakerszit in een kring gaan zitten – poedelnaakt natuurlijk – onze ogen dichtdoen, gluren was strikt verboden, en eh... de familiejuwelen oppoetsen. En indien mogelijk op hetzelfde moment klaarkomen.'

'Goeie genade!'

'Ja. Maar zodra die vent naast me begon te hijgen, hield ik het niet meer uit. Ik ben de kamer uitgekropen, heb me met een noodgang aangekleed en ben als de wiedeweerga naar de ondergrondse gerend. Ja, jij hebt mooi lachen, Art, maar ik moest mijn ogen opendoen om te voorkomen dat ik over mijn cursusgenoten zou struikelen, en geloof me, dat was een vreselijk gezicht.'

'Het spijt me.' Ik deed mijn best om ernstig te kijken, maar ik schoot toch weer in de lach. 'Ik vind het echt vervelend voor je, Dickie, maar die mensen hadden je toch niet kunnen helpen. Je bent best in staat om een meisje ongelooflijk gelukkig te maken, hoor. Je bent knap, intelligent, charmant en de aardigste persoon die ik ken.'

'Echt waar?' Dickie was duidelijk gevleid. 'Maar goed, ik krijg nu hypnotherapie van een lief oud dametje dat Lola Wombwell heet.'

'Wat een rare naam.'

'Ja, maar ze is absoluut veilig. Ze draagt een korset en lange onderbroeken.'

'Hoe weet je dat?'

'Als ze gaat zitten, komen ze af en toe onder haar rok uit. Volgens haar hebben mijn problemen iets te maken met de stem van mijn moeder.'

'Je moeder heeft toch een prachtige stem? En heel duidelijk.'

'Ja, maar toen juffrouw Wombwell me onder hypnose bracht en tegen me zei dat ik weer vier jaar was, heeft ze me gevraagd waar ik bang voor was. En toen kon ik me herinneren dat mijn moeder een keer binnenkwam toen Nanny me in bad deed. Ze moest lachen om mijn gerimpelde piemeltje en zei dat het haar aan een cocktailworstje deed denken. Lola denkt dat ik bang ben voor geslachtsgemeenschap met vrouwen die een beschaafde stem hebben omdat ik in mijn onderbewustzijn verwacht dat ze mijn mannelijkheid aan een prikkertje zullen spiesen.'

Adrian keek om de deur. 'Schiet je al op met dat winkelcentrum?'

'Niet echt,' zei ik.

'Geeft niet. Ik heb er bepaalde ideeën over. Maar ik zit de hele dag vol met afspraken, alleen de lunch is nog vrij. Eén uur, Casa Bianca. Niet te laat komen.' En weg was hij weer.

'We beginnen met *carciofi*, gevolgd door *saltimbocca* met *patate alla griglia* en *finocchio*.'

'Wacht eens even,' zei ik. 'Ik heb nog niet eens de kans gehad om de kaart in te zien. En ik eet geen vlees.'

'Dan had je maar op tijd moeten zijn.'

'Ik ben vroeg genoeg vertrokken, maar de bus kwam in een verkeersopstopping terecht.'

'Ik heb je toch een prima auto gegeven?'

'Ja, die is fantastisch en ik ben er ook ontzettend blij mee, maar dan had ik hem hier in de parkeergarage moeten zetten en daar rekenen ze drie pond per uur.'

Adrian zuchtte. 'Waarom eet je geen vlees meer? Je bent toch niet zo'n religieuze fanaat geworden?'

Ik had mijn antwoord klaar. 'Om humanitaire redenen waren Thomas Edison, Einstein en Montaigne allemaal vegetariërs. Zijn dat dan ook fanaten? Hetzelfde geldt voor Benjamin Franklin, Tolstoi, Leonardo da Vinci...'

'Ja, het is al goed. Luister maar wat ik met dat winkelcentrum voor heb.'

We aten allebei de artisjokken op, maar toen de *saltimbocca* kwam, nam ik alleen de aardappels en de venkel. Adrian pikte het kalfsvlees van mijn bord, wat me aan Jago deed denken. Hij had al een tijdje niet meer gebeld en ik vroeg me af waarom niet. Inmiddels zou Caroline wel terug zijn van haar vakantie in het Caraïbisch gebied. Misschien vond ze bij nader inzien haar nieuwe vriendje toch niet zo leuk als het oude. Maar toen ik ophield met dagdromen, hoorde ik Adrian ineens zeggen: 'Het is wel vervelend dat Harry er bij Talbot Designs al na een week de brui aan gaf, zonder zelfs maar behoorlijk op te zeggen. Mark heeft hem aangenomen om mij een plezier te doen. Ik weet wel dat jij daar niets aan kunt doen, maar ik ben toch wel een beetje teleurgesteld.'

Ik kon een kreet van ontzetting nog net inhouden. In plaats daarvan pakte ik mijn glas op en nam een flinke slok. Een gedeelte kwam in het verkeerde keelgat terecht, maar dat zorgde in ieder geval voor afleiding.

'Ik wou dat je me had verteld dat Harry het niet meer zag zitten,' zei hij. Hij klonk geërgerd, en terecht. 'Ik hoorde het pas vanmorgen, toen ik Mark over iets heel anders belde. Eerlijk gezegd voel ik me vrij stom.'

Ik wist precies hoe hij zich voelde. 'Ja, dat had ik moeten doen,' zei ik voor de vuist weg. 'Het was zo lief van je om hem aan Mark voor te stellen... Harry vond dat hij je beter een brief kon schrijven om alles uit te leggen... Maar dat is hem kennelijk zwaar gevallen... Hij voelde zich daar helemaal niet op zijn plaats...' hakkelde ik.

Adrians zwarte krentenoogjes keken me strak aan. Zijn gezicht stond bezorgd en er was zelfs iets van sympathie op te lezen, maar toch was er ook een spoortje opwinding te zien dat hij kennelijk niet kon onderdrukken. 'Wanneer heeft Harry jóú verteld dat hij de handdoek in de ring gooide? Ervoor of erna?'

'O, we hebben het er een paar keer over gehad toen hij er nog over liep te piekeren,' jokte ik. 'Natuurlijk heb ik wel geprobeerd om hem op andere gedachten te brengen.'

'Dat hoop ik dan maar. Mark was zo nijdig over het feit dat Harry er zomaar vandoor ging – na een telefoontje, dat duidelijk uit een restaurant kwam of zo – dat hij toch nog de inlichtingen heeft ingewonnen die hij aanvankelijk niet nodig vond omdat ik Harry had aanbevolen. En ik kan je wel vertellen dat hij behoorlijk kwaad was toen hij ontdekte dat Harry bij zijn laatste werkgever wegens fraude was ontslagen.'

'Welnee,' protesteerde ik. 'Hij kreeg zijn ontslag omdat de hele afdeling werd opgedoekt.'

Ik besefte te laat dat ik gewoon had moeten volhouden dat ik alles al wist wat Adrian me voor de voeten gooide.

'Dus dat wist je niet eens?' De zwarte krentjes stonden treurig, maar Adrian kon de triomfantelijke toon van zijn stem niet onderdrukken. 'Arme Art... Maar ik vrees dat het gewoon waar is. Hij stak het salaris van een voormalige werknemer in zijn eigen zak. Al maandenlang. Mark heeft het nagetrokken bij een onafhankelijke bron. Allison Associates heeft geprobeerd om de zaak in de doofpot te stoppen, maar dat soort dingen lekt uiteindelijk altijd uit.'

'Ik weiger dat te geloven tot ik met Harry gesproken heb.'

De schrik begon plaats te maken voor doffe ellende. Ik legde met een misselijk gevoel mijn mes en vork naast elkaar op mijn bord en onmiddellijk dook er een kelner op die het wegpakte en per omgaande terugkeerde met de dessertkaart. Ze wilden ons kennelijk zo gauw mogelijk de deur uit hebben, om plaats te maken voor een tweede lichting lunchers. Ik was zelf ook het liefst meteen de deur uit gelopen.

'Als ze ons proberen weg te werken, zijn ze mijn klandizie kwijt,' zei Adrian op zijn meest gezwollen toon. 'Ik wilde eigenlijk geen dessert nemen, maar ik heb me bedacht. En daarna een kop koffie. Misschien wel met een likeurtje.'

'Dan zal ik je toch niet langer gezelschap kunnen houden.' Het kostte me moeite om kalm te blijven. 'Ik moet verder met dat winkelcentrum.'

'Nou, je bent wel gezellig,' mopperde hij terwijl hij met zijn vingers naar de kelner knipte. 'Vooruit dan maar. Laat me even betalen, dan geef ik je wel een lift terug naar kantoor.'

'Dat hoeft niet, hoor. Ik neem de bus wel.'

'Doe niet zo stom. Ik betaal je om te werken, niet om urenlang in een verdraaide verkeersopstopping te zitten.'

Onderweg naar kantoor deden we geen van beiden onze mond open.

'Ik hoop dat je de brenger van slecht nieuws geen kopje kleiner maakt,' zei Adrian terwijl hij achteruit inparkeerde.

'Hè?'

'Je bent boos op me omdat ik je verteld heb dat Harry ontslagen is.'

'O dat. Nee, hoor, dat was ik alweer vergeten.' Ik had mijn mond weer min of meer onder controle, dus glimlachte ik. 'Het was een heerlijke lunch. Hartelijk bedankt.'

'Graag gedaan.' Hij legde zijn hand even op de mijne toen ik het portier opendeed. 'Als er moeilijkheden zijn, kun je altijd op me rekenen, hoor.'

Ik ging die middag klokslag vier uur naar huis omdat ik Percy van school moest halen. Ze was humeurig op weg naar huis en liep meteen naar haar kamer. Ik wist dat ik met haar moest praten, maar ik voelde een migraineaanval opkomen en ik nam een van mijn extra sterke pillen voordat ik met het eten begon. Ik zette de radio aan en luisterde naar een programma over mijnwerkers om te voorkomen dat ik ging piekeren.

'Hallo, schat,' zei Harry toen hij de trap af kwam en twee flessen wijn op de keukentafel zette. 'Heb je een leuke dag gehad?'

Hij zag er waanzinnig aantrekkelijk uit in zijn crème linnen pak en een zachtgroen overhemd waarvan de bovenste knoopjes open waren. Toen hij me kuste, rook hij naar Vetyver en sigaretten.

'Ik heb met Adrian geluncht. Hij zei dat je drie weken geleden je baan bij Talbot Designs hebt opgezegd.'

Harry draaide zich om, trok zijn jasje uit en hing het over een stoel. 'Wat zal hij het heerlijk hebben gevonden om je zo'n sappig nieuwtje te kunnen vertellen.' Hij keek me aan en barstte in lachen uit. 'Kijk niet zo tragisch, schattebout. Om eerlijk te zijn heb ik iedere minuut die ik daar doorbracht gehaat. Mark Talbot is een humorloze ouwe zeur die alleen maar met saaie pieten wil samenwerken. Ik zag al meteen hoe de vlag erbij hing en het was gewoon niets voor mij. Alleen een lafaard klampt zich vast aan een baan die je niet ziet zitten. Dan ben je gewoon bang om te leven.'

'Ik kan best begrijpen dat het je daar niet beviel. Maar waarom heb je me dat niet verteld? Als je daar per se weg wilde, had ik daar heus wel begrip voor gehad.'

'Is dat wel zo?' Harry was in de weer met een kurkentrekker. 'Zou je dat echt begrepen hebben? Je bent zelf zo'n workaholic dat ik dat waagde te betwijfelen.'

'Je denkt toch niet dat ik erop had gestaan dat je werk bleef doen waar je zo'n hekel aan hebt? Ook al vind ik niet dat je al binnen een week... Maar goed, ik wil je niet veroordelen. Ik sta altijd aan jouw kant. Weet je dat dan niet?' De bonzende pijn boven mijn rechterwenkbrauw was als een gloeiende pook. Ik nam een slokje uit het glas dat hij me aanbood en voelde hoe de rechterkant van mijn gezicht en mijn bovenlichaam verstijfden.

'Je hebt gelijk, schat.' Harry sloeg zijn armen om me heen. 'Ik ben een sukkel. Maar eerlijk gezegd schaamde ik me omdat ik het daar niet langer uit kon houden.' Hij drukte zijn wang tegen de mijne. 'Ik begon echt gedeprimeerd te raken en ik was bang dat die oude moeilijkheden weer de kop opstaken.'

'Die oude moeilijkheden?'

'Toen ik van Oxford werd weggestuurd kreeg ik wat de doktoren een zenuwinzinking noemen. Een medische term die eigenlijk nergens op slaat. In mijn geval hield het in dat ik een tijdje ontzettend in de put zat en dat het leven geen enkele zin leek te hebben. Maar daarna ging ik naar Pentrew waar ik iedere dag ben gaan zeilen. En Jago was fantastisch, hij kan echt goed luisteren. Daardoor begon het weer goed met me te gaan. Het had niet veel te betekenen, maar ik wil nóóit meer zoiets meemaken.'

'O, Harry! Wat vreselijk dat je zo ongelukkig bent geweest.' Harry was altijd zo opgewekt dat ik me maar moeilijk voor kon stellen dat hij ooit diep in de put had gezeten.

Hij streelde mijn haar en hield me stijf vast. 'Ik hou gewoon zo ontzettend veel van je, dat ik je absoluut niet wou teleurstellen.'

Ik wilde hem eigenlijk vragen waar hij dan had uitgehangen in de tijd dat hij verondersteld werd op kantoor te zitten, waarom hij van Oxford was weggestuurd en, het allerbelangrijkste, of het echt waar was dat hij wegens frauduleuze handelingen bij Allison Associates was ontslagen, maar inmiddels had de migraine me in de greep. Ik ging naar boven om een uurtje te gaan liggen tot de pil begon te werken. Toen ik weer beneden kwam, duizelig maar zonder pijn, zat Harry in de tuin met Mikey Ancre-Jones. Ik maakte het eten klaar, streek de blouse en de rok die Percy de volgende dag naar school aan moest, voerde Ko-Ko en liep nog een rondje met haar om voordat ik naar bed ging.

32

'Is alles goed met je, Dickie?' vroeg ik toen we elkaar een paar dagen later op de trap tegenkwamen. 'Je ziet er een beetje pips uit.'

'Ik wilde net een dubbele espresso gaan halen om een beetje op te kikkeren. Ga je mee?'

'Eerlijk gezegd heb ik gisteravond nogal een schok gehad,' zei Dickie in het koffietentje om de hoek. 'Tijdens het tweede consult met mijn nieuwe therapeut.'

'Lola Wombwell.'

'Goh, dat je dat nog weet.'

'Het is ook geen gewone naam. Maar ga door.'

'Nou ja, ik lag daar op de sofa en zij bracht me onder hypnose – ik deed in ieder geval alsof om haar niet te kwetsen – en toen maakten we weer een rondgang door mijn jeugd. Als ik een psychiater was, zou ik zeggen dat juffrouw Wombwell volledig gefixeerd is op haar eigen jeugd. Haar hele flat is roze en volgepropt met poppen, teddyberen en hartvormige kussentjes. Haar chihuahua heet Baby. Toen ik toegaf dat ik met de fles ben grootgebracht, betekende dat volgens juffrouw Wombwell dat ik te weinig moederbinding had en ze zei dat ik daarom zo argwanend was ten opzichte van mijn moeder en vrouwen in het algemeen.'

'O ja? Maar volgens mij worden er in dit land meer kinderen met de fles grootgebracht dan met borstvoeding, dus dan zouden een heleboel mannen daar last van moeten hebben.'

'Maar goed, ze zei dat ze me nog dieper onder hypnose zou brengen. Ik moest mijn ogen dichtdoen, tot tien tellen en ze dan weer opendoen. En toen ik dat had gedaan hingen er ineens twee enorme naakte joekels ongeveer een centimeter boven mijn neus.'

'Nee! Wat heb je gedaan?'

'Ze stelde voor om een eind te maken aan mijn gebrek aan borstcontact door... Nou ja, je snapt wel hoe. Toen ze me zwaar hijgend bij mijn oren pakte, heb ik mezelf losgerukt en ben als een haas de deur uit gerend. Terwijl ik de trap af holde, hing ze over de leuning en riep me allerlei scheldnamen na – flapdrol, slappe lul – van die dingen. Nogal onprofessioneel, vind je ook niet? Ik hoop dat die hypnose inmiddels uitgewerkt is, want anders blijf ik waarschijnlijk de rest van mijn leven impotent. Zie ik eruit alsof ik nog steeds onder hypnose ben?'

'Helemaal niet,' zei ik. 'Zou je wel baat hebben bij al die therapie? Als ik jou was, zou ik voorlopig maar niet meer aan seks denken en me concentreren op andere leuke dingen. Zoek het gezelschap op van vrouwelijke kennissen die niet seksueel uitdagend zijn. Getrouwde vrouwen, familieleden, voormalige vriendinnetjes.'

'Ex-vriendinnetjes spreek ik nooit meer en ik moet niets hebben van mijn nichtjes of mijn tantes. Dus blijf jij alleen over, Art. Alle andere vrouwen die ik ken, zijn potentiële partners.'

'Nou, kom dan wat vaker naar mij toe. Dat zou ik heerlijk vinden. Ik heb de laatste tijd veel te weinig contact met mijn eigen vrienden. Waarom kom je vanavond niet langs? Een oude studievriend van Harry is net terug uit Zuid-Afrika. Harry heeft een paar maatjes van vroeger uitgenodigd en die ken ik geen van allen. Dus kom alsjeblieft.'

'Nou, dolgraag.'

Toen we terugkwamen op de zaak zei mevrouw Jupp tegen me: 'Je zus is aan de lijn. Ik verbind haar wel door naar je eigen toestel.'

Ik trok de deur achter me dicht, hoewel ik wist dat mevrouw Jupp toch wel mee zou luisteren, maar in plaats van Percy's hoge meisjesstem, hoorde ik: 'U spreekt met zuster Gabriëlla. Spreek ik met Artemis Castor?' Ze was kennelijk vergeten dat ik getrouwd was. 'Ik moet u verzoeken om hiernaartoe te komen. Het gaat om een zaak van groot belang.'

'Nu? Vandaag?' Op vrijdag haalde Wendy Percy altijd op.

'Ja. Zo snel mogelijk. Het is zeer dringend.'

'Is alles in orde met Percy?'

Het bleef even stil en mijn hart begon te bonzen. 'Met Persephone is alles in orde. Lichamelijk, dan.'

'Ik kom eraan.'

'Wat was de naam van uw man ook alweer?' Met haar grijze habijt en kap leek zuster Gabriëlla op een stramme zoutpilaar. Haar huid was melkwit, waarschijnlijk door gebrek aan zonlicht.

'Tremaine. Waar is Percy?' vroeg ik.

'Persephone is bij zuster Jude. Het leek me beter dat ik u eerst alleen sprak. Ga zitten.'

Ik gehoorzaamde. Zuster Gabriëlla's woorden waren een monotone dreun, precies zoals dat bij Adrian vaak het geval was. Dat zou wel komen omdat ze te vaak alleen waren en dus een gesprek in gedachten konden voorbereiden.

'De laatste tijd hebben we hier op school veel last van kleine diefstalletjes. Niets waardevols, en we verdachten een van de conciërges omdat we wisten dat die een voorgeschiedenis had van kleptomanie. De politie raadde ons aan om de onfortuinlijke man in de val te laten lopen door bepaalde artikelen rond te laten slingeren die waren bestoven met een soort poeder dat paars wordt als het in contact komt met het vocht in de huid.' Zuster Gabriëlla kon woorden als 'zweet' of 'transpiratie' kennelijk niet over haar lippen krijgen. 'Vanmorgen werden wat kantoorartikelen en persoonlijke bezittingen die de leerlingen van huis hadden meegebracht – hoewel dat ten strengste verboden is – in een rustig hoekje van de school achtergelaten.' Zuster Gabriëlla boog haar hoofd om aan te geven hoe ernstig de kwestie was. 'U kunt zich voorstellen hoe ontzet ik was, toen zuster Jude me vertelde dat ze tijdens de lunch had gezien dat de handen van een van de meisjes vol zaten met paarse vlekken.'

Eerlijk gezegd kon ik me niets voorstellen, want mijn gedachten waren afgedwaald en mijn neus was doordrongen van die akelige schoolse mengeling van kookluchtjes en desinfecterende middelen. En daar kwamen dan nog onfrisse lichaamsgeurtjes bij. Misschien deed zuster Gabriëlla aan zelfkastijding door niet vaak genoeg in bad te gaan. Inmiddels had ik ijskoude handen en voeten gekregen.

Zuster Gabriëlla stond op en liep naar de deur. 'Laat Persephone maar binnenkomen.'

Percy zag eruit alsof ze door de mangel was gehaald en haar gezicht was opgezwollen van het huilen. Zuster Jude stond achter haar. Haar verlegen bruine ogen stonden levendiger dan ik ooit had gezien.

'Kom binnen, Persephone. U kunt weer gewoon aan het werk gaan, zuster Jude.' Zuster Gabriëlla liep weer om haar bureau heen en Percy kwam naast mij staan. 'In de tien jaar dat ik de leiding over deze school heb gehad, heb ik nooit zoiets walgelijks meegemaakt.' Ze deed even haar ogen dicht, alsof de aanblik van de paarse vlekken op de handen van mijn zusje haar te veel werd. 'Ik kan nauwelijks geloven,' vervolgde ze met gebroken stem, 'dat een meisje dat ik onder mijn hoede heb, is betrapt op diefstal. Voordat ik naar deze school kwam, heb ik in Afrika lesgegeven aan weeskinderen. Kinderen die vooral *dankbaar* waren!' Ik vroeg me af waarom zuster Gabriëlla dan terug was gekomen naar het mistige, onbehouwen en heidense Engeland. Misschien had ze het daar te leuk gevonden.

Ik luisterde niet meer en pakte stiekem Percy's hand. Zuster Gabriëlla bleef nog een paar minuten tegen ons preken voor ze vertelde waarom ik als een stout kind ontboden was. Waarschijnlijk vond ze dat ik als Percy's voogd even schuldig was als zij.

'In eerste instantie wilde ik u vragen om Persephone onmiddellijk weg te halen van de Heilig Hart-school. Ik vond dat ik het aan de andere meisjes verplicht was om ze te behoeden voor verderfelijke invloeden. Maar toen bedacht ik dat haar aanwezigheid hier ook als een waardevolle les beschouwd zou kunnen worden als blijkt dat uit het kwaad toch goede dingen kunnen voortkomen.' Bij dat afschuwelijke idee kneep Percy zo hard in mijn hand dat ik een kreet nog net kon inhouden. 'Ik heb besloten dat Percy op één voorwaarde op deze school mag blijven. Maandagochtend moet ze in de kapel ten overstaan van de hele congregatie schuld bekennen en om onze vergiffenis vragen.'

Percy en ik bleven haar zwijgend aanstaren. Dat scheen zuster Gabriëlla te ergeren, want ze vervolgde op scherpere toon: 'Ze heeft zaterdag en zondag de tijd om haar spijtbetuiging op papier te zetten. Die moet uitgebreid en openhartig zijn en ik verwacht eveneens dat ze erkentelijkheid toont omdat ze met zoveel clementie wordt behandeld.'

'Ik pieker er...' begon Percy.

'Dank u wel, zuster Gabriëlla,' zei ik luid. 'U zult wel begrijpen dat we veel hebben om over na te denken.' Ik sleepte Percy mee naar de deur. 'En ik zal ervoor zorgen dat alles terugkomt.'

We renden letterlijk naar buiten.

'Christus!' zei Percy toen we veilig in de Bristol zaten. 'Ik ga voor geen miljoen terug naar die gore rotschool!'

Haar gezicht stond op onweer. Ko-Ko, die braaf op de achterbank had zitten wachten, begon haar te likken, waardoor er wat vage opklaringen verschenen.

'Vertel me nou eens eerlijk, lieverd, heb je echt die kantoorspulletjes en die andere dingen gestolen?'

Ze haalde haar schouders op. 'O ja.'

'Maar waaróm in vredesnaam?'

'Voor de gein. Alleen saaie en domme mensen houden zich aan de wet, interessante slimme mensen weigeren dat.'

Ik hield even mijn mond terwijl we over een druk kruispunt reden. 'Hoelang doe je dit al?'

'Sinds we terug zijn uit Cornwall.'

'O. Was je niet bang om betrapt te worden?'

'Daar gaat het juist om,' zei Percy ongeduldig. 'Dat risico maakt het pas echt leuk.'

'Wat was het eerste wat je hebt gepikt?'

Daar moest Percy diep over nadenken. 'Als je die boeken over

Toetanchamon niet meerekent, want daaraan was ik alleen medeplichtig omdat ik de aandacht van de verkoper moest afleiden, dan was het eerste een potlood uit de bureaula van zuster Jude. Gewoon bij wijze van oefening. Ik heb nooit waardevolle dingen gepikt. Behalve die stomme ring dan. Die glom zo dat ik dacht dat het wel een goedkoop kreng moest zijn.'

'En die botervloot op Pentrew?'

'Nee! Volgens jou was die heel duur. Ik zei toch dat ik alleen maar dingen jatte die niemand zou missen? Je stuurt me toch niet terug naar het Heilig Hart, hè? Ik pleeg nog liever zelfmoord dan voor de hele school om vergiffenis te vragen. Dan zullen de andere meisjes nooit meer met me willen praten en word ik een prairie.'

'Een paria. Lieverd, ik weet echt niet wat het beste voor je is. Ik moet aan je toekomst denken. En ik weet best dat het voor jou alleen maar een soort spelletje was. Zuster Gabriëlla begon gewoon over verderfelijke invloeden en zo omdat ze het heerlijk vindt om zichzelf te horen preken. Beloof me dat je nooit meer iets zult pakken wat niet van jou is, ook al is het nog zoiets kleins en goedkoops, dan zal ik er verder geen woorden aan vuil maken.'

Maar Percy zei niets. Ik wist dat ze bang was dat ze anders in tranen zou uitbarsten en zodra we voor nummer 47 stopten en ik de deur had opengemaakt, rende ze naar haar kamer. Ik overwoog net dat we het komend weekend in ieder geval alles bij elkaar moesten zoeken wat ze gepikt had, toen de telefoon ging.

'Hallo?' zei ik.

'Met Jago.'

'Je bent precies degene met wie ik wil praten,' zei ik. In gedachten zag ik hem in de gang staan, vlak naast de Grote Zaal. 'Ik weet echt niet wat ik moet beginnen en... Sorry, ik had eerst moeten vragen hoe het met jou gaat en dan moeten luisteren naar wat jij te vertellen hebt.'

'Het eerste is genoteerd en het tweede kan wachten. Waarover wilde je met me praten?'

'Over Percy. Mijn zusje.'

'Ik weet wie Percy is. Ik takel wel af, maar zo snel gaat het ook weer niet.'

'Dat bedoelde ik helemaal niet, maar ik kan niet van je verwachten dat je belangstelling hebt voor mijn familieleden.'

'Dat is anders wel degelijk het geval. Vooral omdat mijn neef en jouw echtgenoot één en dezelfde persoon zijn.'

'Nou, toevallig heeft hij er ook mee te maken...'

'O, goddank, je bent thuis,' zei Birdie, die de trap op kwam lopen. 'Moeten we niet aan de hapjes beginnen?' Ik keek haar wezenloos aan. 'Je weet toch nog wel dat er over een halfuurtje zestien mensen op de stoep staan die verwachten dat ze iets te eten en te drinken zullen krijgen? En als Harry niet snel komt opdagen, zullen wij ook de champagne moeten opentrekken.'

'O, Birdie, dat was ik helemaal vergeten... Heb je dat gehoord, Jago?' zei ik in de telefoon. 'We hebben hier een feestje en ik moet alles nog klaarmaken. Mag ik je vanavond tussen negen en tien terugbellen? Het is echt belangrijk.'

'Ja.' Hij verbrak de verbinding. Voor de verandering was ik blij dat hij zo kortaf was.

Ik holde achter Birdie aan naar de keuken en pakte de ingrediënten uit de koelkast. Binnen de kortste keren stonden er al een paar schalen met hapjes.

'Dat ziet er lekker uit,' zei Harry toen hij met Damian en Mikey de trap af kwam.

'Zet jij de glazen maar vast klaar op de tuintafel,' zei ik over mijn schouder. 'En Damian, wil jij de champagne uit de koelkast pakken en opentrekken?'

Vlak daarna kwamen de eerste gasten al binnendruppelen, dus ik had geen tijd meer om me te verkleden. Na een poosje kwam Percy ook naar beneden en hielp de glazen volschenken. Ik was blij dat ze scheen op te kikkeren van de complimentjes die ze kreeg omdat ze er zo leuk uitzag. De Zuid-Afrikaan ter ere van wie het feestje werd gegeven was een vage schim met gebleekt haar en een gebruind en gespierd lijf vol gouden kettingen.

'Dat doe ik wel,' zei Dickie toen ik op een gegeven moment op mijn knieën in de keuken zat om een bakje gevallen ijsblokjes op te rapen.

'Laat maar liggen en pak gewoon een nieuw bakje uit de koelkast. De champagne is op, dus moeten we aan de witte wijn. En die smaakt lekkerder als ze ijskoud is.'

Dickie trok twee flessen open en zette ze in een emmer. 'Zal ik nog wat hapjes ronddelen terwijl de wijn staat af te koelen?'

'Ja graag. Ik moet nog even wat slagroom kloppen voor de laatste ronde. Ik had nooit verwacht dat er zoveel gegeten zou worden.'

Ik was net klaar toen Birdie binnenkwam.

'Heb je nog een schaal... oei!'

Ze gleed uit over een van de gemorste ijsblokjes en ik haastte me om haar weer overeind te helpen, samen met Dickie die net terugkwam. We zetten Birdie in een stoel en ik zag aan haar gezicht dat ze pijn had. Dickie gaf haar een glas wijn. 'Drink maar gauw op, dat is goed tegen de schrik.'

'Ik ben al behoorlijk aangeschoten... Nou ja, goed dan.' Birdie nam een paar slokjes en accepteerde ook een van de hapjes. Ik zette er nog een voor haar klaar: 'De rest breng ik wel even rond.'

Hoewel de zon al achter het huis was verdwenen, was het nog steeds bloedheet in de tuin. Ik duwde Harry de schaal met hapjes in de hand en zei dat hij die moest ronddelen. Hij zat op het bankje onder de bonenstaken met een giechelend roodharig meisje. Om me heen stonden mensen elkaar lachend en gillend eeuwige trouw te beloven. Ik zag niemand die er echt uitzag om te zoenen, maar op een feestje waar jij als enige nuchter bent, krijg je al snel een hekel aan mensen.

'Ik breng Birdie even naar huis,' zei Dickie toen ik terugkwam in de rust en de koelte van de keuken.

'Maar ik woon mijlenver weg,' zei Birdie. 'Dat hoeft echt niet.' Toen ze probeerde op te staan, kreunde ze echter van de pijn. 'O, verdomme! Ik kan toch beter een taxi nemen.'

'Welnee,' zei Dickie. 'Ik breng je gewoon.'

We namen afscheid en ik keek met een misselijk gevoel naar een half schuimgebakje dat op de tafel lag. Iemand had er een pakje Gitanes naast laten liggen. Ik stak er een op, in de hoop dat ik me daardoor wat wereldser en vergevingsgezinder zou voelen, maar ik werd er alleen misselijk van. Het was tien over halftien toen ik Percy naar binnen riep en zei dat ze in bad moest gaan. Ik liep met haar mee naar boven en belde Jago. Roza nam op en het duurde even voordat ik uit haar los kon peuteren dat Jago de deur uit was omdat een van de koeien gewond was. Toen ik terugliep naar de keuken was mijn vertrouwen in de mensheid bijna tot het nulpunt gedaald.

'We gaan naar Sibylla's,' zei Harry die binnenkwam met een sliert gasten achter zich aan. 'De meisjes hebben zin om te dansen. Kun je een babysitter regelen, schat, zodat je ook mee kunt?'

'Dat zal op dit uur niet meer lukken. En ik moet nog opruimen en afwassen.' Ik ergerde me vreselijk aan mijn chagrijnige en gekwetste reactie.

'Dat kunnen we morgenochtend toch ook doen?' zei hij, even zonnig als altijd.

'Harry, ik moet met je praten. Nu.'

'O-o,' zei het roodharige meisje terwijl ze Harry's arm losliet. 'Onweer in de lucht.' Ze kuste Harry op zijn wang en liep haastig de keuken uit.

Damian sloeg zijn arm om mijn middel. 'Ben je boos omdat Harry zat te flirten? Die Tiffany is toch maar een sletje, hoor.'

Ik wist dat hij me opzettelijk sarde. Ik trok me los en draaide hen de rug toe.

'Ik wacht wel in de auto.' Damian klonk geamuseerd. 'Ik geef je vijf minuten, Harry, dan ben ik ervandoor. De anderen zijn zo bezopen dat ze zich zelfs goedkope bubbels in hun mik laten stoppen.' Ik hoorde hem de trap op lopen.

'Oké,' zei Harry. 'Ik luister. Maar schiet wel een beetje op, schat, want Damian meende echt dat hij niet wil wachten. En omdat je vast niet goed vindt dat ik de Bristol neem, moet ik dan op zoek naar een taxi en die zijn hier in de buurt nauwelijks te vinden. Kijk me aan, Art. Wat is er zo boeiend aan die muur?'

'Waar haal je het lef vandaan...' Ik stond nog steeds met mijn rug naar hem toe en moest me met twee handen aan het aanrecht vasthouden omdat ik trilde als een riet. En ik wilde niet dat hij de tranen zag die vanaf het eerste moment dat ik mijn boosheid de vrije loop liet over mijn gezicht begonnen te biggelen. 'Waar haal je het lef vandaan om mijn zusje te leren stélen! Door jou... omdat jij volslagen gewetenloos bent... zit ze nu in de grootste moeilijkheden...' – mijn stem klonk gesmoord – '... en zal ze zich tegenover de hele school moeten vernederen... en dat wil ze waarschijnlijk niet... wat ik haar niet eens kwalijk kan nemen... en dan zal er in de wijde omtrek geen school te vinden zijn die haar nog wil aannemen...'

Toen ik Harry hoorde lachen, draaide ik me om en verkocht hem zo'n mep dat hij bijna onderuitging.

'Dus dat vind jij leuk?' schreeuwde ik, zonder me iets aan te trekken van de gasten die nog buiten stonden. 'Is er dan iets wat jij wél serieus neemt?'

'Heb je gedronken, schat? Het lijkt wel of je een tikje geschift bent.' Op Harry's gezicht was de rode afdruk van mijn hand te zien. 'Het zal wel door de hitte komen. Maar ik vind je leuk als je boos bent. Grrr! Wat ontzettend sexy.' Hij duwde me tegen het aanrecht en wurmde zijn knie tussen mijn benen.

'Laat dat!' Ik zette mijn handen tegen zijn borst en duwde hem achteruit. 'Je bent wegens fraude bij Allison Associates ontslagen, maar je vond het niet nodig om mij dat te vertellen... Ik moest het horen van Adrian, die bijna zat te kraaien van genoegen! En je wist ook dat die Alfa Spider gestolen was, hè?' siste ik terwijl alle twijfel en argwaan die me al zo lang hadden gekweld naar boven kwamen. 'Jij en dat misdadige vriendje van je, die garagehouder, namen niet eens de moeite om een smoes te verzinnen waar zelfs de stomste smeris nog niet in zou trappen! Ik wilde je geloven... De afgelopen paar weken heb ik wanhopig geprobeerd om al je leugens te geloven, maar ondertussen was ik doodsbang voor wat mijn gezond verstand me ingaf. En jullie waren ook verantwoordelijk voor die brand bij Baz, hè? Jullie hebben de verzekering opgelicht!'

Harry lachte en wilde weer naar me toe komen, maar ik ging achter een stoel staan. 'Doe nou niet zo onnozel, lieve schat,' zei hij. 'Die verwachten heus niet anders en het kan ze ook niets schelen. Ze verhogen gewoon de premies weer...'

'Je wíst dat Ned een drugsdealer was en toch heb je hem in huis gehaald... Het kon je niet schelen dat hij het leven van andere mensen ondraaglijk maakte...'

'Dat is niet eerlijk, schat. Ned heeft niemand gedwongen om zich een zware verslaving op de hals te halen. Dat hebben ze echt zelf gedaan.'

'Maar dealers verdienen aan de ellende van andere mensen. Snap je dan niet dat iedere keer als iemand steelt, liegt en bedriegt de wereld weer een stukje akeliger wordt voor andere mensen? Snap je dat dan echt niet?'

Ik was zo boos dat Ko-Ko overstuur raakte en blaffend de trap af kwam. Ik pakte haar op en kalmeerde haar. 'Hopelijk heb je haar niet afgepikt van een oud dametje dat je onderweg tegenkwam! Dat zou echt de laatste druppel zijn!'

Harry vond dat kennelijk erg grappig. 'Ik heb de kassabon nog ergens boven liggen. Ik heb haar bij Harrods gekocht voor vijfenzeventig pond.'

'En waar heb je dat geld vandaan gehaald voor Ko-Ko, je kleren en al die dure lunches? Die Worcester botervloot kan hooguit goed zijn geweest voor een paar overhemden. Want die heb je ook ingepikt, hè? Je bent zelfs bereid om van Jago te stelen, iemand die van je houdt en van wie je zelf hebt toegegeven dat hij zoveel voor je gedaan heeft. Je zorgt dat mensen van je gaan houden en dan... dan gebruik je ze gewoon...' Ik deed mijn best om mijn zelfbeheersing niet te verliezen, maar ik was woedend, misselijk en bang tegelijkertijd. Ik was bezig iets bijzonder kostbaars kapot te maken. Ons huwelijk. Maar toen ik zag dat hij zijn best deed om zijn lachen in te houden, werd ik echt razend. 'Je hebt geld uitgegeven alsof je de president-directeur van een multinational bent in plaats van een werkloze oplichter.'

'Au! Dat kwam aan, Art. Je bent kennelijk vanmorgen met je verkeerde been uit bed gestapt.'

'Niet alleen vanmorgen. Al weken lang! Maar je hebt geen antwoord gegeven op mijn vraag. Hoe kwam je aan dat geld?'

'Charlotte heeft me tweeduizend pond geleend. Aardig van haar, hè? Maar natuurlijk krijgt ze het terug zodra ik weer een baan heb.'

'Hoe wil jij aan een andere baan komen?' riep ik uit. 'Je krijgt echt geen getuigschriften van Allison Associates of Talbot Design!'

'Wat ben je toch een kleine kniesoor.' Hij stak zijn arm uit en kneep me in mijn wang. 'Het komt allemaal heus wel in orde, hoor. Jij hebt gewoon nooit geleerd om in het heden te leven en daarvan te genieten. Je zit altijd ergens over te piekeren en dat maakt je ongerust en bang.'

Ik keek hem aan. Ik kon mijn oren niet geloven. Op hetzelfde moment kwamen de laatste gasten de tuin uit. Harry vertelde hun dat de anderen naar Sibylla's waren en dat hij zo ook zou komen. Daarna keek hij mij weer aan.

'Waar hadden we het ook alweer over?'

'Kom je nou, Harry?' riep een meisje vanaf de trap.

'Laat mij je niet tegenhouden,' zei ik kil.

'Je bent toch niet jaloers op haar? Het is gewoon een malle meid en hooguit amusant voor een uur of twee.'

'Meer tijd trekken jij en je vriendjes niet uit voor een meisje, hè? Ik vind het gewoon walgelijk hoe jij, Damian, Mikey en al die anderen vrouwen behandelen als een seksueel snoepje van de week dat je zo weer uit kunt spugen. Alleen vriendschap tussen mannen telt. Alles wat wij vrouwen hebben te zeggen, wat we denken of wat we voelen zijn gewoon vervelende dingen waar je doorheen moet om ons in bed te krijgen.'

'Vind je het dan niet fijn om met me naar bed te gaan?'

'Ik zou het een stuk fijner vinden als je me behandelde als iemand die niet alleen een lijf maar ook hersens heeft.'

'O. Nou, dat spijt me dan, Art.' Het was duidelijk dat mijn kritiek op de manier waarop hij met vrouwen omging hem wel had gekwetst, terwijl het hem ijskoud liet toen ik zei dat hij oneerlijk was. 'Je hebt kennelijk genoeg van me. Dan kan ik maar beter gaan.'

Hij deed het pakje Gitanes in zijn zak, stopte het halve schuimgebakje in zijn mond en liep de keuken uit. Een paar seconden later hoorde ik de voordeur dichtslaan.

33

'In ieder huwelijk gebeurt wel eens iets,' zei Birdie.

Ik wreef over mijn bonzende slaap. Ik kon nauwelijks uit mijn ogen kijken van de migraine. 'Ik had nooit verwacht dat Harry en mij dat zou overkomen. Ik was ervan overtuigd dat we nog lang en gelukkig zouden leven. Nu heb ik het gevoel dat alles op de klippen is gelopen.'

Ik had de hele nacht liggen woelen, wachtend op Harry. Pas tegen de ochtend viel ik in slaap en droomde prompt dat Percy op weg was naar de guillotine, samen met iemand die verdacht veel leek op Dirk Bogarde. Daarvan raakte ik zo overstuur dat ik meteen Birdie belde.

'Harry is vannacht niet thuisgekomen. We hebben ruzie gemaakt en ik heb hem een mep verkocht.'

'Lieve hemel!'

'Ik heb nooit eerder iemand geslagen. En nu voel ik me zo ellendig, ik weet niet wat ik met mezelf moet beginnen.'

Birdie was meteen naar me toe gekomen, zette koffie en gaf me een geroosterde boterham. 'Je moet eten, schat, anders kom je nooit van die hoofdpijn af. Mag ik weten waar jullie ruzie over hadden?'

'Voornamelijk over Percy. Maar daar bleef het niet bij. En nu weet ik niet meer of ik een kreng ben of gewoon niet goed wijs.' Ik was nog steeds doodmoe en mijn keel deed pijn. 'Als je getrouwd bent, word je geacht tolerant te zijn... begrip te tonen...

vergiffenis te schenken. Dus accepteer je steeds meer. En nu weet ik niet meer of ik mijn eigen oordeel nog kan vertrouwen.'

Ik vertelde haar waarom ik tot de conclusie was gekomen dat Harry zijn hand niet omdraaide voor een leugen meer of minder. Het voelde aan als verraad, ook al probeerde Birdie aanvankelijk om hem een hand boven het hoofd te houden. Maar toen ik haar vertelde dat hij Percy had geleerd om winkeldiefstallen te plegen, had zij daar ook geen goed woord voor over.

'Als hij dat echt heeft gedaan, dan was dat eigenlijk intens gemeen,' zei ze. 'En wat me het meest dwarszit, is dat jij zegt dat Harry dat helemaal niet beseft. Je kunt wel eens iets verkeerds doen – dat overkomt ons allemaal – maar het wordt iets heel anders als je denkt dat het best kan.'

Dat bracht me op het onderwerp Kitto en het feit dat Harry sinds we terug waren in Londen nog niet één keer had gevraagd hoe het met de knul ging. 'Ik dacht aanvankelijk dat het een pijnlijk onderwerp voor hem was, maar een paar dagen geleden vertelde Harry me dat Kitto's moeder een van de dorpskutjes van zijn vader was geweest – zijn woordkeus, niet de mijne – en dat Kitto best zijn halfbroer kon zijn. De ironie wil dat ik juist vanwege zijn *joie de vivre* zoveel van Harry ben gaan houden. En nu denk ik af en toe dat hij alleen maar altijd vrolijk en opgewekt is omdat hij uitsluitend aan zijn eigen genoegens denkt.'

'Dan zou hij dus een soort psychopaat zijn.'

'Ik heb een keer met Jago over psychopaten zitten praten... Misschien probeerde hij me wel te waarschuwen... O, ik weet het niet meer. Ik heb vannacht vrijwel geen oog dichtgedaan en daardoor schijn ik niet meer logisch te kunnen nadenken. En hoewel ik woedend ben op Harry, hou ik nog steeds van hem.' Ik zag dat Birdie me weifelend aankeek. 'Ik weet zelf ook niet precies hoe ik dat bedoel. Ik voel me verantwoordelijk voor hem. In bepaalde opzichten is hij gewoon een kind. Míjn kind, net als Percy, hoewel ik hun echte moeder niet ben. Jago zei dat liefde en verantwoordelijkheid niet van elkaar te scheiden zijn, ook al gaat het om verschillende dingen.'

'Nou, laten we er dan maar van uitgaan dat je nog steeds van hem houdt. Ook al zat hij gisteravond openlijk met die Tiffany te flirten.'

'Harry flirt met iedereen. Zelfs met zuster Gabriëlla, die hij één keer heeft ontmoet. Vrouwen zijn voor hem gewoon een heerlijk tijdverdrijf, net als een fles goede wijn, een snelle auto of een mooi huis. Al ben ik ervan overtuigd dat hij meer van Pentrew houdt dan van wat ook ter wereld.'

'En hij houdt meer van jou dan van alle andere vrouwen.'

'Laten we het hopen.'

'Hij is niet met met zuster Gabriëlla of een van die anderen getrouwd.'

'Nee.' Ondanks alles durfde ik niet aan Birdie te vertellen dat Harry mijn vader om een lening van tweeduizend pond had gevraagd omdat hij per abuis dacht dat hij een schatrijke wapenhandelaar was.

'Maar goed, het heeft geen zin om het ergste te vrezen. Als Harry echt zo is als jij zegt, dan is hij de laatste persoon ter wereld die zichzelf iets aan zal doen. Ik maak me meer zorgen om jou. Kijk eens naar je handen.'

Die trilden weer. Ik legde ze op mijn schoot.

'En je bent afgevallen. Wie moet er voor Percy zorgen als jij erbij neervalt? Je moet echt flink zijn, Art. Ik ga eerst even afwassen en daarna gaan we met ons allen een eind wandelen. We hebben frisse lucht nodig. En als we terugkomen, kunnen we Percy's spijtbetuiging in elkaar sleutelen. Want daar komt ze niet onderuit. Ik ben het met je eens dat er geen greintje kwaad in haar schuilt, maar ze moet wel leren dat ze zich op school aan de regels heeft te houden. Anders heeft ze echt geen leven. Ik weet wel dat je het naar vindt als ze zich ellendig voelt, maar af en toe moet je streng zijn.'

Ik wist dat ze gelijk had. Dus liepen Percy, Birdie en ik samen naar de Tower of London en genoten van het frisse windje dat van de rivier kwam. Bovendien hangt daar 's zomers altijd een soort kermisachtige sfeer, met al die levende standbeelden, de goochelaars en de waarzegsters die voor afleiding zorgen. Het was ook heel verfrissend om te zien hoe Ko-Ko elke voorbijganger vol enthousiasme begroette en iedereen op de knieën kreeg. Het leek de bevestiging te zijn dat dingen als onschuld en vriendelijkheid nog steeds bestonden.

Toen we terug waren, maakte ik iets te eten en Birdie nam Percy onderhanden.

'Je bent het aan Art verschuldigd om de meute te trotseren,' zei ze. 'Het kan best zijn dat ze bloed willen zien, maar dan moet jij gewoon tonen dat je niet bang bent.'

Het was slim van Birdie om aan Percy's gevoel voor drama te appelleren. Percy had net bij geschiedenis het verhaal van Jeanne d'Arc gehad en ze zag het wel zitten om de rol te spelen van iemand die met zware tegenstand te maken heeft en vals beschuldigd wordt.

'Maar jij hebt die dingen wel degelijk gestolen,' merkte Birdie op toen Percy dat zei. 'Stelen is tegen de wet. Als je daarmee door blijft gaan zul je grote moeilijkheden krijgen. En vertel me nou niet dat je een goddelijke stem hebt gehoord die je beval om dat te doen, want daar geloof ik geen bal van.'

'Harry heeft je dat geleerd, hè?' zei ik.

'Ja.' Percy keek opgelucht. 'Iedere keer als we samen ergens naartoe gingen, daagden we elkaar uit om iets te jatten. Kleine dingetjes, gewoon voor de lol. Maar ik wil Harry geen problemen bezorgen, want hij heeft me Ko-Ko gegeven.' Ze klonk ineens verdedigend. 'En je hebt me zelf meegenomen naar *Breakfast at Tiffany's*. Toen Audrey Hepburn en George Peppard die maskers pikten, heb je ook niks gezegd.'

'Films hebben niets met de werkelijkheid te maken. Het mag gewoon niet, punt uit. Dat meen ik, Percy. Nog geen pakje chips, geen haarspeldje, geen suikerklontje. Harry geeft niet bepaald het goede voorbeeld, hoe vervelend ik dat ook vind.'

We zetten een spijtbetuiging in elkaar waarmee Percy wel kon leven en met de handen op de rug en de ogen ten hemel geslagen leerde ze de tekst uit haar hoofd. Inmiddels hadden we tot onze ontzetting ontdekt dat die arme Jeanne d'Arc pas negentien was toen ze op de brandstapel terechtkwam. Daarbij vergeleken leek Percy's komende beproeving een fluitje van een cent.

'Ik vraag me af of het wel verstandig van ons was om haar het idee te geven dat ze een soort heldin is,' zei Birdie later, toen we in de salon zaten. Percy was naar boven gegaan om tv te kijken en scheen zich inmiddels op haar moment in de schijnwerpers te verheugen.

'Dat kan me niets schelen,' zei ik. 'Zolang we haar maar zover krijgen dat ze het doet. Je bent een engel dat je ons zo hebt geholpen, Birdie. Ik kan je niet vertellen hoe dankbaar ik ben dat je meteen kwam opdagen. Hoe ben je hier vanmorgen eigenlijk naartoe gekomen?'

'Dickie heeft me gebracht. Hij is niet binnengekomen, want hij moest snel naar huis om zich te verkleden voor een lunchafspraak met zijn moeder.'

'Dus hij is vannacht bij je gebleven? Daar had ik geen idee van, Birdie. Goh, wat fijn...'

'Het is niet wat je denkt. We hebben echt niet de halve *Kamasutra* afgewerkt. Toen hij me gisteravond thuis had gebracht heb ik hem nog iets te drinken aangeboden en toen zag hij toevallig een schitterende lap brokaat op de tafel liggen. We begonnen over kleren te praten en ik beloofde dat ik daar een vest voor hem van zou maken. Ondertussen hadden we zonder het te merken al een hele fles whisky leeggedronken. Hij durfde niet meer te rijden en dus heb ik hem de bank aangeboden, plus een reserve tandenborstel. We hebben elkaar niet eens welterusten gekust. Vanmorgen hebben we samen ontbeten en toen heeft hij me hierheen gebracht. Het was eigenlijk heel gezellig, alsof ik een vriendin te logeren had. Hij is wel heel erg open, dat ben ik van mannen niet gewend.'

'Ik ben blij dat jij nu ook beseft dat Dickie een echte lieverd is. Ik mag hem ontzettend graag.' Ik keek naar het raam waar ineens de regen tegenaan kletterde. 'Ik wou dat ik wist waar Harry zat.'

'Nou, hij zal echt niet als een verzopen kat door de regen dwalen. Hou op met dat gepieker, Art. Je had het volste recht om boos te zijn. Je bent toch al veel te tolerant geweest, maar ja, we gedragen ons allemaal als idioten als we denken dat we verliefd zijn.'

Die opmerking kwam aan. Ik vond het helemaal niet leuk om te horen dat Birdie ervan uitging dat mijn liefde voor Harry een stomme vergissing was, maar mijn gedachtegang werd onderbroken toen er ineens werd aangebeld.

'Verdorie!' zei ik. 'Ik heb helemaal geen zin in bezoek.'

Birdie stond op en liep naar het raam. 'Ik kijk wel even. Je kunt nog altijd doen alsof je niet thuis bent.' Ze gluurde voorzichtig naar buiten. 'Nou, hou maar op met piekeren, Art. Het is Harry.'

Ik sprong op. 'Goddank dat hem niets is overkomen! Hij zal zijn sleutel wel vergeten zijn... Nee, ik vlieg hem echt niet om de nek... Ik moet kalm blijven en niet laten merken dat ik me zorgen heb gemaakt...'

'Zorg jij nou maar dat je tot rust komt, dan laat ik hem wel binnen.'

'Ja, alsjeblieft!' Ik holde naar de spiegel, haalde mijn vingers door mijn haar en poetste een vlekje doorgelopen mascara weg, terwijl ik luisterde hoe Birdie de deur opendeed, gevolgd door het gedempte geluid van stemmen.

'Hallo, Artemis.'

'Jago!'

Het was niet zo vreemd dat Birdie hem voor Harry had aangezien. Jago's haar was kortgeknipt en hij droeg een donker pak met een stropdas en een elegant overhemd. Hij zag eruit alsof hij zo uit de etalage van een van die dure herenmodezaken in Jermyn Street was gestapt.

Hij schonk me dat bekende flauwe glimlachje. 'Ik zie dat Percy mijn boodschap niet heeft doorgegeven. Ik heb vanmorgen gebeld dat ik vanmiddag langs zou komen.' Ik bleef hem sprakeloos aanstaren. 'Je bent kennelijk door stomheid geslagen. Komt mijn bezoek ongelegen?'

'O, nee, hoor... Ik dacht alleen dat je nooit in Londen kwam... Wie past er nu op de koeien?'

'Jem gedraagt zich tegenwoordig keurig. Hij heeft zijn oog laten vallen op een van de cottages op het landgoed, waarin hij met zijn vriendin wil gaan wonen. En een bevriende boer gaat straks nog langs om te controleren of alles in orde is.' Toen hij zag dat ik nog steeds van mijn stuk was, glimlachte hij. Dit keer was het een brede glimlach. 'Daarom belde ik gisteren ook... om te vertellen dat ik vandaag naar Londen kwam voor de begrafenis van een oude vriend van me.'

'O mooi... nou ja, niet echt mooi... Het spijt me van je vriend, maar ik ben dolblij om je te zien. O, Birdie, dit is Jago, de oom van Harry. Jago, dit is Birdie Blashfern met wie ik samen op school heb gezeten.'

Ze schudden elkaar de hand.

'Wil je iets drinken?' vroeg ik.

'Graag,' zei hij en keek naar me op die bekende manier, alsof ik een vreemde diersoort was.

'Ik haal wel even iets,' zei Birdie.

Ik keek Jago aan. 'Wil je misschien je colbertje uittrekken? Je bent ontzettend nat geworden.'

'Ja, graag. Ik ben zonder jas van huis gegaan, want voor de verandering scheen de zon volop toen ik vertrok.'

'Ja... Het was hier ook zonnig... Ik heb trouwens de laatste dagen vaak aan Cornwall moeten denken... de wind... de zee... Het was hier echt ontzettend heet.'

Ik pakte het colbertje aan, rende naar boven en hing het naast de boiler, terwijl ik mezelf inprentte dat ik moest ophouden me te gedragen als een actrice in een stomme klucht. Toen ik weer beneden kwam stond hij met de armen over elkaar naar de Corot-tekening van de boom te kijken. Daarna wierp hij een snelle blik op het schilderij boven de open haard en wendde haastig zijn ogen weer af.

'Heb jij dat gemaakt?' vroeg ik. 'Dat schilderij van Pentrew? Een tijdje geleden zag ik ineens dat wat ik voor een plukje gras had gehouden in werkelijkheid J.T. was.'

'Een jeugdzonde. Uit de tijd voordat ik in Parijs fatsoenlijk leerde schilderen.'

'Hoe was de begrafenis?' vroeg ik.

'De overlevenden schenen er troost uit te putten,' zei hij.

'Daar ben ik weer.' Birdie kwam binnen met een dienblad vol flessen en glazen, plus een schaaltje olijven en een paar geroosterde sneetjes brood met camembert. 'Ik dacht dat je wel honger zou hebben,' zei ze tegen Jago. 'Dat is altijd zo na een begrafenis.'

'Ik rammel.' Hij glimlachte naar haar en ik vond het grappig om te zien dat de vrij hautaine houding die ze zich altijd aanmeet tegenover vreemden als sneeuw voor de zon verdween. Terwijl ze iets te drinken haalde, had ze ook haar haar gekamd en lipstick op gedaan.

Was hier sprake van een wederzijdse seksuele aantrekkingskracht die zich als een donderslag bij heldere hemel manifesteerde? Ik had heel even het gevoel dat ik de spijker op de kop sloeg, maar toen herinnerde ik me weer dat Jago alleen door de wol geverfde flirts probeerde te versieren. En Birdie was veel te eerlijk om te flirten en door de wol geverfd zou ze ook nooit worden. Maar ze zag er die middag wel heel aantrekkelijk uit en een oplettend man zou dat zeker zien. Was Jago een oplettend man als het om vrouwen ging? Caroline had absoluut een exclusieve uitstraling gehad, ook al had ik haar niet aardig gevonden. En Demelza was iemand aan wie je misschien wel moest wennen. Of een kwestie van jeugdige onbezonnenheid.

'Was het de begrafenis van een goede vriend?' vroeg Birdie. Het was een vraag die ik zelf ook had willen stellen, maar ik was bang dat hij me dan al te nieuwsgierig zou vinden. Daaruit kon je opmaken dat ik echt geen greintje zelfvertrouwen meer had.

'Een van mijn oude leraren. Ik heb hem nog maar zelden gezien nadat ik van school ging, maar we schreven elkaar af en toe. Een intelligente en interessante man.'

Percy kwam binnen, op de voet gevolgd door Ko-Ko. 'Hallo, Jago. Oeps!' Ze sloeg haar hand voor haar mond. 'Ik ben vergeten je boodschap door te geven.'

'Geeft niet. Wie is deze jongeman?'

'Het is een meisje. Ik heb haar van Harry gekregen.'

Ik was bang dat Jago, die gewend was aan honden met het formaat van een kleine pony, alleen maar minachting zou voelen voor zo'n klein beestje, maar toen ze naar hem toe rende en haar kunstje uithaalde door met vier voetjes tegelijk achteruit te springen bij elke blaf, schoot hij in de lach, pakte haar op en zette haar op zijn knie om even met haar te spelen. Het drong ineens tot me door dat Harry wel altijd geamuseerd op Ko-Ko's malle streken reageerde, maar dat hij haar nooit aanhaalde en ook nooit contact met haar zocht.

'Ik moet maandag de hele school om vergiffenis vragen,' zei Percy terwijl ze naast Jago ging zitten. 'Waarschijnlijk word ik daarna verstoten en beland ik in een duistere spelonk vol jammerklachten en tandengeknars en zal niemand ooit meer een woord met me willen wisselen.'

'Echt waar? In ieder geval zal niemand kunnen zeggen dat je maar een saai leventje leidt.'

Aangemoedigd door zijn reactie vertelde Percy Jago het hele verhaal, met uitzondering van Harry's aandeel daarin. Zoveel tact had ik van haar niet verwacht. 'Art zegt dat de maatschappij nog akeliger zou worden dan nu als we allemaal dingen pikten die niet van ons zijn en jokten en zo. Hoewel ik eerlijk gezegd niet snap waarom dat potlood van zuster Jude zo'n verschil zou maken voor de maatschappij. Ze kan zo weer een nieuwe uit de voorraad pakken. Ik heb nooit dure dingen gejat. Nou ja, behalve een ring dan, maar ik dacht dat het een goedkoop prul was. Toen Art zei dat hij heel duur was, heb ik hem teruggelegd.'

'En als er nu eens dingen van jou worden gepikt?' vroeg Jago. 'Hoe zou je dat vinden?'

Percy trok een pruillip. 'Hangt ervanaf.' Maar ze was eerlijk genoeg om eraan toe te voegen: 'Volgens mij zou ik dat niet echt leuk vinden.'

'Als jij het niet leuk zou vinden als iemand jou dezelfde streek levert als jij van plan bent om uit te halen, laat het dan. Een eenvoudige regel en daar zou ik me maar aan houden als ik jou was.'

'Nou, ik mag hangen als ik ooit nog iets ga jatten, want ik word doodziek van al dat gedoe. Wil je horen wat ik ga zeggen?'

Jago zei ja en Percy nam haar martelaressenhouding aan. Ze begon goed, maar vervolgens haalde ze haar tekst door elkaar dus ze ging naar boven om opnieuw te repeteren.

Vlak daarna ging Birdie naar huis en ik vroeg Jago of hij wilde blijven eten.

'Dank je wel, maar ik moet de trein van halfacht halen. Het leek me beter om Jem niet al te zwaar op de proef te stellen.'

'Wil je nog iets drinken, dan?'

Hij knikte en ik vulde zijn glas opnieuw. We zaten een tijdje in stilte bij elkaar, terwijl ik zat te piekeren over wat ik moest zeggen. Als ik over de melkopbrengst begon, zou hij meteen begrijpen dat ik op zoek was naar een gespreksonderwerp. Ik kon hem vragen hoe het met Kitto ging... Toen ik opkeek, zag ik dat hij mij zat aan te kijken.

'Waar is Harry?' vroeg hij.

'Dat weet ik niet. We hebben ruzie gehad, zo erg dat ik hem een mep heb verkocht. Hij is gisteravond niet thuisgekomen. Harry heeft Percy geleerd om winkeldiefstallen te plegen.' Ik was helemaal niet van plan geweest om Jago de waarheid te vertellen en ik voelde me dan ook meteen schuldig. 'Sorry, ik wil je niet met onze problemen opzadelen.'

Hij schudde zijn hoofd. 'Dat was niet leuk van Harry. Maar je zult er inmiddels wel achter zijn dat hij verslaafd is aan spanning.'

'Ja, dat wel, maar het is een heel verschil of je zelf risico's neemt of iemand anders aanmoedigt om dat te doen. En zeker een kind dat je hoort te beschermen.'

'Je moet goed begrijpen dat Harry de manier waarop de meesten van ons leven saai en laf vindt. Dat wij ons leven lang alleen maar ja en amen roepen vindt hij belachelijk.' Volgens mij sloeg die beschrijving niet echt op Jago, maar ik zei niets. 'Hij denkt dat hij Percy een gunst bewijst door haar te laten zien dat ze zich niets hoeft aan te trekken van burgerlijke gedragsregels. Dat had hij zelf al heel snel door. Quin gaf hem een keer op zijn duvel omdat hij herrie maakte – Harry zal toen een jaar of zes zijn geweest – en bij wijze van wraak verstopte hij een wespennest in de auto van zijn vader. Gelukkig voor hem moest Quin daarom lachen. Toen Harry van de lagere school werd gestuurd, goot hij inkt in de schoenen van het schoolhoofd.'

'Wat ondeugend! Maar dat was toch alleen baldadigheid? Waarom hebben mensen zo weinig gevoel voor humor? Harry heeft me verteld dat hij een keer van school is gestuurd omdat hij probeerde op een motor over een stel jongens te springen. Maar de enige die daarbij gewond raakte, was hijzelf.'

'Dat is waar. Maar hij zal je wel niet verteld hebben dat hij die motor had gestolen. Het werd een zaak voor de politie.'

'Nee, dat heeft hij me niet verteld. Waarom is hij van Oxford weggestuurd?'

Jago zei niets. Ik zag zijn gezicht verstrakken. 'Vertel me dat alsjeblieft. Harry doet het toch niet. Hoe kan ik hem helpen als ik niet weet hoe hij is?'

'Helpen? Ach, misschien. Maar je moet het eigenlijk wel weten, omdat jij nu in zekere zin verantwoordelijk voor hem bent. Een van zijn vrienden werd dood aangetroffen in Harry's kamers... een overdosis heroïne. Harry heeft mij in vertrouwen verteld dat hij voor die heroïne had gezorgd, maar wat er daarna is gebeurd staat niet vast. Een paar van de studenten die ook op het feestje waren, hielden vol dat toen de jongen bewusteloos in elkaar zakte Harry zei dat hij om hulp zou bellen. De jongen stierf terwijl ze op een ambulance zaten te wachten die nooit kwam opdagen. Toen ze de volgende ochtend op zoek gingen naar Harry lag hij bij zijn vriendinnetje in bed te slapen. Volgens hem was er niets aan de hand toen hij wegging.' Jago haalde zijn schouders op. 'Het was Harry's woord tegen dat van de anderen.'

De rillingen liepen me over de rug. 'Wat... afschuwelijk. Is er een rechtszaak van gekomen?'

'Alleen een gerechtelijk vooronderzoek. Damian en een andere student, die Mike of Michael heette, steunden Harry's verklaring en wegens gebrek aan bewijs werd van vervolging afgezien.'

'Wat denk jij?'

'Ik geef er de voorkeur aan om niet te speculeren. Daar schiet niemand iets mee op.'

'Heeft Harry daarna een zenuwinzinking gehad?'

Van Jago's gezicht viel niets af te lezen. 'Het zou kunnen. Ik heb hem na de zitting een tijdje niet gezien. Hij ging met zijn vriendinnetje naar Italië en toen hij terugkwam, was hij even charmant en opgewekt als altijd. Dit is een schitterend huis. Je hebt er echt iets moois van gemaakt. Wanneer is het gebouwd?'

Dat vertelde ik hem en liet hem vervolgens op zijn verzoek het hele huis zien. Daar knapte ik zelf ook van op, want ik was vergeten dat hij veel van meubels en porselein wist. Mijn migraine verdween en toen hij op zijn horloge keek en zei dat hij ervandoor moest, speet me dat echt. Het was pas halfzes maar hij zei dat hij eerst nog bij iemand langs moest en na wat gekibbel ging hij ermee akkoord dat ik hem bij de dichtstbijzijnde taxistandplaats af zou zetten. Maar Percy stribbelde tegen en wilde niet mee. Angelika mocht ook altijd alleen thuisblijven, waarom deed ik dan zo stom?

'Laat maar zitten,' zei Jago, 'ik loop wel naar de ondergrondse.'

'Ze moet luisteren. Ik ben lang niet streng genoeg geweest.'

'Vind je niet dat ze op haar twaalfde oud genoeg is om een halfuurtje alleen thuis te blijven?'

'Misschien wel, maar iedereen komt hier zomaar binnenvallen en de manier waarop Damian en de anderen met haar flirten bevalt me helemaal niet. Misschien neem ik haar wel te veel in bescherming, maar...'

'Nee, ik begrijp wat je bedoelt.'

Ik zette Jago op zijn verzoek af op Bayswater Road en hij stapte haastig uit. Niet zo vreemd, want Percy had haar spijtbetuiging een paar keer achter elkaar afgedraaid tot Jago zei dat hij er gek van werd. Toen hij bij de ingang van het park uitstapte en zijn lange benen strekte, zei hij: 'Zit maar niet in over Harry. Het spijt me dat ik je van je tv heb losgerukt, Percy.'

Hij sloeg het portier dicht voordat we antwoord konden geven.

Zodra ik thuiskwam, ging ik maar poetsen. Op die manier slaagde ik er altijd in om geestelijk tot rust te komen. Ik had net de keukenvloer geboend toen de voordeur dichtsloeg en iemand de trap af kwam lopen.

'Hallo, schat.' Harry ging op zijn hurken zitten en gaf me een kus. 'Wat zie je er schattig uit met dat opgestoken haar. Net een ondeugend zigeunerinnetje.' Hij legde zijn hand om mijn borst.

'Waar heb je gezeten?'

'Heb je me gemist? Ik was gisteravond zo bezopen dat ik bij Damian op de bank ben neergevallen en pas rond luchtijd wakker werd. Heb je je vandaag geamuseerd?' In zijn stem klonk iets van sympathie door. Of bezorgdheid. Misschien genegenheid. Ik keek in Harry's felblauwe ogen die zo dicht bij de mijne waren en las daarin... niets anders dan vermaak.

'Birdie is hier komen lunchen en daarna kwam Jago langs.'

'Jago? Goeie genade, ik dacht dat hij tegenwoordig nooit meer van de boerderij kwam.' Zijn verbazing was goed gespeeld, maar ik had toch het gevoel dat hij het al wist. 'Waarom was hij hier?'

'Voor de begrafenis van zijn vroegere leraar.'

'O ja, die ouwe Bellingham.' Het bleef even stil. Ik voelde me doodmoe en leeg. Ik had niets meer te zeggen. Harry klopte op mijn wang. 'Je hebt vast nog een beetje de pest in omdat ik gisteren niet thuis ben gekomen, dus ben ik vanmiddag op zoek gegaan naar een zoenoffer.'

Hij haalde een lang, smal doosje uit zijn zak, waarin een schitterende met saffieren en diamanten bezette armband zat. Ik begreep dat ik omgekocht werd, waarschijnlijk op kosten van Charlotte, maar ik stond toe dat hij de armband om mijn pols vastmaakte.

'Dank je wel. Hij is erg mooi.'

Hij kuste me en ik kuste hem terug. Iedereen heeft zich om wille van de lieve vrede toch wel eens laten omkopen? Ik moest eerst maar eens een nacht goed slapen voordat ik besloot wat me te doen stond. Harry's moraal was zo rekbaar dat er vrijwel niets te min of te laag was, maar ik hield nog steeds van hem. Toen hij die avond echter met me probeerde te vrijen moest ik denken aan die jongen die aan een overdosis heroïne was gestorven en stribbelde voor het eerst tegen.

'Dat is het recht van elke vrouw.' Harry kneep in mijn oorlelletje. 'Je bent vast nog een beetje pissig omdat ik zo zat ben geworden. Morgenochtend voel je je wel weer beter.'

Een minuut later sliep hij als een roos. Ik dacht aan oma's recept om moeilijke tijden in je leven te doorstaan. Dat kwam erop neer dat je alleen maar moest genieten van leuke dingen en nare voorvallen moest negeren.

Harry ging verliggen en grinnikte in zijn slaap. In het donker moest ik onwillekeurig glimlachen. Ik was getrouwd met een reïncarnatie van mijn eigen grootmoeder.

34

'Art!' zei Percy dringend. 'Ik word weer misselijk...'

Ik stopte haastig zodat ze de kans kreeg om in de berm over te geven. Het was al de derde keer sinds we uit Londen waren vertrokken en we waren nog maar halverwege.

Jago had vlak na zijn bezoek opgebeld en ons uitgenodigd voor een lang weekend. Ik had nog gevraagd of Percy niet liever bij Wendy wilde logeren, maar toen ze hoorde dat Birdie en Dickie ook zouden komen wilde ze per se mee naar het feest dat Jago ter gelegenheid van de negentigste verjaardag van de bisschop zou geven.

'Ze hebben me gevraagd of het in de Grote Zaal gevierd kan worden,' had hij gezegd. 'Maar dan moeten er wel voldoende mensen aanwezig zijn, anders wordt het maar een kale bedoening. Zou jij Harry alsjeblieft willen overhalen om te komen? De bisschop zou het prachtig vinden als hij erbij was en hij wil jou ook graag leren kennen.'

'Wanneer is het?'

'Komend weekend al,' zei hij verontschuldigend. 'Ik had je al willen uitnodigen toen ik in Londen was, maar door alles wat er gebeurde, ben ik dat vergeten. En ik heb al zoveel afzeggingen gehad, en daarnaast zijn er in de tussentijd veel mensen overleden. Hoe zit het met dat aardige meisje dat ik bij jou heb ontmoet? Kun je haar ook meebrengen? Ik probeer zoveel mogelijk mensen op te trommelen, want het zou wel eens het laatste verjaardagsfeestje van de bisschop kunnen zijn.'

'Ik zal het haar vragen,' zei ik. 'En misschien wil Dickie ook wel komen.' Pas toen ik dat had gezegd, dacht ik aan Demelza. Maar voordat ik me voor die blunder kon excuseren, zei Jago al: 'Ja, vraag hem ook maar. Als hij tenminste bereid is om me te vergeven dat ik de laatste keer zo chagrijnig heb gedaan.'

Vandaar dat Birdie en Dickie in Princess Pushy eveneens onderweg waren naar Pentrew. Toen ze ons dertig kilometer buiten Londen inhaalden, had ik verwacht dat Harry zou protesteren omdat ik me strikt aan de maximumsnelheid hield, maar sinds hij die nacht was weggebleven, was er geen onvertogen woord meer tussen ons gevallen en hij was vrijwel iedere avond thuis geweest. Ik was zo dankbaar voor die huiselijke vrede dat ik zelfs mijn mond had gehouden over de aan de heer en mevrouw Tremaine gerichte brief met de vraag of we na ons bezoek aan het modelappartement op Grosvenor Wharf nog steeds overwogen om een flat in het complex te kopen. Ik begreep daaruit dat de luxeflat aan de rivier waar Harry en ik voor ons trouwen een glas champagne hadden gedronken niet van hem was geweest en dat we ook geen geld zouden krijgen uit de verkoop ervan. Maar dat maakte niet veel uit. Ik gaf er de voorkeur aan om de waarheid te weten.

Harry had geprobeerd om me zover te krijgen dat ik hem een gedeelte van de rit naar Cornwall zou laten rijden, maar daar wilde ik niets van weten omdat hij niet verzekerd was.

'Nou, vooruit dan maar. Dan moet jij maar heen en terug naar Pentrew rijden. Ik hoop alleen dat je niet bekaf zult zijn.'

Hij hield zich aan zijn woord en gedroeg zich als een ideale passagier. Als ik zin had om te praten, zat hij gezellig te babbelen en als ik even geen behoefte had om te kletsen hield hij zijn mond. Ik stond er nog steeds van te kijken hoe goed hij mijn stemming kon lezen, ook al hadden we nog zulke verschillende opvattingen. Toen we Princess Pushy onderweg op de vluchtstrook zagen staan met de motorkap open, kon Harry niet liever zijn geweest. Terwijl Birdie, Percy en ik in de Bristol zaten en Dickie vloekend op en neer drentelde, ontdekte Harry dat er een luchtbel in de benzineleiding zat en verwijderde die met een beetje benzine, een rietje en mijn zakdoek. Princess Pushy startte meteen weer, maar Harry wuifde Dickies dankbetuigingen achteloos weg.

'Motoren zijn doodsimpel als je de eerste beginselen maar doorhebt. Ik heb sinds mijn tiende bij weer en wind buitenboordmotoren gerepareerd en het is een fluitje van een cent als je maar weet wat je moet doen.'

Vlak voor middernacht kwamen we bij Pentrew aan. Zodra ik de motor uitzette, hoorde ik het geluid waar ik zo naar verlangd had, het langzame ruisen van de zee. Het vredige moment werd verstoord toen Roza in haar chenille ochtendjas op kwam draven.

'Daar zijn jullie eindelijk. Ik help wel met de bagage.'

'Dat is lief van je, maar dat hoeft niet, hoor.'

Ze luisterde niet en sleepte de grootste koffer mee, die prompt open sprong toen ze abrupt bleef staan omdat haar ochtendjas tussen het portier was blijven steken.

Jago zat met Birdie en Dickie in de bibliotheek. Ze waren een halfuur eerder aangekomen omdat Princess Pushy zich verder voorbeeldig had gedragen. Ik was een beetje bang geweest dat Minver en Mawes Ko-Ko als een hapklaar brokje zouden beschouwen, maar Jago had me verzekerd dat ze zich alleen maar misdroegen als het om koeien ging. Ko-Ko was aanvankelijk onder de indruk geweest, maar ze begonnen haar vlijtig te likken tot al haar haren rechtop stonden. Aangemoedigd door dat bewijs van goedkeuring begon ze tegen Myrtle te blaffen die op de bureaustoel lag te slapen. Myrtle wierp haar een kille blik toe, stond op, draaide zich om en ging met haar rug naar Ko-Ko toe liggen.

Jago gaf me een hand. 'Ik voel me gewoon schuldig. Birdie zei dat jij de hele weg hebt moeten rijden. Dit feest heeft echt een slecht gesternte. De afgelopen week heeft nog een gast zich bij het hemelse koor gevoegd. Hoe is het met je toespraak afgelopen, Percy?'

'Het ging geweldig,' zei ze. 'Een heleboel meisjes zeiden na afloop dat ze mijn haar zo leuk vonden.'

'Je haar?' vroeg Jago niet-begrijpend.

‘Art heeft het opnieuw geknipt. Nu lijk ik sprekend op Purdy uit de *New Avengers*, die tv-serie.’

De mannen bleven op om nog een whisky te nemen, maar Percy, Birdie en ik gingen meteen naar bed. Ik liet de gordijnen open om van de wolkeloze avondhemel te genieten, maar ik viel meteen in slaap en zag in plaats van sterren een snelweg waar geen eind aan kwam.

Om zes uur de volgende avond waren we allemaal opgewonden. We hadden de hele dag hard gewerkt en Roza’s haar hing slap van inspanning. Aanvankelijk had ze geweigerd om Birdie en mij in de keuken te laten, dus hadden we de Grote Zaal schoongemaakt en versierd met blauwe Afrikaanse lelies en roze geraniums uit de tuin. Daarna hadden we de grindpaden gewied en het gras gemaaid, waardoor het huis een metamorfose onderging.

‘Het is écht een beeldschoon huis,’ zei ik bewonderend.

‘Dat ben ik met je eens,’ zei Birdie. ‘Wat een heerlijk idee dat het op een dag van jou zal zijn.’

‘Misschien wel.’ Ik wilde zelfs tegenover Birdie niet toegeven dat ik betwijfelde of mijn huwelijk wel stand zou houden.

‘Ik snap wat je bedoelt. Dan zal Jago eerst letterlijk dood moeten gaan en dat vind je natuurlijk een naar idee.’

Uiteindelijk zwichtte Roza toch en stond toe dat Birdie en ik een handje hielpen. Ik was blij dat ik niet verantwoordelijk was voor het al dan niet slagen van het feest.

Toen Birdie en ik in onze feestjurken naar beneden kwamen, stond Jago, keurig uitgedost in een driedelig pak met stropdas, voor de open haard met een man met wit haar en een gladde, roze huid. De bisschop was, zoals het hoorde, al iets voor aanvangstijd gearriveerd op het feestje dat ter ere van hem werd gegeven.

De beide mannen complimenteerden ons met onze jurken en Jago vond Birdie in haar lange zwarte japon net een hogepriesteres.

Een nuchtere, schone en geschoren Jem bracht ons een glas wijn, terwijl Birdie en ik met de bisschop stonden te praten. Hij had gevoel voor humor, was heel charmant en begon te blozen toen wij hem een beetje plaagden. 'Dit is zo aardig van Jago,' zei hij zacht tegen ons toen zijn gastheer verdween om nieuwe gasten te verwelkomen. 'Hij kan zich er toch niet op verheugen om zo'n stel seniele kerels aan tafel te krijgen. De helft van ons ziet ze vliegen en degenen die nog wel alles op een rijtje hebben zijn knorrig van ouderdom, woede en teleurstelling.'

'Teleurstelling?' herhaalde Birdie.

'De waarheid is dat niemand zoveel van ons kan houden als we volgens onszelf eigenlijk zouden verdienen. Met uitzondering van God, natuurlijk, maar dit is niet de juiste plaats en het juiste moment om over Hem te beginnen.'

'O, bisschop, wat ziet u er gewéldig uit!' Een forse matrone in lichtpaarse crêpe kuste de bisschop hartelijk op beide wangen en begon meteen met hem over de parochie te praten.

Ik werd in beslag genomen door twee oudere dames die alles wilden weten over mijn huwelijk met Harry. Ik beantwoordde hun vragen beleefd, ook al werd ik wel een beetje nijdig omdat ze zo nieuwsgierig waren.

'We zijn allemaal zo blij dat er een lieve jongedame is komen opdagen om die ondeugende knul van ons aan banden te leggen,' zei een van hen overdreven guitig. 'We kennen Jago en Harry al vanaf dat ze drie turven hoog waren, dus je moet ons maar niet kwalijk nemen dat we geen blad voor de mond nemen. Ze hebben al die arme dorpsmeisjes een gebroken hart bezorgd. En ik ben bang dat zelfs de jongedames die beter zouden moeten weten niet immuun waren voor hun charmes. De dochter van kolonel Tilbury ging ervandoor met een verkoper van Perzische tapijten nadat Jago haar de bons had gegeven.'

'Ik vind het wel een beetje gemeen dat je daar nu nog over begint, Cynthia,' zei haar vriendin. 'Dat is allemaal al eeuwen geleden en iedereen was het erover eens dat die dochter van Tilbury een echte mannengek was.'

'Daarom viel Jago natuurlijk ook op haar.'

'Ssst, daar komt hij net aan.'

'Zou je me even willen helpen, Artemis?' Jago pakte me bij

mijn elleboog en trok me mee, ondanks de protesten van mijn ondervraagsters. 'Ik dacht dat ik je maar beter uit de klauwen van die roddeltantes kon redden,' fluisterde hij. 'Ze gaan weliswaar trouw naar de kerk, maar ze kunnen mensen ook het bloed onder de nagels... Lieve hemel! Wat doet zij hier nou? Ik dacht dat ze nog steeds op St. Lucia zat.'

Caroline stond bij het grote raam te praten met een gezette man die een priesterboord om had. Ze droeg een zwarte japon met een driedubbel parelsnoer, dat er ongetwijfeld voor zou zorgen dat ze een torenhoge verzekeringspremie had. Ze keek Jago aan met halfgeopende, vuurrode lippen alsof ze een of ander fotomodel was en wenkte verleidelijk. Hij stak alleen zijn hand even op. Er kon geen glimlachje af.

Op dat moment kwamen Harry en Dickie binnen. Ze hadden een aangename middag achter de rug waarin ze ijverig aan Princess Pushy hadden gesleuteld. Harry ging een praatje maken met de bisschop en Dickie kwam naar Jago en mij toe.

'Harry is echt een briljant monteur,' zei hij. 'En ik hoefde hem alleen maar het gereedschap aan te geven dat hij nodig had.' Dickie droeg een prachtig roze linnen pak, maar zijn nagels hadden rouwranden van de olie. 'Ik dacht dat het laatste uur van die arme oude Princess had geslagen toen ik haar ingewanden op de grond zag liggen, maar we hebben een proefritje gemaakt en ze heeft nog nooit zo mooi geklonken. Hij moet die baantjes in de city of bij een reclamebureau gewoon uit zijn hoofd zetten. Harry kan zo chefmonteur bij Rolls Royce worden.'

'Maar zelfs de beste monteur wordt geacht vijf dagen per week op zijn werk te verschijnen,' zei Jago. 'Ik ga even tegen Rosa zeggen dat ze het eten kan opdienen.'

'Dit is wel een raar feestje,' zei Dickie terwijl hij hem nakeek. 'Een heel stel verkondigers van de blijde boodschap en hun bejaarde hulpjes. Je zou toch nooit van Jago verwacht hebben dat hij met dat soort lui omgaat?'

'Nee, maar hij kan goed opschieten met de bisschop en dat is echt een lieverd.'

We keken naar Jago die inmiddels met een fles wijn naar de

bisschop en Harry was gelopen. Caroline had de gezette predikant in de steek gelaten en lachte al haar tanden bloot tegen Jago. Daarna werd Dickies aandacht door iemand anders getrokken. 'Birdie ziet er vanavond echt fantastisch uit... als een soort middeleeuwse moeder-overste. Ze is echt een bijzondere vrouw. Heeft ze een vriend?'

'O, wel meer dan een. Maar niemand in het bijzonder.' Ik vond dat ik daarmee meer dan genoeg had gezegd. 'Denk je dat die man met wie Percy staat te praten wel beseft hoe oud ze is? Ze ziet er zo volwassen uit in die jurk en met dat nieuwe haar.'

'Ik geef toe dat ze er heel geraffineerd uitziet, maar als hij even met haar praat, zal dat wel tot hem doordringen. Is het een nieuwe jurk?'

'Harry is donderdag met haar de stad in geweest. Ze was er zo blij mee dat ik niet durfde te zeggen dat het model eigenlijk te ouwelijk was. En ik durfde ook niet te vragen hoeveel het heeft gekost.'

'En wie is die vrouw die met Harry, Jago en de bisschop staat te praten? Ze ziet eruit alsof ze ijzervijlsel bij het ontbijt eet.'

'Dat is Jago's vriendin Caroline. Maar misschien is ze inmiddels wel zijn ex. Ik kan je wel aan haar voorstellen. Gelukkig is Demelza er niet. Ik had haar eigenlijk wel verwacht.'

'Nee, gelukkig niet,' zei Dickie uit het diepst van zijn hart. 'Ik zou nog liever aan een rots vastgeketend worden waar mijn lever dagelijks uit mijn lijf wordt gerukt, dan met Demelza geconfronteerd te worden op het moment dat mijn libido schittert door afwezigheid.'

'Ze zal toch niet willen dat je haar tijdens een dinertje pakt?'

Dickie trok zijn keurig bijgewerkte wenkbrauwen op. 'O nee?'

Birdie kwam naar ons toe en fluisterde me in mijn oor: 'Zie je dat mens in het zwart met die schitterende parels?' Ze knikte naar Caroline. 'Dat is de vrouw die toen in de Ritz met Harry zat te lunchen.'

'Dat kan niet. Ik weet zeker dat ze de afgelopen twee maanden in het Caraïbische gebied heeft gezeten.'

'Dan heeft ze een identieke tweelingzus.'

Birdie liep naar de keuken om Roza te helpen, terwijl Dickie naar Harry toe ging. Ik volgde in zijn kielzog.

'Hallo, schat.' Harry drukte een kus op mijn wang. 'Je ziet er geweldig uit.'

'Dank je wel. Hallo, Caroline.' Ik glimlachte om haar de kans te geven iets te doen aan de slechte indruk die ze bij eerdere gelegenheden had gemaakt.

'Hallo.' Ze glimlachte niet terug.

'Dit is Dickie Sheridan, een collega van Art,' zei Harry.

Caroline luisterde niet, maar stond me van top tot teen te bestuderen, tot haar ogen op mijn rechterpols vielen. Ze slaakte een kreet. 'Wat zullen we nou krijgen? Dat is mijn armband!'

35

Zes paar ogen staarden strak naar de met saffieren en diamanten bezette armband die ik als zoenoffer van Harry had gekregen.

Harry was de eerste die zijn mond opendeed. 'Doe niet zo mal, Caroline. Ik heb die armband pasgeleden bij Asprey's gekocht. Ongetwijfeld zijn er een paar honderd van gemaakt.'

'Helemaal niet! Papa heeft hem speciaal voor mij laten maken. Ik dacht dat ik hem op straat was verloren, omdat de veiligheidssluiting kapot is. Laat maar eens zien.' Ze stak gebiedend haar hand uit.

Ik maakte de sluiting los en gaf haar de armband.

'Aha!' Ze hield hem omhoog zodat het gebroken kettinkje duidelijk te zien was. 'Wat ben jij een schoft, Harry! Niet te geloven! Alsof ik je niet genoeg heb gegeven! Niet alleen die vierduizend pond, maar ook nog eens al die kleren, die squashrackets en dat horloge! Dat heeft een godsvermogen gekost! En dan heb je het gore lef om mijn sieraden te jatten en nota bene aan je vróúw te geven! Het is mooi geweest, schattebout!' Haar gezicht vertrok alsof ze ieder moment in tranen uit kon barsten. 'Je kunt zalig neuken maar je bent me gewoon te duur!'

Ze ging er als een haas vandoor en liep bijna een paar wankele feestgangers omver die zich nog maar net met behulp van hun wandelstok overeind konden houden. In Harry's ogen verscheen die intens blauwe blik die inhield dat hij stond te piekeren over hoe hij zich uit de penibele situatie moest redden waarin hij zich ineens bevond.

'Ik ga even kijken of de mensen die in rolstoelen zitten ook iets te eten krijgen,' mompelde Jago en baande zich een weg door de meute.

'O... eh, ik zie dat de kapelaan van St. Erth me even wil spreken.' De bisschop maakte zich voor een negentigjarige verrassend rap uit de voeten.

Dickie sloeg zijn ogen ten hemel. 'Wat is het hier warm, hè? Ik ga maar even een frisse neus halen.'

Daardoor bleven Harry en ik alleen achter, als je de slordige veertig mensen om ons heen niet meetelde.

'Kijk niet zo streng, lieverd.' Harry liet zijn hand teder over mijn arm glijden. 'Ik zou er haast bang van worden. Maar het is niet wat je denkt, hoor. Caroline heeft er alleen de pest in omdat... omdat ik weigerde met haar naar bed te gaan. Ze zei dat alleen maar... van dat neuken bedoel ik... omdat ze een jaloers kreng is en jou wilde kwetsen. Natuurlijk ben ik wel een paar keer met haar uit eten gegaan, omdat ze altijd bereid was om me iets toe te schuiven. En dat maakte het leven een stuk gemakkelijker, dat zul je toch ook moeten toegeven. Natuurlijk was ik veel liever met jou uit eten gegaan, maar jij bent altijd aan het werk, of je moet op Percy passen. Maar ik klaag niet hoor. Ik hou juist zoveel van je omdat je geen moment van het rechte pad...'

'Harry! Ik had nooit verwacht dat jij hier zou zijn!' Een leuke jonge vrouw in een strak wit jurkje vloog hem om de nek. 'Wat een saaie bedoening, hè? Ik ben alleen gekomen omdat Jago zo aandrong. En het enige wat hij zei toen ik binnenkwam, was: "O, hallo, Vanessa, ik was vergeten dat jij ook zou komen." En daarna stelde hij me voor aan een stel ouwe knakkers met priesterboordjes om en maakte zich uit de voeten. Wat is het toch een lomperik!' Ze lachte schor. 'En nu ben jij gewoon verplicht om dat weer goed te maken... O, dank je wel.' Ze keek me even verbaasd aan toen ik haar mijn glas in de hand duwde en wegliep.

Birdie en ik zorgden er het volgende halfuur voor dat iedereen genoeg te eten en te drinken kreeg. Ik was blij dat ik iets te doen had, omdat mijn hoofd maar bleef malen. Het was niet de C van Charlotte, maar de C van Caroline geweest. Maar maakte dat iets uit? Stomme idioot, zei ik boos bij mezelf terwijl ik glimlachend Roza's mooi uitgesneden tomaten ronddeelde.

In de keuken legde Roza de laatste hand aan acht gâteaux St. Honoré, een desserttaart die versierd wordt met een teer spinnenweb van gesponnen suiker dat pas op het laatste moment aangebracht kan worden omdat het smelt als het in aanraking komt met vochtige lucht. Om één exemplaar van die taart te maken is al een heldendaad, om er acht te maken moet je niet goed wijs zijn. Roza was net bezig met de suikerspinsels toen Ko-Ko tegen haar opsprong en probeerde haar schortenbanden te pakken. Ze zette haar voorpootjes precies in haar knieholten, met als gevolg dat een lepel van de gloeiend hete suikermassa in de pan door de lucht vloog en op Roza's gezicht terechtkwam. 'Auauau!' schreeuwde ze. 'Ik is blind!'

Ik was blij dat Birdie erbij was. Terwijl ik Ko-Ko oppakte en van schrik wartaal begon uit te slaan, draaide Birdie de kraan open, greep Roza in haar nekvel en duwde haar gezicht onder de waterstraal. Toen ze Roza even toestond om adem te halen, zagen we dat haar wangen, neus en kin wel vol gemene roze vlekken zaten, maar dat haar ogen onaangetast waren. Birdie deed koud water in een schaal en Roza ging aan tafel zitten om haar gezicht te deppen. 'De taarten!' riep ze. 'De gesponnen suiker! Iedereen wacht erop!'

We brachten de taarten naar binnen en ik vond het jammer dat Roza de kreten van bewondering die de gasten slaakten niet kon horen.

'Dank je wel, lieve kind,' zei de bisschop toen ik hem een stukje taart bracht. En met gedempte stem: 'Dat ruzietje met Caroline Brassy... Het gaat mij natuurlijk niets aan, maar Harry heeft zich altijd gedragen als een kind in een snoepwinkel. Hij kan de verleiding niet weerstaan om zichzelf te bedienen. Maar hoewel hij zinnelijk is en... nou ja... onbetrouwbaar is misschien wel het juiste woord... steekt er geen greintje kwaad in hem.' Hij kneep even vriendelijk in mijn hand. 'We kunnen onze ouders niet overal de schuld van geven, maar Harry's vader was een echte wildebras en misschien zijn alle Tremaines wel een tikje excentriek. Maar niet kwaadaardig. Absoluut niet.'

'Nee, dat denk ik ook niet,' zei ik. 'Als u tenminste bedoelt dat hij mensen niet met opzet pijn wil doen.' Ik had daaraan toe kunnen voegen dat het Harry absoluut koud liet wat de gevolgen van zijn daden waren zolang het niet om hemzelf ging, maar andere gasten eisten de aandacht van de bisschop op. Ik zag dat Birdie me wenkte en liep naar haar toe.

'Je hebt zelf nog geen taart gehad.' Ze gaf me een flink stuk. 'Je moet echt iets eten. Dickie heeft me net verteld wat er gebeurd is. Ik ben zo boos dat ik Harry met plezier zou willen kielhalen.'

Mijn eigen gevoelens hielden het midden tussen die van Birdie en die van de bisschop. Ik was al veel eerder gedesillusioneerd geraakt en ik vermoedde al een hele tijd – waarschijnlijk vanaf het moment dat ik tijdens mijn huwelijksreis dat pakje condooms in zijn jaszak vond – dat hij vreemdging. Dat die argwaan nu bevestigd werd, was pijnlijk maar op een rare manier ook een bevrijding. Ik hoefde niet langer te speculeren. Maar natuurlijk vond ik het erg. Ik vond het verschrikkelijk.

'Ik ben een sukkel geweest,' zei ik tegen Birdie en knipperde met mijn ogen om niet in tranen uit te barsten. 'Laten we maar gaan afwassen. Ik weet zeker dat Roza last van haar gezicht heeft.'

De brandplekken van Roza waren inmiddels knalrood geworden, maar ze weigerde om in bed te gaan liggen met koude kompressen en ze wilde ook niet dat ik met haar naar het dichtstbijzijnde ziekenhuis ging. Ze nam een paar aspirientjes en ging op een stoel zitten om de boel in de gaten te houden, terwijl ik afwaste en Birdie afdroogde.

'Heeft iemand Jem gezien?' vroeg Jago, die de keuken binnen kwam lopen. 'Hij moet de glazen bijvullen... Wat is er met je gezicht gebeurd, Roza?'

Roza wiep hem een verwijtende blik toe. 'Ik heb ongelukje gehad bij maken van de taarten. Maakt niet uit, maar ik ben voor mijn leven mismaakt.'

'Het kwam door de karamel,' legde Birdie uit. 'Kokende suiker is gemeen spul, want het blijft aan de huid kleven.'

'Ik kwam eigenlijk alleen wat water halen voor iemand die zich niet lekker voelt,' zei Jago terwijl hij een glas vol liet lopen. 'Maar volgens mij moet je echt iemand naar je gezicht laten kijken, Roza.'

'Dat denk ik ook,' zei ik toen hij weer weg was. 'Brandwonden raken snel ontstoken.'

'Ik heb middeltje van mijn moeder,' weigerde Roza vastbesloten.

Birdie en ik waren net bezig met de koffie toen we ineens een sirene hoorden. Een paar seconden later stopte een ambulance voor het hek. De bejaarde vrouw die zich niet lekker had gevoeld werd op een brancard de Grote Zaal uit gedragen. Ze had waarschijnlijk een hartaanval gehad.

Dat bedierf de feeststemming van iedereen die boven de pensioengerechtigde leeftijd was. Ze verontschuldigden zich en verdwenen een voor een, waardoor de jongere gasten de kans kregen om zich uit te leven. De grammofoon werd in de Grote Zaal gezet en binnen de kortste keren waren Harry en het meisje in de witte jurk al uitbundig aan het swingen. Ik danste met de bisschop, de enige bejaarde die nog aanwezig was. Ko-Ko liep voortdurend achter me aan, kennelijk omdat ze die nieuwe bezigheid erg leuk vond. Toen Jago naar ons toe kwam om te zeggen dat de taxi van de bisschop voor stond, vond ik dat echt jammer.

Ik keek hem na toen hij arm in arm met Jago naar buiten liep en ging toen kijken hoe het met Percy was. Ze lag samen met Myrtle languit op de bank in Morverans zitkamer geboeid te kijken naar een film met de sentimentele titel *The Shining*. Volgens haar speelde die rond een vrij saai gezinnetje dat ingesneeuwd was in een leeg hotel. Ze zei dat ze naar bed zou gaan zodra de film was afgelopen. Terug in de keuken schrok ik van Roza's uiterlijk. Ze zag eruit alsof ze uit een horrorfilm was gestapt, haar hele gezicht was bedekt met glinsterende blaren.

'Ik heb masker van havermout en honing opgedaan,' legde ze uit. 'Morgenochtend alles weer beter.'

Ik zei dat ik hoopte dat ze gelijk had en stuurde haar naar bed. Weer terug in de Grote Zaal zag ik Birdie en Dickie dansen op een plaat van Ella Fitzgerald. Jago, Harry en het meisje in de witte jurk waren nergens te bekennen. Ik liep naar boven, ging in bad, nam een slaappil en lag binnen de kortste keren te dromen dat ik een diner op Buckingham Palace moest verzorgen. Mijn haar bleef maar in mijn ogen vallen en ik kreeg het niet weg... Toen ik wakker schrok, kriebelden Ko-Ko's oren over mijn wangen, terwijl ze ijverig mijn kin stond te likken.

'Zo'n... nare droom...' hijgde Percy die bij me in bed kroop. '... man met bijl...'

Ze klemde zich zo stijf aan me vast dat ik nauwelijks adem kon halen, terwijl Ko-Ko pogingen scheen te doen om een bot onder het laken te begraven. Ik deed het licht aan. Kwart over twee. Geen spoor van Harry. Toen Percy eindelijk weer rustig was en ook Ko-Ko lag te snurken – letterlijk – sukkelde ik opnieuw in slaap en droomde van golven, stormen en schipbreuk tot ik wakker werd omdat er op het raam werd geklopt. Een zilvermeeuw stond een tikje blasé naar binnen te kijken. Het zonlicht scheen door de wuivende witte veren op zijn kop en onwillekeurig moest ik aan de bisschop denken. Harry lag aan de andere kant van Percy te slapen, met Ko-Ko's voorpootjes op zijn borst. De wekker stond op tien over halfzes.

Ik glipte uit bed en trok een spijkerbroek en een T-shirt aan. Harry en Percy bleven doorslapen. Ik was ervan overtuigd dat Harry er niet over zou piekeren om mijn zusje te verleiden. Hij had nooit enige interesse gehad voor kleine meisjes. Maar toen die gedachte door mijn hoofd schoot, schrok ik zelf van mijn gebrek aan vertrouwen in Harry's integriteit.

Samen met Ko-Ko liep ik naar de melkstal. Het was zo'n prachtige ochtend dat ik me meteen een stuk beter voelde. Goed, Harry was met Caroline naar bed geweest, maar na een nacht slapen was ik daar eerder kwaad over dan verdrietig en daar was ik blij om. Kwaadheid maakt je sterker, verdriet slurpt al je krachten op.

Als ik had verwacht dat Jago blij zou zijn om me te zien, kwam ik bedrogen uit. Hij wierp me een kille blik toe en bromde iets toen ik hem goedemorgen wenste. Het was de eerste keer dat Ko-Ko in aanraking kwam met koeien en ze reageerde door te blaffen. Jago wierp me een blik toe waaruit duidelijk sprak dat ik niet goed wijs was door een pekinees mee te brengen naar een melkstal, maar als ik haar in de slaapkamer had gelaten had ze Percy wakker gemaakt en in een kamer beneden was ze vast aan de meubels gaan knagen. Gelukkig keek Jago de andere kant op toen ze probeerde een koeienstaart te grijpen, maar al gauw ontdekte ze dat wat er uit zo'n koe kwam nog veel interessanter was en ging daar opgewonden doorheen liggen rollen.

Jago en ik werkten twee uur lang zwijgend door op de klanken van *La Mer* van Debussy. Pas toen we de bekers van de melkmachine schoon maakten, zei hij: 'Jem kon gisteren geen weerstand bieden aan de wijn. Hij ligt zijn roes uit te slapen in het ketelhuis. Dus bedankt voor je hulp.'

'Ik wilde de koeien weerzien.' Ik klopte een van de dieren op haar goudbruine flanken toen ze haastig naar de deur draafden. Jago gaf geen antwoord, maar gaapte uitgebreid. 'Heb je het laat gemaakt?' vroeg ik toen we terugliepen naar het huis.

'Ik ben naar bed gegaan nadat ik de bisschop uitgeleide had gedaan. Maar Roza maakte me om halfvijf wakker omdat ze wilde dat ik haar naar het ziekenhuis bracht. Haar gezicht had de kleur en het formaat van een rijpe pompoen.'

'Och, die arme Roza! Had ze veel pijn?'

'Ik denk het wel, want ze maakte herrie genoeg. Waarom ze zich niet gewoon gisteravond door een van ons heeft laten wegbrengen, snap ik niet. Toen we in het ziekenhuis aankwamen, zei ze tegen iedereen die het maar horen wilde dat het een ongelukje was geweest en dat niemand er iets aan kon doen, dus de verpleegster van de eerste hulp was ervan overtuigd dat ik met een zatte kop een pan kokend water over Roza had uitgegoten. Ze wilde de politie erbij halen, maar gelukkig was de dokter verstandiger.'

'Konden ze iets voor haar doen?'

'Pijnstillende injecties. Ze moet nog vierentwintig uur blijven, voor het geval ze een shock heeft. Het goeie nieuws is dat Enid Fortescue, de vrouw die gisteravond halsoverkop naar het ziekenhuis moest, helemaal niets mankeert. Ze denken dat het indigestie was. Waarschijnlijk veroorzaakt door de kreeft.'

'Nou, dan zullen de gebeurtenissen van gisteravond en vanochtend je wel hebben gesterkt in je mening dat alle vrouwen hysterisch zijn.' Ik dacht niet alleen aan Roza, maar ook aan Caroline. Hij zou vast even ontzet zijn als ik als hij hoorde dat Harry met haar naar bed was geweest. Het zat er immers dik in dat zijn relatie met Caroline langer had geduurd dan mijn huwelijk met Harry.

'Jij bent niet hysterisch.'

'Mijn grootmoeder heeft me geleerd dat het een halsmisdaad is om je zelfbeheersing te verliezen.'

'Verstandige vrouw.'

'Ze had niet in alle opzichten gelijk.'

We liepen zwijgend verder en na een tijdje zei Jago, met zijn ogen gericht op de horizon: 'Als je een dergelijk uitzicht hebt, krijg je het gevoel dat je de hele wereld aankunt.'

'Dat ben ik met je eens. Dit is een fantastisch plekje. Alleen jammer dat... Nou ja, laat maar zitten.'

'Wat wilde je zeggen?'

'Iets dat nogal dramatisch over kan komen. Je zou het onder vrouwelijke aanstellerij kunnen rangschikken.'

'Ik heb me schrap gezet.'

'Ik kan niet meer bij Harry blijven, dat is alles.'

Jago bleef staan en pakte me bij mijn elleboog. De zon scheen recht in mijn ogen, waardoor ze begonnen te tranen.

'Er staat hier ergens een bank...' Hij trok een paar slierten klimmende winde weg. 'Ga zitten. Ik ben over tien minuten terug. Luister maar naar de zee. Dat is een gratis kalmeringsmiddel, zonder bijverschijnselen.'

Ik ging gehoorzaam zitten en hief mijn gezicht op naar de zon. Het geluid van de golven die op de rotsen sloegen zorgde ervoor dat mijn hoofd leeg werd. Na een tijdje hoorde ik voetstappen en deed mijn ogen weer open.

'Ontbijt.' Jago had een plastic tas bij zich waar hij een thermoskan met thee uit haalde en een paar dikke boterhammen met kaas en tomaat. Terwijl wij aten, lag Ko-Ko op haar rug met haar vier pootjes in de lucht naar de zon te knipperen. Minver en Mawes waren naast ons neergevallen en Myrtle holde achter een bij aan. Als ik maar niet begon na te denken, voelde ik me verrassend goed.

'Wil je bij Harry weg vanwege Caroline?' vroeg hij tussen twee happen door.

'Nee. Nou ja, gedeeltelijk wel. Het moet voor jou ook een onaangename verrassing zijn geweest.'

Hij glimlachte heel even. 'Tja, ik was inderdaad verrast. Ik dacht echt dat ze samen met Freddy Joliphant en met een heleboel pina colada's haar verdriet zat te verdrinken. Wat had Harry te vertellen?'

'Niets. Ik sliep toen hij naar bed ging en hij sliep nog toen ik opstond. Maar wat hij ook had gezegd, ik had hem toch niet geloofd.' Ik zweeg even en vroeg toen: 'Ken je Caroline al lang?'

'Lang genoeg. En ik kan je verzekeren dat ik niet jaloers ben op Harry. Niet wat dat betreft, tenminste.'

'Wat heeft Harry dan in vredesnaam waar je wel jaloers op bent?'

'Jij en ik hebben altijd wel iets waar we ons zorgen over maken. Terwijl Harry, als hij inmiddels wakker is, zich alleen maar afvraagt wat de leukste manier is om de dag door te brengen. De problemen van gisteren zullen allemaal opgelost worden met wat leugentjes en inschikkelijkheid. Zo gaat het altijd. Harry heeft altijd geluk. Ik benijd hem omdat hij geen last heeft van gewetenswroeging en altijd opgewekt is.' Jago bukte zich en streelde Ko-Ko's oren. Zijn haar viel over zijn voorhoofd. Dit slordige uiterlijk leek beter bij hem te passen dan het chique driedelige kostuum van de landedelman dat hij gisteren aan had gehad. Hij keek opzij en glimlachte. 'Genoeg navelstaarderij. Waar ben je op dit moment mee bezig?'

De manier waarop hij zijn kaken op elkaar klemde, vertelde me dat de deur naar zijn innerlijk vastberaden was dichtgeslagen en ik liet het maar zo.

'Met een winkelcentrum. Echt een kreng. Het komt tegenover een snoezig gemeentehuis uit het eind van de achttiende eeuw, dus ik heb geprobeerd om iets daarvan terug te laten keren in de gevel van het winkelcentrum, maar dat is afgekeurd als nietszeggende versieringen. Afgelopen week had ik de man van de planningscommissie nog aan de lijn. Ik vroeg hem of hij dan ook vond dat alles wat in de achttiende eeuw was gedaan nietszeggend was, maar hij begreep niet waar ik het over had. Hij wil gewoon iets dat snel en goedkoop neergezet kan worden, zodat iedereen er iets aan overhoudt... hijzelf incluis, waarschijnlijk.'

'Heb je weleens overwogen om ergens anders te gaan werken?'

'Dat zal niet gaan. Ik heb vrij veel geld van Adrian geleend.'

'En hoe zit het met Wheal Crow?'

'Ik heb de tekeningen van het beginstadium af, maar ik heb ze niet meegebracht. Er komt toch niets van, hè? Harry dacht dat ik genoeg geld had om ervoor te betalen en ik dacht dat hij het had.' Ik lachte. 'We zijn net dat stel uit *Our Mutual Friend,* dat getrouwd is omdat ze van elkaar dachten dat ze rijk waren. En dan komen ze erachter dat ze geen van beiden een cent hebben. Alleen ben ik niet om die reden met Harry getrouwd en ik vond het ook helemaal niet erg toen ik erachter kwam dat het niet zo was. Maar ik vrees dat dat niet voor Harry geldt. Ik denk – nee, dat weet ik wel zeker – dat het een hele klap voor hem was toen hij ontdekte dat ik arm was. Maar natuurlijk heeft hij daar geen kwaad woord over gezegd.'

Jago stond op. 'Ik kan je geen raad geven.' Hij raapte de restanten van onze picknick bij elkaar. 'Als ik heel eerlijk ben... kun je maar beter je hart niet bij mij uitstorten.'

'Nou, dat is helemaal mooi! Je hebt me zelf gevraagd of ik vanwege Caroline bij Harry weg wilde. Ik had haar naam niet eens durven noemen als jij niet over haar begonnen was.'

Hij begon hartelijk te lachen. 'God, wat kunnen mensen toch stom zijn!'

'Als je mij daarmee bedoelt, dan vind ik dat helemaal niet leuk. Het feit dat mijn huwelijk ten overstaan van zoveel mensen in duigen is gevallen heeft mijn trots een behoorlijke knauw gegeven.'

Hij bleef lachen. 'Nee, lieve meid. Ik had het voornamelijk over mezelf. Ga jij nu maar gauw naar die leuke vriendin van je toe. Ik moet voer inkuilen. Als je Jem ziet, stuur hem dan maar als de gesmeerde bliksem naar me toe.' Hij gaf me de plastic tas en maakte rechtsomkeert.

Birdie, Dickie en ik brachten de ochtend door in Truro. Zij gingen boodschappen doen terwijl ik bij Roza in het ziekenhuis op bezoek ging. Haar hele hoofd was omzwachteld en op het eerste gezicht zag ze eruit als iemand die had geëxperimenteerd met een formule voor onzichtbaarheid. Maar haar kraaloogjes gluurden nog wel tussen al dat verband uit, even verwijtend als altijd.

'Hoe voel je je?' vroeg ik.

'Vreselijk. De matras lijkt wel ijzer en ze behandelen ons als vee.'

Zoals gewoonlijk zei ik ja en amen op alles wat Roza me te vertellen had en ik bleef een uur zitten, al voelde het aan als vierentwintig uur. Terwijl zij lag te praten, vroeg ik me af of alles in orde was met Percy – ze was met Harry gaan zeilen – en bedacht meteen daarna dat het nog niet zo lang geleden was dat ik aan niets anders kon denken dan aan Harry. Een regelrecht geval van tunnelvisie, de rest van de wereld was in een waas gehuld. Nu wilde ik om de een of andere reden – misschien uit zelfbehoud – helemaal niet meer aan hem denken. Mijn geestestoestand deed denken aan iemand die een verkeersongeluk had gehad. Ik had kennelijk een shock.

Ik kwam weer met twee voeten op de grond terecht toen ik Roza hoorde zeggen: 'Vertel maar aan Jago dat ik voor hem blijf werken. Dan kan hij treurig terugdenken aan hoe mijn gezicht vroeger was. Mooi verhaal, heel ontroerend.'

'Wat... Ja, natuurlijk, dat zal ik hem wel vertellen, Roza. Maak je geen zorgen. Rust maar lekker uit en zorg dat je gauw beter wordt. Is er nog iets wat je graag wilt hebben? Ik ga morgen terug naar Londen, maar als het niet te veel weegt, kan het misschien opgestuurd worden...'

'O ja. Ik wou graag een elektrische waterkoker bij mijn bed en wat citroenbloesem en pepermunt om kruidenthee te maken. En misschien wat gember...'

'Eh... Ik weet niet zeker of dat wel mag.'

'Lieve hemel! Dit is ziekenhuis... toch geen gevangenis!'

Ik beloofde dat ik mijn best zou doen en ging er haastig vandoor. Birdie, Dickie en ik lunchten in het Get Stuffed Café voordat we terugreden naar Pentrew om in de tuin te werken. Birdie en ik stortten ons op de kruidentuin en Dickie, die zei dat hij geen magnolia van een paardenbloem kon onderscheiden, haalde een boek uit de bibliotheek en zat ons hardop gedichten voor te lezen.

Percy en Harry kwamen net terug toen we besloten om even thee te gaan drinken. Op de oneffen, met mos bedekte tegels van het terras maakten we de restjes van de desserttaarten op. Dickie zei dat de sfeer van langzaam wegterende schoonheid (er was een poot afgebroken van de stoel waarop hij wilde gaan zitten) hem een heel kunstzinnig gevoel gaf, dus las hij ons een gedicht van Dante Gabriel Rosetti voor. Ik voelde dat Harry naar me zat te kijken. Ik wist dat hij probeerde in te schatten hoe ik op Carolines onthulling van de avond ervoor had gereageerd. Ik negeerde zijn blik.

Jago kwam bij ons zitten, nog in dezelfde slordige plunje die hij eerder had gedragen. Nadat hij een paar koppen thee had gedronken pakte hij een schetsboek, een paar potloden en een gummetje en begon de door de wind krom gegroeide bomen aan de rand van het klif te tekenen.

'Goed hoor,' zei Birdie, die was opgestaan om over zijn schouder te kijken. 'Maar waar is dat kleine gebouwtje? Dat zie ik nergens.'

'Dat heet artistieke vrijheid. Het is de uitkijkpost die verderop langs de kust staat.'

'Art kan ook heel mooi tekenen,' zei Birdie.

Jago trok zonder iets te zeggen een vel uit zijn schetsboek en gaf me dat, samen met een potlood.

'Ik heb al jaren niets anders meer getekend dan ramen en afvoerpijpen,' zei ik. 'Ik weet niet of ik het nog steeds kan.'

Nadat Jago me het gummetje had gegeven begon ik een beetje nerveus te schetsen. Om vervelende vergelijkingen te voorkomen probeerde ik een portret te tekenen van Birdie, die weer was gaan zitten en geamuseerd naar Percy keek die op het voormalige gazon met Ko-Ko speelde.

Echt goed tekenen kun je alleen uit de losse pols. En misschien omdat ik me zo lang had moeten beperken tot bouwtekeningen was mijn pols die middag heel erg los en ik begon er echt plezier in te krijgen.

Dickie die naast me zat, wierp een blik op de tekening. 'Twee druppels water Lizzie Siddall! Kijk maar, dezelfde lange, gebogen neus en dat kleine gewelfde mondje.' In het boek dat hij in zijn hand had, stond een foto van een schilderij dat Rossetti van haar had gemaakt.

'Je hebt gelijk.' Ik hield mijn tekening naast de foto. 'Moet je kijken, Birdie.'

Birdie fronste. 'Ik had geen flauw idee dat je mij zat te tekenen. Ik heb een hekel aan mijn profiel.'

'Waarom?' vroeg Dickie. 'Het is juist heel mooi.'

Birdies gezicht ontspande. 'Nou ja, ik lijk liever op Lizzie Siddall dan op Edith Sitwell.'

'Wie is Lizzie Siddall?' Percy had genoeg gekregen van haar spelletje met Ko-Ko.

'De vrouw van Rosetti,' zei Dickie. 'Hij was schilder en dichter en zij fungeerde als zijn model. Maar hij was een slechte echtgenoot en dus pleegde ze zelfmoord door middel van een overdosis laudanum.'

'Bedoel je dat hij...' Ze fluisterde hem iets in zijn oor.

Dickie keek gekwetst. 'Daar komt het wel op neer, maar een dergelijke uitdrukking is meer geschikt voor een lichtmatroos dan voor een net meisje.'

'Kreeg hij berouw toen ze zelfmoord had gepleegd?' wilde Percy weten.

'Heel veel.' Dickie was kennelijk blij dat het onderwerp seks even van de baan was. 'Hij vond het zo erg dat hij al zijn gedichten in haar doodskist legde en mee liet begraven.'

'Wel een beetje laat voor zo'n groots gebaar, hè?' zei Harry. 'Hij kreeg er trouwens spijt van en liet haar opgraven om de gedichten weer terug te krijgen. Het schijnt dat ze nog goed geconserveerd was en dat de kist vol lag met haar rode haar dat na haar dood gewoon was doorgegroeid.' Hij boog zich voorover, pakte een streng van mijn haar en trok er even aan. 'Stel je eens een zee hiervan voor. Bronzen golven.'

Toen hij me aanraakte, verloor ik bijna mijn zelfbeheersing. Ik had hem het liefst zijn ogen uitgekrabd. Maar in plaats daarvan stond ik op en liep weg om het stuk stof op te pakken waarmee Ko-Ko zoveel plezier had gehad. 'O verdorie, dat is de ceintuur van mijn kamerjas! Dat gaat toch echt te ver, Percy!'

36

De volgende avond waren we terug in Londen. De netelige kwestie met betrekking tot Caroline moest nog uitgesproken worden en tijdens de rit had ik daar voortdurend aan moeten denken. Ik had geen flauw idee waar Harry aan dacht.

Op Pentrew was het niet moeilijk geweest om ervoor te zorgen dat we niet alleen waren. Ik was vroeg naar bed gegaan, had net gedaan alsof ik sliep toen hij naar boven kwam en was al voor zes uur weer op om de koeien te melken. In de loop van de dag hadden andere mensen ervoor gezorgd dat privégesprekken onmogelijk waren. Harry was ongetwijfeld opgelucht dat ik me alleen maar beleefd afzijdig hield. Tijdens de rit legde hij eenmaal uit macht der gewoonte zijn hand op mijn dij. Ik deed alsof ik niets merkte, maar het voelde aan als een loden last.

Oracle Street nummer 47 leek tijdens onze afwezigheid gekrompen. Ik wist dat ik iets moest zeggen nu we alleen waren – Percy was naar buiten gegaan om Ko-Ko te laten plassen – maar ik wist niet hoe ik moest beginnen zonder hatelijk of neurotisch over te komen. En ik was te trots om een scène te maken.

'Ik ga Baz even bellen,' zei Harry. 'De laatste keer dat ik hem zag, zat hij nogal in de put.'

Aangezien Baz terecht moest staan wegens brandstichting, waarvoor hij gemakkelijk tien jaar gevangenis kon krijgen, keek ik daar niet van op. Ondanks Damians voorspelling had Andrew Pumphrey, de kleine schade-expert, Baz erbij gelapt. Hij was kennelijk een eerlijk mens. Harry ontsnapte alleen maar aan een aanklacht wegens medeplichtigheid omdat de enige getuige, de oude dame, hem niet uit de herkenningsrij had gehaald.

'Baz is echt wanhopig,' zei Harry toen hij terugkwam in de keuken. 'Zijn nieuwe vriendin heeft hem de bons gegeven en hij krijgt van de bank geen krediet meer. We gaan zijn verdriet verdrinken bij *Il Vagabondo*. Zin om mee te gaan?'

'Nee, dank je.'

'Oké, dan zie ik je straks wel weer.' Harry holde de trap op en ik hoorde de voordeur dichtslaan toen hij naar buiten liep. Op hetzelfde moment ging de telefoon.

'Hallo, ik wilde alleen even controleren of je veilig thuis bent gekomen.'

'Ja, ik ben er weer, hoor. Bedankt, Birdie. Hoe was jullie rit?'

'We hebben in één ruk door kunnen rijden. Een regelrecht wonder. Je zult moeten toegeven dat Harry ook zijn goeie kanten heeft... nou ja, een of twee dan. Heb je al met hem gepraat over dat vervelende mens?'

'Nee. Hij is weggegaan. Ik weet dat we ruzie zullen krijgen, maar volgens mij slaat dat nergens op. Harry zal gewoon blijven ontkennen en ik zal alleen maar bozer worden en me nog ellendiger voelen. Als iemand zelf niet inziet waarom je net zo goed trouw kunt blijven en af kunt zien van de geneugten van begeerte, ijdelheid en nieuwsgierigheid dan valt er niet veel meer te zeggen. De enige oplossing is dat ik leer om me er niets van aan te trekken. Maar eigenlijk maak ik me er allang niet zo druk meer over als een tijdje geleden. Ik ben opgehouden mezelf een rad voor ogen te draaien.'

'Hou je niet meer van hem?'

'Ik weet het niet. Ik associeer Harry niet meer met geluk. Ik heb het gevoel dat alles wat hij zegt gelogen is. Als hij bij me is, ben ik voortdurend op mijn hoede, alsof er ieder moment iets kan gebeuren dat me niet bevalt.'

'Volgens mij heeft dat niet veel met liefde te maken.'

'Laat maar zitten. Ik ben ook knap ziek van mezelf, om eerlijk te zijn. Is Dickie nog bij je?'

'Hij is naar huis gegaan om zijn moeder te bellen. Dat wilde hij niet doen waar ik bij was, want dan zou ik horen hoe leugenachtig en oneerlijk hij kon zijn. Ze klinkt alsof ze een akelige ouwe taart is – bazig en kattig.'

'Akelig is ze zeker, maar ouwe taart klopt niet. Ze is vijfenvijftig, maar ze ziet eruit als dertig, heel chic en sexy op een elegante manier. Met een tong als een scheermes.'

'Zou dat dan de reden zijn... Zeg eens eerlijk, Art, is Dickie homo?'

'Nee.'

'Weet je dat zeker?'

'Zo zeker als een meisje dat weet van een man met wie ze niet naar bed is geweest. Hoezo? Wat maakt dat nou uit, jullie zijn toch alleen goede vrienden?' Ik hoorde haar met haar tong klakken. 'Alsof ik dat ook maar een seconde heb geloofd,' ging ik verder.

'Nou ja, ik kan jou toch niet voor het lapje houden, hè? Vooruit dan maar, ik ben tot over mijn oren verliefd op hem. Toen we zaterdagavond samen dansten, hing er zo'n spanning tussen ons dat ik er gewoon van opkeek dat we niet begonnen te knetteren. Maar hij heeft me niet eens een nachtzoen gegeven.'

'Ik weet zeker dat Dickie je best wílde kussen,' zei ik. 'Het probleem is, dat je daar niets mee was opgeschoten.'

'Hoe bedoel je?'

'Hij heeft het de laatste tijd een beetje moeilijk gehad en als het echt heel belangrijk is, als hij echt veel om iemand geeft... Dan raakt hij steeds meer gespannen... en dat voorkomt dat hij als een echte man kan reageren op seksuele aantrekkingskracht...'

'Bedoel je dat hij impotent is?'

'Nee, nee... Dat is het volgens mij niet... alleen... Je hebt Demelza nooit ontmoet, hè, de ex-vrouw van Jago. Volgens mij gedroeg ze zich in bed als een olifant in een porseleinkast. Dickies zelfvertrouwen ten opzichte van vrouwen was daar niet tegen bestand.'

'Vanwege zijn moeder natuurlijk.'

'Dat zou best kunnen. Maar goed, waar het ook aan ligt, ik

weet niet wat je eraan kunt doen. Misschien moet je hem een beetje dronken voeren. Alleen niet te erg, natuurlijk.'

'O, Art, ik heb ook geen greintje zelfvertrouwen. Ik heb lang niet zoveel ervaring met mannen als jij.'

'Als dat zo is, dan ben ik daar toch weinig mee opgeschoten.'

We deden ons best om elkaar een hart onder de riem te steken en uiteindelijk herinnerde Birdie me eraan dat we komende zaterdag allebei naar de lunch van Sophie Bingham moesten voordat we de verbinding verbraken. Ik liep met mijn glas wijn de tuin in, nam een slokje en bewonderde de pronkboontjes die zich om de gebogen hazelaartakken boven het pad slingerden. De bloemen hadden een chique, licht violette tint. Het was een hele opluchting om voor het eerst sinds tijden weer even alleen te zijn. Ik was niet van plan om mijn tijd te verspillen met beschuldigingen of verwijten aan het adres van Harry. Ik was uit vrije wil met hem getrouwd en dat ik nu ongelukkig was, lag gewoon aan het feit dat ik zijn karakter verkeerd had ingeschat. Ik was er vrij zeker van dat hij best op dezelfde voet verder zou willen gaan en me dan gewoon complimentjes zou blijven maken, cadeautjes voor me zou blijven kopen en met me zou blijven vrijen. Dat ik niet meer van hem hield, lag aan mijn eigen bijzondere kijk op de wereld. Er was geen enkele reden waarom iemand anders er net zo over zou denken of zijn karakter daaraan zou aanpassen. Harry en ik waren gewoon mensen met een verschillende aard, die als sterrenstelsels in een steeds groter wordend universum van elkaar wegdreven. Een proces dat helaas met steeds grotere snelheid verliep.

Het huis en de tuin leken na vier dagen afwezigheid mooier dan ooit. Ik had nog steeds mijn zusje, mijn vrienden, mijn baan, dus eigenlijk was ik een gezegend mens... Wat kon er fijner zijn dan op zo'n zalige zomeravond in mijn eigen fijne tuin te zitten? De tranen sprongen me in de ogen. Nou ja, als ik toch alleen was zou een flinke huilbui misschien mijn gewonde hart verlichten. Ik snikte even.

'Is alles in orde, Artemis?' klonk de beverige stem van juffrouw Pinker van achter het eensteensmuurtje.

'Ja, hoor,' riep ik terug. 'Ik denk dat ik een beetje kou heb gevat in Cornwall.'

'De zee kan heel verraderlijk zijn. Misschien heb je niet goed opgelet en in de gure wind gelopen.'

'Wilt u wat aardappelen hebben, juffrouw Pinker?'

'Nou, heel graag. Dat is erg lief van je.'

Ik haalde een riek uit het schuurtje en begon te graven.

De zaterdag daarna maakte ik de lunch klaar voor Percy en Angelika die een dagje op bezoek was in Oracle Street. Harry was met Damian gaan squashen. Ik had niet gevraagd of hij meeging naar het feestje van Sophie Bingham omdat ik wist dat hij niet van dat soort gelegenheden hield. En ik ging toch liever alleen. Ik had met Sophie op school gezeten en ik mocht haar graag. Bovendien had ze net een vervelende scheiding achter de rug en het zou niet aardig van me zijn geweest om weg te blijven. Ik zei tegen de meisjes dat ze niet moesten vergeten om Ko-Ko uit te laten en dat ze tijdens mijn afwezigheid in ieder geval iets van hun huiswerk moesten maken. Wendy zou pas om halfdrie komen, regelrecht na haar werk, maar de veertienjarige Angelika verzekerde me dat haar moeder haar vaak de hele dag alleen liet.

Ik holde naar boven, trok mijn witte linnen jurk aan, maakte me op en spoot een flinke lading Diorissimo op om de baklucht die in mijn haar was blijven hangen te maskeren. Daarna liep ik naar beneden, riep tegen de meisjes dat ik weg was en pakte het deksel van de Chinese vaas waarin de autosleuteltjes altijd lagen. Maar nu niet. Mopperend rommelde ik in mijn tas, want ik was de laatste paar dagen behoorlijk verstrooid geweest. Of was ik zo stom geweest om ze in de auto te laten zitten toen ik van mijn werk kwam? Ik liep naar buiten om te kijken. De Bristol stond niet meer op de plek waar ik de auto had geparkeerd, drie huizen verderop.

Ik probeerde niet in paniek te raken. Harry was door Damian opgepikt, dus hij had de auto niet meegenomen. Ik belde het politiebureau in de buurt, waar de wachtcommandant het merk, de kleur en het kenteken van de auto noteerde. Voor vier uur zou er niemand aanwezig zijn met wie ik kon praten. Ondertussen moest ik wel de verzekeringsmaatschappij waarschuwen.

Ik herinnerde me dat Adrian, die alle verzekeringsgegevens had, bij zijn moeder in Dorset was en voelde me heel laf opgelucht dat ik op dit moment niets kon doen. Ik zou wel een beetje te laat aankomen bij Sophies lunch, maar beter laat dan nooit. Dus pakte ik de bus naar West-Kensington.

Onderweg kwamen we over Bayswater Road. Ik zat op de bovenste verdieping, dus ik had een goed uitzicht op de parkingang waar ik Jago had afgezet. Ik wenste dat hij me zou bellen. Ik voelde me altijd beter als ik hem had gesproken, hoewel de hemel mocht weten waarom ik zoveel vertrouwen had in zijn oordeel, terwijl hij altijd zo nors en cynisch was. Het zou wel komen omdat hij nooit sentimenteel deed, altijd onomwonden de waarheid sprak en niet de moeite nam om tactvol te zijn.

Op de parkeerplaats stond een vrouw in een gestreepte trui. Ze droeg een baret en had een handkar vol schilderijen, die ze kennelijk aan het hek wilde ophangen. En op het trottoir, vlak bij de verkeerslichten, stond een straatmuzikant, omringd door een groepje mensen, van wie sommigen wat geld in een omgekeerde bolhoed gooiden. Ineens zag ik Harry's donkere hoofd boven de rest uitsteken. Hij bukte zich om iets te zeggen tegen het meisje dat achter hem aan liep. Birdie.

De bus reed verder. Ik stond op en liep naar de trap, met de bedoeling uit de bus te springen zodra die wat langzamer ging rijden. Maar dat lukte niet, omdat de weg versperd werd door een dikke vrouw die in het gangpad stond, omringd door boodschappentassen, vesten en jassen, snoepgoed en vier kinderen. Toen ik eindelijk bij de deur was, waren we al bij de volgende halte aangekomen. Ik kon wel janken van nijd, maar ik zou Birdie toch bij Sophie zien en daar kon ik haar ook vragen wat zij met Harry uitspookte op Bayswater Road, terwijl hij eigenlijk zou gaan squashen met Damian en zij op weg hoorde te zijn naar het feestje. Maar goed, ik hoefde niet bang te zijn dat ze iets met elkaar hadden, want ze hadden geen van beiden onder stoelen of banken gestoken dat ze elkaar niet uit konden staan.

Of hadden ze me bedrogen? Nee, dat had ik zeker moeten merken. En toen werd ik een beetje boos op mezelf. Birdie zou me nooit belazeren. Ik was gek als ik dat ook maar een moment dacht.

'Art, lieverd, wat zie je er geweldig uit!' gilde Sophie toen ik in haar flat aankwam. Ze omhelsde me. 'Het huwelijk doet je kennelijk goed, net zoals mijn scheiding mij goed doet!'

Ik haalde even diep adem om het compliment te retourneren. De herrie was niet te harden. Er stond een man of dertig in haar zitkamer, allemaal met een bord en een glas. Birdie was nergens te zien.

'Je ziet er... adembenemend uit!' blèrde ik. 'Wat rook je daar in vredesnaam?'

Sophie had zich ter ere van haar nieuwe vrijgezellenstatus kennelijk ook een nieuw uiterlijk aangemeten. Op haar kort geknipte, roodgeverfde haar prijkte een zwart mutsje met een kort sluiertje. Ze was afgevallen en haar sleutelbeenderen leken op handvatten boven haar knalroze satijnen bustier. Uit de lange metalen pijp die ze in haar mond had, stegen stinkende rookpluimen op.

'Ik heb Crispins botten finaal in puin gehakt en die gebruik ik nu als tabak!'

Crispin was haar ex-man die ervandoor was gegaan met de aupair.

'Waar hangt hij tegenwoordig uit?'

'Hij is naar Roemenië, om kennis te maken met Vanda's familie,' schreeuwde ze in mijn oor. 'Dat zal hem heugen. Het zijn felle communisten die hun brood verdienen als geitenfokkers.' Daar moesten we allebei een beetje om lachen. Crispin was accountant van beroep, een conservatief in hart en nieren die de pest had aan kunstenaars, homoseksuelen, lezers van de *Guardian* en alles wat hem deed denken aan de lagere klassen. Hij had ook nog eens een grondige hekel aan vegetariërs.

Ik stond net in de keuken met een wat nichterig vriendje van Sophie te praten, toen Sophies moeder binnenkwam, een vrouw van middelbare leeftijd met een gezicht dat deed denken aan een oneffen geplaveid tuinpad. 'Goddank,' zei ze. 'Daarginds kan ik mezelf niet eens horen denken! Ik heb nog nooit zoveel afschuwelijke mensen bij elkaar gezien... Artemis! Ben jij het?'

'Hallo, mevrouw Bingham.'

'Nee maar!' Ze bekeek me van top tot teen. 'Wat ben jij aantrekkelijk geworden. Dat is meer dan ik van Sophie kan zeggen. Overigens viel ze best mee voordat Crispin met het dienstmeisje in bed dook... een goor zigeunerinnetje dat stonk van de seks. Vanwege die ongeschoren oksels, vermoed ik. O, wat háát ik die man.' Mevrouw Bingham haalde diep adem en onderdrukte een snik. 'Nu zuipt Sophie als een ketter, gebruikt al die smerige drugs die jullie jonge mensen zo geweldig vinden – maar geloof me, daar gaan jullie wel anders over denken als jullie in een gekkengesticht terechtkomen – en ze gaat met iedereen naar bed, van de krantenbezorger tot de stratenmaker. Als ze maar zwart zijn.'

'Dit is Tod. Ken je Sophies moeder al, Tod?' Ik trok onhandig een kurk uit een fles champagne en kreeg een hele scheut over mijn schoenen.

Mevrouw Bingham stak een tikje kribbig haar hand uit en keek toen nog eens goed. Het deed een beetje komisch aan. 'Daphne? Daphne Tedworth?'

'Hallo, mevrouw Bingham,' zei Tod, een beetje zielig.

'Ik kan mijn ogen niet geloven! Wat heb je in vredesnaam met jezelf gedaan?'

Ik schonk een glas champagne in en liet hen aan hun lot over. Toen ik de kamer in liep, zag ik Birdie staan en worstelde me door de meute naar haar toe.

'Hallo, lieverd,' zei Birdie onverstaanbaar terwijl ze mijn wang kuste. 'Hoe... aan dat glas...?'

'Van daarginds.' Ik wees naar de keuken en liet haar een slokje uit mijn glas drinken. 'Ik zag je op Bayswater Road. Met Harry.'

'Wat?'

'Bayswater Road! Jij en Harry!'

Birdie schudde haar hoofd, maar ik wist niet of dat een ontkenning was of dat ze me niet kon verstaan.

'Ga maar even mee.' Ik pakte haar bij haar arm.

In de keuken stonden Tod en mevrouw Bingham samen tranen met tuiten te huilen, dus schuifelden Birdie en ik verder naar het balkon dat, zoals vrijwel alle balkons in Londen, nogal klein en ontzettend vies was. Recht onder ons waren ze bezig de weg open te breken met een pneumatische hamer, dus we moesten nog steeds schreeuwen.

'Ik heb je vanmorgen gezien. Samen met Harry op Bayswater Road. Ik zat in de bus.'

Birdies olijfkleurige huid voorkwam dat ze bloosde, maar ik kon zien dat ze zich geneerde. 'Zal wel... iemand anders... ruzie...'

'Nee, jíj was het! Birdie, wat spookte je daar uit?'

'... Sophie... er weer helemaal overheen...'

De rest was onverstaanbaar. Ik onderdrukte de neiging om van het balkon te springen. 'Dit slaat nergens op. Ik ga naar huis.' Ik wees op mezelf. 'Naar huis!'

Birdie keek alsof ze er niets van begreep. '... beetje langer...' zei ze tussen de herrie door. '... Sophie beloofd... afwassen.'

'Ik bel je nog wel.' Ik deed net alsof ik een nummer draaide en een telefoon tegen mijn oor hield.

Birdie knikte. Binnen ging ik op mijn tenen staan, riep Sophie over de hoofden van de andere gasten toe dat ik wegging en we wisselden kushandjes uit.

De busrit was snikheet en er zat geen schot in. Warmte en champagne op een lege maag maakten me slaperig. Ik hoorde een kind jengelen om een snoepje en ergens in de verte klonk een sirene. De bus kwam schokkend in beweging, stopte weer, reed door, stopte... De rood-groene bekleding prikte tegen mijn blote armen... Ik stond op de kliffen bij Pentrew. De zee leek op een gerimpeld zijden laken dat over een grindpad lag. In mijn droom vloog ik aan onzichtbare touwtjes over de boomgaard en door de openslaande deuren de salon binnen. Tot mijn verrassing was het behang daar ineens roze geworden en het meubilair was allemaal modern klassiek. Het zag er afschuwelijk uit. Ik probeerde ze anders neer te zetten, maar een van de stoelen was nauwelijks in beweging te krijgen... Dat kwam omdat Jago er ineens in zat, met een sigaar in zijn hand en Myrtle op zijn knie. Jago keek verrast op toen ik door de kamer vloog en in de stoel tegenover hem landde. Zijn mond vertrok in dat sardonische lachje. Zijn sigaar, Myrtle en de stoel verdwenen. Hij boog zich voorover met zijn handen op de leuningen van mijn stoel en kuste me op mijn mond... Ik hield mijn adem in en opende mijn ogen. De begeerte die als een vloedgolf door me heen sloeg, was zo fel dat mijn bloed begon te koken.

Néé! zei ik, waarschijnlijk hardop. De vrouw die voor me zat, keek met een ruk om. In plaats van opgewonden voelde ik me ineens diep beschaamd. In al die maanden dat ik me druk maakte over alle misstappen van Harry was ik net zo goed ontrouw geweest... Weliswaar alleen in gedachten, maar dat leek bijna even erg, alsof Jago en ik echt... Lieve hemel, het idee alleen al was belachelijk. Dromen hadden geen enkele betekenis, het waren zinloze opeenhopingen van loshangende, onlogische gedachten en gevoelens. Ik moest dit gewoon meteen uit mijn hoofd zetten.

Maar onderweg naar huis kon ik aan niets anders denken. Jago was de laatste man ter wereld... zo kil... zo nuchter over relaties tussen mannen en vrouwen dat ik hem ervan verdacht dat hij een vrouwenhater was... Toch kon hij ook een goede vriend zijn zoals ik tot mijn blijdschap had ontdekt... Desondanks had ik bij voorbaat medelijden met het meisje dat voor zijn spottende, onaardige en zelfs wrede charme zou vallen... Ik had een grote fout gemaakt door met Harry te trouwen, maar ik was echt geen onschuldig bloedje meer... Ik was zo druk bezig mezelf uit te foeteren voor de erotische wending die mijn droom had genomen dat ik nauwelijks de tijd had om uit te stappen toen we eindelijk bij mijn halte aankwamen. Ik liep haastig naar Oracle Street, nog steeds kwaad op mezelf. Maar toen ik bij mijn voordeur aankwam, stopte er een politieauto naast me en een agent stapte uit. Mijn eerste gedachte was dat ze nieuw bewijsmateriaal hadden gevonden en dat hij me kwam arresteren voor de moord op Ned.

'Woont meneer Harry Tremaine hier?'

Ik zocht met trillende vingers naar mijn sleutel. 'Ja.'

Hij zag waarschijnlijk dat ik zenuwachtig was, want hij glimlachte me vaderlijk toe. 'Bent u mevrouw Tremaine?'

'Ja.'

'Misschien kunt u me ook helpen. Een zekere meneer...' Hij keek neer op zijn opschrijfboekje, '... Basil Bolitho was betrokken bij een verkeersongeluk. Hij is naar...' weer een blik op het boekje, '... het Royal London Hospital gebracht. Hij heeft de agent ter plekke verteld dat hij het voertuig waarin hij reed...' opnieuw het boekje, '... een Bristol XMV 25 had geleend van meneer Tremaine. Ik zou meneer Tremaine graag willen spreken en de autopapieren controleren.'

37

'Ik kan je niet vertellen hoe erg ik het vind. En ik heb ook geen idee hoe ik het recht moet zetten.'

Het was maandagochtend. Adrian zat imponerend achter zijn bureau in een nieuw linnen pak met grote bruine en witte blokken. Heel artistiek, zoals een architect past, maar het maakte hem ook knap dik. Vanaf het moment dat ik aan het verhaal over de auto begon, had hij geen woord gezegd en alleen maar fanatiek met zijn vulpen zitten tikken. Ik had hem het slechte nieuws – dat de Bristol total loss was – liever via de telefoon verteld, maar hij was onbereikbaar geweest tot hij op kantoor kwam. Ik staarde naar zijn laatste speeltje – een miniatuur flipperkast – en wachtte nederig op mijn straf.

'Je wist dat de auto alleen maar verzekerd was als jij erin reed en toch vond je het goed dat die man... Hoe heette hij ook alweer?'

'Basil Bolitho.'

Hij schreef de naam op.

'... dat die man hem gebruikte?'

Ik keek schuldig en zo voelde ik me ook. Maar ik was niet van plan om Adrian de kans te geven zich te verkneukelen over Harry's gedrag, ook al was ik zelf woedend op hem. En niet alleen omdat hij Baz de Bristol had geleend.

Toen ik met de politieagent naar binnen ging, was Damian net de trap af gekomen, met Angelika in zijn kielzog. Zodra ze mij zag, holde ze naar het toilet en deed de deur op slot, maar ondertussen waren haar verkreukelde jurk en haar slordige haar me al opgevallen. Als blikken konden doden, was Damian ter plekke in een hoopje as veranderd. Nu lachte hij me gewoon uit toen ik hem woedend aankeek, hoewel de agent daar niets van merkte.

Ik liep haastig naar de keuken. Harry en Percy zaten buiten onder de druif te scrabbelen.

'Waar is Wendy? En wat heeft Damian verdorie nog aan toe met Angelika uitgespookt?' vroeg ik op een boze fluistertoon vanwege juffrouw Pinker en de agent die in de salon zat te wachten.

'Angelika is op bed gaan liggen omdat ze hoofdpijn had.' Harry's blauwe ogen keken me onschuldig aan. 'Damian heeft haar een kopje thee gebracht. Wendy is even naar de winkel verderop gegaan om een fles Pimm's te halen.' En met een blik op zijn horloge: 'Ze had eigenlijk al terug moeten zijn. Misschien was de winkel dicht en moest ze naar de supermarkt.'

Harry wist heel goed dat de winkel in de straat op zaterdag tussen de middag gesloten was. Ik vermoedde dat hij Wendy opzettelijk had weggestuurd. Maar dat kon ik beter niet zeggen waar Percy bij was. In plaats daarvan vertelde ik Harry nijdig dat Baz een verkeersongeluk had gehad en dat er boven een agent zat te wachten die met hem wilde praten. 'Adrian zal woedend zijn,' snauwde ik hem toe. 'Moet je nou echt mijn hele leven overhoop halen met die idiote streken van je?' Harry schoot overeind, keek me met opengesperde ogen aan en liet zijn mond openvallen alsof hij stomverbaasd was. Toen ik niet reageerde, haalde hij zijn schouders op en liep naar boven.

'Maak je toch niet zo druk.' Percy maakte gebruik van de gelegenheid om te kijken welke letters Harry had. 'Angelika heeft Damian al zitten opvrijen vanaf het moment dat hij binnenkwam. Ze beweert dat ze het nog nooit met iemand heeft gedaan, maar voor alle zekerheid moet ze van haar moeder toch de pil slikken.'

'Percy, je speelt vals! En als Angelika's moeder het goedvindt dat ze al op haar veertiende met mannen naar bed gaat, dan vind ik dat knap onverantwoordel... hallo, Angelika.'

Angelika viel naast Percy op een stoel neer en legde haar ronde bruine armen lui op tafel. 'Hoi, Art. Wanneer komt Wendy nou eens terug met die Pimm's? Ik sterf van de dorst.'

'Er staat limonade in de koelkast.'

Angelika's jurk week bij de hals en onwillekeurig viel me op dat haar borsten groter waren dan de mijne. Maar ondanks dat was ze toch nog veel te jong om al met een man naar bed te gaan? Een vent die twee keer zou oud was als zij? Daar stond tegenover dat ik niets te maken had met het seksleven van Angelika...

Adrian bracht me weer terug naar het heden door te vragen of er iemand gewond was geraakt bij het ongeluk.

'Baz heeft alleen een whiplash en wat blauwe plekken, maar de arme vrouw in de andere auto heeft waarschijnlijk een schedelbasisfractuur.'

'Juist.' Adrian keek naar me op. 'Ik zal wel tegen de politie moeten zeggen dat de auto zonder mijn toestemming is meegenomen – met andere woorden, dat het om diefstal gaat.'

'Ja, dat lijkt mij ook het beste.'

'Dat betekent wel dat jouw vriend een strafblad krijgt en een fikse boete zal moeten betalen.'

Aangezien Baz toch failliet was en de gevangenis in zou draaien, kon ik me daar niet druk over maken. Het was zo warm in Adrians kantoor dat ik hoofdpijn begon te krijgen. Harry was niet thuisgekomen nadat hij zaterdagmiddag bij Baz op bezoek was geweest. Ik had Birdie niet meer gebeld omdat ik bang was voor wat ik dan te horen zou krijgen. Stel je voor dat Harry nu languit bij haar op de bank lag en haar dijen streelde zoals hij altijd bij mij had gedaan? Ik had twee nachten en een dag aan niets anders kunnen denken.

'Is alles in orde, Art?' Adrian klonk ineens heel vriendelijk. 'Je ziet er ontzettend moe uit. Ik snap best dat je het vervelend vond om me dit te moeten vertellen. Ik durf ook te wedden dat jij helemaal niet wist dat die stomme Bolitho de auto had. Het was Harry, hè? Wees maar niet bang om dat toe te geven. We zijn toch nog steeds goede vrienden?'

Mijn zelfbeheersing was niet bestand tegen de sympathie die in zijn stem doorklonk. Ik ontdekte tot mijn ontzetting dat ik zat te snuffen... Ik jankte zelfs bijna. Adrian schoot achter zijn bureau vandaan en klopte op mijn hoofd.

'Nou, nou, niet huilen, hoor! Het is maar een auto. Je zat er zelf niet in en je bent niet gewond. Dat is het enige wat telt.' Hij legde een geblokte arm om mijn schouders en klemde me iets te stevig vast. Maar aangezien het min of meer mijn schuld was dat zijn dure auto in de prak lag, durfde ik niet te protesteren. 'Weet je wat? We gaan lekker samen lunchen. Daar knap je vast van op.'

Het zou onbeschoft zijn geweest om die uitnodiging af te slaan. Hij nam me mee naar *The Ivy*, waar we heerlijk lunchten maar waar Adrian behoorlijk veel dronk.

'Ga met me mee naar Campden Hill Square,' stelde hij voor toen we onze desserts ophadden. 'Het is te warm om gewoon werk te doen en er zijn daar net zes antieke stoelen afgeleverd waarover ik graag je mening wil horen. Ik heb het vermoeden dat twee ervan kopieën zijn.'

'Liever niet. Vrijdag moet dat winkelcentrum klaar zijn en ik ga volgende week naar Cherstone om te zien of ze al opschieten met de slaapzaal.'

'Hè, hou toch op over dat werk. Je begint een echte zeurpiet te worden, Art. Het huwelijk met Harry heeft je geen goed gedaan. Je was vroeger zo gezellig, maar tegenwoordig ben je altijd chagrijnig.' Zijn roofvogeloogjes hadden de kleur van melkchocola.

'Ik kan me anders nog goed herinneren dat je maar al te blij was om Harry als cliënt in te lijven.'

'Maar dat betekende nog niet dat ik wilde dat je plat voor hem zou gaan. Hij is een klootzak. Iedereen behalve een stompzinnig verliefd meisje had dat meteen doorgehad.'

Adrian had volkomen gelijk, maar op dat moment kon ik hem wel wurgen. Hij rekende af en we liepen naar buiten.

'Ga nou maar mee.' Hij duwde me een taxi in en zei tegen de chauffeur dat we naar Campden Hill Square moesten voordat hij naast me kwam zitten en mijn hand vastpakte. Dat kon je niet echt onder het kopje 'versieren' rangschikken, dus probeerde ik het te negeren en deed net alsof ik niets merkte. Ik mocht dan een stompzinnig verliefd meisje zijn, maar ik was absoluut niet verliefd op Adrian en ook niet zo stom dat ik geloofde dat hij echt wilde weten wat ik van die stoelen vond.

'Het spijt me, Adrian, maar ik moet terug naar kantoor. Ik heb nog wat administratieve klusjes en ik moet Ko-Ko uitlaten. Bedankt voor de lun...'

Mijn dankbetuiging stokte toen Adrian zijn mond op de mijne drukte. Ik duwde hem weg, dook onder zijn arm door en riep tegen de chauffeur dat hij onmiddellijk moest stoppen. 'Nu! Het kan me niet schelen waar!'

'O, Art, in vredesnaam...'

Toen de chauffeur langs het trottoir stopte, probeerde Adrian mijn arm te pakken. Hij greep mijn tas vast, maar viel achterover toen ik die losliet. Ik sprong uit de auto en rende weg, maar toen ik omkeek, zag ik tot mijn ontzetting dat Adrian ook was uitgestapt en de chauffeur betaalde. Daarom rende ik een winkel in en dook weg achter de toonbank, wat me een verbaasde blik opleverde van een jongeman die bij een molen met ansichtkaarten stond. Ik zag dat Adrian op de stoep bleef staan en met een hand boven zijn ogen naar binnen tuurde. Ik werd misselijk van angst, al wist ik eigenlijk niet waarom.

Toen ik een minuut later opnieuw keek, was hij verdwenen. Ik liep naar de deur en tuurde voorzichtig de straat af. Rechts van me zag ik zijn brede, geblokte rug op het trottoir. Hij had mijn tas in zijn hand en bleef bij elke winkel staan. Ik holde haastig de andere kant op en keek pas weer om, nadat ik een paar keer was afgeslagen. Hij was in geen velden of wegen te zien en ik slaakte een zucht van opluchting.

Pas toen vroeg ik me af wat me in vredesnaam bezielde. Adrian had me op de achterbank van een taxi gekust en ik had gereageerd als een schoolmeisje dat ieder moment met geweld verkracht kon worden. Waarom had ik hem niet gewoon duidelijk gemaakt dat ik daar niet van gediend was? Uiteraard zou dat complicaties met zich meebrengen, want hij was mijn baas en ik was hem veel geld schuldig. Toen Birdie suggereerde dat hij bijbedoelingen had gehad toen hij me die baan en die lening aanbood, had ik dat ontkend, maar misschien had ik mezelf wel voor de gek gehouden. Waren er mannen die dat soort dingen gewoon uit vrijgevigheid deden? Misschien wel, maar dat leek in Adrians geval onwaarschijnlijk. Hij was van nature kil en heerszuchtig. Ik had dat nooit moeten aannemen.

Ik deed er veertig minuten over om terug te lopen naar kantoor en piekerde onderweg over de puinhoop die ik van mijn leven had gemaakt. Het was natuurlijk gemakkelijk om altijd ja en amen te zeggen, maar als puntje bij paaltje kwam, was ik laf en besluiteloos geweest. Oma had me wijs gemaakt dat het mannelijk ego een breekbaar goed was, waarmee heel voorzichtig moest worden omgesprongen. Ze had mijn grootvader met fluwelen handschoentjes aangepakt, met als resultaat dat hij zich als een alleenheerser had gedragen, egocentrisch en destructief. Wel charmant, natuurlijk, maar inmiddels had ik mijn bekomst van charme en beschouwde dat als een dekmantel voor meedogenloos eigenbelang. Ik nam me vast voor om nooit meer iets te dulden wat me niet beviel, alleen maar omdat ik bang was iemand te beledigen of pijn te doen. Voortaan zou ik me zo goed en zo kwaad als het ging aan de waarheid houden.

Mevrouw Jupp keek op toen ik binnenkwam en zei op mijn vraag dat Adrian twintig minuten geleden terug was gekomen. Maar toen ik naar de deur van zijn kantoor liep en wilde aankloppen voegde ze eraantoe dat hij tien minuten daarna weer was vertrokken. 'Hij zei dat hij de rest van de middag weg zou blijven. Dat was nadat hij jouw kantoor was binnengelopen en had gezien dat je er niet was.' Ze kneep haar ogen samen. 'Zijn jullie niet samen gaan lunchen?'

'Ja, maar ik moest wat tekeningen wegbrengen.' Een opmerking die rechtstreeks indruiste tegen mijn nieuwe voornemen, maar ik zou niet alleen Adrian in zijn waardigheid aantasten maar ook mezelf als ik haar vertelde wat er was gebeurd. Ze liep achter me aan naar mijn kantoor. 'Meneer Talbot had zo'n haast dat ik hem niet eens meer aan zijn afspraak van vier uur kon herinneren. Over dat huis in Brighton. Dus die moet jij maar overnemen.'

Ik zag dat mijn tas op mijn bureau stond en keek of er paracetamol in zat. 'Ik moet echt eerst een glaasje water hebben.'

Mevrouw Jupp klaarde op omdat ze de kans schoon zag om even lekker te gaan zitten kletsen. 'Als je het warm hebt, kun je beter een kopje lekker hete thee nemen. Ik ga het wel even zetten.'

Ik keek haar na met een gevoel van opluchting, alweer in tegenspraak met de strenge preek die ik mezelf had gegeven. Toen ze terugkwam met de thee zat ik te telefoneren en bedankte haar geluidloos. Ze liep weg met een teleurgesteld gezicht en ik legde haastig de telefoon neer voordat ze het toestel in haar kantoortje kon oppakken en zou ontdekken dat ik tegen de kiestoon zat te praten. Ik nam mijn pilletjes in met de kokend hete thee en bleef een tijdje met gesloten ogen achter mijn bureau zitten tot ik me goed genoeg voelde om Ko-Ko uit te laten. Daarna nam ik de gegevens voor de klus in Brighton door.

Het betrof de renovatie van een achttiende-eeuws huis aan de boulevard. De cliënt, een Amerikaanse diplomaat, leek een beetje onthutst toen hij ineens te maken kreeg met het jongste lid van de firma in plaats van met Adrian, maar mijn enthousiasme werkte aanstekelijk. Bart Orrington had net een akelige scheiding achter de rug, maar hij was dol op zijn kinderen die de schuld van de scheiding voornamelijk bij hem zochten. Hij had gehoopt dat een zwembad in de tuin hen zou kunnen overhalen om bij hem te komen logeren, maar Adrian vond zwembaden vulgair en hij hield niet van kinderen, dus had hij zijn veto uitgesproken over dat idee. Ik was het daar niet mee eens en besloot mijn eigen mening te ventileren.

Alle schoonheid van het pand in Brighton zat aan de buitenkant, omdat een of andere cultuurbarbaar het interieur had verbouwd tot een paar flats. Ik tekende een plan om de keuken naar de begane grond te verplaatsen, waardoor er in de kelder plaats genoeg zou zijn voor een zwembad, dat dan ook het hele jaar gebruikt kon worden. En meneer Orrington was helemaal gelukkig toen we ook nog een glazen wand naar de tuin hadden ingepland, die met behulp van een druk op de knop bedekt kon worden met een scherm dat uit het plafond omlaag zakte, terwijl tegelijkertijd een vloer over het zwembad schoof, waardoor met behulp van een paar dure elektrische foefjes de kelder in een thuisbioscoop veranderde. Even vergat ik zelfs mijn eigen problemen.

Maar ik schrok toen ik op mijn horloge keek. Ik zou Percy nooit meer op tijd van school kunnen halen, vooral niet omdat ik afhankelijk was van het openbaar vervoer. Meneer Orrington zei dat het zijn schuld was omdat hij zoveel tijd in beslag had genomen en stond erop om me naar de school te brengen. Ko-Ko bleek geen probleem, want hij was dol op honden, dus stribbelde ik maar niet meer tegen. Hij reed in iets wat op een enorme jeep leek en binnen de kortste keren waren we bij de Heilig Hartschool. Toen ik hem uitgebreid wilde bedanken, snoerde hij me de mond.

'Ga dat kind maar gauw ophalen, dan rij ik jullie naar huis. En zeg maar Bart tegen me.'

'Nou vooruit, als jij Art tegen mij zegt.'

Hij grinnikte geamuseerd. Hij had lichtblond stekeltjeshaar en een lang, gebruind gezicht met een kloof in zijn kin die me aan Kirk Douglas deed denken.

Maar toen ik op zoek ging naar Percy kwam zuster Gabriëlla naar me toe met die glijdende manier van lopen alsof ze op rolschaatsen reed. 'Juffrouw Castor.' Ze had haar armen in de mouwen van haar habijt gestopt en haar hoofd gebogen in die quasi deemoedige houding die me ontzettend irriteerde, omdat ze zich altijd moreel superieur voelde. 'Ik sta al twintig minuten op u te wachten. Ik heb iets heel ernstigs met u te bespreken.'

'O. Nou, als dat gesprek langer dan twee minuten gaat duren, moet ik dat even tegen mijn... vriend zeggen, die buiten staat te wachten.'

'Zeg dan maar tegen hem dat het aanzienlijk langer zal gaan duren.'

Ik rende weer naar buiten. Toen ik tegen Bart zei dat ik kennelijk weer een preek te horen zou krijgen, zei hij dat hij helemaal geen haast had en gewoon de laatste brief ging lezen die hij van zijn advocaat had gekregen met betrekking tot de scheiding.

Ik holde terug. Zuster Gabriëlla zat fronsend achter haar bureau. Het was de tweede keer dat ik die dag bestraffend werd toegesproken en het begon me een beetje de keel uit te hangen. Maar tijdens haar normale, omstandige inleiding stond het zweet me op mijn voorhoofd van al dat gehaast en ik denk dat ik haar een beetje wazig aan zat te kijken, want ze begon ineens met stemverheffing te praten. 'Toen zuster Mary David toezicht hield tijdens de middagpauze, zag ze dat Persephone omringd was door een hele groep meisjes aan wie ze bepaalde spullen verstrekte in ruil voor...' ze keek me vol walging aan, '... geld.'

Het opstandige gevoel dat me eerder die middag had bekropen, stak opnieuw de kop op. 'Ik geloof anders niet dat dit écht als een tempel kan worden beschouwd.'

Haar ogen veranderden in spleetjes en haar dunne witte neus wiebelde. 'U hebt het kennelijk over Onze Lieve Heer die de geldwisselaars uit de tempel verjaagde. Maar dit is geen onderwerp voor grapjes, juffrouw Castor. Zuster Mary David heeft de spullen in beslag genomen, kleine gele pilletjes, en ze aan mij gegeven. Ik besloot om de politie te laten komen. Die vertelde mij dat het waarschijnlijk om stimulerende middelen gaat, namelijk amfetaminen. Dat is een gevaarlijke substantie, zoals u wellicht weet.'

Ik was met stomheid geslagen en dat scheen haar te irriteren. Dus herhaalde ze, bijna schreeuwend: 'Een gevaarlijke substantie! Waarmee Persephone probeerde haar medeleerlingen op te ruien en tot losbandig gedrag aan te zetten! Ik heb meteen de hele school bij elkaar geroepen.'

Ik luisterde versuft hoe ze verder zeurde over brieven die naar ouders gestuurd zouden worden en meldde dat Percy met onmiddellijke ingang van school werd gestuurd, hoewel de vakantie al over twee dagen zou beginnen. 'Ik heb mijn best gedaan – mijn úiterste best! – om consideratie te hebben met een kind wier ouders zich kennelijk niet bewust zijn van hun verantwoordelijkheden en die de zorg voor hun dochter hebben overgedragen aan een zuster die zich uitsluitend druk maakt over haar eigen carrière en haar sociale leven…'

'Wacht eens even,' viel ik haar in de rede. 'Ik wil Percy spreken. Ik wil weten waar ze die pillen vandaan heeft.'

'Aangezien ik eis dat u haar onmiddellijk meeneemt, kunt u met haar praten zoveel u wilt. Ze is op de afdeling administratie, onder de hoede van zuster Mary David. Ik hoop dat u de ernst van de situatie inziet, juffrouw Castor. De politie heeft Persephone al verhoord en ze zullen ongetwijfeld ook met u willen praten. De kans bestaat dat u, als haar voogdes, vervolgd zult worden. Ik voelde me verplicht om hen ook op de hoogte te brengen van de diefstalletjes die ze een tijdje geleden heeft gepleegd…'

'O, hou toch op mens,' zei ik. Mijn geduld was op. 'Iedereen met ook maar een greintje verstand zal meteen begrijpen dat een twaalfjarig kind geen flauw idee heeft hoe ze anderen moet opruien of aanzetten tot losbandig gedrag. Iemand anders moet haar zover hebben gekregen dat ze die pillen ging verkopen en als u niet zo ongelooflijk zelfingenomen was, zou u dat ook inzien.'

Zuster Gabriëlla werd vuurrood en hapte naar adem. Ik maakte gebruik van de gelegenheid om op te staan en de deur uit te lopen, naar de afdeling administratie. Kennelijk was aan mijn gezicht te zien hoe boos ik was, want zuster Mary David kromp in elkaar in haar stoel. Percy stond naast haar. Ik kon zien dat ze haar best deed om niet in tranen uit te barsten.

'Kom maar.' Ik stak mijn hand uit. 'We gaan ervandoor. Tot ziens, zuster Mary David.'

'O… mevrouw Tremaine.' De non stond op. 'Er is nog wel de kwestie van het schoolgeld… Er moet een semester van tevoren opgezegd worden…'

Ik had haar het liefst verteld dat ze het heen en weer kon krijgen, maar ik herinnerde me net op tijd dat zuster Mary David een zielige stakker was, die ongenadig werd gekoeioneerd.

'Aangezien Percy van school wordt gestuurd, krijg ik niet de kans om op te zeggen. Wees maar blij dat ik zo aardig ben om niet te eisen dat het geld dat ik al voor de laatste twee dagen van het schooljaar heb betaald wordt teruggestort.'

Ik stak mijn arm door die van Percy en sleepte haar mee naar buiten. Bart, die ongetwijfeld aan onze gezichten zag dat we overstuur waren, reageerde bijzonder tactvol. Hij groette Percy en zat vervolgens te vertellen wat hij allemaal zo leuk vond aan Engeland tot hij ons voor de deur afzette.

'Bedankt voor al die ideeën voor het huis, Art,' zei hij. 'Je hebt me fantastisch op weg geholpen. Tot ziens, Percy. Vergeet niet dat Mark Twain heeft gezegd dat hij nooit toestond dat zijn school een belemmering vormde voor zijn ontwikkeling.'

Hij gaf haar een knipoogje en reed weg.

'O, Art! Iedereen is zo boos op me!' Percy, die zich tot dan goed had gehouden, barstte in snikken uit. 'Die agenten waren afschuwelijk! Ze zeiden dat ik misschien wel naar de jeugdgevangenis moest!' Ze greep mijn hand vast. 'Zorg alsjeblieft dat ze me niet opsluiten!'

'Rustig maar, lieverd. Natúúrlijk word je niet opgesloten.' Ik hield haar stijf vast en hoopte dat ze mijn bonzende hart niet zou voelen. Ze was toch veel te jong om naar een jeugdgevangenis te gaan?

'Laten we Ko-Ko maar iets te eten geven en zelf ook iets lekkers nemen. Daarna praten we wel verder.'

We liepen samen naar de keuken. Ik was opgelucht toen ik zag dat Harry er niet was. Dat had ik ook niet verwacht, maar hij bleef nu eenmaal onvoorspelbaar.

'Hier, maak jij Ko-Ko's eten maar klaar, dan zet ik even de deur open.' Ik bleef over alledaagse dingen praten tot ze ophield met huilen. Daarna schonk ik voor ons allebei een glaasje limonade in en ging aan tafel zitten. Ko-Ko jengelde dat ze op schoot wilde, dus ik pakte haar op, hoewel het eigenlijk te warm was. 'Vertel me nu eens wat er vanmiddag precies gebeurd is. En probeer wel rustig te blijven, want als je gaat huilen kan ik je niet meer verstaan.'

Percy veegde haar neus af met de rug van haar hand en dit keer liet ik haar maar begaan. 'Angelika kwam op de speelplaats naar me toe. Ze moest naar tennisles en zei dat ze wat pillen van Damian had gekregen. Die had ze samen met hem geslikt en je werd er heel blij van, daarom werden ze “uppers” genoemd. Ze gaf me een zak vol en zei dat ik die voor vijftig pence per stuk moest verkopen zonder dat de nonnen het in de gaten hadden. Als ze me betrapten, moest ik gewoon zeggen dat het pijnstillers waren. Maar er kwamen zoveel meisjes op af dat zuster Mary David kwam kijken wat er aan de hand was. Ze geloofde me niet toen ik zei dat het pijnstillers waren en bracht me naar zuster Gabriëlla. Toen ik tegen haar zei dat ik niet wist wat het voor pillen waren, maar dat je er een blij gevoel van kreeg, werd ze paars en belde de politie. Een van de agenten likte aan de pillen en zei dat het volgens hem amf… nou ja, een of ander lang woord was en vroeg wie ze aan mij had verkocht. Ik zei dat ik ze had gekregen en hij zei dat dealers dat soms deden om jonge mensen verslaafd te maken. Zuster Gabriëlla werd er gewoon misselijk van en bleef maar heen en weer lopen met haar hand tegen haar mond. Ik moest ontzettend nodig, maar ik mocht niet naar de wc. De agent wilde weten van wie ik ze had gekregen, maar ik wilde niet klikken. Toen begonnen ze allemaal te schreeuwen en te zeggen dat ik echt moeilijkheden zou krijgen als ik niets zei, maar ik kon toch niet zeggen dat ik ze van Angelika had?’

‘Nee,’ zei ik na een korte stilte. ‘Je hebt juist gehandeld.’

‘Nou ja, daarna vertelde zuster Gabriëlla dat ik eerder ook al dingen had gestolen en toen zeiden ze dat ik waarschijnlijk naar een opvoedingsgesticht moest omdat ik duidelijk door bedorven personen beïnvloed werd.’

‘Verderfelijke personen?’

‘Ja, dat kan ook. Toen vertelde zuster Gabriëlla hun dat mijn vader van adel was en daar keken ze van op. Ze zeiden meteen dat ze dan echt moesten proberen om alles uit de krant te houden. Ik zei dat papa toch nooit kranten las en dat het mij niets kon schelen wat andere mensen dachten, maar zuster Gabriëlla werd zo woest dat ze me bijna aanvloog. Ze vroeg of ik het niet erg vond dat ik de reputatie van de school geschonden had, maar toen ik zei dat zij dat zelf had gedaan door de politie erbij te halen moest ik met zuster Mary David mee. En toen mocht ik eindelijk naar de wc.’ Percy slaakte een zucht van opluchting.

Ik nam een hap van een van de boterhammen die ik had gemaakt en dacht na. Ik had geen flauw idee wat de gevolgen waren als een minderjarige drugs verkocht aan andere minderjarigen. Als het om een eerste overtreding ging, zou de rechter toch wel mild zijn in zijn oordeel? Maar die diefstalletjes hadden daar misschien een nadelige invloed op. Ik vervloekte zuster Gabriëlla. Als er iemand zou zijn die Percy bij me weg wilde halen om haar in een of ander opvoedingsgesticht te zetten, zouden we ons uit de voeten maken en ergens diep in de bossen of op een bergtop gaan wonen in een land dat geen uitwisselingsverdrag had met Groot-Brittannië.

Toen ik dat vijf minuten later herhaalde in mijn telefoongesprek met Jago barstte hij in hoongelach uit. In plaats van beledigd te zijn kikkerde ik daarvan op.

'Lieve meid, je verbeelding gaat met je op de loop. Natuurlijk piekeren ze er niet over om Percy bij je weg te halen. Je moest eens weten hoeveel kinderen van hot naar her worden gesleept door aan drugs of aan drank verslaafde moeders en een voortdurend wisselende hoeveelheid stiefvaders die afkomstig zijn uit het criminele circuit. Zelfs dan probeert de sociale dienst nog de gezinnen bij elkaar te houden. Jullie krijgen allebei een flinke preek, dat is alles.' Hij was even stil. 'Ben je daar nog, Artemis?'

'Ja. Neem me niet kwalijk dat ik zo dom doe. Het is hier ontzettend warm en ik ben nogal moe. Er is ook een ramp gebeurd met die auto van Adrian.'

'Vertel op.'

Ik gehoorzaamde. 'Mijn buren zullen zo langzamerhand wel denken dat ik hier een bordeel heb,' zei ik ten slotte. 'De politie staat hier vrijwel dagelijks voor de deur.'

'Ben je alleen? Waar is Harry dan?'

'Geen idee.'

Het bleef weer even stil. 'Zou je willen dat hij bij je was? Zou hij je steun kunnen geven?'

'Nee.'

'Hm. Nou ja, in dat geval... Het is verdomd vervelend dat Cornwall zo'n eind weg is. Je klinkt alsof je behoorlijk overstuur bent. Kan Birdie niet naar je toe komen? Volgens mij is zij niet het type om haar hoofd te verliezen als ze onder druk staat.'

Ik zuchtte. 'Nee, ze is meestal heel verstandig. O verdorie, er staat iemand voor de deur.'

'Bel me meteen terug als ze weg zijn om te vertellen hoe het is afgelopen.'

'Ik wil je niet voortdurend lastigvallen...'

'Artemis, als ik niet binnen een uur iets van je hoor, stap ik in de Land Rover en kom naar Londen. Als ik je ook nog vertel dat een van de banden langzaam leegloopt, zul je me vast die ellendige rit wel willen besparen.'

Er werd opnieuw aangebeld. Heel driftig.

38

Er stonden twee politieagenten op de stoep. De een leek nog erg jong met zijn dopneusje en zijn donzige wangetjes. De ander was een vrouw. Dat was alleen aan haar flinke voorgevel te zien, want ze had veel te kortgeknipt haar en een gezicht dat even vriendelijk en aantrekkelijk was als een van die standbeelden op Paaseiland. O ja, en ze droeg een rok. Met het vervelende gevoel dat dit de zoveelste keer was, nam ik hen mee naar de salon en gaf ze mijn persoonlijke gegevens. De man, agent Carter, schreef alles op terwijl de vrouw, sergeant Brough, eerst de kamer en vervolgens mij bestudeerde en duidelijk liet merken dat ze het allemaal maar niets vond. Vervolgens las agent Carter op een dreuntoon voor wat er was gebeurd toen ze op de Heilig Hartschool waren ontboden.

De verklaring van zuster Gabriëlla viel me rauw op het lijf. Ze had met geen woord gerept over Percy's uitmuntende resultaten bij Engels, geschiedenis en kunst, noch over het feit dat ze de opstelwedstrijd had gewonnen. Nee, Percy was vaak brutaal (tja, al die vervelende vragen over de verschillen tussen wat er in de Bijbel stond en wat logisch leek). Ze was vaak afwezig. Zelf herinnerde ik me alleen dat ze twee dagen ziek was geweest en tijdens mijn huwelijksreis een week vrijaf had gehad.

De staf van de Heilig Hart-school, en met name zuster Gabriëlla, heeft altijd consideratie gehad met het lastige gedrag van Persiefonee, indachtig haar ongewone huiselijke omstandigheden. Ik kon me niet herinneren dat Percy ooit anders was behandeld dan de rest. *Persiefonees moeder is dood* – zuster Gabriëlla was erin geslaagd om dit te laten klinken alsof dat gemakkelijk voorkomen had kunnen worden – *en haar vader, Lord Castor, wordt volledig in beslag genomen door zijn regeringswerkzaamheden.* Dat had zuster Gabriëlla volledig uit haar duim gezogen. *Persiefonee is formeel onder de hoede van haar zuster, Artemis Castor, die vanwege haar werkzaamheden en haar drukke uitgaansleven in de veronderstelling verkeert, ongetwijfeld mede als gevolg van een bevoorrechte opvoeding, dat anderen haar verantwoordelijkheden wel over zullen nemen, met als gevolg dat het kind vrijwel aan haar lot wordt overgelaten...* Op dat punt drong het ineens tot agent Carter door dat de zo onvriendelijk omschreven persoon recht voor zijn neus zat en bijna plofte van woede. Zijn monotone gedreun veranderde in een onverstoorbaar gemompel tot hij bij de slotzin kwam, waarin zuster Gabriëlla meedeelde dat Percy's aanwezigheid op de Heilig Hart-school niet langer gedoogd zou worden.

Ik moest even iets wegslikken. 'Zuster Gabriëlla is een ongelukkige, ontevreden vrouw die weinig begrip kan opbrengen voor kinderen. En evenmin voor volwassenen,' begon ik. 'Ze is een egoïstische dwingeland die een hekel heeft aan iedereen die niet meteen een knieval voor haar maakt.'

Terwijl agent Carter ijverig zat te pennen, keek sergeant Brough me vernietigend aan. 'Gezien uw aristocratische afkomst zal het u wel moeilijk vallen om gezag te accepteren. U verwacht natuurlijk dat iedereen zich ondergeschikt gedraagt.'

Ik was net van plan om dit domme en weinig begripvolle duo wetsdienaars de deur te wijzen toen er opnieuw werd aangebeld. Ik liep naar de deur met het vaste voornemen om pas terug te komen als ik mezelf weer in de hand had.

Birdie, die er zelf ook verre van kalm uitzag, sloeg haar armen om me heen. 'Ik moest naar je toe komen. Natuurlijk heb je mij zaterdag met Harry gezien. Ik schaam me dood dat ik tegen je heb gelogen. Dat zal echt nooit meer gebeuren. En toen drong vannacht ineens tot me door dat je misschien wel dacht dat er iets tussen mij en Harry was… Enfin, dat heeft me de hele dag zo dwarsgezeten dat ik je gewoon moest zien. Geloof me, Art, er is helemaal niets tussen Harry en mij en dat is er ook nooit geweest. Wil je me vergeven?'

'Ik geloof je.' Ik knuffelde haar even. 'En er valt niets te vergeven. Maar ik heb alweer de politie over de vloer. Wil je alsjeblieft binnenkomen om ervoor te zorgen dat ik mijn geduld niet verlies? Druk me anders maar gewoon een kussen in het gezicht.'

We gingen naast elkaar op de bank zitten en toen sergeant Brough wilde weten waarom Birdie erbij kwam, zei ik dat ze Percy vanaf haar geboorte had gekend en precies wist wat voor vlees ze in de kuip had. Daarna vroeg ik agent Carter om de verklaring van zuster Gabriëlla nog een keer voor te lezen. Ondertussen zat sergeant Brough dodelijke blikken te werpen op Jago's schilderij van Pentrew, alsof dat haar persoonlijk onrecht had aangedaan.

'In feite,' zei ik toen hij klaar was, 'heeft Percy die amfetaminepillen van een ouder meisje op school gekregen met de mededeling dat ze die voor vijftig pence per stuk moest verkopen. Percy had geen flauw idee waar het om ging, maar ze schwärmde nogal…' – agent Carter keek wanhopig – '… ze liep nogal weg met dat meisje, dus natuurlijk deed ze wat haar gezegd werd.'

'En hoe heet dat meisje?' vroeg Brough.

'Dat mag ik u niet vertellen. Mijn zusje wil haar vriendin geen moeilijkheden bezorgen en ik ben het met haar eens dat dat heel onfatsoenlijk zou zijn.'

Er ontspon zich een vermoeiende discussie, waarbij Birdie de boventoon voerde. Terwijl zij een vloeiend betoog hield over het feit dat een erecode soms tegen burgerlijke gehoorzaamheid indruiste, zag ik ineens dat de Corot-tekening die ik van Harry had gekregen verdwenen was. Ik wist zeker die er een dag geleden nog hing, omdat ik er een vaas met lathyrus onder had gezet. Dat betekende dat Harry hier was geweest toen ik op mijn werk was. Hij had natuurlijk geld nodig voor zijn dure manier van leven en misschien vond hij wel dat de Corot net zo goed van hem als van mij was. In zekere zin was het een hele opluchting, want de tekening was ongetwijfeld betaald met geld dat uit een bedenkelijke bron kwam. Ondertussen was Birdie begonnen aan een opsomming van alles wat Percy tot stand had gebracht.

'Pak haar rapporten er eens bij, Art. Dan kunnen deze agenten zelf zien hoe goed ze het op school deed.'

'Dat is niet nodig.' Brough keek op haar horloge. Ze was murw gebeukt door Birdies woordenstroom. 'Goed, mevrouw Tremaine, ik hoop dat u de ernst van deze zaak inziet. Maar aangezien dit de eerste overtreding van Persiefonee is, komt ze er nu af met een waarschuwing. Als ze echter ooit weer betrapt wordt op het dealen van drugs zal ze ongetwijfeld voor de jeugdrechter moeten verschijnen. Kunnen we nu even met Persiefonee praten?'

Terwijl Percy ervan langs kreeg, liepen Birdie en ik naar beneden en trokken in de keuken de fles wijn open die ze mee had gebracht.

'Bedankt, Birdie. Ik had die vuilspuiterij van zuster Gabriëlla nooit zo briljant kunnen weerleggen als jij hebt gedaan.'

'Dat was wel het minste wat ik kon doen. Je hebt een afschuwelijke tijd achter de rug en ik heb alles nog erger gemaakt met mijn pogingen om te helpen. Maar toen je op dat feestje van Sophie zei dat je me met Harry had gezien, raakte ik in paniek. Al die mensen daar en die herrie... Ik had je alles op een heel andere manier willen vertellen.'

'Wat wilde je me dan vertellen? Neem nog een glaasje wijn en vertel op.'

'Oké.' Ze nam een slokje. 'Ik was dus op weg naar dat feestje van Sophie en reed net over Bayswater Road toen ik Harry zag. Met een vrouw. Het was niet Caroline. Het verkeer stond min of meer vast, dus ik had tijd genoeg om ze goed te bekijken. Ze stonden op het trottoir, midden tussen de voetgangers, en kusten elkaar. Het spijt me ontzettend, lieverd, maar je snapt dat ik je dat niet op dat feestje met al die mensen kon vertellen, hè?'

'Ja, hoor. Ik neem aan dat het geen beleefdheidskusje was.'

'Nee. Een boel mensen keken om want ze... Nou ja, ze maakten er nogal een vertoning van. Nu klink ik net als mijn moeder.'

'Hoe zag ze eruit?'

'Lang donker haar. Met een jurk die op een veredelde handschoen leek. Ik kon haar gezicht niet zien. Maar ik werd echt woedend op Harry... Ik had hem het liefst onder de eerste de beste bus geduwd.'

Ze keek me fronsend aan.

'Maak je geen zorgen,' zei ik. 'Het raakt me niet half zo erg als je denkt. Ik ken Harry hooguit zeven maanden en ik besef nu pas dat ik overspoeld werd door een golf van lust en euforie die me blind maakte voor alles eromheen. Ik dacht dat we heel goede vrienden zouden worden, dat we om dezelfde dingen zouden kunnen lachen en in emotioneel en intellectueel opzicht elkaars horizon zouden verruimen, maar hij heeft me nooit de kans gegeven hem echt te leren kennen. Volgens mij is Harry helemaal niet dol op vrouwen. Hij vindt het natuurlijk wel leuk om met ze naar bed te gaan, maar zelfs dat is volgens mij alleen maar een kwestie van zelfbehagen. Het komt waarschijnlijk doordat zijn moeder niet echt van hem hield en dat vind ik heel zielig voor hem, maar ik geloof niet meer dat ik hem kan helpen.'

'Waarom zou je dat zelfs maar overwegen, als je nagaat wat hij allemaal heeft uitgespookt?'

'Gewoon omdat je toch emotioneel betrokken blijft. Ondanks alles laat het je niet koud, ook al is dat de enige manier om het echt los te laten.' Ik zuchtte. 'Het zal wel op een scheiding uitlopen en de hemel weet dat ik nóóit meer zal trouwen.' Ik huiverde. 'Nou ja, alles zal in ieder geval vriendschappelijk geregeld kunnen worden. Ergens zit een draadje los bij Harry en dat zorgt ervoor dat hij nooit vervelend reageert. Ik kan best begrijpen dat Jago hem nog steeds de hand boven het hoofd houdt, ook al wordt hij stapelgek van hem.' Ik dacht even terug aan dat gezamenlijke ontbijt op de rotsen, met uitzicht op zee... 'Maar goed, je zag dus dat Harry die schaars geklede dame stond te kussen. En toen?'

'Nou ja... Ik heb de auto dubbel geparkeerd en ben teruggehold. Ik wilde achter hen aan lopen om te zien waar ze naartoe gingen. Maar hij zag me aankomen en duwde haar weg. Ze verdween tussen de mensen en ik heb haar niet weergezien. Hij kwam zelfs naar me toe lopen en zei met een brede grijns dat hij echt verrast was om me te zien.'

'Wat vervelend voor je,' zei ik.

'Nou en of! Maar ik moet toegeven... Verdomme, Art, hij is toch wel ontzettend aantrekkelijk als hij al zijn aandacht op je richt... Dat had hij nooit eerder gedaan. Alsof je betoverd wordt. Maar goed, ik vroeg dus waarom hij midden op straat vreemde vrouwen stond te kussen en hij kwam met het smoesje dat hij dat mens allang kende en dat ze in de put zat omdat haar man ervandoor was. Hij had haar gewoon een hart onder de riem willen steken door haar zo'n klapzoen te geven. Het kwam er allemaal zo gladjes en zonder aarzelen uit dat ik hem bijna geloofde. En voordat ik nog iets kon zeggen klopte hij me op mijn hoofd en ging er lachend vandoor.'

'Nou ja.' Ik schoot zelf ook in de lach omdat ze zo nijdig klonk. 'Er was een tijd dat ik het juist fijn vond dat Harry altijd vrolijk is. Daarom heb ik besloten om zelf ook wat minder te kniezen. Met een vleugje rationeel optimisme is de kans groter dat alles wat gemakkelijker gaat. Dat heb ik dan tenminste van Harry opgestoken. Als ik nu alleen nog maar een redelijke school voor Percy kan vinden, zal ik me over de rest niet druk meer maken.'

Buiten in de hal klonken stemmen en ik liep naar boven om afscheid te nemen van de beide wetsdienaars. Agent Carter bloosde maar sergeant Brough kneep alleen maar haar lippen op elkaar. Toen ik de voordeur opendeed, kwam Dickie, elegant in een geel met wit gestreept linnen pak, net het bordes op huppelen. Hij ging beleefd opzij om ruimte te maken voor de ampele voorgevel van sergeant Brough.

'Ik ben dol op vrouwen in uniform,' zei hij galant en keek gekwetst toen hij als dank een boze blik kreeg.

Ik drukte een kus op Dickies geparfumeerde wang. 'Ik was vergeten dat je die tekeningen van Cherstone op zou komen halen, maar je komt als geroepen. Birdie en ik zitten beneden aan de wijn en ik vroeg me net af of we nog een fles open zouden trekken. Ik heb gisteren van een aardige cliënt zes flessen roze champagne gekregen en dit lijkt me een mooie gelegenheid om die te proberen.'

Maar toen ik de kelderkast opentrok, was de plank leeg. Harry had alles meegenomen.

39

'Ik heb het allemaal aan jou te danken, Art, dus ik vond dat ik je het meteen moest vertellen.' Ze klonk beheerst door de telefoon, zelfs een tikje ernstig. Dat begreep ik best. Het onderscheid tussen haar euforie en mijn – misère was een te groot woord – mijn minder uitgelaten stemming was te groot. 'Dickie is gisteravond gebleven en we zijn met elkaar naar bed geweest.'

'Birdie! Wat vind ik dat fijn voor je. Hoe heb je Dickies... complex omzeild? Of mag ik dat niet vragen?'

'Natuurlijk wel. Als jij me niet gewaarschuwd had, zouden we nu nog in het pierenbadje rondhannesen in plaats van in het diepe te duiken. Ik heb ervoor gezorgd dat we een paar glazen wijn achterover hadden geslagen, zodat Dickie niet meer naar huis kon rijden. En toen zei ik dat hij maar bij mij in bed moest kruipen, omdat de bank vol lag met allerlei rollen stof. We zijn als een stel onschuldige kinderen in elkaars armen in slaap gevallen. Nou ja, hij sliep maar ik heb vrijwel geen oog dichtgedaan, ik lag alleen maar te piekeren. Toen hij om vier uur 's ochtends wakker werd, vertelde ik hem dat we echt zalig met elkaar hadden gevrijd. Hij zei dat hij dan zatter moest zijn geweest dan hij besefte, want hij kon zich daar niets van herinneren. Dus toen begon ik hem te kussen en te strelen en dingen te zeggen zoals "toen deed jij dit" en "ik deed dat" en ineens... lagen we echt te vrijen.'

'Was het wat je ervan verwacht had?'

'Mmm... Het was best fijn.'

'Hoor eens, mafkop! Ik wil niet behandeld worden als een of andere zielenpoot die ieder moment weer in kan storten. Ik voel me prima en ik vind het geen enkel probleem dat mijn beste vriendin ongelooflijk gelukkig is. Daar kikker ik zelfs van op.'

'Echt waar?'

'Ja.'

'Nou ja... Het was gewoon fantastisch. Ik ben echt stapelgek op hem, Art. Hij is zo lief, zo intelligent, zo geestig... en we houden allebei van dezelfde dingen. Het is net alsof je ineens samen bent met iemand naar wie je je leven lang zonder het te weten hebt verlangd. Snap je wat ik bedoel?'

'Ja, hoor.'

'Als ik dat vest af heb, ga ik een negligé voor hem maken van een lap roze crêpe de chine die ik eigenlijk voor mezelf had gereserveerd.' Een van Birdies pluspunten was dat ze in haar leven al zoveel vreemde dingen had gezien dat ze zich niet van haar stuk liet brengen door onalledaagse opvattingen of eigenschappen. 'Vanmiddag gaan we naar een handwerktentoonstelling. Maar genoeg over mij. Heb je nog iets van Harry gehoord?'

'Nee, maar dat kan me niets schelen. Echt niet.'

'En je vindt niet dat ik me zorgen moet maken omdat ik tegen Dickie gejokt heb?'

'Nee. In dit geval heiligt het doel de middelen. Ik ben echt ontzettend blij dat mijn twee beste vrienden elkaar gevonden hebben. Dat is toch het beste wat me kon overkomen?'

Dat meende ik echt. Ik vond het geweldig om te zien dat Dickie met een verdwaasde grijns dromerig door het kantoor dwaalde en ik was maar al te graag bereid om aan te horen hoe geweldig Birdie was. Toch voelde ik af en toe een steek in mijn hart als ik bedacht hoe eenzaam ik voortaan zou zijn. In de toekomst zou ik ze ongetwijfeld veel minder vaak zien.

Het feit dat Adrian nog steeds boos was, hielp ook niet. Als hij iets tegen me te zeggen had, gebeurde dat grommend, waardoor hij af en toe klonk als Minver en Mawes. De dag voordat ik naar Cherstone zou gaan, riep hij me bij zich.

'Moest je echt met alle geweld de plannen waaraan ik zes weken lang heb gewerkt de grond in boren?'

Hij wees naar de voorlopige schetsen voor het zwembad in de kelder die ik tijdens mijn overleg met Bart Orrington had gemaakt en aan Bart had meegegeven om ze nader te bestuderen. Het was niet de bedoeling geweest dat hij ze in een envelop zou stoppen om ze terug te sturen naar mijn baas. Maar dit was een mooie gelegenheid om mijn nieuwe, sterke karakter op de proef te stellen.

'Dat waren gewoon een paar ideeën, die hem kennelijk goed...'

'Vrouwen zijn echt niet goed wijs!' Adrian vertrok zijn mond. 'Ze bevielen hem zo verdomd goed dat hij de opdracht aan iemand anders heeft gegeven.'

Dat wist ik al. Bart had me de dag na onze afspraak gebeld met de vraag of ik met hem uit eten wilde. Niet vanwege het huis, maar omdat hij in mij geïnteresseerd was. Toen ik beleefd bedankte, had hij me verteld dat hij in dat geval niet meer bij ons langs zou komen. 'Ik heb drie mislukte huwelijken achter de rug, Art, en ik ben door schade en schande wijs geworden. Jammer dat het niet zo heeft mogen zijn.'

We hadden op een vriendschappelijke manier afscheid genomen.

Adrian haalde zijn hand door zijn haar, zodat een grijzend kuifje rechtop bleef staan. 'Dus die Orrington was niet goed genoeg in bed om aan jouw exotische wensen te voldoen?'

'Waar heb je het in vredesnaam over? Mijn relatie met Bart Orrington was puur zakelijk...'

'Of heb je je tegenover hem ook als een kuise maagd gedragen? Daar ben je wel heel goed in... ha ha!' Adrian lachte als een boer met kiespijn. Zijn gezicht zat vol paarse vlekken. Ik begon medelijden met hem te krijgen.

'Je bent kennelijk zo verwaand dat het je geen barst kan schelen dat het bedrijf door jou een waardevolle cliënt is kwijtgeraakt.' Zijn bovenlip bleef een eigen leven leiden. Ik vroeg me af of hij wel helemaal in orde was. 'Maar vrouwen die mannen alleen maar opgeilen krijgen binnen de kortste keren het deksel op de neus.'

Mijn medelijden verdween als sneeuw voor de zon. Ik liep naar de deur waar ik me hooghartig omdraaide en zei: 'Ik ga nu terug naar mijn kantoor en ik wens geen woord meer met je te wisselen tot je je verontschuldigingen hebt aangeboden.'

Ik kon nog net zijn nieuwste speeltje ontwijken dat hij me naar mijn hoofd gooide.

Dickie remde en draaide de oprit van Cherstone Abbey op. Princess Pushy had zich keurig gedragen op weg naar Kent en Dickie had zijn bewondering voor Harry niet onder stoelen of banken gestoken. Ik had mijn vrienden ingeprent dat ze rustig over Harry konden blijven praten en ik was best bereid om toe te geven dat hij knap en charmant was en een uitmuntend monteur.

Onderweg hadden we zitten praten over het feit dat ik de sloten van Oracle Street nummer 47 had laten veranderen. De dag nadat de Corot verdwenen was, had ik alle sieraden die ik van Harry had gekregen – met inbegrip van mijn prachtige verlovingsring – op het haltafeltje gelegd, zodat hij er niet naar hoefde te zoeken. Toen ik thuiskwam, was alles verdwenen, maar hij had ook een broche meegenomen die van mijn moeder was geweest en het snoezige koperen klokje dat we voor ons trouwen van mijn vader hadden gekregen.

Vandaar dat ik de sloten had laten veranderen. Dat ik Harry nu letterlijk had buitengesloten, gaf me het gevoel dat ik een hele rij deuren achter me had dichtgeslagen. Natuurlijk had ik daar geen ervaring mee, maar ik vroeg me af hoeveel huwelijken beëindigd werden zonder dat de twee partijen ook maar een woord met elkaar gewisseld hadden.

De kastanjebomen langs de oprit vertoonden hier en daar al gele blaadjes. Het was de warmste zomer geweest sinds jaren, maar ik vond het niet erg dat het eind in zicht kwam. Conrad stond al op ons te wachten, omdat de schorre uitlaat van Princess Pushy de vredige stilte van de Abbey verstoord had. Hij nam ons mee naar de refter en zette koffie. Marigold moest optreden in Praag en hij zou haar over twee dagen ophalen. Orlando had een klus in Birmingham en Fritz was met hem meegegaan, dus Conrad moest voor zichzelf zorgen.

'Dan hoef je voor ons geen lunch klaar te maken,' zei ik. 'We kunnen onderweg wel een paar broodjes kopen.'

'Ik kan best iets eenvoudigs op tafel zetten.' Hij keek Percy aan, die de hele weg bij me op schoot had gezeten. 'Ben jij een moeilijke eter? Dat is vaak het geval met jonge mensen.'

'Nee hoor,' zei ze. Dat was waar. We waren altijd zo arm geweest dat ze zich op het gebied van eten geen kuren kon veroorloven. 'Art kookt allerlei walgelijke dingen, maar ik eet ze altijd op. Ook al word ik er soms misselijk van,' voegde ze er een tikje dramatisch aan toe. 'Vooral van dingen als spinazie en Brussels lof. En rapen.'

'We hebben geen rapen meer gegeten sinds we de eerste keer op Pentrew waren,' merkte ik op. 'Ik heb ze dit jaar met opzet niet gezaaid.'

'Ach ja,' zei Conrad. 'Het wonderbaarlijke Pentrew. Laten we het daar tijdens de lunch maar eens over hebben. Goed?'

'Prima, hoor,' zei ik een beetje verbaasd.

'Kunnen we dan nu met de ramen beginnen?' drong Dickie aan. Hij wilde zo snel mogelijk terug naar Londen omdat hij een afspraak met Birdie had.

We zaten een uur te praten over de keus tussen de oorspronkelijke, zestiende-eeuwse ramen en de Victoriaanse schuiframen die daarvoor in de plaats waren gekomen. Persoonlijk gaf ik de voorkeur aan de eerste, want ik had al heel veel mooie huizen gezien die geruïneerd waren omdat een of andere walgelijke Victoriaanse verbouwing zo nodig gehandhaafd moest worden. We waren inmiddels bij het hang- en sluitwerk beland toen Percy en Ko-Ko terugkwamen van hun wandeling met de mededeling dat ze allebei rammelden van de honger. Conrad nam ons mee naar de tafel op de binnenplaats, waar we gezelschap kregen van Charlie Pope, de steenhouwer, die vertelde dat Arabella niet kon komen omdat ze eerst les moest geven op de technische school en daarna de kinderen van school moest halen. Percy keek me even aan, maar toen ze Charlies vragende blik zag, vertelde ze dapper dat ze van school was gestuurd en waarom. Charlie en Conrad reageerden prompt met de opmerking dat ze dat natuurlijk nooit had mogen doen, maar dat ze ervan uitgingen dat ze geen kwade bedoelingen had gehad.

Nadat we hadden genoten van een eenvoudige, maar verrukkelijke lunch, vroeg Conrad me hoe de zaken ervoor stonden op Pentrew.

'Niet al te best,' zei ik. 'Vier van de koeien lijden aan melkziekte en dat schijnt ontzettend besmettelijk te zijn. De hele opbrengst van de maand zal wel naar de dierenarts gaan, zei Jago. Hij klonk alsof hij er behoorlijk de pee in had. Hij vindt het vreselijk als de dieren moeten lijden. Hij heeft niet de juiste instelling om boer te zijn.'

'Nou, toevallig ben ik op een idee gekomen.' Conrad zag er zelfingenomen uit, wat in zijn geval volkomen terecht was, vond ik. 'Vertel me maar eens wat voor planten er rond het huis groeien.'

'Nou, rododendrons, fuchsia's, azalea's, hortensia's, camelia's...'

'Prachtig. Wat zou je ervan zeggen als we daar eens een kijkje gingen nemen?'

Ik voelde mijn opwinding stijgen. 'Op Pentrew, bedoel je?'

'Ja.'

'Wanneer?'

'Vanmiddag.'

40

'Wil je er dan naartoe vliegen?'

'Uiteraard. Maar jij moet eerst met Jago bellen om te vragen of het wel uitkomt dat we zomaar binnen komen vallen,' zei Conrad.

'Maar wat moeten we dan met Percy en Ko-Ko?'

'Die gaan natuurlijk gewoon mee.'

Ik benijdde Conrad om het gemak waarmee hij knopen doorhakte. Dat zou ik ook moeten leren als ik spontaner wilde worden, maar het zou lastig zijn omdat ik voortdurend rekening moest houden met een kind en een hond.

Onderweg naar de telefooncel vertelde ik Conrad zonder veel omhaal dat Harry en ik uit elkaar waren. Hij accepteerde die mededeling al even nuchter en zei alleen maar: 'Juist. Dus dit wordt een soort afscheidsbezoek?'

'Ik vrees van wel. Natuurlijk moet Jago allereerst aan zijn neef en erfgenaam denken. En het zou een beetje vervelend zijn als Harry en ik elkaar daar tegen het lijf liepen. Bovendien is er geen enkele reden waarom Jago contact met me zou willen houden.'

Inmiddels waren we bij de telefooncel aangekomen en ik belde Pentrew.

'Hallo?' Gesmoord.

'Met Artemis.'

'Neem me niet kwalijk dat ik mijn mond vol heb. Ik zat net een boterham te eten.'

'Wat ga je vandaag verder nog doen?'

'De heg snoeien. Hoezo?'

'Ik wil graag met Conrad Lerner naar je toe komen. Je weet wel, de man die een koper voor mijn vaders huis heeft gevonden. Hij is echt iemand die van wanten weet. En hij heeft een idee. Met betrekking tot Pentrew.'

'O ja? Wat dan?'

'Dat heeft hij me niet verteld. Ik geloof dat hij eerst met eigen ogen wil zien of het kans van slagen heeft. Mogen we komen?'

'Wat een domme vraag. Ik heb toch tegen je gezegd dat je hier altijd welkom bent, Artemis.'

'Dat is heel lief van je, maar de situatie is wel enigszins veranderd. Harry en ik... Hij is bij me weg...'

'Dat weet ik. Hij heeft me gisteren gebeld.'

'O. Weet jij dan waar hij uithangt? Nee, laat maar zitten. Vertel me alleen of alles in orde is met hem.'

'Dat is domme vraag nummer twee.'

Ik schoot opgelucht in de lach. 'Ik ben alleen maar bang dat hij gearresteerd zal worden.'

'Hij maakt het goed. En jij?'

'Ik ook.'

'Mooi. Kom dan maar zo gauw je de gelegenheid hebt.'

'We kunnen er over tweeëneenhalf uur zijn.'

'Wát? Waar ben je dan?'

'In Kent. Maar Conrad heeft een vliegtuig.'

'O ja, dat heb je me verteld.'

Ik vertelde hem ook dat we Percy en Ko-Ko mee zouden brengen en vroeg of hij contact zou willen opnemen met een boer in de buurt die volgens Conrad over een privélandingsbaan beschikte. Jago zei dat hij de man goed kende en dat het geen enkel probleem zou zijn. Meteen daarna verbrak hij zoals gewoonlijk abrupt de verbinding.

Toen we terugliepen, vertelde ik Conrad dat ik ruzie had gehad met Adrian en dat ik waarschijnlijk op zoek moest naar een andere baan. 'Maar Dickie zal ervoor zorgen dat alles hier prima wordt afgewerkt.'

'Dat zien we dan wel weer,' zei Conrad en begon weer over de ramen, waardoor ik stiekem hoopte dat ik misschien als freelancer voor hem zou kunnen blijven werken.

'Jemig, wat gaaf!' zei Percy toen we haar op de hoogte brachten van de gewijzigde plannen. 'Maar dat zal dan waarschijnlijk ook wel het laatste leuke ding zijn wat me de komende tijd zal overkomen. En als ik echt naar die stomme gemeenteschool moet, hoop ik eigenlijk maar dat we neer zullen storten.'

'Wat egoïstisch,' zei Conrad. 'Ik heb namelijk een heleboel prettige dingen in het vooruitzicht. En trouwens, iedereen weet dat een ramp vaak op iets goeds uitdraait. Je weet maar nooit wat er morgen kan gebeuren. Waarom zou dat voor de verandering niet iets leuks kunnen zijn?'

Percy keek hem nadenkend aan. 'Nou ja, ik wil ook helemaal niet dat Ko-Ko doodgaat.'

Dit keer was ik niet meer zo bang toen we opstegen. Dat had wellicht iets te maken met het aanstekelijke enthousiasme van Percy, maar het kon ook de macabere troost zijn dat als er iets gebeurde Percy en ik in ieder geval samen het hoekje om zouden gaan. Ik zette die gedachte van me af en concentreerde me op het prachtige Engelse landschap en het opsporen van de herkenningspunten die Conrad me opgaf.

De twee uurtjes vlogen voorbij. Toen we Cornwall bereikten, waarschuwde Conrad me dat hij vanwege het vee in de wei niet rond zou mogen cirkelen en ook niet al te laag mocht aanvliegen, dus we zouden vrij snel moeten dalen.

'Dat geeft niet. Ik vertrouw je volledig,' zei ik en dat was ook bijna waar. 'En inmiddels moeten we de landingsbaan al bijna kunnen zien. Ja, daarginds, ten noorden van dat kerkje.'

'Jezus!' zei Percy. 'Dat kleine lapje grond? Daar kun je nauwelijks een kinderwagen op kwijt!'

'Ik wil niet dat je "Jezus" zegt, Percy,' zei ik scherp. Mijn knieën begonnen te trillen en ik haalde diep adem om mezelf tot kalmte te dwingen. Er stond iemand naast de landingsbaan met zijn hand boven zijn ogen. Ik kon zijn gezicht nog niet onderscheiden, maar ik wist dat het Jago was. Mijn maag draaide zich om. De grond kwam met een noodgang op ons af en ineens hobbelden we over het gras alsof we op een trampoline waren geland. Conrad schakelde de motor uit en ik zette met trillende vingers mijn koptelefoon af en maakte mijn gordel los.

Jago trok de deur aan mijn kant open. 'Wat een keurige landing.'

Ik stelde de beide mannen aan elkaar voor en we stapten met ons allen in de Land Rover.

Toen we weg reden, zat ik voorin naast Jago. Het vreemde was dat ik alles aan hem kwijt kon als we elkaar aan de telefoon hadden, maar dat ik meteen verlegen werd als hij in de buurt was. Onderweg zat ik hem stiekem te bekijken. Als hij diep in gedachten was, zag hij er vaak streng uit. Ik hoopte maar dat hij met Conrad zou kunnen opschieten.

'Hoe gaat het met Roza?' vroeg ik.

Jago bleef strak voor zich uit kijken. 'Ze is boos.'

'Waarom?'

'Omdat ik tegen haar heb gezegd dat ze zich met haar eigen zaken moest bemoeien.'

'Mag ik vragen waarover jullie ruzie hadden?'

'Nee.'

'Je hoeft niet zo te snauwen. Ik dacht alleen dat ik je misschien kon helpen.'

'Eerlijk gezegd zou het me bijzonder goed uitkomen als ze de benen nam. Als ik genoeg geld had, zou ik die Parsley wel willen betalen om haar over te nemen.'

'Echt waar? Maar ze kan zalig koken.'

'Ik zou liever in alle rust voor mezelf willen zorgen. Ik ben best in staat om een boterham met kaas te maken.'

Ik lachte. 'Ja, dat kan ik me nog goed herinneren.'

Ik keek opnieuw opzij en zag dat hij lachte. Toen kwamen we bij de tunnel van bomen aan en reden naar beneden.

'Ach! Wie schön!' riep Conrad uit toen Pentrew in zicht kwam. 'Je hebt absoluut niet overdreven, Artemis. Ik ben op het eerste gezicht al verliefd op dat huis.'

Ik vroeg me ineens af of Conrad overwoog om een bod te doen op Pentrew. Dan zou hij misschien bereid zijn om het voor een peulenschil weer aan de Tremaines te verhuren. Dat zou een edelmoedige oplossing zijn en karakteristiek voor Conrad. Maar ik wist ook dat het Jago moeilijk zou vallen om het huis te verkopen.

Roza stond in de Grote Zaal. Haar haar hing steil naar beneden en haar ogen waren gezwollen van het huilen, maar ik zag tot mijn grote blijdschap dat haar gezicht al grotendeels geheeld was, zonder littekens na te laten.

'Hallo, Roza.' Ik sprak automatisch op de vleiende toon die ik altijd gebruikte om Percy zover te krijgen dat ze een bedankbriefje schreef aan haar tantes die haar walgelijke cadeautjes hadden gestuurd. 'Wat fantastisch, hè? Tot mijn lunchpauze had ik nog geen flauw idee dat ik vanmiddag hiernaartoe zou komen. Dit is Conrad Lerner.'

Roza reageerde met een kort knikje op Conrads buiging. 'Aangenaam.'

'We blijven niet lang, hoor,' vervolgde ik geruststellend. 'En we kunnen best iets gaan eten in het Get Stuffed Café voordat we weer terug vliegen.'

'Het maakt me nichts uit of je vijf minuten blijft of vijf jaar,' antwoordde ze terwijl haar lange neus trilde alsof het een mol was die wormen rook. 'Was mij betrifft, kun je van de rotsen springen.'

Ik was een beetje van mijn stuk gebracht door Roza's plotselinge vijandigheid. Percy kreeg de slappe lach en holde met Ko-Ko onder haar arm naar het toilet.

'Ik zou me maar inhouden als ik jou was, Roza,' zei Jago kortaf.

Ze begon te lachen met een gierende uithaal die eindigde in iets wat op een snik leek. 'Jullie Engelse gentlemans, jullie denken dat jullie anders zijn dan gewone menschen omdat jullie gevoelens inhouden. Bah! Jullie huis brandt af, jullie frau loopt weg, jullie kind wordt ziek en toch blijven lachen, alsof niets is gebeurd. Jullie koud... ijskoud! Jullie bedrijven liefde met vrouw alsof jullie dokter zijn en van binnen moet kijken...'

'Ben je nou stapelgek geworden?'

Roza liep op Jago af met gekromde vingers, alsof ze zich in

hem vast wilde klauwen. Ik was er vast vandoor gegaan, maar hij bleef gewoon staan. 'Jij denkt ik ben gek, ja? Jij wilt mij in gekkenhuis zetten, zodat jij het binnenste van deze ontrouwe... deze slechte, slechte vrouw...'

'Nog één woord en je kunt vertrekken.' Jago keek haar woedend aan.

'Ha!' snauwde Roza. 'Jij zegt ik moet gaan? Jij denkt ik ben maar gewone dienstbode?' Ze sloeg Jago zo hard in zijn gezicht dat het geluid door het hele vertrek weergalmde. 'Nu ik zeker weten! Ik ga! Jij hoeft niets te vertellen! Ik ga omdat ik vrije vrouw ben! Ik ga mijn kleren pakken en schud het stof van dit huis voorgoed van mij af!'

Ze liep stampvoetend de Grote Zaal uit.

'Dat heeft vast pijn gedaan,' zei ik, toen Jago over zijn gezicht wreef. 'Ik werd gewoon bang van haar.'

Conrad draaide zich weer naar ons om en zijn mondhoeken krulden op. 'Zou het geen goed idee zijn als je me eerst even het land liet zien? Ik wil niet te veel van je tijd in beslag nemen.'

De beide mannen liepen naar buiten en even later zag ik dat Minver en Mawes achter hen aan liepen. Ik bleef in mijn eentje achter en dwaalde drie kwartier lang door de tuin omdat ik Roza wilde ontlopen. Het met citroengele wolfsmelk en blauwe en gele wilde viooltjes vermengde gras in de boomgaard kwam tot aan mijn knieën en bood een betoverende aanblik.

'Hé, hallo! Mevrouw Tremaine!'

Osbert Parsley kwam zwaaiend op me af door de weelderige plantenzee. 'Wat leuk om u weer te zien. Is Jago in de buurt?'

'Ja, maar ik weet niet precies waar hij uithangt.'

'Ik had hem eigenlijk even willen spreken.' Osbert leek een beetje buiten adem. 'Hij en ik zijn altijd eerlijk tegenover elkaar geweest. Toen ik helemaal in de put zat, heeft hij me een hart onder de riem gestoken. Maar Roza belde me een halfuurtje geleden en vertelde dat ze eindelijk had besloten om met me te trouwen. Wat zegt u daarvan?'

'Gefeliciteerd!' Ik schudde meneer Parsley de hand. 'Ik weet zeker dat Jago het geweldig zal vinden.'

'Ik hoop dat hij het niet erg vindt dat ik haar meteen meeneem. Ze zei dat ze woorden met hem had gehad en dat ze graag wilde dat ik haar zo snel mogelijk kwam halen. Maar dat maakt niets uit, hoor. De eerste mevrouw P. was een echte driftkikker. Ik hou wel van een beetje temperament.'

'Ik weet zeker dat Jago het zal begrijpen,' zei ik.

'*Oz*-bert!' klonk het schel vanuit het huis. Roza verscheen in de deuropening. Haar haar zat verstopt onder een scheve tulband. 'Daar ben je dan eindelijk, Ozbert. Ik neem nu alleen maar kleine tas mee. De rest kan jij morgen ophalen.' Ze keek me aan en trok haar lippen op. 'Ik hoop dat u heel gelukkig wordt, mevrouw Tremaine. Ik waag het te bezweifelen, maar ik hoop het voor u.'

Ze verdween voordat ik wist wat ik daarop moest zeggen.

'De groeten aan Jago.' Osbert zette het op een lopen om haar in te halen. 'Geen tijd meer. Ik moet voor die lieve meid zorgen.'

Ik keek hem na en verbaasde me over de vreemde wegen van de liefde.

'Zit je nu te dromen dat je van de boomgaard best een dubbele kruidentuin zou kunnen maken?' klonk Jago's stem een tijdje later ineens in mijn oor.

Ik had in een van de bijgebouwen een oude tuinstoel gevonden en die onder een appelboom neergezet. En omdat de zon recht in mijn gezicht scheen, had ik heel even mijn ogen dichtgedaan.

'De boomgaard hoeft wat mij betreft niet veranderd te worden,' zei ik. 'Maar een paar bloembedden in het zuidelijke gazon aan de voorkant zou heel mooi staan. En ontzettend veel werk met zich meebrengen. Ik geloof niet dat Pasco het daarmee eens zou zijn.'

'O, had ik je dat nog niet verteld? Pasco is weg. Hij vroeg me een paar weken geleden of ik hem honderd pond wilde geven. Vijfenzeventig pond voor een bootreis naar Australië en vijfentwintig om naar de kapper te gaan en een nieuwe broek te kunnen kopen. Hij zei dat hij zich hier begon te vervelen. Ik had niet verwacht dat hij echt weg zou gaan, maar tot mijn grote verbazing is hij gisteren naar Southampton vertrokken, schoon, keurig gekleed, nuchter en even goed bij zijn hoofd als ik.'

'Nou, ik wens hem het allerbeste, maar ik kan je nog iets anders vertellen. Roza is ook weg.'

Jago keek naar zijn voeten en vervolgens naar de lucht, alsof hij er zeker van wilde zijn dat hij niet droomde. 'Je houdt me toch niet voor de gek? Ze heeft al ik weet niet hoe vaak gedreigd dat ze ervandoor zou gaan.'

'Meneer Parsley heeft haar opgehaald. Ze heeft eindelijk zijn aanzoek aangenomen. Hij had nog even met je willen praten, maar zij wilde niet wachten.'

'Mooi zo. Dat was het dan.' Jago trok met geweld het knopje van een uitgebloeide distel af, alsof hij op die manier alle banden met Roza kon verbreken. 'Wat er ook gebeurt, ze komt hier niet meer binnen. Mijn straftijd zit erop. Vijf jaar!'

'Het was engelachtig van je dat je het zo lang met haar hebt uitgehouden.'

'Niet bepaald. Ik ben nooit aardig tegen haar geweest. Verdomme, ik had de pest aan dat mens. Maar ik kon haar toch niet wegsturen? Ze kon nergens heen. Hartelijk bedankt, Artemis. Je hebt een gelukkig man van me gemaakt.'

'Eigenlijk heb ik niet veel gedaan.'

'Meer dan je beseft. Die ruzie ging over jou.'

Ik vroeg me af wat dat betekende. Had hij iets aardigs over me gezegd en was ze daarom zo woedend geworden?

Jago speelde met de oren van een van de wolfshonden die vertrouwelijk tegen zijn heup leunde. 'Voor het geld dat ik aan Pasco en Roza kwijt was, kan ik me veroorloven om iemand in dienst te nemen die niet aan de drank verslaafd is en ook geen gespleten persoonlijkheid heeft.'

Wat haalde ik me in mijn hoofd? Deze man zou nog liever boven een houtvuur geroosterd worden dan iets aardigs te zeggen over een vrouw. Overigens vond ik dat een punt in zijn voordeel.

Conrad voegde zich bij ons, met zijn canvas tas over zijn schouder. 'Ik heb voorlopig alle bodemmonsters die ik nodig heb.'

‘Vertel ons nu eindelijk eens wat je van plan bent,’ smeekte ik. ‘De spanning is niet meer te harden.’

‘Thee,’ zei Conrad.

‘Prima,’ zei ik en stond op. ‘Zullen we dan maar op het terras gaan zitten?’

‘Dat lijkt me heerlijk. Maar ik heb het over een theeplantage. Hier, op Pentrew.’

‘Een thééplantage?’ herhaalden Jago en ik in koor.

‘Dat is geen nieuw idee, hoor,’ vervolgde Conrad. ‘In de Tweede Wereldoorlog werd al overwogen om in dit land theeplantages aan te leggen om op die manier de nationale drank altijd voorhanden te hebben, maar het project werd aan de kant gezet toen bleek dat het zes jaar zou duren voordat de struiken groot genoeg waren om een behoorlijke oogst op te leveren. De theestruik heet *camellia sinensis*. Er groeien hier voldoende camelia’s, dus de grond is goed. Er komt natuurlijk nog meer bij kijken en een vochtig, vorstvrij klimaat is ook heel belangrijk. En dat hebben jullie hier in zuidwest-Engeland.’

‘En aan regen ook geen gebrek,’ zei Jago. ‘Maar hoeveel hectare had je in gedachten? En hoe lang zou het duren voordat het winstgevend wordt? Het lijkt een fantastisch idee, maar als het zes jaar duurt voordat er geoogst kan worden... Kunnen koeien en thee wel gecombineerd worden?’

‘Volgens mijn adviseurs zouden ongeveer vijfendertig hectare voldoende zijn om een prima thee van eigen merk te produceren. Dus als je akkoord gaat met dit plan, zullen de koeien moeten verdwijnen.’

Jago begon piekerend heen en weer te drentelen en stelde toen voor om eerst maar eens thee te gaan drinken voordat we verder praatten.

‘Goed,’ zei hij toen we op het terras zaten. ‘Laten we zeggen dat ik de koeien en alle melkapparatuur voor een redelijke prijs kan verkopen – zeg maar vijf- of zesduizend pond – hoe moet ik dan een huis onderhouden dat zeker tien- tot vijftienduizend per jaar kost? Dan heb ik het alleen over het onderhoud dat voorkomt dat alles letterlijk instort. En dat zes jaar lang zonder inkomen.’

'Als president-directeur van de Pentrew Tea Company of hoe je jouw bedrijf ook wilt noemen, zou je een jaarsalaris van dertigduizend pond ontvangen, te beginnen op de dag dat je een contract ondertekent dat je onderdeel maakt van de *Teehändler* in München. Dat zou al over zes weken kunnen zijn.'

'Dat is een paar duizend pond meer dan ik als melkveehouder verdien,' zei Jago. 'Maar ik heb geen idee wat er bij de teelt van thee komt kijken. Hoeveel mensen zou ik dan in dienst moeten hebben?'

'Dat zullen de hoge heren van de *Teehändler* je wel vertellen,' glimlachte Conrad. 'In het begin zou je die regelmatig over de vloer krijgen.'

'Ja, natuurlijk, maar als er nu eens iets misgaat? De oogst mislukt, het weer krijgt kuren, ik breek een been... of mijn beide benen... Kunnen ze dan mijn land in beslag nemen?'

'Het enige wat ze in ruil zouden krijgen voor hun investering en hun expertise is de thee die je produceert. De grond waarop dat gebeurt, blijft van jou.'

'Maar dat klinkt allemaal zo voordelig voor mij dat ik het gevoel krijg dat er een addertje onder het gras zit.'

'Nee, hoor. Bekijk het eens van hun kant. Zij hoeven niet te investeren in grond en ze krijgen er iemand bij die de omstandigheden van haver tot gort kent. En die bovendien bewezen heeft een betrouwbare ondernemer te zijn. Reken maar dat ze zich in hun handen zullen wrijven. Je mag er gerust even over nadenken, maar meer dan vijf dagen kan ik je niet geven. Dan moet ik verder kijken.'

'Wanneer is de oogst?' vroeg ik. 'En hoe gaat dat?'

'Dat weet ik niet zeker. Volgens mij beginnen ze al in de lente te oogsten en daarbij worden alleen de knoppen en de eerste twee blaadjes geplukt. Met de hand. Die worden daarna gedroogd. Hoeveel plukkers je nodig zou hebben, hangt af van het weer en het seizoen. En er zouden ook inpakkers moeten komen.'

'Er wonen genoeg mensen in de omgeving die werk zoeken. Maar toch zou ik graag ook iemand willen hebben die meer van tuinbouw weet.'

'O ja.' Conrad pakte het plakje cake aan dat ik hem aanbood. 'Als ik jou was, zou ik zeker iemand in dienst nemen die iets van tuinbouw weet. En die onder alle omstandigheden zichzelf blijft, of het nu om mensen of het weer gaat. En toevallig zit ze hier ook aan tafel.' Hij gebaarde naar mij. 'De ideale werkneemster. Intelligent, diplomatiek, ijverig en een ervaren tuinierster. Bovendien zoekt ze een andere baan.'

'Ik?' Ik dacht dat hij een grapje maakte. 'Maar ik ben architect.'

'Dat betekent toch niet dat je niet kunt omschakelen? Ik heb natuurkunde gestudeerd en mijn eerste baan was wetenschappelijk medewerker. Tegenwoordig ben ik ondernemer, pianist, schrijver en restaurateur van antieke gebouwen. Het zou toch saai zijn om je leven lang maar één kunstje te doen?'

'Misschien wel,' zei ik aarzelend. 'Maar ik weet niets over de teelt van camelia's. Ik heb alleen getuinierd op alkalische grond. Ik ben alleen maar een enthousiaste amateur.'

'Enthousiasme is iets wat je niet vaak tegenkomt.'

'Maar ik woon in Londen.'

'Waarom zou je niet naar het platteland kunnen verhuizen? Ik woon momenteel in Kent. Vorig jaar woonde ik in Northumberland. Ik heb ook een huis in Beieren en een flat in New York. Verhuur dat huis in Londen, dan heb je meteen een vast inkomen.'

Ik dacht onmiddellijk aan Birdie en Dickie, die al geklaagd hadden dat hun flats te klein waren voor twee personen.

'Maar hoe moet dat dan met Percy?'

Conrad haalde zijn schouders op. 'Ze moet toch naar een andere school. Waarom dan niet in Cornwall? Kinderen houden van het platteland. Ze zou hier naar hartenlust kunnen zwemmen en zeilen.'

Die verwijzing naar zeilen deed me meteen denken aan het grootste obstakel voor dit onzinnige plan. 'Pentrew is het huis waar Harry is opgegroeid en hij is er dol op. Zelfs als alle andere bezwaren van de baan zijn, zou het wel heel grof zijn om hier een baan aan te nemen. Per slot van rekening gaan we scheiden.'

'Natuurlijk zou jij bezwaar kunnen hebben om hém tegen het lijf te lopen,' zei Jago zonder me aan te kijken. Hij zette een schoteltje melk voor Myrtle op de grond. 'Maar voor zover ik Harry ken, zou hij dat prima vinden, zolang je maar niet loopt te mokken. En trouwens...' Hij wierp een blik op zijn horloge. 'Op dit moment zit hij in een vliegtuig, waarschijnlijk ergens boven de Alpen. En hij is van plan om een tijdje weg te blijven.'

Het was een prettig gevoel dat ik die mededeling onaangedaan kon verwerken. Ik hoopte dat Harry een fijne reis zou hebben. Maar Jago had kennelijk geen zin om me meer te vertellen, want hij bleef strak naar Myrtle kijken.

'Denken jullie echt dat ik hier van nut zou kunnen zijn?'

Jago schonk de kopjes nog eens vol. Hij keek me nog steeds niet aan. 'Waarschijnlijk zou het je niet veel artistieke bevrediging schenken,' zei hij ten slotte.

'Misschien zou Artemis in haar vrije tijd in de tuin kunnen werken,' zei Conrad. 'Daar kan ze dan haar verbeelding de vrije loop laten.'

'Nou, daarin valt genoeg te doen.' Jago wees naar de paardenbloemen en het andere onkruid dat tussen de tegels van het terras groeide. 'Maar ik kan me momenteel geen tuinpersoneel veroorloven. De dakpannen van de bijgebouwen moeten allemaal vervangen worden.'

'Dat zou ik best voor niets willen doen,' zei ik. En koken en poetsen en zelfs je kleren verstellen, als je alleen maar onomwonden zou zeggen dat je het fijn vond als ik bleef om je te helpen, dacht ik zonder het hardop te zeggen.

'Dan zou ik misbruik maken van je vriendelijkheid.'

Wat was hij toch een trotse, eigenzinnige, argwanende vent! Was ik werkelijk bereid om de gevoeligste kanten van mijn wezen voortdurend bloot te stellen aan sarcasme en afkeuring? Tja... eigenlijk wel.

Maar voordat ik kon reageren, doken Percy en Ko-Ko op.

'Wat vind jij ervan, Percy?' vroeg Conrad. 'Zou jij hier willen wonen?'

'Hier? Bedoel je... voorgoed? In dit huis?'

'In een huisje op het landgoed,' verbeterde ik haastig.

Percy keek Jago aan. 'Mogen we niet op Pentrew wonen? Ik hou van Harry's oude kamer.'

'Natuurlijk,' antwoordde hij. 'Maar als je zus per se ergens anders wil wonen,' hij wierp me een strijdlustige blik toe, 'dan mag ze in een van de huisjes op het landgoed trekken.'

'Mogen Ko-Ko, Myrtle, Minver en Mawes dan altijd bij me slapen?' Ze bleef Jago aankijken, alsof mijn instemming al bij voorbaat vaststond.

'Met genoegen.'

'Hoef ik dan niet meer naar school? Daar verveel ik me echt dood. Ik zou vlinders en libelles kunnen vangen en die voor heel veel geld kunnen verkopen, net als in *A Girl of the Limberlost.* Dat ben ik momenteel aan het lezen. Het gaat over Elnora, een vervelend wicht, maar...'

'Ik vrees dat je gewoon naar school zult moeten,' onderbrak Jago haar. 'Je bent leerplichtig. Maar een halfuurtje hiervandaan, in St. Austell, is een uitstekende school.'

Percy keek teleurgesteld toen ze dat hoorde, maar haar gezicht klaarde meteen weer op. 'Mag ik dan een geit hebben? Ik heb altijd al een geit willen hebben, vanaf dat ik *Heidi* heb gelezen. Dat is ook zo'n eng braaf kind...'

'Je kunt niet één geit houden,' zei Jago. 'Het zijn kuddedieren en ze hebben het gezelschap van hun soortgenoten nodig.'

'Mag ik er dan misschien twee? Ik zou hun voer zelf kunnen betalen van het geld dat ik met de vlinders verdien...'

'Ja, je mag er twee.'

Daaruit maakte ik op dat Jago echt graag wilde dat we bij hem kwamen wonen. Maar betekende dat niet gewoon dat zijn geweten hem dwong om de brokken op te ruimen die zijn neef had achtergelaten?

'En mag Charity hier dan ook wonen? Dat is onze ouwe pony en ze is bijna dertig. We rijden haast niet meer op haar, maar nu Brentwell verkocht wordt, moeten we een nieuw onderkomen voor haar vinden. Ze moet 's winters op stal staan, omdat ze Arabisch bloed heeft, maar ik zou die stal ook kunnen betalen van mijn vlindergeld.'

'Ik zou de vleugels van mijn vlinders maar niet verkopen voordat ze gevangen zijn,' zei Jago vriendelijk. 'Je mag een van de stallen hier gebruiken, maar dan zul je die wel eerst zelf schoon moeten maken.'

'Waar? Welke? Ik zal er meteen aan beginnen. Ze is echt heel lief, hoor. Je wordt vast dol op haar.'

Tot mijn verrassing liet Jago zich meetronen naar de stallen.

'Zo,' zei Conrad toen we alleen waren. 'Wat vind je van mijn plan?'

'Misschien heb je eigenhandig voor een ommekeer in het fortuin van de Tremaines gezorgd. Dat hoop ik, tenminste. Maar ik weet niet of het wel zo'n goed idee zou zijn als ik hier kwam wonen en werken. Denk je echt dat ik dat moet doen? Stel dat Jago nou eens genoeg van ons krijgt?'

'Ik kan helaas niet in de toekomst kijken.'

'Maar wat vind je er zelf van? Per slot van rekening was het jouw idee.'

Conrad glimlachte. In zijn donkere ogen stond niets te lezen. 'Als ik niet had voorgesteld dat je hiernaartoe zou komen, was dat vroeg of laat toch wel gebeurd.'

'Wat bedoel je?'

'Lieve Artemis, als er zo'n sterke fysieke aantrekkingskracht bestaat tussen twee mensen verdwijnen alle obstakels als sneeuw voor de zon.'

Ik borg mijn handen in mijn gezicht. 'Ik had nooit terug moeten komen naar Pentrew. Mijn gezond verstand vertelde me al dat ik alles alleen maar erger zou maken, maar de verleiding was te groot. Wat oliedom van me! Ik kan hier gewoon niet gaan werken. Ik moet stapelgek zijn geweest om ook maar een moment...'

'Overdrijf niet zo, Artemis.' Conrads stem was kalm.

Ik keek hem aan. 'Maar begrijp je het dan niet? Als jij me meteen doorhad, dan geldt dat ongetwijfeld ook voor hem! Het is gewoon belachelijk om te denken dat ik dat kan klaarspelen. We zouden dag in dag uit met elkaar te maken krijgen, dus het zit er dik in dat ik mezelf verraad. En dan zou hij alleen maar minachting voor me voelen, want per slot van rekening was ik tot voor kort met zijn neef getrouwd. En hij moet niets hebben van mensen die zwak zijn. Zeker niet als het om vrouwen gaat. Volgens hem zijn we allemaal oppervlakkig, hysterisch en wispelturig... en wat mij betreft, heeft hij volkomen gelijk.'

Conrad maakte een sussend geluidje. 'Als je dat echt denkt, weet je niet veel van mannen af.'

'Het is maar goed dat ik je zo graag mag, Conrad, want je bent ongeveer de vijfde persoon die me dat voorhoudt. De volgende die dat tegen me zegt, kan op een mep rekenen.' Conrad lachte en ik moest wel meelachen. 'Nou ja, misschien is dat wel waar. Desondanks lijkt het me verstandiger om terug te gaan naar Londen, een baan te zoeken bij een ander architectenbureau en net te doen alsof ik voldoende gezond verstand heb om een normaal leven te leiden. En wat er ook gebeurt, ik zal ten koste van alles nieuwe emotionele betrekkingen met een man voorkomen.'

'Wat klinkt dat verstandig. Pragmatisch, doordacht en veilig.' Er landde een hommel op het tafeltje, die zich te goed deed aan een likje jam op een van de schoteltjes. 'De hommel,' zei Conrad, 'volgzaam, ijverig en een nuttige bestuiver. Maar wasmotten, fruitvliegjes, parasitaire wespen en een heleboel andere beesten zullen toch proberen om hem om zeep te brengen. Er is geen levend wezen dat zichzelf onkwetsbaar kan maken. Leven alleen is al gevaarlijk. Er is een beroemde uitspraak van Goethe, die grof vertaald het volgende inhoudt: "Als je iets kunt doen, of ervan droomt iets te doen, pak het aan. Stoutmoedigheid is een optelsom van genie, macht en magie." Geen mooie vertaling, maar de inhoud spreekt voor zich. Daar komt Jago weer aan. De beslissing is aan jou.'

41

Het vliegtuigje hobbelde over het gras en was binnen de kortste keren in de lucht. Ik zag een wuivende hand toen Conrad nog een keer boven ons rondcirkelde voordat hij in oostelijke richting verdween. Hij had gezegd dat Percy en ik het weekend maar op Pentrew moesten blijven en ik had me daar meteen bij neergelegd, omdat ik nog steeds niet wist wat ik moest doen. Conrad was van plan om op de terugweg uit Praag langs te gaan bij het kantoor van de *Teehändler* en drie dagen later terug te keren naar Pentrew als hij wat meer wist. Ondertussen konden Jago en ik nadenken over de mogelijkheden van Thee Aan Zee, zoals we het project luchthartig hadden gedoopt. Na ons vorige bezoek was er abusievelijk een koffer blijven staan, maar dat kwam nu mooi uit, want daardoor hadden we in ieder geval tandenborstels en iets om aan te trekken.

Terwijl Jago de snoeispullen opruimde, liep ik naar de gang om een noodzakelijk telefoontje te plegen.

'Hallo, Adrian. Met Artemis.'

'O.' Hij bromde iets en ik voelde me meteen weer gespannen, ook al was ik vastbesloten om de macht en de magie waarover Goethe het had gehad te omarmen. 'Het spitsuur is alweer begonnen. Ik wil zo gauw mogelijk weg.'

'Dan zal ik je niet lang ophouden. Goed nieuws. De Bristol is teruggevonden, zonder zelfs maar een krasje. Alleen de kentekenplaten ontbreken.'

'Wat? Ik snap er niets van.'

Ik vertelde hem wat ik van Jago had gehoord, ook al liet ik bepaalde dingen onvermeld. Een agent van de politie in Truro was die ochtend op Pentrew geweest, op zoek naar Harry. Kennelijk had de politie in de hoofdstad een tip gehad dat enkele dure, gestolen auto's in een pakhuis in Southampton stonden. Zonder kentekenplaten, maar van een paar auto's waren de chassisnummers nog niet verwijderd. Daaronder bevond zich ook een Bristol XMV 245, die na een ongeluk total loss was verklaard en volgens de gegevens van de Londense politie het eigendom was van Harry. Nadere controle wees uit dat de auto op naam stond van Adrian.

Het was kennelijk een bekende truc om een oud brik van hetzelfde merk te voorzien van valse kentekenplaten en chassisnummers en de wagen vervolgens na een verkeersongeval total loss te laten verklaren. Daarna kon je de originele auto voor veel geld in het buitenland van de hand doen en als bonus het verzekeringsgeld incasseren voor een auto in tiptop conditie. Uiteraard zou je meestal de duurdere auto moeten stelen, maar die moeite was Harry bespaard gebleven. Mijn hart zonk in mijn schoenen toen ik besefte dat de politie ongetwijfeld opnieuw in Oracle Street op de stoep had gestaan.

Toen ik Jago vroeg of hij de politieagent had verteld waar Harry was, ontkende hij dat en zei dat hij tegen beter weten in Harry had gebeld om hem te waarschuwen. Vandaar dat Harry nu ergens boven Europa in de lucht hing. Toen ik tegen Jago zei dat ik in zijn geval hetzelfde zou hebben gedaan, had hij me nadenkend aangekeken.

'Kijk eens aan,' zei Adrian. 'Dus Basil Bolitho, dat maatje van Harry, is een ordinaire oplichter. En ik neem aan dat Harry ook een vinger in de pap had?'

'Ik zou het niet weten. Ik neem aan dat de politie heeft geprobeerd contact met je op te nemen.'

'Jupp heeft een of ander warrig briefje op mijn bureau achtergelaten. Ik ben bijna de hele dag in Surrey geweest.'

'O. Nou ja, ik belde ook om te zeggen dat ik in Cornwall zit en dat ik pas op z'n vroegst dinsdag weer op kantoor kan zijn.'

'Wat zullen we nou krijgen? Hoe kom je op het idee dat je de benen kunt nemen zonder dat eerst met mij te bespreken?'

'Eh... Conrad moest hier voor zaken zijn en vroeg of ik mee wilde komen.'

'Waar haalt hij het lef vandaan om zonder toestemming met mijn werknemers het halve land over te vliegen?' Ik was blij dat ik hem nooit iets had verteld over ons bezoek aan Brentwell. 'Nou, dan moet hij je maar als de wiedeweerga terugvliegen.'

'Hij is alweer op weg naar Kent.'

'Die rijke lui hebben zeker niets anders te doen. Ik sta ervan te kijken dat Kent opwindend genoeg is. Wat gaat hij daarna doen? Naar een feestje op Long Island?'

'Nee, hij moet naar Praag.' Dat had ik niet moeten zeggen.

'O, naar Praag.' Adrians stem sloeg over van bitterheid. 'Wat leuk. Eerst een wandelingetje over de Bertramka en dan een gezellig etentje bij de Vier Seizoenen? Dat zul je vast leuk vinden.'

'Adrian, als je niet ophoudt met die belachelijke verdachtmakingen verbreek ik de verbinding...'

'Als je het lef hebt!' Het deed me denken aan het zielige gegrauw van een kettinghond. 'Vergeet niet dat ik die sukkel ben, die jouw uitbundige levensstijl mag bekostigen. Welke andere idioot zou je aangenomen hebben zonder ook maar een greintje ervaring? Welke andere idioot zou je het geld hebben gegeven om een huis te kopen en een dure auto op de koop toe? Als je hier maandagochtend niet om klokslag halfnegen op kantoor bent, mag je op zoek gaan naar een andere suikeroom die voor je ordinaire liefdesavontuurtjes dokt... zonder daar ook maar iets voor terug te krijgen.'

'Bedoel je dat je me ontslaat?'

'Já! Eh... nee.' Hij herinnerde zich op het laatste moment dat het tegenwoordig een aardige cent kon kosten als je iemand zonder geldige reden op straat zette. Hij besefte kennelijk niet dat ik hem nooit zou aanklagen, want daarvoor was ik hem te veel verschuldigd. En evenmin dat ik blij was dat hij in ieder geval in dit opzicht de knoop voor me had doorgehakt.

'Adrian, ik weet dat we de laatste tijd niet... dat we niet prettig meer samenwerkten... Ik ben ontzettend dankbaar voor alles wat je voor me gedaan hebt, maar ik kan niet... Ik bied je dan ook mijn ontslag aan.' Het bleef stil aan de andere kant van de lijn. 'Natuurlijk zal ik gewoon de drie maanden van mijn opzegtermijn vol maken, maar als je dat liever hebt, kan ik ook meteen wegblijven. Dickie zal mijn spulletjes wel meenemen als je me niet meer wilt zien.'

'Hoor eens, Art.' Ik had die smekende toon nooit eerder in Adrians stem gehoord. Het was tegelijkertijd stuitend en meelijwekkend. 'Doe nou niet zo belachelijk. Ik ben toch altijd je vriend gebleven, ondanks al die nukken en stommiteiten van je? Ik kan niet toestaan dat je alles uit wrok overboord gooit...'

'Het heeft niets met wrok te maken, ook al begint het me wel de keel uit te hangen dat ik volgens jou iedere man die ik ontmoet, probeer te verleiden. En voor zover ik weet, heb ik sinds ik jou ken nooit last gehad van nukken of stommiteiten.'

'O, dus het was een slimme zet van je om te trouwen met een ex-bajesklant die alles neukt wat los en vast zit?' De voldoening in Adrians stem was onmiskenbaar.

'Waar heb je het over?' Mijn milde genoegens maakten plaats voor woede.

'Ik had al zo'n idee dat hij een wandelende fallus was, dus heb ik iemand gehuurd die hem een tijdje in de gaten hield. Ik heb net zijn rapport ontvangen. Hij moet een verdraaid goede conditie hebben, als je nagaat hoe druk hij het elke middag heeft gehad. Serveersters, winkelmeisjes, modellen en een aantal dames met onbekende bezigheden. Plus twee vaste adressen om een wip te maken, een in Belgravia en een in Bayswater. Ik kan je precies vertellen...'

'Laat maar zitten. Dat hoef ik absoluut niet te weten. Het was stiekem en laag-bij-de-gronds van je om Harry te laten volgen. Ik sta er echt van te kijken dat je je zo min kon gedragen, Adrian...'

Adrian begon te schreeuwen. 'Dat heb ik alleen voor jou gedaan, verrekt ondankbaar schijnheilig kreng...'

Ik legde met een bonzend hart de telefoon op de haak. Hoewel ik meteen wist dat ik Adrian nooit meer wilde zien, was het een hele schok om dit naar mijn hoofd te krijgen.

'Hoe ging het?' vroeg Jago toen ik de Grote Zaal binnenliep.

'Niet best. Dus ik kan een goed getuigschrift wel vergeten. Maar daar staat tegenover dat ik hier meteen aan de slag zou kunnen... als je besluit om thee te gaan verbouwen. Denk je dat je iets aan me zou hebben?'

Jago stond met de armen over elkaar door het grote raam naar buiten te kijken. 'Verdomme!' zei hij. 'Die ruit is zo smerig dat ik bijna niet naar buiten kan kijken. Ik denk dat ik maar snel op zoek moet naar een hulp in de huishouding. Morveran zal alles echt niet alleen aankunnen, ook al wil ze dat nog zo graag. En ik wil ook wel eens iets anders eten dan boterhammen.'

'Ik zou best kunnen koken. En misschien ook wel samen met Morveran het huis bij kunnen houden.'

Hij wierp me een boze blik toe. 'Ja, je zou een leuk slavinnetje zijn. Maar ik heb geen zin om de rol van huistiran op me te nemen. Ik zal vast wel iemand in het dorp vinden. Waarom heb je ruzie met je baas?'

'O, door mij is hij een cliënt kwijtgeraakt. En... toen hij me kuste, ben ik weggelopen. Adrian, bedoel ik, niet die cliënt. Natuurlijk was hij beledigd. Hij heeft me zelfs iets naar mijn hoofd gegooid.'

Jago lachte. 'Wat overdreven. Mannen doen niets anders dan meisjes kussen die daar niets van willen weten en dan krijgen ze prompt een draai om hun oren. Meestal denken ze dan dat ze toch wel een kans maken.'

Ik vroeg me af of Jago wel eens een draai om zijn oren had gehad. De kans was klein. 'Adrian is nogal prikkelbaar. En een dwingeland. Ik neem aan dat je daaruit kunt opmaken dat hij diep vanbinnen heel onzeker is, hè?'

'Ik heb je al eens eerder verteld dat ik tot de conclusie ben gekomen dat psychologie helemaal niets voor mij is.'

'O ja. Ik geloof dat je me toen voor Harry probeerde te waarschuwen.'

'Dat zou best kunnen. Ik denk dat ik toen al besefte dat jij heel anders was dan ik... veronderstelde.'

'Wat had je dan verwacht? Kennelijk iemand die je goedkeuring niet kon wegdragen. Waarom had je in het begin zo'n hekel aan me?'

Jago bleef me even aankijken en zei toen dat het hoog tijd was om te gaan melken.

'Zal ik meegaan? Of ziet Jem dat niet zitten?'

'Als je blijft, zal hij daar toch aan moeten wennen.'

Percy ging met ons mee, maar Ko-Ko zag Jem helemaal niet zitten en hing constant in zijn enkels. Vandaar dat Percy maar weer met haar ging wandelen. En terwijl wij bezig waren in de melkstal, vroeg ik me af of Jago mensen zou kennen met kinderen van haar leeftijd. Als we echt zouden blijven, moest ze in de zomervakantie iets te doen hebben.

'Als je besluit te blijven moeten we die pony van jullie maar zo gauw mogelijk hierheen halen,' zei Jago toen we terugliepen naar het huis. 'Dan kan Percy lid worden van de ponyclub.'

Dat klonk veelbelovend. 'Ik weet alleen niet of Charity daar wel zo geschikt voor is. Ze altijd behoorlijk eigenzinnig geweest en ze heeft al een hele tijd haar eigen zin kunnen doorzetten.'

'Dan kan ze mooi een andere pony gezelschap houden. Eentje met een beetje pit. Paardrijden is goed voor meisjes. Dat voorkomt dat ze te snel opgroeien.'

'Ik wist niet dat je daar zoveel van afwist.'

'Van paardrijden of van meisjes?'

'Van allebei.'

'Je bent zeker vergeten dat ik drie oudere zussen heb. Die waren allemaal stapelgek van paarden. Ik heb een groot deel van mijn jeugd doorgebracht met het opbouwen van hindernissen. En ik moest die weerbarstige beesten ook altijd in hun paardenbox zetten. Ga hier maar even zitten.' We waren weer bij het stenen bankje met uitzicht op zee. 'Ik ga even iets te drinken halen. Er is iets wat ik je moet vertellen.'

Ik ging gehoorzaam zitten, keek naar de rood met witte vuurtoren aan de einder en deed mijn best om rustig te blijven. Wat zou Jago me te vertellen hebben? Iets waarvoor de steun van alcohol onontbeerlijk was. Ik schuifelde nijdig met mijn voet over het zandpad terwijl termen als 'femme fatale', 'ervaren flirt' en 'door de wol geverfde gescheiden vrouw' me door het hoofd schoten. Als ik van Jago te horen zou krijgen dat er al iemand was die aan die beschrijvingen voldeed, zou ik maandag met Conrad teruggaan naar Londen.

'Je zit toch niet weer te slapen?' Jago drukte me een glas in de hand.

'Ik zit na te denken. Dat gaat het best met gesloten ogen.'

Hij bleef staan. We hieven ons glas om te proosten en namen allebei een slok.

Daarna slaakte hij een diepe zucht en vroeg: 'Heb je verdriet om Harry?'

'Nee.' Ik was verbaasd dat hij dat nog moest vragen. Ik dacht dat ik zo doorzichtig was als glas. 'Ik verheug me niet bepaald op de scheiding, maar alleen vanwege de onkosten.' Dat kon ik maar beter uitleggen, want mannen hadden nooit genoeg aan een half woord. 'Het is opmerkelijk dat er niet meer schade is aangericht. Harry heeft al zijn spullen meegenomen en afgezien van die schat van een Ko-Ko heeft hij geen enkel spoor in mijn leven nagelaten. Ik heb geen auto meer, en dat is wel vervelend, maar dat ouwe barrel van mij liep toch op zijn laatste benen. En het bedrag dat ik rood sta, is weliswaar verdubbeld, maar dankzij Caroline is het lang niet zo hoog als het had kunnen zijn... O, sorry. Dat was heel onnadenkend van me. Ik was vergeten dat jullie eh...'

Jago maakte een gebaar alsof hij een vlieg wegsloeg. 'Caroline kan me geen bal schelen. Ik zal ervoor zorgen dat je bankrekening wordt aangevuld. Per slot van rekening is hij mijn neef.'

'Dat is heel lief van je, maar bedankt. Per slot van rekening is hij mijn ex-man. Maak je niet druk. Ik ben niet van plan om ook maar één oog minder dicht te doen vanwege geldzorgen.'

Jago stond tegen de zon in te turen. 'Denk je dat die theeplantage iets voor ons is?'

'O ja!' Rustig aan. 'Nou ja, we kunnen in ieder geval ons best doen.'

Nu ik hem beter kende, leek hij eigenlijk helemaal niet op Harry.

Oppervlakkig misschien wel, maar hun ogen waren heel anders. Die van Jago waren veel sprekender. Vaak geërgerd, gepikeerd of ongelovig. Soms vragend, af en toe vriendelijk. Nu stonden ze onzeker, een beetje bespiegelend. Ik moest ineens aan Demelza denken. Ze had zich altijd vijandig tegenover me gedragen en als ik hier bij Jago zou komen wonen en met hem ging samenwerken, zou ze een nog grotere hekel aan me krijgen. Een meeuw landde een paar meter van ons af en bleef strak naar onze glazen champagne kijken, waarschijnlijk in de hoop dat er iets eetbaars in zat.

'Je zei dat je me iets moest vertellen.'

Jago schonk me weer zo'n vaag glimlachje. Dat betekende, daar was ik inmiddels wel achter, dat hij van plan was zich op de vlakte te houden. 'Inderdaad. Ik ben bang dat het je een beetje verdrietig zal maken. Of boos.'

'Boos op jou?'

'Op Harry.'

Dat was een hele opluchting. 'Ik ben in emotioneel opzicht eigenlijk wel klaar met Harry.'

Jago zette zijn glas op het bankje en begon heen en weer te drentelen. Hij keek me niet aan. De meeuw ging iets verder weg zitten om te voorkomen dat hij onder de voet zou worden gelopen, maar bleef hem scherp in de gaten houden. 'Je vroeg waarom ik in het begin zo'n hekel aan je had. Ik was die avond helemaal niet blij om jullie te zien, maar dat gold voor allebei. Harry was hier een paar dagen daarvoor al geweest en we hadden ruzie gehad... Nou ja, ik heb hem onomwonden verteld wat ik van hem dacht. Zoals je ongetwijfeld zelf ook gemerkt zult hebben is het moeilijk om ruzie te krijgen met Harry.'

'Ik dacht dat Harry in Gdansk zat. Dat was dus ook gelogen. Maar waarom?'

'Hij kwam hier om mij alles uit de doeken te doen. Daarvóór had hij met geen woord over je gerept. Hij was heel opgewonden en vertelde hoe mooi je was, hoe intelligent en hoe...'

'Rijk,' vulde ik in toen Jago aarzelde.

'Je moet niet denken dat hij zich alleen maar vanwege geld tot je aangetrokken voelde. Dat zou een misvatting zijn.'

'Maar hij zou lang niet zo happig zijn geweest om met me te trouwen als hij niet had gedacht dat mijn vader een rijk gevulde schatkist had.'

'Misschien niet. Maar goed, hij vertelde me dat er plannen waren voor een schijnhuwelijk. Het kwam geen moment bij me op dat jij daar geen weet van had. Terwijl ik Harry toch goed genoeg kende om beter te weten.'

Mijn hersens leken vol stroop te zitten. 'Een schijnhuwelijk? Waar had ik geen weet van?'

'Harry vertelde me dat jij een leegstaande kerk had gehuurd en een acteur in de arm had genomen om de rol van geestelijke te spelen. Het was gewoon een hele schijnvertoning.'

'Ik wou dat het waar was. De kerk was de parochiekerk die op ons landgoed staat. En onze eigen dominee heeft het huwelijk ingezegend. Dat wilde Harry per se. Ik had het allemaal liever wat eenvoudiger willen doen...' Ik keek naar de vuurtoren en de wind van zee priemde in mijn ogen, waardoor alles een beetje wazig werd.

'Harry had het idee dat je vader meer genoegen zou beleven aan een uitgebreide plechtigheid. Zodat hij eerder geneigd zou zijn om veel geld en onroerend goed aan je te schenken.'

'Dus jij dacht dat ik akkoord was gegaan met een schijnhuwelijk om geld van pa los te kloppen? Geen wonder dat je minachting voor me koesterde. Je dacht dat ik een akelige, onnatuurlijke dochter was.'

'Ik had het idee dat je sluw was, harteloos, oneerlijk... en een heel goede actrice.'

'Maar je hebt nog niet uitgelegd waarom Harry je wilde wijsmaken dat ons huwelijk niet echt was. Terwijl we juist in het bootje zijn gestapt met alle pracht en praal die een kerkelijke inzegening met bruidsmeisjes, toespraken en een complete lading tantes met zich meebrengt.'

'Tja...' Jago staarde naar een sloep die met forse slagen door een stel kerels werd voortgeroeid. 'Harry wist donders goed dat ik zijn verhaal over een hartstochtelijke affaire die binnen twee of drie maanden werd gevolgd door een stormloop naar het altaar nooit zou geloven. Omdat ik wist dat hij... al getrouwd was.'

Ik had het gevoel alsof ik kopje-onder ging. Het zal de schok wel zijn geweest. Harry was al getrouwd. De meeuw kwam naar ons toe waggelen, met zijn ogen vast op Jago's loshangende veter gericht. Hij dacht waarschijnlijk dat het een worm was.

Harry was al met iemand anders getrouwd. Wij waren nooit een echtpaar geweest. Het was allemaal één grote leugen. Ik was helemaal niet mevrouw Harry Tremaine. Ik was... mezelf. Vrij. Maar ik kon geen woord uitbrengen.

'Natuurlijk ben je nu helemaal overstuur.' Jago beende iets driftiger heen en weer. 'Dat is niet zo vreemd. Bigamie is nog steeds een lelijk woord, ook al wordt tegenwoordig elke vorm van morele censuur als een misdaad beschouwd.'

Ik moest me aan het bankje vasthouden. 'Maar wat heeft Harry op het idee gebracht dat hij dit kon klaarspelen?'

'Hij heeft hier overal rondverteld dat hij en Demelza gescheiden waren. Niemand had reden om dat in twijfel te trekken. En ik neem aan dat zijn Londense vrienden hetzelfde verhaal te horen kregen als ik.'

'*Demelza?* Maar ik dacht...' Ik sprong op en bleef midden op het pad staan, zodat hij wel moest ophouden met drentelen. 'Jíj bent toch getrouwd met Demelza?'

'Ik?'

Hij zette grote ogen op en keek zo geschrokken dat ik in lachen uitbarstte. En toen ik eenmaal was begonnen, kon ik niet meer ophouden. Pure hysterie, natuurlijk, maar ook omdat er een enorme druk van me af viel. Op Jago's gezicht maakte ontzetting plaats voor twijfel. Uiteindelijk stond hij alleen nog maar geamuseerd naar me te kijken, waarschijnlijk van opluchting omdat hij geen huilende vrouw hoefde te troosten. Minver en Mawes begonnen zomaar te blaffen.

'Koest!' zei Jago en de beide honden gingen weer languit op de grond liggen. 'Heeft Harry jou verteld dat Demelza mijn vrouw was?'

'Ja. En dat jullie niet met elkaar konden opschieten. Zoals al heel snel bleek.'

Hij haalde zijn hand door zijn haar. 'Ik vroeg me al af hoe hij haar aanwezigheid had verklaard. Ik neem aan dat je Demelza in Londen nooit hebt gezien?'

'Nee. Was ze daar dan vaak? Ik ging ervanuit dat ze na haar avontuurtje met Dickie meteen terug was gegaan naar Cornwall.'

'Ze heeft een flat in Albion Street, een zijstraat van Bayswater Road. Ze is actrice. Voornamelijk tv. Demelza is haar artiestennaam, ze heet eigenlijk Sally. Dat Cornwall-accent was gespeeld. Ik dacht dat ze gewoon probeerde om mij te treiteren, want daar is ze heel goed in. Ze is geboren en getogen in Wapping. Harry is elf jaar geleden met haar getrouwd, ook al vond ik hem nog veel te jong. Ze is twaalf jaar ouder dan hij. Toen ik haar voor het eerst ontmoette, dacht ik eerlijk gezegd dat ze een leeghoofdige mannengek was, maar dat klopt niet. Ze heeft hersens en ze accepteert Harry's ontrouw zonder al te veel te klagen. Ik denk dat ze echt van hem houdt. Maar het idee om met haar getrouwd te zijn...' Hij trok een grimas.

Nu begreep ik ook waarom Bayswater Road de laatste tijd zo'n prominente rol in mijn leven had gespeeld. Harry en Demelza. Het was nauwelijks te geloven. Maar toch... Ze waren allebei brutaal, nergens bang voor en vol minachting voor de valkuilen van de moderne maatschappij. Ik dacht aan Demelza's schaamteloze seksualiteit. En aan die van Harry. Ja, goed beschouwd waren ze eigenlijk van hetzelfde laken een pak.

'Dus toen Harry die eerste keer bij me wegging, wist jij meteen waar je hem kon vinden. Bij Demelza.'

'Ja.'

'Nu begrijp ik ook waarom het hem zo goed uitkwam dat wij niet met elkaar konden opschieten. Hij kwam halsoverkop terug uit Londen zodra ik hem vertelde dat Demelza er met Dickie vandoor was en dat jij en ik hier alleen waren achtergebleven.'

'Hij wilde natuurlijk niet dat wij over Demelza zouden gaan praten en achter de waarheid zouden komen. Dat arme mens. Ik denk dat ze Dickie gebruikte om Harry jaloers te maken. Maar Harry heeft nooit genoeg van iemand gehouden om bezitterig te worden.'

Ik keek net als Jago naar de sloep. Vroeger werden ze gebruikt als loodsboot, tegenwoordig alleen nog maar voor wedstrijden. 'Dat heeft hij wel slim aangepakt, hè? Niemand zou over haar beginnen, omdat er duidelijk haat en nijd bestond tussen jullie. Tot nu toe was Demelza voor mij een onderwerp dat vermeden moest worden. Maar waarom legde ze zich neer bij dat schijnhuwelijk tussen Harry en mij? Waarom vertelde ze me niet gewoon dat zij al met hem getrouwd was?'

'Ik neem aan dat hij met een scheiding dreigde als ze niet akkoord ging. Hij zal wel tegen haar hebben gezegd dat hij het geld nodig had. En ze weet dat hij toch altijd weer bij haar terugkomt.'

Wat moest Demelza me gehaat hebben. Ik hoopte maar dat de wetenschap dat ik werd bedrogen en dat zij Harry's echte vrouw was voor haar een troost was geweest. 'Wat was Harry van plan om te doen als ik erachter was gekomen? Was hij niet bang dat ik hem dan wegens bigamie voor de rechter zou slepen?'

'Hij heeft er vast op gerekend dat jij te trots zou zijn om een proces tegen hem te beginnen. En ik zou je dat ook niet aanraden. Het zou veel onplezierige publiciteit met zich meebrengen.'

'Ik pieker er niet over. Maar hij nam wel een groot risico.'

'Ik heb je al eerder verteld dat Harry een adrenalinejunk is. Je kunt gelukkig weer lachen, ook al heb ik het gevoel dat je eigenlijk veel nijdiger zou moeten zijn.'

'Maar dat betekent dat ik Harry serieus moet nemen. Mijn trots heeft een deuk opgelopen, maar die trekt wel weer weg nu de symbolische last van een huwelijk van me af is gevallen. Bovendien...' – we hadden genoeg over Harry gepraat – '... wil ik genieten van het feit dat ik hier kom wonen. Als het doorgaat. Die theeplantage... Dat zou aanvoelen als een nieuw begin voor Percy en mij...'

'Zou je je oude werk niet missen?'

Ik schudde mijn hoofd. Het ontwerpen van nieuwe gebouwen, dat zo hopeloos aan banden werd gelegd door modieuze en financiële factoren, was ontzettend frustrerend. Restauratie... dat was iets heel anders. Het was ongelooflijk bevredigend om iets mooois te redden dat met de ondergang bedreigd werd. En dat gold natuurlijk ook voor tuinen.

'Meende je echt dat je niet in het grote huis wilt wonen?' vroeg Jago. 'Dan zou je Pasco's huisje kunnen nemen. Het is een varkensstal, maar we kunnen het schoon laten maken. Of dat van Demelza, maar dat staat tegen de rotsen aan en is vrij donker.'

'Ik dacht dat je het huis misschien liever voor jezelf wilde houden.'

Jago pakte onze glazen op en sloeg de inhoud achterover nadat hij mij mijn glas had gegeven. Hij wilde kennelijk even nadenken. 'Wil je dat echt weten?'

'Ik geloof het wel.'

We keken elkaar aan. Jago kneep zijn ogen dicht tegen de zon die ineens verblindend werd. 'Dit heeft niets met het werk te maken, hè?'

'Nee.'

Ik maakte gebruik van de gelegenheid om zijn knappe gezicht te bestuderen. Maar toen hij zijn ogen weer opendeed, besefte ik dat het laf van me zou zijn als ik mijn blik afwendde. We bleven elkaar zwijgend aankijken en uit die blik bleek duidelijk dat onze verstandhouding inmiddels de grenzen van wat je misschien verboden terrein zou kunnen noemen al lang had overschreden.

'Iets in me – mijn gezond verstand, denk ik – zegt dat ik je dinsdag gewoon terug moet laten gaan met Conrad,' zei Jago ten slotte. 'Want als je blijft...' Hij zweeg even. 'Ik zal eerlijk zijn. Toen ik je voor het eerst de eetkamer binnen zag komen, haatte ik je niet alleen omdat ik dacht dat je een goedkope kleine oplichtster was, maar ook...' Hij aarzelde opnieuw en keek ronduit boos. 'Je weet toch wel dat er niets is wat een man bozer kan maken dan het hunkeren naar een vrouw van wie hij weet dat hij haar nooit zal krijgen? Je was echt zo mooi dat ik bijna niet naar je kon kijken.'

Dat klonk zo fantastisch dat ik bijna wegsmolt.

'Ik zag er afschuwelijk uit. Ik had in de auto liggen slapen en mijn hoedje hing op één oor.'

'Het stond fantastisch. Ik kon mijn ogen niet van je afhouden. En dat maakte me woedend.'

'Je gedroeg je klierig, maar dat zal ik je dan maar vergeven. We waren allebei misleid. Voordat ik je leerde kennen, had ik al besloten dat ik je zou helpen met je cryptogram en naar je verhalen over de oorlog zou luisteren. Daarna kwam ik erachter dat je helemaal niet was wat ik had verwacht: een verstokte vrijgezel met een sentimentele voorkeur voor jongedames.'

'Dan zat je er toch niet ver naast. Ik zou het helemaal niet erg vinden om samen met jou een cryptogram te maken. Maar ik kan me een heleboel andere dingen voorstellen die ik liever... nee.' Hij liep een paar passen weg en draaide zich weer om naar de zee. Met een strenge blik op de vuurtoren zei hij: 'Dit gaat helemaal de verkeerde kant op. Als we samen moeten werken – en ik weet nog steeds niet of dat wel zo'n goed idee is – moeten we strikt zakelijk met elkaar omgaan.' De meeuw, die misschien aangemoedigd werd door Jago's peinzende houding, vloog ineens zonder waarschuwing op hem af en hapte naar de veter. Meteen daarna vloog hij triomfantelijk krijsend weg, met een paar centimeter in zijn snavel. 'Wat zullen we nou krijgen!' zei Jago verontwaardigd. 'Die zilvermeeuwen worden echt steeds brutaler. Maar op de een of andere manier heb ik toch bewondering voor ze. Ze hebben een ongelooflijke veerkracht.'

We keken de vogel na die op de golven neerstreek, waar hij gezelschap kreeg van een paar soortgenoten die hem zijn trofee probeerden af te pikken. De onverschrokkenheid van de meeuw deed me weer aan Conrads preek denken.

'Waarom zouden we?' vroeg ik, terwijl het bloed in mijn oren begon te bonzen. De branding onder ons viel daarbij in het niet.

'Waarom zouden we wat?'

'Waarom zouden we zakelijk moeten zijn? Ik bedoel... Natuurlijk moeten we zakelijk zijn, maar zou het echt zo erg zijn als we... in onze vrije tijd een beetje minder zakelijk zouden zijn?'

Hij draaide zich met een ruk om. 'Ja! Zeker weten! Geloof me gerust, Artemis, dat zou op een ramp uitlopen.'

Zijn boze gezicht snoerde me bijna de mond, maar ik klampte me vast aan Goethe. 'Waarom zou ik je geloven? Ik weet niet waarom jij denkt dat je de toekomst beter kunt voorspellen dan ik. Hoe kun je nou zeker weten dat het een ramp zou worden?'

Hij sloeg zijn armen over elkaar. 'Nou, om te beginnen ben ik veel ouder dan jij, dus ik heb ook veel meer ervaring.'

'Dertien jaar, meer niet. En leeftijd is geen garantie voor wijsheid. Ik ken mannen die twee keer zou oud zijn als jij en die niet goed wijs zijn. Zoals die man die naast me zat tijdens de Gouden Dageraad-avond van Roza. Cardew nog-wat. Minstens zestig. Aardig hoor, maar een compleet warhoofd. En het gaat ook niet om het aantal relaties dat je achter de rug hebt. Ik heb misschien wel meer opgestoken van mijn schijnhuwelijk met Harry, dan jij van al je vrijblijvende avontuurtjes. Omdat ik me in hem vergist heb, denk jij nu dat ik een dom wicht ben, een onschuldig lammetje dat in een bos vol boze wolven verzeild is geraakt...'

Daar moest hij om lachen. 'Helemaal niet. Ik geef onmiddellijk toe dat jij een goed stel hersens hebt en dat je mij met stukken slaat als het op zelfbeheersing en vastberadenheid aankomt. Ik heb bijzonder veel respect voor je, maar ik weet ook dat je net een relatie achter de rug hebt waaruit je toch gekwetst en verward tevoorschijn bent gekomen, ook al is dat maar tijdelijk. En ik zou een schoft zijn als ik daar nu misbruik van zou maken.'

'Als we zo beginnen,' zei ik met een hautaine blik, 'dan heb jíj net een relatie met Caroline achter de rug en misschien ben jij daardoor wel zo gevoelig als een pasgeboren baby en waanzinnig in de war. Daardoor zou ík net zo goed misbruik van jou kunnen maken door harteloos alleen maar aan mijn eigen genoegens te denken, zonder rekening te houden met de gevolgen.'

We bleven elkaar strak aankijken. Ik kon de radertjes van zijn brein bijna zien draaien.

Hij deed een stap in mijn richting. 'Ik ben praktisch bankroet. Ik heb geen andere bezittingen dan een huis dat op instorten staat en een stuk of honderd uit stenen, zand en zout bestaande hectaren grond. Ik ben opvliegend, ik heb verschrikkelijke manieren en een slechte reputatie als het om vrouwen gaat.'

'Ik heb een enorme schuld bij een man die me is gaan haten, ik hou meer van jouw vervallen huis dan van het mijne – en dat wil wat zeggen – ik adoreer iedere zilte, versteende en zanderige vierkante centimeter van dit land en ik weet dat je karakterfouten hebt. Maar verrassend genoeg geldt hetzelfde voor mij en je reputatie interesseert me geen moer. De mijne is dankzij Harry ook een stuk minder glanzend dan voorheen het geval was.'

Nog twee stappen en ik kon hem aanraken. 'Ja, je bent koppig, eigenzinnig en uitdagend. En het is nog steeds waar.'

'Wat is nog steeds waar?'

'Dat ik nauwelijks naar je kan kijken omdat je zo begeerlijk bent. O, Artemis, ik wil jou of mezelf geen pijn doen. En ik heb het gevoel dat ik degene ben die dodelijk gewond zou kunnen raken. Ik heb mijn best gedaan om ongevoelig te worden voor liefde. Mijn geest kan nauwelijks meer bevatten wat genegenheid is.'

'Ik weet het. Dat risico durf ik wel te nemen.'

'Dus bij nader inzien ben je eigenlijk een vooruitstrevende vrouw.' Hij lachte, maar de stem van de oude, armlastige onverlaat trilde een beetje. 'Ik heb je zo weinig te bieden, lieve schat.'

'Ook al is het nog zo weinig, het zal me gelukkiger maken dan jij je zelfs maar kunt voorstellen.'

Hij leek verbijsterd. 'Nou ja, dan...'

Hij sloeg zijn armen om me heen. Onder ons slaakte de zee een diepe zucht die met zoveel kracht naar buiten kwam dat de golven schuimend op de rotsen sloegen. Zonder ons iets aan te trekken van het gekrijs van de meeuwen en het gejengel van de honden die zich kennelijk ongerust maakten over het gedrag van hun baasje – hoewel ze dat volgens zeggen toch vaker hadden meegemaakt – kusten we elkaar zo hartstochtelijk dat een zeemeermin er jaloers van zou worden.